나의 프랑스

나의 프랑스

100개의 테마로 이야기하는 프랑스 문화

ⓒ이상빈 2021

초판 2쇄 펴냄 2021년 11월 28일

지은이 | 이상빈
펴낸이 | 김종필
펴낸곳 | ㈜아트제ARTSEE
제작처 | ㈜예인미술

글 이상빈
편집 우남주 안율하
디자인 전병준

등록 제2020-000231호 (2020년 10월 27일)
주소 강남구 도산대로 237 현대벨로스 903호
전화 (+82) 02 517 8116
홈페이지 www.artseei.com
이메일 artsee@artseei.com

ISBN 979-11-971843-7-6 03920

책값은 뒤표지에 적혀 있습니다.
파본은 본사나 구입하신 서점에서 교환하여 드립니다.

나의 프랑스

100개의 테마로 이야기하는 프랑스 문화

이상빈 지음

ARTSEE

일러두기

1. 신문·잡지, 단행본, 장편소설은 《 》, 시, 논문, 단편소설, 그림, 영화, 음반은 〈 〉로 표기했다.
2. 인명과 책명에는 처음 한 번에 한해 원어를 병기했고, 프랑스의 주요 지명과 장소, 행사 등에도
   필요한 경우 원어를 밝혔다.
3. 주요인물이나 개념에 대한 주는 각 장 마지막에 실었다.

들어가며

이 책은 백과사전이 아니다. 엄밀한 의미에서 에세이도 아니다. 명명命名이 중요한 시대에 정작 이 책은 그 어떤 분류도 거부한다. 한 평범한 개인이 보고 듣고 느끼며 체험한 프랑스라는 대상에 대한 성실한 기록이다. 프랑스 유학 시절 느꼈던 단상, 한국에 돌아온 후에 접한 이런저런 프랑스 문화현상에 대한 소회를 섞었다. '나의 프랑스'라는 제목대로 개인적인 인상과 느낌을 세간의 '객관적인' '평가보다 더 중시했다는 이야기다. 한국 사회가 중시하는 프랑스 문화에 대해서는 이미 충분한 정보가 제공되고 있기에 굳이 살을 보탤 필요를 느끼지 않았다. 에펠탑, 루브르박물관, 바칼로레아, 혹은 향수나 와인 등이 그런 항목들이다. 그렇기에 100개의 테마에 어떤 주제가 빠지고 들어갔는지 따지는 일은 별 의미가 없다. 프랑스와 40년이 넘는 긴 시간 동안 때로는 유쾌하게, 때로는 진지하게 승부했던 나에게 강렬했던 주제들만 골랐고, 선택은 당연히 자의적일 수밖에 없다. 하지만 그 덕분에 〈나의 프랑스〉는 프랑스 문화를 다룬 여느 책보다 살아있는 느낌을 주기도 할 것이다.

책에 실린 글의 성격도 다양하다. 어떤 곳에서는 분석이, 다른 곳에서는 정보가, 또 다른 곳에서는 주장이 등장할 것이다. 글의 성격이 다양하다는 것은 필연적으로 그 양상이 변화무쌍할 수밖에 없는 인생을 책이 여과 없이 담아냈기 때문이다. 독자들은 각 주제에 대한 다양한 접근 방식을 보면서 오히려 재미를 느낄 수도 있겠다.

'나의 프랑스'라는 제목부터 불편해할 독자가 여럿 있을 것이다. 필자의 의도를 담아낸 제목인데, 제목이 갖는 함의含意를 뛰어넘는 다른 제목을 찾아내지 못했다. '나의 프랑스'라는 도발적인 표현에 일부 친구들은 '너의 프랑스'가 무슨 큰 의미를 지니냐고 반문했다. 그건 이 제목의 의미를 전혀 이해하지 못한 질문이었다. 평생 프랑스라는 주제에 압도당해온, 그러면서 딴 길을 단 한 번도 선택하지 않은 한 인간에게 이러한 제목이 갖는 의미는 상당히 크다. 정직하고 지독하게 승부했다면 나의 프랑스는 그 누구의 프랑스와도 다를 수밖에 없었다. 할애된 시간이 달랐고, 쏟아부은 애정의 크기가 달랐으며, 투여된 재화의 규모가 달랐다. 액수를 강조하려는 것이 아니다. 문화의 규모가 워낙 방대하기에, 문화의 실체를 어느 정도 파악하는데 일정 비용이 들 수밖에 없었다. 그런 열정을 통해 온몸으로 체득할 수 있었던 지식과 교양은, 혹은 단편적인 검색만으로 혹은 관념을 통해 우리 사회가 창백하게 뱉어내는 지식이나 교양과의 비교를 당연히 싫어할 수밖에 없다. 그리고 내가 기피한 지식과 교양은 이미 잘 알려진 내용에 돌을 하나 더 얹는 데 그치는 경우가 많았다. 나만의 관점이 중요했다. '나의 프랑스'란 제목의 선택은 자존심의 발로이기도 했다. 이 정도 방대한 분량의 프랑스 문화 관련 책이 당분간 한국에서 출간되기 어려울 것이라는 예상도 있고, 깊이 차원에서 프랑스 문화를 다룬 기존의 저술들을 이 책이 뛰어넘는다는 태도도 숨어 있다. 요컨대 오만하고도 시건방진 제목인 것이다.

책을 저술하며 몇 가지 관점을 견지했다.

1. 철저하게 비교문화적인 관점에서 접근했다. 책 속에서 프랑스 문화에 대한 일방적인 환상은 찾아보기 어려울 것이다. 오히려 우리 문화와 비교하면서 유의미한 이야기를 도출하는 방식, 이를 통해 우리 문화의 새로운 가능성을 모색하는 방식을 택했다. 그러기에 각 챕터 말미에는 의문부호와 더불어 질문을 던지는 문장들이 많다.

2. 아직도 우리에게 소개되지 않았거나 정보가 부족한 많은 콘텐츠에 대해 공시적인 동시에 통시적인 성찰을 모색했다. 각 주제에 대해 역사적인 전개 과정과 현재 모습을 함께 찾아낼 수 있을 것이다. 일부 주제와 관련된 정보들은 우리 쪽 문화콘텐츠 연구자들에게 꽤 도움이 될 것으로 생각한다.

3. 문화 일반, 사회, 세계, 역사, 장소, 문학, 미디어, 미술, 여행, 연극·무용, 영화, 음악, 식도락, 축제·행사라는 14개 소주제를 택했다. 의식의 흐름처럼 글이 나오는 순서대로 임의로 기술했다가 그걸 14개 소주제에 맞춰 재분류하는 과정을 거쳤다. 주제별로 균형을 맞추는 대신 글의 내용에 따라 분류했기에 분량이 많은 파트는 많고 적은 파트는 적다. 기억의 문제가 그걸 결정했을 따름이다. 사실 이런 유의 책에는 모든 것을 담을 수 없기도 하다.

책을 독자들에게 내놓기까지 참 길고도 어려운 과정을 거쳤다. 글은 필자가 프랑스에서 귀국한 1994년 이후부터 연차적으로 쓰기 시작해 서서히 보완했다. 약 20%의 글들은 다양한 매체에 이미 게재했던 원고를 토대로 다시 작성했다. 야심만만한 제목과는 달리 이 책은 역시 나의 경험치 일부만을 전달하고 있을 따름이고, 전부를 있는 그대로 보여주겠다는 나의 욕심은 부분적으로만 달성된 느낌이다. 그래도 이 정도만이라도 풀어낼 수 있었음을 감사하게 생각한다.

이 책의 출간을 위해 도움을 제공한 많은 학문적 후배들, 제자들에게 감사를 표하지 않을 수 없다. 파리의 김진아와 황진호, 스위스 제네바의 김현아는 내가 원했던 자료들을 어김없이 보내주었고, 한국의 제자들 조연경과 김예림은 여행에 동행하거나 프랑스에서 확보한 자료들을 선물하면서 이 책의 내용을 충실히 하는 데 힘을 보탰다. 진아의 꼼꼼함에는 혀를 내두를 정도였다. 아주 작은 프랑스 지방 마을까지 연락해가며 내가 원한 자료들을 한 치의 오차도 없이 구해준 진아에게 진심으로 감사드린다. 불어과 후배 임동욱, 제자 윤혜신과 김민정도 유용한 조언과 아이디어를 아끼지 않았다. 외대 불어과 제자들 유현정 강태임 박철홍 고경원 오윤정 한보라 박성빈 유수빈, 불어교육과 제자들 염수영 김나윤 염아영 이나영은 약과 건강 관련 기기들을 보내주면서 이 힘든 책이 성사될 수 있도록 응원해주었다. 음악 CD까지 보내 나를 위로해준 제자들인 불어과 유진현, 중국어과 추성목도 있다. 포스텍의 강기서 김세림 장경현 지유미 전수연 김은서 길한석 곽현정도 늘 나를 응원하며 전폭적으로 힘을 실어준 소중한 인물들이다. 그리고 무엇보다도 프랑스 유학 기간 내내 아내 상정의 전폭적인 지지가 없었더라면 이 책의 상당 부분은 미완성 상태로 남았을 것이다. 딸 진혜는 그녀가 준 가장 큰 선물이다. 그리고 내가 사랑하는 누님과 동생의 아낌없는 지원도 이 까다로운 책을 저술하는 내내 큰 힘이 되었다. 프랑스 여행이나 다른 여행을 함께한 후 한결같이 나를 지지해주고 있는 경남고 30회 '꽃아재'들 - 김재현 김진영 박찬민 이기환 이동국 이영석 이재봉 이해정 전은석 최병태 최윤성 최준영 허영재 - 도 이 책의 집필을 가능하게 해준 소중한 친구들이다. 또 2쇄가 완벽할 수 있도록 초판 원고를 꼼꼼히 읽으며 체크한 박단 송병선 이경식 정길화 박철홍(위의 불어과 제자와 동명이인) 선생들, 제자 김건휘에게도 감사를 표하고 싶다.

책의 출간을 흔쾌히 허락해주신 (주)아트제ARTSEE 김종필 대표, 책의 완성도를 높이기 위해 헌신적인 노력과 열정을 기울였던 우남주 실장, 안율하 팀장에게 감사드리고 싶다. 아트제의 첫 인문학 저서가 세련된 느낌을 준다면 예술적 감각이 뛰어난 두 사람 덕분이다. 김 대표는 메세나mécénat 형식의 지원을 통해 한국에서 빛을 보기 힘든 이 책의 출간을 아낌없이 도왔다. 한국의 인문학과 예술 발전에 대한 그의 이해와 사랑이 없었더라면 책의 발간은 상당히 늦어졌거나 불가능했을지도 모른다. 그가 아트제를 통해 추구하는 세상이 한국 사회에 울림을 만들어낼 수 있기를 빈다. 아름다운 책이 세상에 빛을 볼 수 있도록 최선을 다해준 전병준 실장, 글의 완성도를 높여준 안강휘 외주 편집인에게도 진심으로 감사드린다.

코로나바이러스가 창궐하는 시대, 대부분의 해외여행이 불가능해진 시대는 자유롭던 일상생활이 얼마나 소중했는지를, 세상과 더불어 호흡하던 그 여행이 얼마나 소중했는지를 나에게 새삼 일깨워주었다. 어떤 의미에서 책은 프랑스에 대한 우리 독자들의 이해를 심화시키려는 목적으로 기술되었지만, 지구 반대쪽 사람들이 살아가는 방식에 편견 없이 다가가 그들의 삶을 우리 것으로 만들기 위한 작업이기도 했다.

부족한 부분은 시간을 가지고 차차 보완해나가려고 한다. 독자들의 이해와 양해를 구한다. 책에 대한 반응에 따라 후속 작업도 생각해볼 수 있을 것이다. 만약 후속 작업이 필요하다면 1권 속에 들어가지 않은 내용을 정리해볼 생각이다.

2021년 10월 북촌에서
이상빈

차례

”문화 일반

”사회

》문학

》미디어

미술

여행

연극·무용

”영화

”음악

Culture
générale

Ensemble des croyances coutumières, des formes sociales et des traits matériels constituant un complexe distinct de traditions d'un groupe social ou racial.

Culture générale

문화 민주화에서
문화민주주의로

예술에 조예가 깊고 여행을 좋아하는 한 친구가 묻는다. 영미권 국가들에 비해 프랑스는 공연 가격이 왜 그리 싸냐고…… 내가 무심히 지나쳤던 문제가 친구에게는 크게 다가왔던 모양이다. 그러고 보니 프랑스에서 접했던 여러 전시회와 공연의 가격은 한국에 비해 저렴한 편이었다. 유학 시절에 연중 최고의 기획전을 만날 수 있는 공간은 오르세 미술관Musée d'Orsay과 그랑팔레Grand Palais였다. 특히 그랑팔레에서 열리는 기획전 중 작가에게 할애된 전시회는 그 작가의 작품세계 전체를 만날 수 있을 정도로 규모가 컸고, 전시 작품의 수준도 뛰어났다. 대부분의 전시는 전 세계 미술관이나 개인 수집가에게로 흩어진 작가의 주요 작품들을 망라한 느낌이었다. 그래서 유학 시절 그랑팔레에서 열리는 전시회는 가능하면 놓치지 않으려 했다. 나만이 아니라, 파리의 대학생들을 만나 대화를 나누다 보면 대부분 중요한 전시를 놓치지 않고 있었다. 전시회 입장료는 대부분 저렴한 편이었으며, 영화 관람 가격도 한국보다 싼 편이었다. 파리의 무수한 공연장이 책정한 가격도 합리적으로 느껴졌고 지방 축제의 공연 가격도 적절했다. 매달

아카데미 프랑세즈

첫 번째 일요일에는 수 많은 주요 문화공간을 일반에게 무료로 개방하고 있다. 문화와 민주주의 사이의 관계를 오랫동안 고민해온 프랑스이기에 가능한 일이었다. 비정상적으로 높은 우리 나라 공연 가격이 문화를 향유하지 못하는 사람들에게 소외감을 조장한다면, 프랑스는 대중이 문화를 가깝게 느끼도록 정책적으로 지원하고 있었다. 프랑스에서 가장 비싼 공연은 오페라 정도. 원하는 공연을 비싼 가격 때문에 누리지 못했다는 얘기를 프랑스에서는 별로 들어본 적이 없다.

사전적 의미로 '문화민주주의démocratie culturelle'는 '민주주의 내부에서 자신만의 선택을 할 수 있도록 시민은 문화에 접근할 수 있는 교육과 지식을 확보해야 한다는 원칙에 따라 2차대전 이후에 가동된 정책'이라고 규정하고 있다. 언뜻 보기에 진부하고 평범한 이런 표현은 사실 오랜 논의의 산물이다. 역사적으로 문학과 예술에 대한 국가의 개입 전통은 프랑스에서 아주 강한 편이었고, 그 역사는 르네상스 시대가 시작된 16세기 초까지 거슬러 올라간다. 프랑수아 1세François Iᵉʳ

코메디 프랑세즈

는 국내에서 출간된 모든 출판물의 사본 1부를 국왕의 도서관에 납
본하도록 규정한 의무납본 제도를 이미 1537년에 마련했다. 1635년
에는 추기경 리슐리외Armand Jean du Plessis de Richelieu가 아카데미 프랑세
즈Académie Française[1]를 설립해 프랑스어 순화와 학술 진흥을 도모했으
며, 1680년 루이 14세Louis XIV는 국립극장인 코메디 프랑세즈Comédie-
Française[2]를 개관했다. 그 밖에도 관련 사례는 무수하다. 공화국 체제에
서 교육부가 주관하던 문화 업무는 서서히 그 독자성을 인정받기 시

프랑스 18대 대통령
샤를 드골

작했고, 정책적으로는 1959년 2월 3일 문화부
가 생겨나면서 본격적으로 문화민주주의가 논
의되기 시작했다. 당시 대통령 샤를 드골Charles de
Gaulle[3]은 대문호 앙드레 말로André Malraux[4]를 초
대 문화부장관으로 임명했다. 말로는 최초의 목
표를 '문화 민주화'로 설정한다. 1959년 7월 24
일에 포고된 법령은 '인류의 주요 예술작품, 무엇

보다도 프랑스의 작품을 가능한 한 많은 프랑스인이 쉽게 접근할 수 있도록 하고, 문화자산에 가장 많은 사람들이 접근할 수 있도록 하며, 예술작품의 창조행위와 그것을 풍요롭게 해주는 정신에 혜택을 주도록 함을 사명으로 한다'는 내용을 담고 있었다. 그 일환으로 1961년부터 르아브르Le Havre, 캉Caen, 그르노블Grenoble, 아미엥

대문호 앙드레 말로

Amiens, 부르주Bourges, 렌Rennes, 렝스Reims 같은 지방의 주요 도시들에 문화의 집Maison de la Culture이 들어서고, 현재 지방문화사무국Direction Régionale des Affaires Culturelles(DRAC)의 전신인 지방문화위원회가 만들어진다. 예술 창작과 보급을 목적으로 설립된 문화의 집은 문화예술에 대한 접근성이 떨어졌던 농어촌지역이나 도시 변두리 사람들에게 언제든지 문화예술을 접할 수 있는 환경을 제공했는데, 지방문화 분권화 정책과 맞물리며 국가가 직접 고급문화를 전파하는 역할을 담당하게 된다.

하지만 말로는 문화의 교육적 기능을 배제하는 실수를 저질렀다. 말로 입장에서 문화적 행위는 '예술적 충격choc artistique'에 기초해야 했다. 하지만 말로가 떠난 후 1970년대에 '문화개발développement culturel'이라는 개념이 자크 뒤아멜Jacques Duhamel에 의해 피력된다. 문화예술 작품의 양적 보급만으로는 대중의 문화예술 향유 기회가 늘어나지 않는다는 것을 인정한 프랑스 정부는 문화개발을 정책 방향으로 받아들여 공격적인 참여형 문화정책을 시도한다. 문화예술에 대한 지식과 감성을 갖추지 못한 관객이 문화적 역량을 갖출 수 있도록 돕는 쪽으로 방향을 튼 것이다. 1981년 프랑수아 미테랑François Mitterrand[5] 정권 때 자크

아미엥 문화의 집

프랑스 21대 대통령
프랑수아 미테랑

랑Jack Lang[6]이 문화부장관으로 취임하면서 혁신적인 방향 전환이 이루어진다. 메이저 예술과 마이너 예술 사이의 구분이 해체되고, 축제와 국가 차원의 문화행사가 강화되며, 모든 프랑스인이 참여하는 아마추어 예술이 강조되었다. 또 말로 때와는 달리 예술과 교육을 연계시켰다. 문화부가 주관하거나 지원하는 문화 프로그램 중 다수는 이때 이후 생겨난 것으로, 유럽 문화유산의 날Journées européennes du patrimoine, 국립 고고학의 날Journées nationales de l'archéologie, 프랑스어 및 프랑스어권 주간Semaine de la langue française et de la francophonie, 음악의 축제Fête de la musique, 시인의 봄 Printemps des Poètes, 프랑스 독서 축제Fêtes de la lecture en France, 정원에서의 만남Rendez-vous aux jardins, 예술사 축제Festival de l'histoire de l'art, 유럽 박물관의 밤Nuit européenne des musées 등이 국가가 주관하는 주요 행사들이다. 오늘날 프랑스 문화부는 예술교육과 문화교육을 강화하면서 문

화 민주화를 위한 본격적인 정책을
펼치는 중이다.

du 13 au 21 mars 2021

La *Semaine*
de la langue française
et de la Francophonie,
un bol d'air !

프랑스어 및 프랑스어권 주간 포스터

정리하자면, 소수가 독점하는
문화는 사회적 불평등을 심화시키
기에 문화부는 더 많은 사람이 문
화에 접근할 수 있도록 문화를 민
주화하는 데 먼저 주력했고, 다음
으로 사회적 형평성을 고려해 대중의 예술 참여를 강조하기에 이른 것
이다. 오랫동안 파리에만 지원이 집중됨에 따라 간과되었던 지방문화
역시 본격적으로 논의의 틀 속으로 들어오게 되었다. 문화민주주의는
개인과 문화예술 작품 간의 소통을 위한 정부의 개입을 허용했고, 그
에 따라 교육 기능과 교육 활동은 문화 민주화에서 아주 중요한 개념
으로 자리 잡는다. 개인의 문화와 집단의 문화는 서로 대립하는 대신
상호 보완적인 관계를 구축하고 있다. 물론 문화에 대한 국가의 역할
은 대혁명 이후 개념인 자코뱅주의Jacobinisme[7], 다시 말해 개인의 안녕
과 복지를 관장하면서 신과 같은 역할을 수행하는 국가에 대한 생각
과 부분적으로 맞물려 있다.

한국 이야기로 돌아오자. 적어도 1980년대에 국가 주도의 문화에
대한 반감은 대단히 큰 편이었다. 그 이유는 국가 이데올로기를 위해
문화를 동원했던 우리 역사와 관련이 있었다. 게다가 요즘도 나의 귀
에 자주 들리는 무시무시한 소리가 있다. "속물들이 많은 한국에서는
티켓 가격이 싸면 공연의 수준을 의심하기에 가격을 무조건 비싸게 매
겨야 한다"고……

하지만 아무리 해외 공연단체 초청 비용이 많이 들지라도 지금 가격은 절대 정상적이지 않다. 예를 들어 2019년 남프랑스 생폴에서 열리는 조성진 공연의 가격과 한국에서 열리는 조성진 공연 가격을 비교해보길. 파리에서 선보이는 무수한 공연 가격과 한국의 다양한 공연장이 제시하는 금액을 비교해보길. 게다가 우리는 약간의 불편을 감수해야 하지만 저렴한 가격으로 공연을 관람할 수 있는 C, D좌석이 거의 없는 반면 프랑스에서는 이런 좌석이 없는 곳이 오히려 비정상이다. 과연 어떤 모습이 바람직할까? 우리 사회가 문화에 대한 근본적인 생각부터 재고해야 하지 않을까? 문화에 대한 해석은 개개인의 자유라 할지라도, 문화에 접근하고 경험하는 것 자체가 어려워서는 안 된다.

오늘도 소셜네트워크 여기저기에 "난 이런저런 공연을 봤어." "난 이런 문화를 즐겼어."라는 자랑이 넘쳐난다. '소외'와 '속물근성'의 또 다른 표현방식들이다. 이 글을 쓰다가 알제리 작가 카텝 야신Kateb Yacine[8]이 머릿속에 떠오른다. 프랑스 식민주의자들이 남겨준 언어를

통해 시쳇말로 지식인이 된 그는 프랑스어로 소설을 썼지만, 정작 알제리 민중은 그의 글을 읽지 않았다. 나중에 카텝 야신은 소설을 집어던지고 아랍어로 된 연극을 만들어 민중을 개화한다. 어느 것이 함께 살아가는 방식이고 또 어느 것이 진짜 문화일까?

알제리 출신 작가
카텝 야신

국가가 주관하는
문화 이벤트들

프랑스에서 국가가 복지만큼이나 많은 관심을 기울이는 분야가 바로 문화다. 문화부가 주관하는 굵직굵직한 행사가 많고, 민간의 노력과 별도로 국가가 문화 분야에 폭넓은 관심을 기울이고 있었다. 머릿속에 당장 떠오르는 유럽 문화유산의 날, 음악의 축제, 시인의 봄, 프랑스 독서축제, 정원에서의 만남 외에도 유럽 고고학의 날, 프랑스어 및 프랑스어권 주간, 예술사 축제, 유럽 박물관의 밤 등 무수한 행사가 문화에 대한 국민의 관심을 증폭시키고 있었다. 파리시가 주관하는 백야 축제도 있었다. 프랑스 유학 시절 후반에는 한국에서도 국가 주도 문화행사에 대한 반감이 서서히 사라져가던 터라 한국에서 앞으로 어떤 행사를 도모해볼 수 있을지가 늘 나의 관심사였다.

그리고 국가 주도의 다양한 프랑스 행사들은 점차 유럽 전역에 확대되면서 '유럽 ○○의 날'이라는 타이틀을 달게 되는 경우가 많았다. 문화유산의 날이 그랬고, 고고학의 날이 그랬다. 책의 다른 챕터에서 문화민주주의와 문화유산의 날을 별도로 다루었기에, 중복되지 않는 주요 이벤트 일부를 다뤄본다.

2020년 음악의 축제 포스터

음악의 축제Fête de la Musique

음악의 축제는 연중 낮이 가장 긴 6월 21일 전 세계에서 동시에 개최된다. 행사 대부분은 저녁과 밤에 열리며, 다음 날 새벽까지 이어진다. 1982년 프랑스에서 처음 개최되었고 1985년 이후 유럽 전역으로 확산되어 현재는 5대륙 110개 국가, 340개 이상의 도시가 이 행사를 열고 있다. 프랑스어 명칭이 영어권 및 독일어권 국가들에서도 통용되지만, 'World Music Day', 'Make Music!' 같은 표현도 함께 사용되고 있다.

행사는 1976년 당시 프랑스뮈지크 라디오방송에서 일하던 미국 음악인 조엘 코엔Joel Cohen이 구상했다. 코엔은 1년에 두 차례, 하짓날과 동짓날 '음악 해방의 시간Saturnales de la Musique' 행사를 열자고 방송에서 처음 제안했는데, 그의 꿈은 1976년 6월 21일 툴루즈Toulouse에서 실현되었다. 1981년 대통령 선거가 끝난 후 이 계획이 당시 문화부 장관이던 자크 랑에 의해 채택되었고, 실무를 담당한 모리스 플뢰레Maurice Fleuret에 의해 시행된 것이다. 첫 행사는 1982년에 열렸지만 1983년 하짓날부터 '음악의 축제'가 공식적으로 선언되었다.

2011년에 이 축제는 완전히 국제화되었다. 전문 연주자와 아마추어 연주자들이 여는 수많은 콘서트 덕분에 클래식, 재즈, 록, 월드뮤직, 전통음악 등 온갖 종류의 음악을 접할 수 있다. 이 축제는 매년 더

욱 풍요로워지고 있는데, 문화부
에 따르면 프랑스에서만 전국에서
1만 8,000개 이상의 행사가 열리며
1,000만 명 이상이 참여해 즐긴다.

백야 축제Nuit Blanche

2002년에 파리에서 처음 개최
된 백야 축제는 10월 첫 주 토요일
에서 일요일로 넘어가는 밤에 열리
는 연간 예술행사다. 박물관, 문화
관련기관, 공적 혹은 사적인 공간

2020년 백야 축제 포스터

을 일반인들에게 무료로 공개하는 것을 원칙으로 하며, 이 공간들에
작품을 설치하거나 예술 관련 퍼포먼스를 여는 방식을 택한다. 현대
예술가들은 평소 일반인 출입이 금지된 장소에서 자신의 예술을 펼쳐
보일 수 있다. 2002년 프랑스 파리의 백야 축제를 기본 콘셉트로 로
마, 몬트리올, 토론토, 브뤼셀, 마드리드, 리마 등에서 개최되고 있다.
조명, 조형물, 서커스와 무용 퍼포먼스, 스트리트아트, 비디오아트 등
을 결합한 형태의 이벤트가 많다.

유럽 박물관의 밤Nuit européenne des Musées

1977년 지정된 '세계 박물관의 날Journée internationale des Musées'인 5월
18일에서 가장 가까운 토요일에 열리는 행사로, 새로운 관람객을 박
물관으로 끌어들이기 위해 하루 동안 야간에 박물관을 동시다발적으
로 개방하는 형태를 하고 있다. 대부분 무료다.

2020년 유럽 박물관의 밤 포스터

1999년에 프랑스 문화부는 프랑스의 모든 박물관이 봄철의 어느 일요일에 무료로 문호를 개방하기를 제안했다. 일반인들이 '아주 가까이 있지만 때로는 너무나 멀게 느껴지는' 박물관으로 향하도록 하려는 목적으로 구상된 이 행사는 2005년 프랑스에서 '박물관의 밤'으로 탄생했다. 젊은 관객들이 늦은 시간에 박물관을 찾을 수 있도록 한 것이다. 축제의 정신과 함께 유럽 전역으로 확대된 '유럽 박물관의 밤' 행사는 해가 질 무렵부터 시작해 밤 1시경에 끝난다. 그 시간까지 관객들은 박물관을 채운 공동의 문화유산이 지닌 풍요로움을 맛보게 된다.

파리 플라주Paris Plages

파리 플라주는 파리시가 2002년부터 개최하고 있는 여름 행사다. 매년 7월에서 8월 중순 사이에 센Seine강과 파리 시청 우안에 3.5km 길이의 인공 해변을 조성해 방문객들을 맞이하고 있다. 2007년부터는 파리 동북쪽 빌레트Villette 지역도 행사에 동참하고 있다. 행사가 열리는 동안 자동차 통행로는 차단된다.

원래 이 행사는 1995년 당시 파리 시장이던 장 티베리Jean Tiberi가 여름철 일요일마다 보행자들을 위해 조르주-퐁피두 차로voie Georges-Pompidou를 차단한 데서 유래했다. 2001년 파리 시장 선거에서 사회당

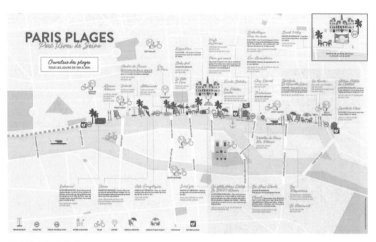

파리 플라주 행사 지도

베르트랑 들라노에Bertrand Delanoë
가 당선되고 이후 사회당과 녹색
당이 의회의 다수를 차지하게 되자
매년 여름 이런 조치를 확대하기로
결정했다. 바캉스를 떠나지 못한
파리 사람들에게 해변에서 체험할
수 있는 오락거리를 제공하는 것

파리 플라주 전경

을 주요 목표로 삼고, 가장 붐비는 파리의 거리 중 하나를 차단할 수
있도록 해주었다. 이 시기가 경제활동이 적은 여름이지만 파리 플라주
덕분에 경기부양 효과가 발생한다. 매년 행사는 더욱 풍요로워지는
중이며, 야자수, 비치발리볼 코트, 샤워장 설치 등 다양한 아이디어가
동원되고 있다.

현재 비슷한 행사를 여는 도시 및 마을은 브리브라가이야르드Brive-
la-Gaillarde, 샤를르빌메지에르Charleville-Mézières('뒤칼 플라주Plage Ducale'), 루앙

2020년 시인들의 봄 포스터

Rouen('루앙 쉬르 메르Rouen sur mer'), 생캉탱Saint-Quentin 등이 있다.

시인들의 봄Printemps des Poètes

시인들의 봄은 1999년 3월 시작된 프랑스어권 행사로, 프랑스 전역과 캐나다 퀘벡주에서 열린다. 최초로 제안한 인물은 자크 랑의 측근이던 엠마뉘엘 어그Emmanuel Hoog로, 그는 앙드레 벨테르André Velter와 함께 첫 3년간 이 행사 진행을 책임졌다. 1982년 처음 개최된 '음악의 축제'를 본떠 가능한 한 많은 사람이 프랑스 전역에서 모든 종류의 시를 다룬 수천 개의 행사를 즐기도록 하는 것을 목표로 삼았다.

매 행사는 특별한 주제를 선정해 그에 따라 영감을 발휘하도록 하고 있다. 2006~2020년의 주제를 살펴보면, 도시, 사랑, 타자 예찬, 웃음, 여자의 색깔, 무한한 풍경, 어린 시절, 시의 목소리, 예술의 중심에서, 시의 반란, 위대한 20세기, 아프리카, 격정, 아름다움, 용기 등으로 다양했다.

매년 1만 2,000개 이상의 행사가 봄이 시작되는 3월에 열린다. 2016년에는 행사 전체가 시 부문 공쿠르상Prix Goncourt[9]을 수상했다.

정원에서의 만남Rendez-vous aux Jardins

2003년부터 정원을 주제로 매년 프랑스 문화부 주관하에 열리는 행사다. 6월 첫 번째 주말에 열린다. 일반에 개방하는 정원의 숫자는 매년 늘어나고 있는데, 2003년 930개에서 2019년에 2,300개로

2021년 정원에서의 만남

늘어났다. 국립 혹은 민영 정원과 공원들을 대상으로 한 이 행사는 이러한 장소들이 독서, 연극, 콘퍼런스, 전시회, 만남, 시연, 콘서트를 위한 공간으로 자리 잡게 하는 데 목적을 두고 있다. 가이드 동반 투어, 강연, 아틀리에, 전시 및 공연 등 부대 행사만도 4,000개에 달한다. 방문객들은 나눔의 정원, 치유의 정원, 환경을 중시하는 정원 등 사회적 주제를 테마로 한 여러 형태의 정원을 방문해볼 수 있다. 2017년 행사는 '정원에서의 나눔Le Partage au jardin'을 주제로 내세웠고, 2018년 주제는 '유럽의 정원들L'Europe des jardins'이었다. '정원의 동물들Les Animaux au jardin'을 주제로 삼은 2019년 행사를 200만 명 이상이 찾았지만, 코로나바이러스 때문에 2020년 행사는 열리지 못했다. 2021년에는 6월 4일부터 6일까지 '지식의 전달La Transmission des savoirs'을 주제로 열렸다.

프랑스어, 다언어주의 그리고 유럽

유럽 통합이 가속화되면서 제기되는 가장 큰 문제는 종교적 정체성과 언어 문제일 것이다. 먼저 이슬람교 국가 터키의 유럽연합European Union(EU) 가입을 기독교 문명권에 대한 심각한 위협으로 간주하고 있는 나라들이 적지 않기에, 향후 어떤 국가를 유럽연합에 포함시키고 어떤 나라를 배제할 것인가 하는 문제를 놓고 계속 진통을 겪을 것임은 틀림없다. 또 언어적 측면에서는 공용어가 점점 늘어나는 현실로 미루어 방만해진 통역과 번역 비용을 줄이는 쪽으로 정책을 선회하리라는 것도 짐작할 수 있다.

　그러나 언어가 정신의 반영인 탓에 문제의 해결은 결코 쉽지 않아 보인다. 일부 유럽의 석학들은 유럽 정체성을 구성하는 가장 중요한 요소로 다언어주의polyglottisme를 꼽으면서, 현재까지 견지해온 유럽의 다양성을 유지하기 위해서라도 다언어주의를 고수하자고 강조한다. 프랑스의 언어학자 클로드 아제주Claude Hagège[10], 이탈리아의 움베르토 에코Umberto Eco[11]가 그 대

프랑스 언어학자 클로드 아제주

표적 인물들이었고, '문화적 예외 exception culturelle' 개념을 줄기차게 강조해온 프랑스는 에코의 주장을 대단히 비중 있게 취급한 바 있다.

유럽 통합의 선구자 장 모네

에코의 주장은 귀담아들을 여지가 있다. 다언어주의의 반대편에는 아마 영어로 획일화된 세상이 존재할 텐데, 그러한 세상은 상대주의적 관점을 용납하지 않을 것이다. 언어가 통일된 세상은 모두가 같은 목소리를 내는 전체주의 사회와 별반 다르지 않다. 유럽이 우리에게 특별한 의미를 지니는 것은 인본주의와 인권, 다양성과 관용 측면에서 더없이 다채로운 시각을 보여준 데 있지 않을까? 유럽공동체를 설계해 유럽 통합을 시작한 선구자 중 한 명인 장 모네Jean Monnet[12]는 "유럽 통합에 있어 다시 만들 것이 있다면, 그것은 바로 문화적 정체성의 통합부터 시작해야 할 것이다."라고 주장한 바 있다. 이를 정면으로 반박하면서 에코는 유럽의 문화적 정체성은 이미 존재한다고 확신했다. 그는 유럽이 역사와 뿌리를 공유하고 있으면서도 정작 유럽인들은 그것을 덜 느끼고 있을 따름이며, 따라서 개개인이 그러한 정체성을 더 잘 느낄 수 있도록 도와야 한다고 생각했다.

에코의 눈에 각 언어는 서로 다른 세계의 모델을 제시한다. 그렇기에 보편적 언어를 상정하는 것은 가능하지 않으며, 차라리 하나의 언어에서 다른 언어로 넘어가는 것이 낫다고 보았다. 언어가 다양하다는 것은 곧 풍요로움을 뜻한다. 유럽이 수 세기 동안 이러한 풍요로움을 간과한 것은 그리스어, 라틴어, 프랑스어, 영어 등 다른 언어에 대해 지배적 역할을 담당한 언어가 항상 있어왔기 때문이라고 그는 주장한다. 그러나 타 언어를 모른다는 것은 항상 불관용을 낳지만, 언어가 통한다고 해서 관용이 생기는 것도 아니다. 에코는 언어의 문제를 문명사와 연계시키기까지 했다. 역사를 들여다보면 사람들은 상대방 언어와 문화를 완벽하게 이해하면서도 대살육을 자행했다. 지식이라는 것이 불화와 거부의 요소가 되어버린 것이다. 역설적이기는 하지만 영어로 통일되는 세상을 꿈꾸기보다는 서로 간에 비밀스러운 부분을 남겨놓고 언어로 인한 완벽한 의사소통을 제한하는 것이 오히려 세계 평화에 도움이 될 수 있다는 얘기다. 적어도 문화 쪽에서 보자면 그 많은 외국어의 존재는 대문호 앙드레 말로가 주창한 '상상 박물관'을 구성하게 하는 필요충분조건이다. 그 박물관에서는 모든 예술품(언어)이 등가적인 존재이다. 정치나 경제를 바탕으로 한 힘의 논리는 이곳에서 통하지 않는다.

에코는 국제사회에 '통용어'가 필요하다는 사실을 부정하지는 않았다. 하지만 통용어는 시대의 흐름에 따라 변할 따름이다. 예를 들어 아프리카 사람들은 스와힐리어를 발명했고, 현재 그 언어는 아프리카 대륙 대부분의 나라에서 통용된다. 또 유럽에서는 고대와 중세의 통용어가 라틴어였지만, 근대에는 프랑스어가 라틴어를 대체했으며, 오늘날에는 영어가 그 역할을 담당하고 있다. 하지만 지구상의 어떤 권력도 이미 사용하고 있는 언어를 바꾸라거나 통용어를 강요할 수 없다. 언어가 일종의 생물학적 힘이기 때문이며, 정치적 결정에 따라 그것을 바꿀 수 없기 때문이다. 에코가 생각하기에 영어의 득세 원인은 그 언어가 프랑스어나 이탈리아어보다 더 배우기 쉽고, 미국이 전쟁에서 승리를 거두었다는 데 있다. 그가 보기에 프랑스인들은 영어에 맞서

싸우는 척하지만, 정작 그들이 가장 두려워
하는 대상은 독일어다. 베를린 장벽이 붕괴된
후 동유럽은 독일어를 전면에 내세우는 다언
어주의의 주 무대가 되었으며, 따라서 유럽
내에서 독일어의 중요성이 높아질 기회는 배
가되었다. 그럼에도 오늘날 세계에서는 그 어
떤 언어도 지배적 통용어로 결정적으로 자리
잡지 못할 것이라고 에코는 진단했다. 로마

프랑스 철학자 미셸 드 몽테뉴

인이 세상을 지배할 때에도 로마의 석학들은 그리스어를 구사하면서
서로 소통했다. 로마제국이 멸망하면서 라틴어가 유럽의 언어로 자리
잡았지만, 미셸 드 몽테뉴Michel de Montaigne[13]의 시대에는 이탈리아어가
문화의 표상이 되었고, 그 후 3세기 동안에는 프랑스어가 외교 언어로
자리매김했다. 에코는 50년 후 국제 통용어가 아랍어나 중국어가 될
수 있다는 사실을 배제하지 않지만, 오직 야생의 다언어주의만이 유럽
의 정체성을 살릴 것이라고 생각했다. 언어에 대한 에코의 이러한 생각
은 유럽의 변화를 지속적으로 추구하되, 그 바탕에 현재의 유럽을 떠
받치는 개념들이 전제되어야 한다는 사실을 확인시켜 준다. 바벨탑이
무너지면서 인간은 소통 불능이라는 고통을 떠안게 되었지만, 수많은
언어들은 세상에 대한 이해가 그만큼 복잡다단할 수밖에 없다는 사
실을 명료하게 보여주고 있다.

　국제화 시대에 한 언어가 다른 언어에 영향을 미치는 것은 부정할
수 없다. 그것은 작가와 미디어가 수행하는 기능이기도 하다. 외국어
를 어떤 방식으로 받아들이는가는 해당 사회의 유연성에 따라 차이가
난다. 예를 들어 프랑스인들은 이탈리아어 '브라보bravo(우수한)', '알레

그로 마 논 트로포allegro ma non troppo(빠르게 그러나 적당히)', '바스타Basta(충분하다)', '페스타Festa(축제)', 일본어 '스시sushi' 같은 단어들을 자국어로 받아들여 사용하면서, 왜 독일의 함부르크라는 지명에서 유래한 '햄버거hamburger' 같은 단어는 배제하는지 에코는 묻고 있다. 단어 선정에 대해서도 그는 딴지를 건다. 예를 들어 세계 전체가 받아들이고 있는 '소프트웨어software'라는 단어 대신 꼭 '로지시엘logiciel'이라는 프랑스어가 필요했느냐고 그는 반문한다. 반면 프랑스인들은 '잡job'이라는 영어를 거리낌 없이 사용하면서 '트라바유travail', '불로boulot', '앙플루아emploi' 같은 일자리와 노동에 관련된 단어들을 모두 그에 통합시켜버렸다. 에코가 보기에 그것은 외국어의 어리석은 차용에 지나지 않는다. 언어의 차용에 있어서도 현명함이 필요하며, 그러기 위해서는 언어의 문제를 놓고 진지한 고민이 요구된다는 얘기다.

확대되는 유럽은 문화와 언어의 통합에 얼마나 영향을 줄까? 폴란드 문화와 터키 문화 사이의 간극은 대단히 크다. 인류에 공통된 문화를 제외한다면 양국 문화의 공통점은 거의 없다고 해도 과언이 아니다. 하지만 유럽연합의 통합이 점점 본격화하면서 이제 유럽인들은 문화의 정체성과 그것의 바탕을 이루는 언어 문제에 대해 심각하게 고민하지 않을 수 없는 상황을 맞았다. 영어로 획일화되는 세상을 전제하는 것은 곧 유럽의 고민을 단순화하는 것이며, 그러한 편의주의적 발상은 쉽게 포퓰리즘과 합류하기도 한다.

에코의 입장에서 볼 때 포퓰리즘은 실재하지 않는 모호한 총체이자 사람들이 '민족'이라 부르는 것에 대한 감정적이고도 직접적인 호소를 의미한다. 그는 전염성이 대단히 강한 이데올로기인 포퓰리즘이 유럽을 위협하고 있다고 강조했다. 그러한 위기가 언어 통합에 대한 '순진한' 신념에서 비롯되기도 한다는 생각은 정녕 틀린 것일까? 에코는 2016년 세상을 떠났지만 그가 던진 화두는 철 지난 이야기가 아니다. 우리의 언어는 과연 어떤 세상을 꿈꾸면서 세상과의 소통을 시도하는 중일까?

프랑스식 예절,
알고 보면 문화충격

처음 프랑스에 관심을 가지던 무렵 나를 가장 당혹스럽게 만든 것은 프랑스식 예절이었다. 우선 호칭에서부터 상대를 존중하며 부르는 부 Vous와 친근한 뉘앙스의 튀Tu를 구분하는 문제가 머리를 아프게 했다. 유You 하나로 모든 것이 통용되는 영어 호칭과는 달리 상대방을 부르는 프랑스어 표현은 둘을 어떻게 구분해 사용해야 하는지 늘 고민하게 했다. 시간이 지나며 프랑스가 지독할 정도로 계급사회이고, 빈부를 드러내는 것을 터부시하는 대신 교양과 사회계급의 지표를 뜻하는 학위를 중시한다는 점을 알게 되었다. 나는 호칭 역시 하나의 구별 짓기에 다름 아니라는 느낌을 받았고, 그런 다음부터는 대상과의 '심리적 거리'가 호칭 선택에 결정적으로 작용하고 있음을 깨달았다. 아주 흥미로운 점이 있다. 전통과 기성 질서를 중시하며 권위와 예절을 강조하는 우파 성향을 가진 곳에서는 Vous를 사용하는데, 좌파 성향을 지닌 집단에서는 자연스럽게 Tu를 택하고 있었다. 일반적으로 Vous는 모르는 사람, 직급이 높은 사람, 나이가 더 많은 사람에게 사용한다고 규정하고 있지만, 나에게는 프랑스가 다른 유럽 국가나 앵글로

색슨 세계보다 계급이나 신분을 더 따지는 사회라는 느낌을 주었다. 그런 모습은 라틴아메리카와 남유럽의 일부 국가들에서도 찾아볼 수 있다. 비록 내 생각이 절대적인 진실은 아니고 일반화하기에 무리가 따를지라도, 상대에 따라 호칭을 달리하는 것은 프랑스 문화 속에

서로 뺨을 맞대어 비주 인사를 하는 풍경

계급의 의미가 각별하다는 사실을 보여준다.

그런 섬세한 문화는 프랑스에서 다양한 방식으로 접할 수 있었다. 프랑스인과 만나 인사를 건넬 때는 통상 세 가지 방식이 있다. 뺨을 맞대는 '비주bise(혹은 bisous)' 인사를 할 수도 있고, 악수할 수도 있으며, 그냥 '봉주르Bonjour'라고 말할 수도 있다. 나는 어느 정도 프랑스 생활에 익숙해지고 나서 비주를 나누기 시작했다. 일반적으로 남성과 여성 사이, 여성과 여성 사이에 비주를 교환하는데, 간간이 남자끼리 비주를 할 때도 있었다. 양쪽 뺨에 한 번씩 두 차례 하는 것이 일반적이지만, 지역에 따라 횟수는 네 번까지 늘어났다. 하지만 이러한 횟수 역시 친밀도에 따라 달라지는 경우가 많았다. 인사를 나누는 방식은 내가 처한 상황, 상대의 성별, 계급적 차이, 직장 동료냐 친구 사이냐에 따라 달랐고, 공식적인 인사일 경우 악수를 할 때가 많았다. 너무 내밀하다고 생각되는 미국식 '허그hug'에 대해서는 많은 프랑스인이 불편을 느낀다고 했다.

약간이라도 타인에게 피해를 주었을 경우 프랑스인들은 예외 없이 즉각 '파르동Pardon(미안합니다)'이라 말했고, 좀 더 미안함을 표현할 경

우 '엑스퀴제-무아Excusez-moi(실례합니다)'를 덧붙였다. 그리고 무언가를 원할 때 직설법인 '주 뵈Je veux(나는 …을 원합니다)'라는 표현 대신 '주 부드레Je voudrais(나는 …을 하고 싶습니다)'라는 조건법을 구사했고, 어디에서든 크게 말하는 법이 없었으며, 누군가의 나이를 물어보지 않았고, 선물을 받았으면 즉시 개봉해 감사를 표했다. 지하철역, 백화점, 학교 등 장소를 가릴 것 없이 자기를 뒤따라오는 사람이 대략 5m 이내에 있다면 문을 잡고 기다려주는 일이 다반사였다. 그 정도로 프랑스인들은 예절을 중시했다. 뭔가 말하거나 요구하기 전에 프랑스인들은 먼저 인사를 건넸다. 일부 사람들은 봉주르가 단순한 인사 이상이라고 말하기도 한다. 예를 들어 가게에 들어서며 상인에게 봉주르라고 인사하지 않은 경우에도 예의가 없다고 평가되는 것이다.

완전히 우리와 다른 문화도 눈에 들어왔다. 예를 들어 토론 문화는 처음 프랑스 땅에 발을 디뎠을 때 나에게 아주 낯설게 느껴졌다. 프랑스인들에게 토론은 라이프스타일의 일부를 이룬다. 대부분의 프랑스인은 시사 이슈, 사회, 정치, 사상 등 모든 문제를 놓고 언제든지 진지하게 토론할 준비가 되어 있는 느낌이었다. 그리고 정치 문제에 대한 토론은 오래전부터 프랑스인의 삶의 중심에 놓인 것 같았다. 늘 설득하고, 설명하며, 정당화해야 하니 논리가 자연스럽게 구축되는 것 같기도 했다. 회사에서 갖는 회의는 결정을 내리는 자리라기보다 토론하고 분석하는 자리에 가까웠다. 프랑스에서 접한 재미난 TV 프로그램도 있었다. 사회자를 가운데 두고 한 주제를 놓고 입장이 완전히 다른 두 진영이 양쪽에 앉아 토론을 벌이는 프로그램이었다. 하지만…… 양측은 서로의 이야기를 전혀 듣지 않았다. 상대방의 말을 듣지 않고 중간에서 끊는 것이 당연했다. 우리라면 무례하다고 격노할

만도 한데, 그들은 아무렇지 않게 넘겼다. 어차피 서로 다른 입장이기에 상대의 말을 전혀 들을 필요가 없다는 식이었다. 한 시간 내내 각자 시끄럽게 토론하던 프로가 끝나면 귀가 멍했다.

　나 역시 토론과 논리에 관해서는 몇 가지 기억나는 일이 있다. 1994년 박사학위를 받은 후 미국을 거쳐 한국으로 들어올 때 파리 주재 미국 대사관을 찾은 적이 있다. 딸 진혜가 태어난 다음 해의 일이었다. 삼십대 중반쯤 되어 보이는 아주 지적이고 날카롭게 생긴 여자 영사가 아내에게는 10년간 유효한 복수비자를 주면서 나에게는 비자를 발급할 수 없다고 했다. 하늘이 무너지는 기분이었지만, 마음을 추스른 후 내가 되물었다. 영사는 "당신들 다시 프랑스로 돌아오지 않는 편도표를 샀지요?"라고 물었다. 내가 그렇다고 대답했다. 영사는 계속해서 "어린아이까지 데리고 가족 모두가 미국 들어가지 않나요?"라고 물었다. 불법체류자가 될 것을 의심하는 눈치였다. 그래서 내가 차분하게 '논리적으로' 따졌다. "만약 당신이라면 7년간 산전수전 고생해서 문학박사학위를 받은 다음에 바로 미국에 들어가 불법체류자 되겠느냐?"라고. 이미 두 번이나 미국 다녀온 경험이 있기도 했다. 그랬더니 영사는 아무 말을 하지 못했다. 잠시 시간이 흐른 후 그녀는 나에게 한 번만 미국에 들어갈 수 있는 단수비자만 주겠다면서 복수비자는 한국 들어가서 해결하라며 물러섰다. 논리로 이긴 싸움이었다. 그 밖에도 무수한 경험이 있지만 이 정도로 이야기하련다.

　프랑스인들은 상황에 따라 직접적으로 표현하고 솔직함에 큰 중요성을 부여하지만 동시에 암시적인 유머를 구사한다. 그래서 많은 외국인은 이러한 타입의 유머에 때때로 당황하기도 하며 잘 적응하지 못한다. 또 프랑스인들은 간접적으로 모호하게 말해서 그 진의를 파악하기가 어려울 때도 많다. 그런가 하면 공식적인 관계에서 프랑스인들은 중립적이고도 명료하며 진지한 관계를 선호한다. 특히 일과 관련해서는 예기치 않은 행동이나 부주의한 발언을 싫어하는 경향이 있다.

어쨌거나 타문화와의 만남이 가져다주는 설렘과 불편함은 모두 '문화충격Choc culturel'이라는 표현으로 통칭될 수 있을 것이다. 이것을 피할 수 없다면 즐기는 편이 낫다. 일반적으로 문화충격을 극복하는 과정은 대동소이하다. 처음에는 새로움에 대해 행복과 호기심을 느끼다가, 시간이 흐르며 자기 것과 다른 언어, 행동방식, 이데올로기 등 온갖 요소가 좌절과 분노, 불안감을 낳는다. 그때 타문화에 대한 적대감이 생기기 마련이다. 하지만 언어와 문화에 익숙해지고 친구도 사귀면서 일상에 동화되는 과정을 거치고 위기를 극복하고 나면, 새로운 문화에 마음의 문을 여는 과정이 뒤따른다. 현지인처럼 생각하고, 느끼며, 바라보고, 또 즐기게 되는 것이다. 이때부터는 모든 것이 흥미의 대상이 되기도 한다.

내가 프랑스 문화에 익숙해지기 위해 기울인 노력은 눈물겨울 정도였다. 나는 프랑스의 전통과 풍습, 지리와 날씨, 정치적 상황과 삶의 패턴, 신앙과 문화 등 모든 것을 직접 체험하려고 애썼다. 그러는 동안 프랑스에 대한 나의 애정은 점점 깊어갔다. 나중에는 웬만한 프랑스인보다 더 프랑스 문화를 잘 아는 상태가 된 것 같다. 열린 자세가 우리를 더 넓은 세계와 만나게 해줄 것임은 더 말할 필요가 없다. 내가 전하고 싶은 얘기는 의외로 단순하다. 이분법적인 방식으로 비판하고 평가하기를 그치기. 거리를 두고 이성적으로 생각하기. 편을 들거나 움츠러들지 말고 관찰하고, 경청하며, 질문을 던지기. 차이를 인정하고,

몰이해를 받아들이며, 모든 것을 상대화하기. 그리고 무엇보다도 문화에 빠져들기.

문화를 통한 이해가 얼마나 멋진 경험인지는 시간이 지난 후 다른 세계에 대한 편견이 사라진 자신을 통해 깨닫게 될 것이다.

Bonjour Monsieur Courbet

이미지로 표현된
프랑스의 상징들

프랑스의 삼색기

프랑스를 상징하는 이미지들이 있다. 그중에는 국가 '라 마르세예즈La Marseillaise'처럼 잘 알려진 것도 있고, 우리에게 잘 알려지지 않은 것도 있다. 잔 다르크Jeanne d'Arc 이미지가 대표적인 사례다. 백년전쟁 때 영국으로부터 프랑스를 구해낸 '구국의 영웅' 잔 다르크 동상 아래에서는 극우

정당 '국민전선Front National(FN)'[14]이 단골로 집회를 열곤 했다. 잔 다르크가 악용되는 사례였다. 그 경우 잔 다르크는 프랑스를 위태롭게 하는 이슬람을 비롯한 외부 세력으로부터 프랑스를 지켜내야 한다는 왜곡된 주장을 대변하는 인물이었다.

　정치적 이용에 상관없이 누구나 프랑스를 연상할 수 있는 대표적인 이미지들이 분명 존재한다. 또 모든 영역에서 시각적 효과를 강조하는 프랑스이기도 했다.

1. 프랑스 삼색기La Tricolore

삼색기는 1794년부터 프랑스공화국을 대표하는 이미지다. 왕권을 상징하는 중앙의 흰색과 양옆의 파란색과 빨간색은 각각 파리시와 국방군을 상징하는 색깔이다. 하지만 일부 사람들은 이 색깔들이 프랑스가 적극 관여한 미국 독립전쟁 때 사용했던 깃발에서 이미 나타났다고 주장하기도 한다.

2. 국가 '라 마르세예즈'

'라 마르세예즈'는 혁명적인 내용을 담은 애국적인 글에 클로드 조제프 루제 드 릴Claude Joseph Rouget de Lisle이 곡을 덧붙인 노래다. 1792년 프랑스가 오스트리아에 전쟁을 선포할 때 많이 불렸으며, 자유와 애국, 그리고 모든 프랑스인의 결집을 희구하는 노래였다. 원래 가사는 무려 15절까지 있었다고 전한다.

3. 프랑스공화국의 상징 마리안Marianne[15]

카트린 드뇌브를 모델로 한 마리안 흉상 ©messynesychic.com

프랑스의 모든 시청에서 흉상을 찾아볼 수 있다. 마리안이라는 이름은 프랑스대혁명 당시 가장 흔한 이름이었던 마리Marie와 안Anne을 합성한 것으로 추정된다. 머리에는 원뿔 모양의 프리지아 모자bonnet phrygien(고대 로마제국에서 해방된 노예를 상징)를 쓰고, 종종 가슴을 드러내고 있다(유모를 상징). 프랑스시장협회는 당대의 유명인 중에서 마리안을 상징하는 인물을 선정한 적이 있는데, 브리지트 바르도Brigitte Bardot, 카트린 드뇌브Catherine Deneuve, 레티시아 카스타Laetitia Casta, 소피 마르소Sophie Marceau 등이 이름을 올렸다.

외젠 들라크루아의 〈민중을 이끄는 자유의 여신〉에 묘사된 마리안

마리안이 등장한 우표

4. 휘장

삼색 휘장

삼색 휘장은 대혁명 때 유행한 군대 배지였다. 그 후 혁명의 이념에 동참한다는 상징이 되었고, 1792년 이후에는 착용이 의무화되었다. 반면 혁명에 반대하는 사람들은 항의의 의미로 왕권을 상징하던 흰색 휘장을 둘렀다. 덧붙이자면 마리안은 자신의 모자에 삼색 휘장을 자랑스럽게 달고 있다.

5. 씨뿌리는 여인 La Semeuse

씨뿌리는 여인의 모습은 옛 프랑화와 우표 속에서 찾아볼 수 있다. 오늘날 프랑스에서 찍어내는 일부 유로화에도 등장한다. 전진하는 프랑스 공화국을 상징하는데, 역시 프리지아 모자를 쓰고 있다. 1886년 농업부가 메달을 만들면서 도입한 이미지인데, 많은 사람들로부터 호평을 받았기에 그 후에도 계속 사용하고 있다.

프랑동전 씨뿌리는 여인

6. 자유의 나무 Faisceau de licteur

자유의 나무는 마리안, 씨뿌리는 여인과 더불어 유로화 동전에 사용된 프랑스의 세 번째 상징물이다. 다른 많은 상징처럼 나무 이미지 역시 프랑스대혁명 때 생겨났으며, 생명과 지속성, 성장과 힘, 권력을 상징한다. 옛날 영국으로부터 독립을 외치던 미국 독립주의자들의 행사를 본떠, 프랑스에서는 대혁명을 기념하는 공식 세레모니 때 포플러 나무를 심는다.

7. 국새 Sceau de l'État

프랑스는 국새를 보유하고 있다. 정식 이름은 '프랑스 대국새 Grand sceau de France'. 로마신화 속 여신 주노가 구현하는 자유를 상징하며, 정의를 상징하는 다발, 보통선거 suffrage universel의 머리글자인 S와 U, 예술을 위한 팔레트, 농업을 상징하는 밀 짚단 등 거의 모든 프랑스의 상징이 들어

프랑스 국새 :
대혁명의 가치들과 자유의 여신

가 있다. 그림은 1848년에 자크-장 바르Jacques-Jean Barre가 그렸다.

8. 갈리아족의 수탉Le Coq Gaulois[16]

갈리아족의 수탉

수탉이 프랑스의 상징으로 자리 잡게 된 유래에 대해서는 의견이 분분하다. 우선 라틴어로 수탉을 의미하는 '갈루스gallus'를 대문자로 쓰면 갈리아Gallus를 의미했기 때문이라는 설이 있다. 어떤 사람들은 그 기원을 르네상스로 잡기도 한다. 그러나 대체적으로 프랑스대혁명이 결정적으로 작용했다고 본다. 왕실을 상징하던 백합을 수탉이 대신하게 되었기 때문이다. 나폴레옹Napoléon I[er]이 로마제국을 흉내 내어 1804년에 제국의 상징으로 독수리를 채택하면서 수탉 이미지는 잊혔다. 이후 수탉이 프랑스의 공식 상징으로 선택된 적은 없지만, 최근 프랑스의 여러 스포츠협회가 이 동물을 프랑스의 상징으로 이용하고 있다.

기타 상징들

1. 2차대전 기간에 나치에 협력한 비시Vichy정부는 도끼 문장紋章을 상징으로 택했던 반면 자유프랑스군은 로렌 십자가를 상징으로 사용했다.

2. 왕조시대의 상징은 백합꽃이었다. 최초로 이 문양이 등장한 해는 1211년이다. 대항해시대 때 프랑스 식민주의자를 비롯한 유럽인들이 이 문양을 신대륙으로 가지고 갔기에, 북아메리카의 깃발이나 문장에 백합이 등장한다면 프랑스인 후손을 뜻할 가능성이

크다.

3. 우리가 아는 것처럼 프랑스의 국시는 자유, 평등, 박애다.

4. 프랑스 본토를 상징하는 육각형도 있다.

호아킨 히메네스가 도안한
유로화 동전 속 육각형

3면은 대륙, 3면은 바다와 맞닿아 있다. 특히 호아킨 히메네스Joaquin Jimenez가 도안한 1유로와 2유로 동전에 육각형이 등장한다.

5. 프랑스 문화와 예술, 역사와 관련된 대중적인 이미지도 존재한다. 일반적으로 자주 등장하는 유무형의 프랑스 상징들로는 베레모를 쓴 작가 에밀 졸라Emile Zola, 붉은 베레모, 해군모자의 붉은 방울술, 향수가게, 전통적인 구기 종목인 페탕크, 오트 쿠튀르, 각 지방의 토속 음식들, 바게트, 카망베르Camembert와 로크포르Roquefort 같은 다양한 치즈, 보르도Bordeaux·부르고뉴Bourgogne·샹파뉴Champagne·알자스Alsace·코트 뒤 론Côtes du Rhône 등에서 생산하는 와인, 파리의 노트르담 대성당Cathédrale Notre-Dame de Paris, 에펠탑Tour Eiffel, 인권선언문, 7월 14일 대혁명 기념일 축제(소방수들의 무도회, 불꽃놀이, 군사 퍼레이드), 베르사유 궁과 정원Palais et parc de Versailles, 샹보르 성Château de Chambord, 몽생미셸 예배당Chapelle du Mont Saint-Michel, 프랑스인들의 오만함과 국수주의, 달팽이 요리, 개구리 뒷다리 요리 등이 있다.

이런 이미지들의 차고 넘침이 나는 다소 부럽기도 했다. 그런데 오랫동안 겉으로 드러내는 이미지보다 내면의 아름다움을 우선시해온 한국의 최근 변화는 나에게 아주 흥미롭게 다가온다. 축구장에서 펼

럭이는 형형색색의 구단 깃발들, 비보이의 세계 정복, 싸이PSY와 방탄소년단BTS를 비롯한 한국 대중음악에 대한 세계인의 열광, 세계 유수의 영화제에서 한국영화의 수상 등을 지켜보고 있노라면 어느덧 세계가 우리에게 성큼 다가온 느낌이다. 어떤 이미지를 만들어갈까? 우리만의 모습을 담은 상징을 찾아내고, 또 그걸 만들어내는 작업은 우리가 세상을 바라보는 시선과도 맞물려 있는 문제일 것이다.

유럽에서 아랍을 알리기,
아랍세계연구소

노을이 물들 때 파리 센Seine강 주변의 한 현대식 건물이 은빛으로 번쩍이는 모습을 본 적이 있는지? 이 건물 남쪽 전면의 전기 개폐식 무샤라비에moucharabieh(아라비아 건축의 덧문) 240개로 구성된 눈에 띄는 외관은 아랍 문화와 서구 문화의 합작품이다. 이 건물은 파리 제5구 센강 주변의 옛 와인 시장을 헐고 세계적인 건축가 장 누벨Jean Nouvel[17]의 설계에 따라 1987년 11월 30일 준공된 후 1988년 문을 연 아랍세계연구소Institut du Monde Arabe(IMA). 프랑스 및 아랍 19개 국가의 주도하에 건설되어 아랍 예술, 과학, 기술 등 아랍권 문화를 전파하고 있는 곳으로, 학술 연구소일 뿐만 아니라 박물관, 도서관, 서점, 미디어테크, 시청각실, 전시장, 공연장, 사무실, 식당을 갖춘 종합문화센터이기도 하다. 수도 파리에 들어선 가장 젊은 박물관 중 하나로 꼽힌다. 10층으로 지어진 이 건물은 IMA의 정체성과 파리 환경을 잘 조화시킨 현대건축의 백미다. 장 누벨은 라 데팡스La Défense 타워, 카르티에 재단 건물 등을 설계한 인물로 유명하며, 이슬람 문화의 건축 전통을 잘 살려낸 IMA 건물의 디자인으로 아가 칸 건축상을 받기도 했다. 유리

와 강철로 된 초현대식 건물을 노트르담 대성당이 보이는 센 강변에 지은 것만으로도 아랍 세계에 대한 프랑스의 호의 표시는 충분했다.

건물 형태가 많은 사람의 호기심을 불러 일으키기도 하지만, 이 연구소가 짧은 기간 내에 명소로 자리 잡은 것은 수준 높은 다양한 행사를 기획하고 파리지엥과 전 세계 방문객들을 수용한 덕분일 것이다. IMA를 찾는 사람들 중 일부는 아랍문화 연구가, 동양학자 등 지식인들이며, 또 다른 일부는 권위 있는 전시회와 풍부한 영화 상영 프로그램을 찾는 예술 애호가들이다. 아랍영화 비엔날레, 칸 영화제에서 소개된 아랍영화들이 이곳에서 상영되곤 한다.

다목적 공간인 IMA는 여러 면에서 독특하다. 박물관이라기보다 문

화원에 가깝고 전통적인 전시공간
이라기보다는 쌍방향 발견의 장소
다. 전시·도서·영화 등 다각적인
방식을 통해 문화를 종합적으로
보여준다는 측면에서 조르주 퐁피
두센터Centre Georges Pompidou[18]의 축

아랍세계연구소 내부

소판이라 할 수 있는 이곳은 아랍

문화의 어제와 오늘에 전적으로 할애된 공간이기도 하다.

건물의 탄생은 발레리 지스카르 데스탱Valéry Giscard d'Estaing 전 대통
령과 관련을 맺고 있다. 하지만 연구소장 카미유 카바나Camille Cabana
에 따르면 사우디아라비아의 파이살Faisal bin Abdulaziz Al Saud 국왕과 밀
접한 관계를 맺으며 아랍 세계에 접근하려 했던 드골 대통령 때부터
이미 이러한 건물에 대한 구상이 시작되었다고 한다. 지스카르 데스탱
의 임기 중이던 1980년에 IMA 프로젝트는 빛을 보는데, 프로젝트에
참여한 19개 국가는 알제리, 사우디아라비아, 바레인, 지부티, 아랍에
미레이트, 이라크, 요르단, 쿠웨이트, 레바논, 모리타니, 모로코, 오만,
카타르, 소말리아, 수단, 시리아, 튀니지 그리고 남북 예멘이었다. 리비
아, 이집트, 팔레스타인은 나중에 합류한 국가들이다.

연구소가 내세운 목표는 아랍-이슬람 세계에 대한 지식과 이해를
심화하고, 통상적인 편견과 스테레오타입을 넘어서서 유럽과 아랍 사
이의 새로운 대화의 장을 만들어내는 데 있었다. 그에 따라 이 연구소
는 고대 및 중세 고고학, 예술과 공예, 민족학, 현대예술 등으로 연구
를 특화한다. 5층에서 8층에 이르는 전시공간은 정체성의 탄생, 신들
에서 신으로, 아랍 도시 거닐기, 아름다움의 표현·육체, 자아 그리고

타자라는 다섯 개 테마로 구성되어 있다.

IMA의 성공은 치열한 노력을 통해 얻어진 것이었다. 방문자 숫자는 걸프전이 발발한 1990년대 초에 급격히 떨어졌다. 센 강변에서 아랍 문화가 펼쳐지는 풍경에 대해 부정적이던 여론이 더욱 노골화되었다. 게다가 비슷한 시기에 건립에 동참한 일부 국가들이 연례 분담금 지불을 거절하면서 재정적인 어려움이 닥쳤다. 비록 IMA가 프랑스 기관이고 고위 공직자가 연구소 운영을 맡긴 하지만 아랍연맹에 소속된 21개 파트너 국가가 연간 예산의 40% 정도를 대고 있었기 때문이다. IMA는 1992년 6월부터 고급 문화행사를 개최하고 성공적인 전시회를 마련한 덕분에 아랍 각국으로부터 재정 지원이 원활하게 이루어지면서 위기에서 벗어난다. 수단(1996), 예멘(1997), 파티미드 왕조(1998), 레바논(1998), 바레인(1999) 등에 관한 전시회들은 IMA의 이미지를 개선하는 데 결정적으로 기여했다. 각각 18만~25만 명의 관객을 끌어들인 이 대규모 전시회들은 파리를 거쳐 유럽의 다른 나라 수도에서도 열렸는데, IMA가 엘리트주의적 이미지를 탈피하는 동시에 프랑스를 넘어서서 국제적인 명성을 획득하도록 만들었다. 그 후 전시회들도 하나같이 매력적이었다. '나폴레옹과 이집트'를 비롯해 '천일야화', '옛날 옛적에 오리엔트 익스프레스 열차가', '현대 모로코', '동양의 정원들, 알함브라부터 타지마할까지', '신드바드부터 마르코 폴로까지 바다의 탐험가들', '동양의 기독교인들, 2,000년의 역사', '알 울라, 아라비아의 경이' 등이 그런 전시들이었다.

국제적인 유명세는 1990년부터 연구소가 2년에 한 번씩 개최하고 있는 유럽-아랍 도서전시회 덕도 크다. 도서전은 아랍 세계의 출판물을 소개하는 장으로 지중해 양안의 출판 전문가들을 파리로 불러들이고 있다. 도서전을 찾는 사람들에게는 아랍 굴지의 작가들을 직접 만나볼 수 있는 기회가 된다. 또 IMA는 문화 쪽에 할애된 계간지 《콴타라Qantara》(두 세계를 연결하는 '다리'라는 의미)를 1991년부터 2018년까지 발간한 바 있다. 2020년부터는 쇠이유Seuil 출판사와 협력해 '아라보라마Araborama'라는 총서를 발간하기 시작했다. IMA도서관은 6만 권의 장서와 1,269종의 아랍 관련

아라보폴리 행사 포스터

잡지를 소장해 유럽 내 아랍 연구의 본산으로 평가받는다. 또 2019년부터 IMA는 석 달에 한 번씩 '아라보폴리Arabofolies'라는 이벤트를 개최하면서 음악과 학제 간 소통을 시도한다. 2019년 첫 행사는 3월 1일부터 10일까지 열렸는데, 국제 여성 인권의 날과 연대하면서 '저항'이라는 주제를 내걸었다. 그 밖에 파리시 전망이 한눈에 들어오는 레스토랑도 이 곳의 명물이다.

유학 시절 난 파리의 한국문화원을 방문할 때마다 가슴이 아팠다. 관계자들의 헌신적인 노력과는 무관하게 그 공간은 너무도 협소했고 소장 도서도 볼품이 없었다. 그와 대조적으로 파리에 들어선 100여 개국의 문화원은 다양한 행사를 마련해 파리의 풍요로운 문화 프로그램들을 더욱 풍부하게 해주고 있었다. 우리의 시각이 경제적 강대국을 선망하는 이면에는 세계 각국에 대한 몰이해가 자리 잡고 있다. 직접 아랍의 곳곳을 찾아가 볼 수 있다면 좋겠지만, 그게 어렵다면 파리를

방문할 때 IMA도 들여다보라고 권하고 싶다. 1998년까지 IMA 누적 방문자는 100만 명을 넘어섰고, 2017년 기준으로 연간 방문자는 41만 1,715명에 달한다. '아랍권의 퐁피두센터'라는 별명이 붙은 만큼 앞으로도 파리의 주요 공간으로 자리 잡을 것은 두말할 나위가 없다.

2019년 11월 주프랑스 한국문화원의 새 보금자리로의 이전 소식은 나에게 그렇게 행복할 수가 없었다. '파리 코리아센터'가 향후 IMA에 버금가는 역할을 해낼 수 있기를 진심으로 바란다. 우리의 저력이 유럽에서 얼마나 오랫동안 무시당했는지 뼈저리게 느껴본 사람만 꺼낼 수 있는 얘기다.

지식을 집대성하다, 크세주 문고

프랑스어를 전공하는 사람치고 '크세주?Que sais-je? 문고'에 대해 한 번도 들어보지 못한 사람은 없을 것이다. 각 분야 전문가들이 대중을 위해 집필하는 이 문고본 시리즈는 1941년부터 현재까지 4,000종 이상이 출간되었고 44개 언어로 번역되어 수억 권이 판매 될 정도로 유명한 시리즈로, 나에게도 유익한 책이었다. 개인적으로 가장 도움이 되었던 책은 이브 슈브렐Yves

크세주 문고

Chevrel의 저서 《비교문학La Littérature comparée》. 강의에 상당히 도움이 되는 책이었다. 그 밖에도 내 서재를 채우고 있는 크세주 문고 책들은 30권이 넘는다. 놀라운 것은 4,000권 이상을 간행했음에도 모든 집필진이 프랑스 국내 필자였다는 점이다. 프랑스인들의 정리벽과 학술적 깊

프랑스대학출판부(PUF) 로고

이, 주제의 다양성을 한꺼번에 담아낸 이 시리즈가 나는 부럽기 그지없었다. 국내에서는 1980년대에 나온 그 많던 문고본이 지금은 모두 사라졌다. 2000년대에 책세상 출판사의 '우리시대'를 비롯해 몇몇 시리즈가 다시 등장했지만, 일부 문고본의 수준이 크세주의 그것보다 훨씬 뒤떨어짐을 인정하지 않을 수 없다.

'모든 대답에 하나의 질문Une question à toutes les réponses'이라는 슬로건을 내건 크세주 문고는 프랑스 출판을 통틀어 가장 중요한 문고 시리즈 중 하나다. 프랑스어로 'Que sais-je?'는 '내가 아는 것이 무엇인가'라는 질문을 의미한다. 이 이름은 몽테뉴Montaigne가 르네상스 시대의 인본주의자였던 섹스투스 엠피리쿠스Sextus Empiricus로부터 차용한 표현으로, 광대한 세상에 비해 인간의 지식이 얼마나 보잘것없는지를 나타내고 있다. 크세주 문고는 폴 앙굴방Paul Angoulvent이 1941년에 기획해 프랑스대학출판부Presses universitaires de France(PUF)[19]가 오랫동안 출간했다. 작은 사이즈 안에 하나의 특별한 주제를 다룬 교육적 성

크세주 문고 시리즈로 출간된 책들

격의 책들을 펴내고 있는데, 2016년 12월부터 이 시리즈는 출판권자가 바뀌어 위망시스Humensis 출판그룹의 대표상품으로 자리 잡고 있다. 현재는 쥘리앙 브로카르Julien Brocard가 출간을 이끌고 있다.

새로 이전한 프랑스대학출판부(PUF) 서점

크세주 문고의 위상은 실로 엄청나다. 애당초 폴 앙굴방이 1,002종을 넘어서지 못하리라고 예측했던 크세주 문고는 4,000종 이상이 출간되었고, 대학이 다루는 학문과 대중문화와 관련된 모든 분야를 망라한 하나의 방대한 백과사전을 형성하고 있다. 포켓판 형태이며, 책의 분량도 128페이지로 통일되어 있다. 책의 가격도 9유로로 동일하다. 분량이 적고 저렴한 이 책은 편집상의 혁명도 가져왔다. 한 권의 책에 담길 내용은 백과사전에 들어갈 기사 형식에 가까웠다. 독자는 자신의 취향과 필요, 관심사에 따라 자유롭게 책을 고르면 되었고, 컬렉션의 편집진은 어떤 주제가 가장 현재적 의미를 지니는가를 궁리하게 되었다. 개정판을 내는 것도 크세주의 큰 장점인데, 같은 주제일지라도 시기에 따라 새로운 글쓰기가 필요한 경우에는 새 작가에게 집필을 의뢰했다.

1941년 독일의 프랑스 점령 당시 루브르박물관Musée du Louvre의 옛 학예관이었던 폴 앙굴방은 종이 부족에 대처하기 위해 1.2×1.6m 크기의 전지로 책을 만들자는 아이디어를 낸다. 전지는 여섯 번 접혀 32페이지가 나왔고, 이것을 네 개 합칠 경우 128페이지를 구성할 수 있었다. 크세주는 그런 식으로 탄생했다. 아주 경제적인 방식이었다. 첫 3권은 각각 5,000부씩 찍었는데, 그다음 거둔 성공은 괄목할 만하다.

라 데쿠베르트 출판사 로고

갈리마르 출판사 로고

Flammarion

플라마리옹 출판사 로고

ARMAND COLIN

아르망 콜랭 출판사 로고

첫해에만 56종의 책으로 29만 권을 팔아치운 것이다. 지성계가 아주 활발하던 1945~1975년, 즉 영광의 30년Trente Glorieuses 동안은 매년 100만 부씩 판매되었다. 1970년대에는 PUF 총매출의 4분의 1을 담당할 정도였다. 일례로 앙리 르페브르Henri Lefebvre가 쓴 《마르크시즘Le Marxisme》(1948)은 32만 6,000부, 다니엘 라가슈Daniel Lagache의 《정신분석La Psychanalyse》(1950)은 30만 5,000부의 판매 실적을 올렸다. 일반적인 주제가 모두 소진되자 크세주는 점점 더 전문적인 주제의 책을 출판했다. 그로 인해 구독자가 줄면서 20세기 말부터 판매부수도 하락세로 돌아서지만, 그동안 출간된 서적들 중에서 700종 정도는 여전히 활발하게 판매되고 있다.

크세주 문고의 성공을 본떠 생겨난 문고본들도 많다. 라 데쿠베르트La Découverte 출판사가 1983년부터 내던 '르페르Repères' 시리즈, 갈리마르Gallimard[20] 출판사가 1986년부터 펴낸 '데쿠베르트Découvertes' 컬렉션, 플라마리옹Flammarion 출판사가 1993년부터 2002년까지 출간한 '도미노Dominos' 시리즈, 몽크르스티엥Montchrestien 출판사가 펴낸 '클레Clefs' 시리즈, 아르망 콜랭Armand Colin 출판사가 기획한 '콜렉시옹 128Collection 128'이 그에 해당한다. 해외에서는 영국 옥스퍼드 대학 출판부Oxford University Press의 '베리 쇼트 인트로덕션스Very Short Introductions', 독일 체하베크C. H. Beck 출판사의 '비센Wissen' 시리즈가 이 포맷을 도입한 사례다.

크세주 문고가 성공한 이유는 여러 곳에서 찾을 수 있다. 내가 보기에 책의 내용은 아주 촘촘하고 전문적이었고, 해당 주제에 대한 충분한 지식을 제공할 정도로 깊이가 있었다. 특히 어떤 주제에 대해 전문적인 지식을 쌓기 위해 찾을 정도로 여느 백과사전 속 글보다 더 정교했다. 해당 주제 최고의 전문가에게 집필을 의뢰했기 때문에 가능한 얘기다. 75년 동안 현대 프랑스 사상의 주된 흐름을 담아낸 필진은 각 분야의 대표 지성들을 망라하고 있다. 인격주의의 대가인 엠마뉘엘 무니에Emmanuel Mounier와 장-마리 도므나크Jean-Marie Domenach, 아날학파의 역사학자들인 자크 르 고프Jacques Le Goff, 엠마뉘엘 르 루아 라뒤리Emmanuel Le Roy Ladurie, 대표적인 마르크스주의자들인 앙리 르페브르, 알베르 소불Albert Soboul도 예외가 아니었다. 1958년 피에르 부르디외Pierre Bourdieu[21]는 첫 저서 《알제리 사회학Sociologie de l'Algérie》을 이 컬렉션을 통해 출간한다. 르네 레몽René Rémond, 장 피아제Jean Piaget, 자크 수스텔Jacques Soustelle도 이름을 들으면 알 만한 저자들이다. 프랑스 최고의 언어학자 클로드 아제주 이름도 보인다.

물론 문고본의 특성상 한계가 있기는 하다. 예를 들어 한정된 분량에 전문 지식을 담아내기 위해 저자들은 자신의 학문을 최대한 압축해서 풀어내야 했다. 또 필진은 저명한 대학교수, 인정받는 전문가, 동시대의 중요한 사상가일 수밖에 없고, 대부분은 프랑스 최고의 교육기관들인 콜레주 드 프랑스Collège de France, 고등사범학교École Normale Supérieure(ENS), 소르본 대학 소속이다. 그러다 보니 읽어내기가 마냥 수월하지는 않다.

형태는 같을지라도 크세주는 여러 종류의 구성을 포함하고 있다. 예를 들어 2005년부터 출간된 '100개 단어Les 100 mots······'는 어떤 분야의 어휘를 익히게 해주는 미니사전 역할을 한다. 2017년 기준으로 80종 이상이 출간되었다. 크세주의 2010번 책인 《플라톤*Platon*》, 2042번 책인 《니체*Nietzsche*》, 2218번 책인 《호메로스*Homère*》, 3967번 책인 《르네 데카르트*René Descartes*》, 4033번 책인 《셰익스피어*Shakespeare*》는 전기다. 그런가 하면 3653번 책인 《이슬람 용어집*Vocabulaire de l'islam*》, 3655번 책인 《헌법 용어집*Lexique de droit constitutionnel*》, 3697번 책인 《기독교 상징 용어집*Lexique des symboles chrétiens*》, 4060번 책인 《그리스신화 상징 용어집*Lexique des symboles de la mythologie grecque*》 등은 어휘집으로 이미 출간되었거나 출간하는 중이다. 최근에는 '한 시간에 읽는 크세주*Que sais-je? en 1 heure*'라는 오디오북도 만나볼 수 있다.

　하나의 시리즈가 이 정도로 방대한 것도 놀랍지만, 그 총서의 많은 책이 경쟁력을 확보하고 있는 모습도 경이롭다. 나 역시 책세상 문고를 통해 책을 출간한 적이 있다. 어느 날부터 교보문고에서 책세상 문고가 보이지 않아 확인해보니 눈에 띄지 않는 자리로 밀려나 있었다. 출판사에 있는 지인에게 물어보니, 문고본 가격이 워낙 싸니까 그런 책을 여러 권 파는 것보다 비싼 책 한 권의 마진이 더 크기 때문일 거란다. 프랑스에서는 정말 중요한 책일 경우 초판이 나온 다음 일정 시기가 지나면 문고판이 반드시 출간된다. 지식의 보급과 대중화를 위해서다. 한국판 크세주의 등장이 가난했던 시절로의 회귀는 아닐 것이다. 나에게는 크세주 한 권이 명품가방에 견줄 만한 의미를 지니고 있다.

소리와 기록을
중시하라

한국에 돌아와 첫 번역서를 낸 모 출판사에서 '대담' 총서 기획을 제안
받은 적이 있었다. 다른 몇몇 선생과 함께 여러 달에 걸쳐 뛰어난 대담
집들에 대한 서지 목록을 힘들게 작성했지만 그 기획은 빛을 보지 못
했다. 출판사 내부 사정 때문이었다. 대담이라는 것이 이런저런 작가
와 예술가의 작품세계를 풀어서 설명해주는 역할을 하는 만큼 총서를
포기하기는 못내 아쉬웠다. 야심차게 총서 출간을 제의했던 출판사는
나중에 아직 우리 사회에 '대담'을 수용할 시장이 형성되어 있지 않다
고 말했다. 여러 생각을 하게 만드는 이야기였다. 국내에서 진행하는
대부분의 대담은 준비 결여 등으로 깊이가 없고, 작가들이 자신의 작
품세계를 잘 설명해내지 못한다. 후세 사람들이 다시 찾는 인물이 그
다지 많지 않아서일 것이라는 추측도 해보았다.

　우리와는 다르게 프랑스에는 문화 분야의 대담을 담아낸 책과 영
상자료, 음향자료가 대단히 많았다. 자크 라캉Jacques Lacan[22], 자크 데리
다Jacques Derrida[23]의 대담 영상들은 최근에도 판매되고 있어 쉽게 구입
할 수 있었다. 사람을 키워내는 프랑스 분위기가 각 사상가나 아티스
트의 모습과 육성을 기록하고 보존하는 데까지 이어지는 것이다.

자크 데리다

자크 라캉

로맹 가리

프랑스에서 열심히 녹음한 자료들 중에 〈라디오스코피Radioscopie〉가 있다. 라디오방송 프로그램이었다. 대담의 사회자는 자크 샹셀Jacques Chancel. 1968년 10월 5일부터 국영방송 프랑스 앵테르France Inter의 전파를 타기 시작해 1982년에 일시 중단되었다가 1988년부터 재개된 후 1990년 1월 5일까지 계속되었던 이 프로는 나에게 실로 소중했다. 주중 매일 저녁 5시부터 6시까지 방송된 이 문화 프로그램은 총 2,878회 방영되었는데, 출연자는 대부분 당대 최고의 문화인들이었다. 2010년부터 프랑수아 뷔스넬François Busnel이 진행하는 〈위대한 대담Le Grand Entretien〉도 이 콘셉트를 이어받은 것으로 추정된다.

총 3,600명에 달하는 인터뷰의 면면은 대단했다. 미셸 모르강Michèle Morgan, 로제 바딤Roger Vadim, 장 코Jean Cau, 로맹 가리Romain Gary 등이 초창기에 출연한 인물들이었다. 〈라디오스코피〉 출연진 중 특히 기억나는 사람들로는 앙드레 말로, 레이몽 아롱Raymond Aron, 파트릭 모디아노Patrick Modiano, 카트린 드뇌브, 마르그리트 유르스나르Marguerite Yourcenar, 클로드 레비-스트로스Claude Lévi-Strauss 등이 있다. 그들이 남긴 대담은 요즘 유튜브를 통해서도 일부 접할 수 있다. 얼마나 편한 세상인지……

역시 프랑스답게, 그들의 대담은 책으로도 남겨진다. 〈라디오스코피〉를 종이로 옮기는 작업은 로베르 라퐁Robert Laffont 출판사가 책임

라디오프랑스

을 맡아 '제 뤼J'ai lu' 컬렉션에 포함했다. 1권은 1970년 1월 1일, 2권은 1971년 1월 1일 펴냈고, 그 후로도 출간이 이어졌다.

1권에는 브리지트 바르도, 자크 미테랑Jacques Mitterrand, 로제 가로디Roger Garaudy, 아르튀르 루빈스타인Arthur Rubinstein, 앙리 드 몽테를랑Henry de Montherlant, 2권에는 잔 모로Jeanne Moreau, 에드가 포르Edgar Faure, 마르셀 다소Marcel Dassault의 인터뷰가 수록되었다. 또 3권에는 아벨 강스Abel Gance, 장 게엔노Jean Guéhenno, 장-폴 사르트르Jean-Paul Sartre, 레이몽 드보스Raymond Devos가, 4권에는 레지스 드브레Régis Debray, 롤랑바르트Roland Barthes, 시몬 베이유Simone Veil, 피에르 망데스 프랑스Pierre Mendès France, 발레리 지스카르 데스탱이 포함되어 있다. 상당수의 대담은 국립시청각연구소Institut national de l'audiovisuel(INA)와 라디오프랑스Radio France가 상업화했기에 오디오카세트와 CD, DVD 형태로 구입할 수 있다.

유학 시절 라디오프랑스는 1시부터 5시까지의 새벽 시간에 〈라디오스코피〉를 포함한 옛날의 희귀자료들을 다시 편성해 들려주어서, 나는 중요 프로를 녹음하기 위해 거의 밤을 새우다시피 한 적도 많았다. 지금도 버리지 못하고 있는 그때 녹음한 카세트테이프만도 300개가 넘는다. 그것도 매번 가장 비싼 공테이프를 사서 최대한 정성을 기울여 녹음했다. 매주 주말에 발간되는 《르 몽드 Le Monde》 라디오/TV 부록에는 다음 주 TV와 라디오 프로그램이 소상하게 실려 있었다. 녹음할 만한 자료가 있는지 확인할 때마다 나는 무척 행복에 겨웠다.

귀국 후 학교 시청각자료실을 방문해, 아주 소중한 자료이고 학생들 공부에 대단히 유용한 도구이니 복사하도록 해주겠다고 제안했으나 아무도 귀담아듣지 않았다. 자료의 중요성을 알아보지 못하는 곳에 그것을 제공할 필요는 없다고 판단해 나는 선의를 포기했다. 언젠가 이 자료를 필요로 할 다른 곳이 분명 있을 것이라고 생각하면서.

대담을 중시하지 않는 우리 사회 분위기는 어디서 비롯된 것일까? 지난 일보다 현세를 우선시하는 분위기, 기록을 그다지 중요하게 여기지 않는 사회 정서에서 프랑스와의 차이가 생겨난다고 본다. 그러나 다시 만나고 싶은 시인, 소설가, 혹은 음악가나 미술가를 책을 통해서만 접하는 것은 슬픈 일이 아닐지? 나는 어린 시절의 감성을 풍요롭게 해준 이청준, 서정주의 목소리와 모습을 다시 만나보고 싶지만 별다른 방법이 없다. 갓 귀국했을 때 어떤 문학 프로그램의 복제를 방송국에 문의한 적이 있는데 턱없이 비싼 돈을 요구했다. 예술이 진정 우리네 삶 속으로 들어오게 하고 싶으면 진지하게 고민해봐야 할 문제가 아닐까? 1980년대 그 어두운 시절에 나의 삶 일부와 함께했던 무수한 예술가들을 어디서 다시 찾아내야 하는지. 나는 그들의 육성이, 그들의 영상이 여전히 내 가까이 있기를 소망한다.

　이야기를 확대해보면 이건 육성의 문제에 국한되지 않을 것이다. 예를 들어 몇 년 전 그렇게 호평을 얻었던 〈명성황후〉〈영웅〉 등의 뮤지컬을 어디서 다시 만날 수 있는지? 완성도와는 상관없이, 프랑스에서는 주요 공연이 대부분 DVD형태로 제작되어 세계에 판매되는 데 비해 우리나라에서는 왜 만들어지지 않는지? 돈에 관련된 이해가 복잡하게 얽혀 있기 때문일 것이다. 그렇다면 프랑스에는 그런 이해관계가 없을까? 한국처럼 시청각 기록이 발달한 나라에서, 주요 공연 영상이 아이돌 위주로만 제작되는 것에는 문제가 있다. 외국인들에게 소개할 만한 한국 영상이 엔터테인먼트 분야에만 국한된다면 분명 문제 아닐까?

　나에게 대담자료들은 그것이 책이든 CD든 DVD든 형태에 상관없이 모두 소중했다. 특히 난해한 철학자나 사상가일 경우 대담은 그들의 지성 체계를 풀어서 설명하는 소중한 역할을 해주었다. 작가들의 경우도 마찬가지였다. 철학자 폴 리쾨르Paul Ricoeur가 그랬고, 인류학자 클로드 레비-스트로스가 그랬다. 어떤 의미에서는 작가나 사상가 '자신의 이야기'가 '자신들에 대한 이야기'와 분리되는 모습이기도 했다. 1980년대부터 라 마뉘팍튀르La Manufacture 출판사가 발간하기 시작한 '키쉬주?Qui suis-je?(나는 누구인가?)' 컬렉션, 1988년부터 드니 로슈Denis Roche 주도로 쇠이유 출판사가 펴내기 시작한 '레 콩탕포랭Les Contemporains(동시대인들)' 컬렉션을 나는 잊을 수가 없다. 대화를 통해 직접 자신을 표현해

'키쉬주' 컬렉션,
마르그리트 유르스나르 편

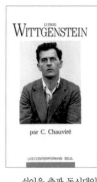

쇠이유 출판 동시대인
비트겐슈타인 대담집

내므로, 그보다 더 효과적으로 저자를 이해하는 방법은 없었다. 게다가 쉬운 글은 기피하는 프랑스이지 않느냐 말이다. 개론서는 오직 프랑스인들만을 위한 개론서로 보였으며, 다른 문화권에서 건너온 사람들에게 그다지 유용하지 못했다.

일부 대담은 이론서가 담아내지 못하는 감동을 주기도 했다. 수용소 작가로 분류되는 프리모 레비Primo Levi[24]는 페르난도 카몬Fernando Camon과 가진 대담 말미에 "나는 열렬히 신의 존재를 갈망한다. 하지만 신은 어디서도 발견되지 않는다."라는 명언을 남겼다.

왜 우리에게는 대담의 전통이 없을까? 고백록의 전통이 없기 때문일까? 한평생 힘겹게 자기방어만 하다가 떠나는 그저 그런 인생이기 때문일까? 우리의 발달한 기술이 이제는 대한민국을 만들어온 사람들의 모습과 목소리에 애정을 가져야 할 때가 되었다고 나는 생각한다.

사전과 가이드북의
경쟁력

프랑스에서 공부에 큰 도움이 되었던 도구 중에
사전과 가이드북이 있다. 《라루스*Larousse*》《로베
르*Le Robert*》《리트레*Littré*》 등 어학 분야 굴지의 사
전들, 세계 최고의 반열에 오른 '미슐랭*Michelin*' 시
리즈를 위시한 다양한 가이드북은 프랑스 사회

《라루스》와 《로베르》 사전

를 이해하는 데 아주 유익했다. 18세기에 이미 계몽주의자들이 세상의
지식을 한데 모아보겠다는 야심을 가지고 백과전서를 편찬한 역사가
있는 프랑스는 지식을 집대성한 형태로서의 사전을 아주 중시했다.
그래서인지 프랑스에는 분야별로 세계 최고의 사전들이 존재한다. 지
식인사전, 문화정책사전, 속담사전, 철학사전, 동의어사전, 성서단어사
전, 아랍문화사전, 건축용어사전, 섹슈얼리티사전, 해양용어사전……
그 종류는 온갖 분야를 커버할 정도로 다양하며, 지식의 대중화에도
일조하고 있다. 우리와 비교되는 모습이다.

　프랑스에서 들은 가슴 아픈 이야기가 있다. 아시아 문화에서는 제
자가 스승을 절대로 뛰어넘을 수 없단다. 아시아의 어느 요리 수업에

《라루스》백과사전

서 한 선생님이 학생들에게 레시피를 가르쳐주었는데, 학생들은 아무리 노력해도 선생님이 내는 맛을 따라잡을 수 없었다고. 원인은 생각지도 못한 데 있었다. 학생들이 방심하는 찰나를 이용해 선생은 순식간에 어떤 양념을 음식에 집어넣었는데, 그 양념이 맛의 차이를 만들어냈던 것이다. 아마도 집안 대대로 전수받았을 그 비밀을 동양에서는 절대 알려주지 않는단다. 제자가 스승을 넘어서면서 배반하는 경우가 종종 있었던 문화 때문이라고도 한다. 그렇기에 우리는 제자가 스승의 그림자도 밟으면 안된다는 이야기를 귀에 못이 박히도록 강조했는지도 모른다. 반면 서구에서는 스승이 제자에게 모든 노하우를 전한 후 그것을 발전시킬 수 있도록 적극 도와준다고. 자신이 갖고 있는 모든 지식을 전수하는 것은 기본이다. 앞의 요리 수업 이야기의 진위는 알 수 없다. 분명 아시아에 대해 서구인이 갖는 불신의 단면을 보여주는 일화다. 하지만 이 에피소드를 허위로 매도할 수 없게 하는 이야기도 들었다. 귀국한 후 사전의 부족함에 대한 나의 의견을 어느 자리에서 꺼냈더니, 한 사람이 다음과 같이 말했다. "통역대학원에서는 분야별로 자기들만의 어휘집을 만들어요. 그걸 절대 외부와 공유하지 않지요. 공개할 경우 자신들이 차지하고 있는 통역 시장의 일정 부분이 없어지니까요."

어쨌거나 프랑스에는 좋은 가이드북이 많다. 미슐랭 가이드에 대해 우리가 이미 잘 알고 있는 내용을 굳이 여기서 부연 설명할 필요는 없을 것이다. 하지만 미슐랭 가이드 중에서 우리에게 익숙한 요리 쪽의 '레드 가이드Guide Michelin Rouge'[25] 뿐만 아니라 '그린 가이드Guide Michelin Vert'[26]도 프랑스에서는 유명하다. 그린 가이드는 프랑스 지방을 포함

한 세계 각국의 여행을 돕는 가이
드북이다. 많은 언어로 번역되었으
며, 수준은 정말 높아서 세계 여러
나라를 여행하다 보면 짙은 녹색
표지의 이 가이드북을 든 사람들
을 많이 보게 된다. 예를 들어 파리
의 노트르담 대성당에 할애된 부분

미슐랭 레드 가이드 추천 맛집

에서는 성당 건립의 역사, 합각머리 부조, 실내 구조, 스
테인드글라스의 문양 등 대성당과 관련된 무수한 학술
정보가 담겨 있다. 따라서 이 책은 단순히 먹고 마시는
여행 차원을 넘어서서 방문하는 대상을 현지인 이상
으로 이해하게 도와주는 역할을 수행한다. 또 언급해
야 할 것이 미슐랭 지도. 지금처럼 세상의 모든 것이 핸
드폰 안에 담기기 전에 프랑스 여행에서 미슐랭 지도는
필수품이었다. 당시 구입한, 그리고 아직도 매년 프랑
스를 방문할 때마다 구입하는 미슐랭 지도는 내가 현
재 소장하고 있는 것만도 100여 점이 넘는다.

미슐랭 레드 가이드(1929)

미슐랭 말고도 뛰어난 여행 가이드북은 '기드 뒤 루
타르Guide du Routard' 시리즈. '길을 가는 사람'이라는 의
미의 '루타르'라는 이름대로, 표지는 지구를 등에 업은
배낭여행자 모습을 담아내고 있다. 1973년 20대의 젊
은 친구 두 명이 시작한 이 가이드북의 성공 사례는 흥
미롭다. 미슐랭이 해당 지역의 역사·지리에 대한 정보
를 주로 제공하기에 자주 개정판을 낼 필요가 없는 반

미슐랭 지도

기드 뒤 루타르

면, 보고 먹고 잠자는 것 위주로 실용적인 정보를 제공하는 루타르 시리즈는 새 버전이 정기적으로 업그레이드되어 출간된다. 하지만 나는 루타르 시리즈만 믿었다가 몇 번 실패한 경험이 있다. 정말 무더웠던 어느 여름날, 바티칸을 방문한 뒤 점심때 루타르가 추천하는 스파게티 식당을 찾아간 적이 있었다. 맛이 정말 형편없었다. '세상에, 이런 식당을 추천했나?' 생각하며 자세히 메뉴판을 들여다보니 식당 이름이 가이드북에 나온 것과 달랐다. 식당을 둘러보니 모두 루타르를 들고 찾아온 관광객들이었다. 그 사이 식당 주인이 바뀐 것을 몰랐던 것이다. 하지만 루타르는 특히 젊은 여행자들에게 아주 유용한 가이드북으로, 여행자의 예산에 따라 찾아갈 호텔과 레스토랑이 친절하게 분류되어 있다. 물론 최근에는 이런 제도권 가이드북에 도전하는 새로운 여행서들이 속속 등장하고 있다. 그중 대표적인 상품은 프랑스 굴지의 출판사 갈리마르가 펴내는 '제오기드GeoGuide' 시리즈다.

프랑스 레스토랑 가이드북으로는 앞에서 잠깐 언급한 '미슐랭 레드 가이드' 말고도 '고 에 미요Gault&Millau' 시리즈가 유명하다. 1972년 저널리스트였다가 식도락 비평가가 된 앙리 고Henri Gault와 크리스티앙 미요Christian Millau가 창간한 식도락 가이드북으로, 1973년부터 유행하기 시작한 '누벨 퀴진nouvelle cuisine'이 자리를 잡는 데 크게 기여했다. 새로운 요리는 원재료의 풍미를 살리고 요리법에 주의하며 정형화된 소스를 피하는 데 주력했다.

미국과 프랑스 가이드북의 차이는 나에게 아
주 흥미롭게 느껴졌다. 프랑스에서 자주 들여다
본 영어 가이드북은 '레츠고Let's Go' 시리즈였다.
미국인과 프랑스인의 감성은 많이 달랐다. 예를
들어 미국 가이드북이 추천하는 파리 카페에 가
보면 흑백이 강렬한 조화를 이루고 비트가 빠른
음악이 흐르며 기본적으로 깔끔한 분위기였던
반면, 프랑스인이 좋아하는 곳은 고풍스러운 분

고 에 미요 가이드북

위기. 호텔도 마찬가지였다. 기본적으로 미국인과 한국인이 좋아하는
호텔은 체인 호텔로, 객실에 수건, 비누, 샴푸를 기본으로 구비한 청결
하고도 모던한 곳들이었다. 실내는 밝고 심플할수록 더 좋다. 반면 프
랑스의 고급 호텔들은 나무 바닥이 삐걱거리고, 창문 밖에는 담쟁이덩
굴이 우거져 있으며, 실내에 나무로 만든 가구로 채워져 있는 것이 기
본이다. 그 옛날 귀족들의 저택을 호텔로 개조한 곳도 많기 때문이다.
그래서 나는 매번 유럽 여행을 떠날 때 해당 국가의 가이드북을 최소
세 종류씩 지참했다. 여행이 길어지면서 짐이 점점 늘어날 때면 마지막
날 우체국에 들러 해당 국가에서 구입한 물건, 확보한 자료, 가이드북
들을 파리의 집으로 부쳤다. 여행에서 돌아와 집으로 이미 배달된 박
스들을 만나는 것도 큰 기쁨이었다.

이제 세계 각국을 방문하는 한국인들을 위해 우리가 저술한 양질의
가이드북이 나올 때도 되지 않았을까? 프랑스에서 애독한 잡지 중에
《제오Géo》도 있었다. 여행 정보 위주의 이 잡지를 정기구독하는 사람
들만도 10만 명이 넘는다. 한국에서 지오라는 이름으로 잠깐 발행되
다가 사라진 이 잡지의 프랑스어판은 여행 대상 지역에 대한 거의 완

벽한 정보를 상세한 지도와 함께 싣고 있어서 구독할 가치가 충분했다. 잡지가 다루는 내용도 더없이 흥미로웠다. 내가 아직도 소장하고 있는 잡지의 몇몇 주제만 들더라도 '센강에서 바라본 파리', '알자스', '프랑스의 와이너리' 등 다채롭다.

오늘날 인터넷에 정보가 난무하는 시대를 살기에, 오히려 효과적이고 정확한 가이드북의 필요성은 더욱 절실하다. 물론 가이드북의 범람이 가치의 획일화, 여행의 획일화를 유발할 위험이 크다는 점을 모르는 바 아니다. 그러나 우리는 제대로 된 안내서를 과연 얼마나 가지고 있을까? 그것도 누구나 불편부당不偏不黨을 인정할 수 있는 안내서라면……

주석

1 아카데미 프랑세즈 : 1634년 공인된 후 1635년 리슐리외 추기경이 설립한 기관으로 프랑스
   어를 표준화하고 다듬는 역할을 하고 있다. 참고로 프랑스에는 아카데미 프랑세즈를 비롯
   한 총 5개의 학사원이 있다. 1. 아카데미 프랑세즈(설립 1635년) 2. 프랑스비문·예문아카데미
   (설립 1663년) 3. 프랑스과학아카데미(설립 1666년) 4. 프랑스미술아카데미(설립 1816년) 5. 프
   랑스윤리·정치학아카데미(설립 1795년).

2 코메디 프랑세즈 : 극작가 몰리에르의 이름을 따서 '몰리에르의 집'이라고도 불리는 프랑스
   파리의 국립극장으로 자체 극단을 가지고 있는 극장 중 하나다. 파리시 1구에 자리를 잡고
   있다.

3 샤를 드골(1890.11.22.~1970.11.9.) : 프랑스 18대 대통령, 정치인이자 레지스탕스 운동가

4 앙드레 말로(1901.11.3.~1976.11.23.) : 프랑스 작가이자 정치인

5 프랑수아 미테랑(1916.10.26.~1996.1.8.) : 프랑스 21대 대통령, 사회당 출신의 첫 번째 대통령
   으로 프랑스 대통령 중 가장 오래 집권했다. 유럽 통합의 초석을 닦은 대통령이기도 하다.

6 자크 랑(1939.12.2.~) : 사회당 소속 프랑스 정치인. 1981~1986년, 1988~1992년에 문화부장
   관을 역임했고, 1992~1993년, 2000~2002년에 교육부장관과 아랍세계연구소장을 역임했다.
   외규장각 도서들의 한국 반환에 결정적인 영향을 미친 인물이다. 대중예술과 고급예술 사이
   의 경계를 없애기도 했는데, 그가 성공적으로 기획한 음악의 축제 등은 예술의 대중화에 기
   여했다.

7 자코뱅주의 : 현대 프랑스에서 자코뱅주의란 중앙집권 공화국과 강력한 정부에 의한 광범위
   한 경제 통제, 적극적 사회 변혁과 평등 실현을 지지하는 것을 뜻한다.

8 카텝 야신(1929.8.6.~1989.10.28.) : 알제리 출신의 작가, 극작가, 기자. 마그레브 문화의 상징적
   인 인물이다. 그의 소설은 다문화적 가치관을 띤 독창적인 서사 구조와 상징적인 인물을 등
   장시켜 문학적 완성도 측면에서 마그레브 문학의 최고의 걸작으로 일컬어진다.

9 공쿠르상 : 1903년 창설된 '아카데미 공쿠르'가 한 해 동안 발표된 문학작품 중 상상력이 풍
   부한 최고의 산문작품을 선정해 수여하는 상이다. 프랑스에서 가장 권위 있는 문학상이다.

10 클로드 아제주(1936.1.1.~) : 프랑스의 언어학자. 50여 개의 언어를 구사하며, 활발한 저술 활동을 통해 일반언어학과 개별언어학에 관련된 20여 권의 저서와 많은 논문을 발표했다. 대표작으로는 《프랑스어를 위한 싸움 : 언어와 다양성의 이름으로》(2006), 《언어애호사전》 (2009) 등이 있다.

11 움베르토 에코(1932.1.5.~2016.2.19.) : 이탈리아 언어학자, 철학자, 역사학자, 기호학자, 미학 자로 토마스 아퀴나스의 철학에서 퍼스널컴퓨터에 이르기까지 다방면에 걸친 전문 지식을 갖고 있으며, 여러 언어에 통달한 학자였다.

12 장 모네(1888.11.9.~1979.3.16.) : 프랑스의 경제학자이자 외교관. 두 차례의 세계대전을 체험 한 후 프랑스 재건을 위해 중요한 역할을 수행했다. 유럽공동체 설계자로 유럽공동체의 아 버지라 불린다. '사고는 행동과 분리될 수 없다'는 것을 직감적으로 터득했던 그는 한 번도 선출직 공직에서 일하지 않고 드골의 민족주의적 경향에 맞서 세계주의자 역할을 자처했다.

13 미셸 드 몽테뉴(1533.2.28.~1592.2.28.) : 프랑스 철학자, 사상가, 수필가, 법학자. 프랑스 문학 사에서는 모럴리스트로 정의된다. 1580년 《수상록Les Essais》을 완성했다. 17세기 이후의 프 랑스 문학 및 유럽 각국 문화에 큰 영향을 끼친 인물이다.

14 국민전선(FN) : 1978년 장-마리 르펜Jean-Marie Le Pen이 창설한 극우민족주의 정당으로 2000년 이후 유럽의회 의석 및 프랑스 상원 의석 등을 차지했다.

15 마리안 : 프랑스를 의인화한 인물이며, '자유 평등 박애'로 상징되는 프랑스의 가치를 나타 낸다. 외젠 들라크루아Eugène Delacroix의 〈민중을 이끄는 자유의 여신〉의 여신, 프랑스 유 로 동전의 여인, 프랑스 우표의 여인, 프랑스 정부 홈페이지에 있는 여인이 모두 마리안이 다. 독일을 상징하는 인물인 게르마니아와 비슷한 위상을 지닌다.

16 갈리아족의 수탉 : 프랑스 헌법 2조에 명시된 바에 의하면 '프랑스 국기-삼색기'만이 프랑 스를 대표하는 유일한 국가 공식 상징으로, '마리안'과 '갈리아족의 수탉'은 비공식적인 국 가 상징이다. 마리안이 내세우는 가치는 공화국이며, 수탉은 벨기에의 프랑스어 사용권인 왈로니Wallonie 지역과 프랑스가 공동으로 내세우는 상징이다.

17 장 누벨(1945.8.12.~) : 프랑스 건축가. 현대적인 재료의 투명성을 이용해서 빛을 다루고 심 리적인 부분을 자극하는 것으로 유명하기에 '빛의 장인'이라고 불린다. 명성 높은 아가 칸 건축상AKAA, 울프 예술상Wolf Prize in Arts, 프리츠커상 등을 수상했다. 대표적 건축물로 는 파리의 아랍세계연구소, 카르티에 재단 건물, 스페인 바르셀로나 아그바르Agbar 타워, 루브르박물관 아부다비 분원 등이 있다.

18 조르주 퐁피두센터 : 보부르Beaubourg로도 불리는 파리의 최중심 레알Les Halles 지구 인근

의 복합문화시설로 1971~1977년에 건설되었다. 이 공간 안에 있는 현대미술관은 오르세미술관, 루브르박물관과 더불어 파리 3대 미술관으로 꼽힌다. 리처드 로저스Richard Rogers와 렌조 피아노Renzo Pinano가 공동으로 설계한 하이테크 건축물의 효시로 20세기 현대 건축물의 상징적인 존재가 되었다.

19 프랑스대학출판부(PUF) : 1921년 소르본 광장 한쪽에 자리 잡았던 유서 깊은 출판사와 서점으로 오랫동안 프랑스 문화와 학술의 상징이었으나 2014년 임대료 등의 문제로 문을 닫는다. 2016년 혁신적인 에스프레소 북머신과 함께 잠시 문을 다시 열었지만 2017년 1월 24일에 영원히 우리와 멀어지게 되었다.

20 갈리마르 출판사 : 프랑스의 출판사 중 가장 대표적이고 영향력 있는 출판사다. 1908년 앙드레 지드를 비롯한 문인들이 갈리마르 이름으로 문학 전문지《누벨 르뷔 프랑세즈 평론》을 발간하기 시작했고, 1911년 가스통 갈리마르Gaston Gallimard가 정식으로 설립하여 현재 갈리마르 그룹이 운영하고 있다. 생텍쥐페리의《어린 왕자》, 알베르 카뮈의《이방인》, 마르셀 프루스트의《잃어버린 시간을 찾아서》, 장-폴 사르트르의《벽》등 다수의 명저를 출간해냈다.

21 피에르 부르디외(1930.8.1.~2002.1.23.) : 20세기 후반의 대표적인 사회학자, 철학자로 철학, 미학, 인류학, 경제학, 정치학, 커뮤니케이션학 등 인문·사회과학 전반에 큰 영향을 끼쳤다. 또한 당대의 사회문제에 적극적으로 개입한 지식인으로도 꼽힌다. 대표 저서로는《실천이론 개요》(1972),《호모 아카데미쿠스》(1984),《경제학의 구조》(2000) 등이 있다.

22 자크 라캉(1901.4.31.~1981.9.9.) : 프랑스의 철학자. 평생을 정신과 의사 및 정신분석학자로 활동했다. 지그문트 프로이트에 대한 해석으로 세계적인 명성을 얻었다. 1920년대 초기에는 파리의 문학과 예술 아방가르드 운동에 참여했고, 1930년대에는 앙드레 브르통, 조르주 바타이유, 파블로 피카소, 살바도르 달리 등과 초현실주의 운동에 참여했다. 자신의 사상에 대해서 쓴 저서《에크리Écrits》(1966)를 출판했는데, 무의식이 언어와 같은 구조를 가지고 있다고 주장한 그의 사상은 라캉 철학으로 불리게 된다.

23 자크 데리다(1930.7.15.~2004.10.8.) : 프랑스의 해체주의 철학자. 서양철학이 추구해온 이성 중심의 사고를 비판하면서 '해체'라는 새로운 개념을 도입하여 새로운 문화비평을 시도했다. 대표 저서로는《기하학의 기원》(1962),《글쓰기와 차이》(1967) 등이 있다.

24 프리모 레비(1919.7.31.~1987.4.11.) : 이탈리아의 화학자이자 작가. 아우슈비츠에서 기적적으로 살아남은 후 개인적 체험을 바탕으로 한 회고록과 소설을 써 세계적인 명성을 얻었다. 대표 저서로는《이것이 인간인가》(1947, 1958),《가라앉은 자와 구조된 자》(1986) 등이 있다.

25 미슐랭 레드 가이드 : 프랑스 타이어회사 미슐랭이 출판하는 레스토랑 안내서. 1926년 음식이 맛있다고 소문난 호텔에 별점을 붙인 것이 레드 가이드의 시초가 되었다. 1933년부터 전문심사위원이 암행 방식으로 조사한 후 보고서를 작성하며, 이를 심사위원 합의체가 평가한다. 현재까지 전 세계에서 별점을 받은 레스토랑은 총 2,700여 개로 1스타는 2,172개, 2스타는 416개, 3스타는 111개다.

26 미슐랭 그린 가이드 : '이동성 향상'을 사명으로 내세운 미슐랭 그룹이 1900년대 초반부터 운전자들을 위한 자동차 관리 방법, 정비소, 호텔, 레스토랑 등의 정보가 담긴 여행안내 책자를 고객들에게 선물하면서 시작되었다. 100년이 지난 현재까지 세계 90여 개국에서 1,700만 부 이상 판매된 스테디셀러 시리즈다. 뛰어난 가독성, 풍부하고 정확한 정보가 독자들로부터 신뢰를 얻고 있다.

Société

Ensemble des personnes entre lesquelles existent des rapports durables et organisés (avec des institutions, etc.) ; milieu humain par rapport aux individus.

Société

지식인을 위하여

프랑스는 지식인의 의미가 각별한 나라다. 대혁명을 거친 나라인 만큼 행동하는 지식인, 목숨을 걸고 신념을 피력하는 인물은 사회에서 존경을 받았고, 지금도 받고 있다. 실사구시의 정신을 중시하는 그들은 철학적으로 독일처럼 관념적이지 않았고, 교육 목표를 '교양인honnête homme'으로 삼는 데서 알 수 있듯 미국처럼 실용적이지 않았으며, 공부가 출세를 위한 도구로만 작동하는 우리처럼 학문과 사회 사이의 거리가 멀지도 않았다.

프랑스에서 깊은 인상을 받은 TV 프로그램이 있었다. 제목은 장 베르톨리노Jean Bertolino라는 사회자가 진행하는 〈1번 채널에서 52주를52 sur la Une〉 그리고 안 생클레르Anne Sinclair라는 여성 사회자가 진행하는 〈7 sur 7〉. 일요일 저녁 7시부터 약 1시간에 걸쳐 TF1에서 생방송으로 방영되었다. 이 프로그램을 즐겨 시청하면서 꽤 많은 출연자와 만난 것 같다. 그중에는 정치인도 있었고, 연예인도 있었으며, 스포츠 선수도 있었

TF1 프로그램 〈1번 채널에서 52주를〉

다. 특히 기억나는 장면은 마돈나Madonna의 프랑스어 실력이 상당했다는 것. 프로그램은 10분 동안 그 주에 일어난 세계 각지의 사건들을 먼저 보여준 후 게스트에게 무차별적으로 질문을 퍼붓는다. 출연자들은 평소에 준비가 되어 있지 않다면 대답하기가 쉽지 않은 질문들에 잘 대응했다. 프랑스식 '노블레스 오블리주Noblesse oblige'의 한 단면을 제대로 볼 수 있게 해주는 프로였다. 적어도 사회적 신분이 높다면 세상사에 대해 일정한 수준의 격조와 논리를 가지기를 요구하는 이 표현은 연예인이나 스포츠 선수에게도 예외 없이 적용되고 있었다. 과연 우리 연예인, 스포츠 선수에게 비슷한 질문을 던졌더라면?

프랑스 교육의 도움을 받았겠지만, 국제적인 문제에 대한 출연자들의 감각은 놀라울 정도였다. 내정간섭으로 느껴질 정도로 프랑스인들은 세계 각지의 문제에 프랑스의 개입을 주장했고, 그것을 자신만의 논리와 연계시키고 있었다. 처음에는 제국주의를 겪어본 나라만이 가질 수 있는 '옛 식민지'에 대한 국제적 시각 정도로 생각했다. 하지만 그들의 관심은 지구 구석구석에 걸쳐 있었다. 예를 들자면 비아프라Biafra의 기아는 아프리카만의 문제가 아니었다. 미국의 이라크 침공은 유럽의 안보와 직결되는 사건이었다. 9·11 테러는 서구와 이슬람이 격돌한 장구한 역사와 연결된 비극이었다. '국경 없는 의사회Médecins sans frontière'[1], '국경 없는 기자회Reporters sans frontière' 같은 시민단체가 프랑스에서 생겨난 데는 이러한 감각이 바탕이 되었을 것이다.

국제적 문제에 대한 관심은 20세기 내내 유럽 지식인들이 보여준 행보와 맞닿아 있었다. 예를 들어 유럽의 좌파 지식인들은 1936년 스페인 내전이 발발했을 때 스페인으로 달려가 기꺼이 손에 무기를 들었는데, 그들이 결성한 집단은 '국제여단Brigade Internationale'으로 불렸다.

유대인 대위 드레퓌스에 대한 《르 프티 주르날》 기사
ⓒLEONARD DE SELVA/CORBIS

이 전쟁에의 참여는 세계적인 문호 앙드레 말로가 《희망L'Espoir》이라는 소설을 쓰고, 영화를 제작하는 계기가 되었다. 사르트르는 알제리 독립을 지지하는 '121인 선언 Manifeste des 121'에 서명했으며, 베르코르Vercors 같은 작가는 2차대전 당시 기꺼이 레지스탕스의 일원이 되었다. 많은 프랑스 지식인들은 유토피아를 소망하면서 공산주의 소비에트연방, 마오쩌둥毛澤東의 중국, 호치민Ho Chi Minh의 베트남을 모델로 설정하기도 했다. 물론 그 환상이 차례로 깨지는 아픔을 겪었지만.

오늘날 지식인의 무용성을 주장할 수도 있다. 정의조차 모호한 이 개념으로 세상을 설명하고 또 세상사에 개입하기에는 오늘날 세상이 너무나 복잡다단해 보인다. 그러나 무고한 유대인 대위 드레퓌스Alfred Dreyfus가 독일 대사관에 군사정보를 제공했다는 혐의로 종신형을 받은 이른바 드레퓌스 사건이 한창 진행 중이던 1898년에 문호 에밀 졸라가 피력한 절망이 세상에 미친 영향력을 그 누가 쓸모없다 할 수 있으랴. 졸라는 당시 다음과 같이 피를 토했다. "모든 것이 내게 등을 돌린 듯하다. 상원과 하원, 시민의 힘, 군사력, 주요 언론, 그리고 주요 언론에 세뇌된 여론…… 내 편은 내 생각뿐이다."

지식인이 꼭 필요한 존재일까? 어떤 의미에서는 세상을 불편하게 만드는 존재가 아닐까? 한국어로는 《빵과 평화Journal d'un homme de 40 ans》로 번역된 장 게엔노Jean Guéhenno의 1934년 작품에서 아주 오래전 다음과 같은 내용을 읽었던 기억이 난다. 지식인은 남다른 특별한 호기심을 가진 존재지만 그러한 호기심을 가지고 대상을 파고들다 보면 마지막에 꼭 대상과 불화가 생긴다고.

개인적으로는 프랑스 유학 생활에 대해 비슷한 느낌을 받은 적이 있다. 고국과 다른 환경에 적응하느라 한국에서의 모습과 너무나 달라진 여러 사람을 목격하고, 힘든 공부를 거치며 몸과 마음이 바닥을 향해 가라앉는 나와 타인의 모습을 지켜보면서 나는 이런 세상을 몰라도 될 것을 그랬다고 여러 번 후회했다. 경제적인 어려움까지 보태질 때면 슬픔은 더 가중되었다. 프랑스로 떠나오지 않았더라면 만나지 않았을 광경들을 목격하면서 나 자신도 끝없이 마모되는 느낌을 받았으니까.

그러나 세상의 슬픔은 피한다고 없어질 일이 아니었다. 어떤 의미에서 프랑스에서의 공부는 잔인한 현실에 대해 눈을 뜨게 만들어준 계기가 되었다. 아는 만큼 아프기 시작했다고나 할까. 곰곰이 생각해보면, 앎이 없고 그 앎이 행동과 연결되지 않는 세상은 얼마나 끔찍할까? 돈이 오늘날의 세상을 움직이는 중요한 하나의 축이라면, 그와 정반대편에서 신념이 세상을 움직이고 있지 않은가? 세상 어딘가에서는 공동체에서 화폐를 몰아내는 실험을 하고 있고(아르헨티나의 크레디토스Créditos), 모든 종교가 한자리에 모여 세상의 평화를 기원하며(프랑스의 테제Taizé 공동체), 새로운 형태의 마을을 건설한 후 우리에게 익숙한 모든 형태를 배제한 새로운 공동체를 운영(인도의 오로빌Auroville) 중이다.

인간의 욕망을 극대화한 하나의 형태로서 신자유주의가 존재한다면, 그러한 가치를 뿌리에서부터 부정하는 또 다른 세상을 꿈꾸기도 하는 것이다. 그래서 앎과 행동의 일치는 더욱 소중하게 느껴진다.

우리 주변을 돌아봐도 세상은 고통과 질곡으로 가득하다. 그러한 현상에 이유가 있다면 거기에 우리의 지성이 관심을 기울이는 것은 당연하지 않은가? 그런 의미에서 지식인이라는 존재는 늘 비판적인 입장을 견지할 수밖에 없고, 지배 이데올로기에 거리를 둘 수밖에 없다. 그때 지식인의 모습은 인문·교양 정신으로 무장한 사회운동가들이다.

지식인은 좌우의 구분을 뛰어넘는 부류이기도 하다. 내가 좋아하는 20세기 최고의 지성 중 한 사람인 앙드레 지드André Gide는 우리에게 사랑을 그려낸 소설가로만 알려져 있지만, 그는 아프리카 콩고를 황폐하게 만든 프랑스의 제국주의(극우), 새로운 계급을 만들어내면서 유토피아를 향한 열망을 무참히 깨뜨린 모스크바의 공산당 지도층(극좌)을 동시에, 그것도 통렬하게 공격한 인물이다. 《콩고 여행Voyage au Congo》과 《소련으로부터의 귀환Retour de l'U.R.S.S.》이 그런 내용을 담은 책들이다.

앙드레 지드의 《콩고 여행》

내가 한국에 돌아와 지방 학교에 근무할 때 들었던 무서운 이야기가 있다. 수업시간에 노골적으로 반박하지는 않더라도, 많은 이공계 학생들이 문학예술 같은 걸 대체 왜 공부하냐고 술자리에서 이야기한다는 것이었다. 그래서 내가 늘 수업에 동원한 프린트가 있다. 프랑스 작가 안드레이 마킨Andreï Makine이 프랑스 최고의 문학상인 공쿠르상을 수상하며 일간지《르 몽드》와 가진 인터뷰였다. 그 속에 아주 흥미로운 이야기가 나온다. 황혼이 지는 시각, 멋지게 표현하자면 '개와 늑대의 시간'은 하루를 통틀어 가장 '무익한inutile' 순간이다. 마킨은 바로 그때부터 미학이 탄생한다고 진단한다. 아름다움에서 유용성을 제거할 것. 요컨대 지식인이라는 존재는 유용성과 무관하게 세상의 아름다움을 추구하는 존재와도 같다. 도스토옙스키Fyodor Mikhailovich Dostoyevsky가 던진 화두는 지금도, 그리고 앞으로도 영원히 유효하지 않을까? 그는 부르짖었다. "아름다움이 세상을 구원할 것"이라고……

프랑스에서 '아니오'의 의미는?

장-프랑수아 칸의
《NO! : 인류 역사를 진전시킨 신념과 용기의 외침》
(이마고, 2008)

파리 유학 중 연일 이어지는 파업 때문에 고생한 적이 많았다. 두 시간 기다려 간신히 콩나물 지하철을 탔다가 내리면 이번에는 환승하는 버스가 이미 끊긴 상태였다. 우체국에서는 보름 동안 우편물을 배달하지 않고…… 너희는 대체 왜 이리 파업을 많이 하느냐고 물었을 때 한 프랑스인의 대답이 지금도 잊히지 않는다. "저 사람들의 주장이 옳으면 우리는 기꺼이 그들 편을 들어준다. 그래야 우리가 옳은 주장을 할 때 그들도 우리를 지지해주니." 그 말은 파업으로 인한 낭비와 불편을 감수하면서 사회적 연대에 대한 신념을 드러내는 한편, 불평등에 대한 분노와 함께 체제에 대한 불신을 동시에 내포하고 있었다. 끊임없는 파업을 지켜보면서 나는 저항이 프랑스인들의 일상에 내재화되어 있다는 느낌을 받았다. 토론과 명확함을 좋아하는 그들에게는 지극히 당연한 모습이라고 생각하기도 했다. 그들의 모습은 우리식 이분법과 한참 거리가 멀었다. 저항을 부르짖는 자들이 좌파이고 체제에 순응하는 자들이 우파인 것이 아니다. 좌·우파를 막론하고 체제에 순응하는 사람들은 지배적인 정치적·경제적·사회적·정신적 질서를 옹호하고, 반항아들은 개인의 신념이나 계급적 감정 등 다양한 이유로

브르타뉴, 옥시타니, 코르시카, 바스크 지방의 깃발들

그런 질서를 거부한다고 보는 것이 옳을 것이다.

역사적으로 지극히 다양한 사건을 겪은 프랑스는 저항에 관련하여 얼마나 많은 논의를 거쳐왔을까? 고문, 전쟁, 인종차별, 노예제도, 식민주의 등 온갖 종류의 억압적 질서를 경험했던 프랑스인들은 매번 입장 표명을 강요받았을 것이다. 지배 체제에 '아니오'라고 이야기했던 사람들 대부분은 반체제인사로 낙인찍혀 배척당하고 심지어 죽음에 이르기도 했다.

그런데 우리 시대에 저항에 대해 이야기하는 것이 필요할까? 오늘날 저항이 죽음으로 연결되는 경우는 매우 드물다. 매스미디어와 대중문화가 범람하는 우리 시대에 저항의 의미가 이전과 다름은 물론이다. 양식과 편의주의가 팽배한 시대, 신자유주의가 맹위를 떨치는 시대에 사회는 반체제분자와 항의자들을 자기 쪽으로 끌어들이거나 심지어 상품화할 줄 안다.

2016년 4월 서울시 행사인 세계문자심포지아의 학술단장 자격으로 프랑스 코르시카Corsica의 아작시오Ajaccio를 찾아간 적이 있다. 해변의 한 레스토랑에서 점심을 먹는데 가까이에서 집회가 열리고 있었다.

프랑스의 지방 언어들
© Lawless French

흰색 바탕에 검은 피부를 가진 사람이 머리에 흰 띠를 두른 형태로 그려진 코르시카 깃발과 함께 바스크Basque 지역의 깃발이 휘날리기에 갑자기 궁금증이 도졌다. 옆에서 식사하던 프랑스인 부부에게 어떤 성격의 집회이고, 왜 두 깃발이 동시에 휘날리느냐고 물어보았더니 그들은 나의 질문을 간단하게 일축해버렸다. "모두 쇼다. 요즘 프랑스로부터 독립을 원하는 지방이 어디 있느냐?"라고.

문화 쪽에서는 오히려 소수의 목소리에 더 많은 관심을 기울이는 느낌이다. 우리 주변의 새로운 문화 담론들이 주변인, 제3세계 문학, 이민자 이야기, 실패한 자들의 목소리를 담아내는 데 주력하고 있지 않은지? 그러나 그것이 상업적으로 더 이득이어서일 수도 있다. 신과 영웅이 보이지 않는 시기에 그 옛날 시대정신을 이끌던 가치는 오늘날 거의 발견되지 않는 것 같다. 또 인간의 존엄성이 점점 훼손되는 반면 기계가 대신하는 영역은 점점 빠른 속도로 확장되고 있다.

자세히 들여다보면 인간의 역사는 무수한 저항으로 채워져 있다. 그러나 저항의 의미는 시대에 따라 달라진다. 교회 법정에서 이단이라는 혐의로 화형을 당한 잔 다르크는 성녀로 추대된 후 보수 가톨릭의 상징이 되었다. 많은 프랑스 지식인은 소련 체제에 환상을 품고서 스탈린주의를 비판하는 것을 반대하고 자신의 반역을 상대화하며 명백한 악 앞에서 침묵을 견지하다가 솔제니친Alexander Solzhenitsyn의《수용소군도Arkhipelag Gulag》가 출간되자 그제야 태도를 바꿨다. 반도들이 기성 질서의 수호자나 독재자가 되는 경우도 비일비재하다. 라울 살랑

Raoul Salan을 위시하여 알제에 주둔하던 프랑스 장군들은 알제리 민중의 염원인 독립에 반대했다. 프랑코Francisco Franco와 그의 하수인들은 반란을 일으킨 후 스페인을 파시즘의 광풍 속으로 몰아넣었다. 레닌Vladimir Lenin부터 스탈린Iosif Stalin에 이르기까지, 마오쩌둥에서 폴 포트Pol Pot에 이르기까지 그 숫자는 일일이 헤아리기 힘들 정도로 많으며, 일부는 후대 사람들에게 과분한 대접을 받고 있기도 하다.

그래서 '아니오'에는 많은 생각이 따라붙는다. '아니오'는 의인義人들의 전유물이 아니다. 역사 속 '아니오'는 불의와 부정에 대한 거부에서 굴종과 타협의 수용에 이르기까지 다양한 스펙트럼을 보여준다. 중요한 점은 역사의 문맥 속에 반란을 복원시키되, 나중 상황에 그것을 적용하지 말아야 한다는 것. 오늘날 편의주의가 재해석에 능한 만큼, 오늘날 신자유주의가 전체주의에 맞선 투쟁과 반체제주의를 자기 것으로 내세우는 만큼, 오늘날의 작가와 예술가들이 지난 시대의 반 고흐Vincent van Gogh나 랭보Arthur Rimbaud를 자처하는 만큼 더욱 그렇다. 오늘날 저항은 더없이 고분고분한 모습을 우리에게 강요하면서, 그 이면에서 미친 듯이 권력을 욕망하고 있지 않은가? 반란의 세상이 앞으로는 도래하지 않는다고, '아니오'라고 이야기하는 것이 더는 불가능하다고 어둠 속에서 사악한 미소를 지으면서 말이다. 작금의 한국 사회에서 벌어지는 일들을 지켜보면서 나는 그런 생각을 더욱 떨쳐버릴 수가 없다.

그러나 무수한 프랑스 지식인들이 표명한 '아니오'를 우리가 시대의 분위기를 탓하며 간과할 수 있을까? 부정과 무사안일주의, 탄압과 부동주의에 맞선 지속적 투쟁이 중요하지 않을까? 우리 주변의 무수한 사례를 거론하지 않더라도 기득권의 이름으로, 연장자의 이름으로, 전통의 이름으로, 남성의 이름으로, 기성 체제의 이름으로 사회의 발전을 가로막는 사례들은 얼마나 많은가? 복지부동이 최대의 미덕이 되어버린 사회의 모습은? 높은 지위에 있는 자가 자신이 행사하는 억압의 가장 작은 부분이라도 포기하는 모습을 본 적이 있는지?

친구였던 작가 루이 페르디낭 셀린Louis-Ferdinand Céline[2]이 광기 어린 유대인 배척자로 변모하고 레지스탕스 가담자들이 프랑스의 이름으로 나치 독일 협력자들을 살육하기 시작했을 때 작가 마르셀 에메Marcel Aymé는 증오에 대해 '아니오'라고 말했다. 시몬 드 보부아르Simone de Beauvoir[3]는 여성의 본질이란 존재하지 않으며, 교육이 여성의 조건을 만들어내지만 거기에 '자연적'인 것이란 없다고 주장하면서 '아니오'라고 말했다. 가수 자크 브렐Jacques Brel은 자신을 불편하게 만드는 스타 시스템에서 벗어나기 위해 돌연 은퇴를 선언했다. 자기 열망의 끝까지 가보기를 원했기에 손쉽게 얻은 인기라는 무거운 짐을 벗어던지고자 했던 것이다. 코미디언 콜뤼슈Coluche[4]는 노숙자와 빈곤층에 무료급식을 제공하는 '사랑의 레스토랑Les Resto du Coeur'을 만들면서 이웃의 빈곤에 대하여 '아니오'라고 외쳤다. 작가 장 주네Jean Genet는 문학이 아닌 삶에 속한 것들, 다시 말해 아무 의미도 없는 것들에 대해 '아니오'라고 외쳤다. 인상주의 화가들은 자신들을 거부한 공식 미술전에 대항해 1863년에 낙선전을 개최하면서 현대미술과 아카데미즘 사이의 연결고리를 끊었다. 철학자 장-폴 사르트르Jean-Paul Charles Aymard Sartre[5]는 부르주아지에 대한 증오심 때문에 노벨문학상 수상

콜뤼슈와 사랑의 레스토랑

을 거부했다.

프랑스만큼 '아니오'를 외치는 나라는 거의 없을 것이다. 배가 고파, 힘들어, 차별 때문에 죽어가는 이웃에 손을 내밀지 않는다면 우리가 소망할 수 있는 세상은 없다. 우리가 '아니오'라고 부르짖으며

장-폴 사르트르와 시몬 드 보부아르

그들의 통곡을 대변하지 않는다면 우리가 그들과 함께 꿈꿀 수 있는 세상은 불가능할 것이다.

* 위의 글은 필자가 번역한 《NO! : 인류 역사를 진전시킨 신념과 용기의 외침》의 '역자후기'를 바탕으로 재구성한 글이다. 일부 문장은 그대로 가져왔음을 밝혀둔다.

콜레주 드 프랑스와 지식의 대중화

단 한 번의 방문으로 충격을 받았던 콜레주 드 프랑스. 세계적인 석학이자 작가인 움베르토 에코가 이탈리아에서 건너와 유럽 언어의 기원에 대해 특강을 했을 때 나 역시 그곳을 찾아갔다. 너무나 많은 사람이 몰려 에코의 얼굴은 볼 수도 없었다. 스크린으로 그의 모습을 볼 수 있는 강의실조차 빈자리가 없어서 나는 마당까지 밀려났다. 스피커로 에코의 육성만 들을 수 있을 따름이었다. 마당으로 내몰린 사람의 숫자는 거의 300명이 넘었던 것 같다. 갑자기 비가 쏟아지던 그날 밤 풍경을 난 영원히 잊을 수 없을 듯싶다. 내리는 비를 맞으며 에코의 육성을 경청하는 남녀노소를 망라한 프랑스인들의 모습을 보면서 난 소름이 돋았다. 프랑스가 망하는 일은 요원하겠다고 생각하면서……

움베르토 에코

모든 강의가 공개강좌 형태라 강의를 듣기 위해 따로 등록할 필요가 없지만, 미셸 푸코Michel Foucault[6], 세르주 아로슈Serge Haroche, 피에르 불레즈Pierre Boulez[7] 같은 세계적인 명사로부터 최고

콜레주 드 프랑스 전경

수준의 무료 강의를 들을 수 있는 곳. 누구나 강좌를 수강할 수 있지
만 이 기관은 학위와 관련이 없다. 과학과 인문학 분야에서 초빙된 석
좌교수들이 연구 활동에 참여하지만 학위를 수여하지는 않는다. 어떻
게 이런 기관의 탄생이 가능했을까? 전 세계를 통틀어 비슷한 형태를
전혀 찾아볼 수 없는 유일한 기관이다. 수학·수리과학, 물리학·화학,
생물학, 인문과학, 역사·문학 다섯 개 연구 분야
의 지성들이 자신들의 평생 연구를 전수하는 것
만으로도 멋지지 않은가?

미셸 푸코
©monoskop.org/Michel_Foucault

이 학술기관은 프랑수아 1세가 1530년에 건
립한 고등교육기관이다. 정치 체제의 변화에 따
라 여러차례 이름이 바뀌었다. '왕실 콜레주Collège
royal'라고 처음 이름이 붙은 이 기관은 프랑스대

콜레주 드 프랑스 로고

혁명 때 '국립 콜레주Collège national', 나폴레옹 1세 때 '황실 콜레주 Collège impérial'라고 개명되었다가 1870년부터 현재 명칭인 '콜레주 드 프랑스'로 불리고 있다. 애초 왕실 콜레주의 점진적인 정착은 1529년 인본주의자 기욤 뷔데Guillaume Budé, 파리 대주교 에티엔 드 퐁셰르 Étienne de Poncher, 왕의 고해성사를 듣는 신부 기욤 프티Guillaume Petit의 건의를 프랑수아 1세가 받아들인 결과였다. 당시 보수적인 신학자들이 주도하던 소르본 대학은 이탈리아에서 넘어온 르네상스의 인본주의 정신을 전혀 인정하지 않았고, 그리스어와 히브리어 강좌 개설에도 반대했다. 갓 탄생한 콜레주 드 프랑스 교수진은 이 두 언어를 배우지 않고서는 성경을 제대로 이해할 수 없다고 주장하며 신학자들의 논리에 맞섰다. 이 대립은 소르본 대학이 1534년 콜레주 드 프랑스 교수진을 대상으로 소송을 걸 정도로 팽팽했다. 왕실 법정은 성경 해석이 전적으로 신학의 몫이라고 확인했지만, 그리스어와 히브리어 교육이 그 해석에 방해가 되지는 않는다고 판결 내리며 교육의 유용성을 동시에 인정했다. 그에 따라 1530년 전적으로 라틴어로 강의가 진행되는 대학과 무관하게 여섯 개의 공개강좌가 개설된다. 두 개의 그리스어 강좌, 세 개의 히브리어 강좌, 한 개의 수학 강좌였다. 그 후 라틴어 강좌를 1534년에 추가했고, 프랑스 법률과 의학 강좌도 개설했다. 왕이 사망한 1547년에 콜레주에는 히브리어, 그리스어, 수학, 라틴어, 의학, 철학 등 총 11개 강좌가 개설되어 있었다. 프랑수아 1세는 소르본의 적대적 반응에서 벗어날 수 있도록 콜레주 드 프랑스 소속 교수들에게 독립권을 부여했다. 1610년에는 루이 13세Louis XIII의 지시에 따

프랑스 국립고등과학연구원(CNRS)

라 소르본 대학 근처에 독자적 건물을 갖게 된다. 건물은 1774년 건축가 샬그랭Jean-François Chalgrin에 의해 재건축되었다가 19세기와 20세기에 여러 차례에 걸쳐 증축되었다. 현재 위치는 파리 최중심 제5구 카르티에 라탱Quartier latin에 소재한 마르슬랭-베르틀로 광장Place Marcelin-Berthelot이다.

오늘날 콜레주 드 프랑스는 행정적으로는 독자적인 신분을 유지하면서 교육부에 배속되어 보조금을 지원받고 있다. 또 프랑스 국립고등과학연구원Centre national des recherches scientifiques(CNRS)[8], 국립보건의학연구소Institut national de la santé et de la recherche médicale(INSERM)를 비롯한 저명기관과의 연구 협력을 통해 학문의 진보에 기여하고, 이 지식을 교육과 학술 출판을 통해 보급한다는 이중의 목표를 설정해놓고 있다. 저명한 교수진은 수학, 물리학, 화학, 생물학, 인문과학, 역사, 음악, 법학, 철학, 사회학, 언어학, 고고학 등 거의 모든 분야를 망라하는데, 57명의 교수가 포진하고 있다. 과거부터 석좌교수를 거친 인물

모리스 메를로-퐁티

들 중에서 미셸 푸코, 모리스 메를로-퐁티Maurice Merleau-Ponty, 클로드 베르나르Claude Bernard, 클로드 레비-스트로스, 앙리 베르그송Henri Bergson, 쥘 미슐레Jules Michelet, 페르낭 브로델Fernand Braudel, 피에르 부르디외, 롤랑 바르트 등이 우리에게 잘 알려져 있다. 그러나 모두가 대학에 배속된 인물은 아니다. 시인 폴 발레리Paul Valéry, 기호학자 롤랑 바르트 등이 그런 예외 케이스였다. 이곳에서는 무엇보다 학문의 전문성을 우선시하는 모습을 볼 수 있다. 강좌들은 시험이나 학위와 무관하며, 교수들이 자신의 전공 분야 내에서 자유로이 선택한 주제를 발표하는 식으로 구성된다. 오늘날에도 콜레주 드 프랑스의 표어는 라틴어로 '도세트 옴니아Docet omnia', 즉 '모든 것을 가르친다'이다. 인류학, 일본 철학을 포함한 모든 학문이 강의 대상이 된다. 예수 그리스도의 신성에 의구심을 품은 에르네스트 르낭Ernest Renan, 2차대전 당시 비시Vichy 정부로부터 핍박당한 유대인 언어학자 에밀 벤베니스트Émile Benveniste와 그의 유대인 동료들 등 아주 드문 사례를 제외하고는 강좌는 정치권의 검열을 받지 않았다.

이 기관은 시간이 흐름에 따라 점점 교수진과 과목 수를 늘려가면서 중요성을 더해왔다. 또 극도로 자유로운 체제 덕분에 모든 지식 분야에서 개혁적인 역할을 담당할 수 있었다. 로제타스톤을 해독해낸 장-프랑수아 샹폴리옹Jean-François Champollion은 이 저명한 기관에서 수학한 후 이집트학 교수직을 맡기도 했다.

콜레주 드 프랑스에서는 사회를 구성하는 거대 주제와 관련된 무수한 학술행사, 심포지움도 열린다. 따라서 활발한 토론이 벌어지고 사상이 충돌하는 장이기도 하다. 2019년의 학술강좌 제목만 들여다봐도 매력적인 것이 많다. '저항으로서의 독서', '단테Alighieri Dante의《신곡La Divina Commedia》을 왜 읽어야 하는가', '성서는 하늘에서 떨어지지 않았다', '왜 우리는 공자를 주목해야 하는가', '모든 얼굴을 한 사람', '마르셀 프루스트Marcel Proust의《잃어버린 시간을 찾아서À la recherche du temps perdu》는 왜 뛰어넘을 수 없는 작품인가', '사회적 국가를 다시 생각한다', '알렉산드로스 대왕Alexander Ⅲ의 신화를 다시 생각한다', '고고학, 불화의 지대와 불법적인 발굴', '메소포타미아 문명을 다시 체험해보기'…… 황홀하지 않은가?

난 콜레주 드 프랑스를 지켜보며 늘 우리 사회에 대해 생각해왔다. 귀국한 후 문화센터를 비롯한 꽤 많은 학교 밖 기관에서 강의했고, 대학 내의 메커니즘에 대해서도 웬만큼은 지켜본 입장이다. 무려 7만 명의 연구 인력을 거느린 프랑스의 CNRS 같은 기관은 한국에 부재하다. 우리의 대학과 학술기관들이 서로 적대적이고도 경쟁적인 모습을 하고 있다면, 프랑스에서는 고급 전문기술인양성기관이자 각 분야 최고의 전문가들을 양성해내는 '대학 위의 대학', 즉 그랑제콜 중 하나인 파리고등사범학교(ENS)와 대학이 필히 협력하도록 한다. 콜레주 드 프랑스도 예외는 아니다. 석학들의 은밀한 공간이 되지 않도록 프랑스 굴지의 연구기관들과 상생하게 만드는 것이다. 대한민국 평생교육원의 강좌들? 어떤 내용으로 채워져 있는지 말하지 않아도 잘 알 것이다. 그리고 이름난 기관일수록 유료임은 두말할 나위가 없다. 대

파리 고등사범학교(ENS)

학에 자리 잡지 못한 무수한 강사 인력을 위한 우리의 CNRS가 만들어질 수는 없는 것인지? 그들이 대학 밖에서 생활의 안정을 얻으며 대학과 협력하고 경쟁하는 시스템은 정녕 마련할 수 없는 것인지? 많은 이들이 공감함에도 그런 제도를 구축할 수 없다면 우리 모두에게 일정 부분 책임이 있는 것은 아닐까? 오늘날 새로운 학문의 생태계가 형성되고 있다면 더욱 생각해볼 문제가 아닌가 싶다.

유대인 문제와의 만남

나의 전공은 2차대전과 홀로코스트, 박사학위 논문 제목은 〈수용소 세계 기술론 : 문학과 수용소Écrire l'univers concentrationnaire : la littérature et les camps〉였다. 수용소 문제를 역사·문학·영화 차원에서 접근해보고, 그에 대한 미학적 승화를 고민해보는 내용이었다. 한국전쟁에 대한 고민을 유대인 학살이라는 보편적인 문제로 확대해보려는 의도에서 나는 이 주제를 택했다. 한국을 떠나기 전 유대인 문제에 대해 들어본 적이 거의 없었기에, 나는 이 주제가 상대적으로 간단하며, 따라서 꽤 일찍 논문을 끝낼 수 있으리라고 착각했다. 프랑스에 도착한 후 나의 판단이 얼마나 무모하고 허황된 것이었는지 깨닫기까지 그다지 많은 시간이 걸리지 않았다. 논문을 작성하며 어느 정도 고생이 심했는지는 여기서 언급하지 않으련다. 마치 유럽 전체의 아킬레스건처럼, 유대인 문제는 가장 민감하고도 해법이 없는 주제였다.

홀로코스트에 접근하려면 유럽의 유대인 문제에 대한 이해가 선행되어야 했다. 그러나 20세기 전반부에 미증유의 비극을 낳았던 반유대주의를 이해하는 것은 한국인 입장에서 정말 어려운 일이었다. 논문

지도교수 자크 네프Jacques Neefs 선생님은 "네가 한국에서 이 주제로 학위를 준비하는 첫 번째 사람이 맞느냐?"는 질문을 여러 번 던지기도 했다.

유럽 유대인에 대한 공부는 무수한 질문을 낳았다. 가장 궁금했던 주제는 왜 그렇게 많은 유대인이 홀로코스트 때 희생되었는가 하는 점. 히틀러의 개인적인 증오심, 유대인들이 인류 죄의 대속자인 예수를 십자가형으로 몰고 갔다는 성경의 기록, 유대인 자신들만이 구원된다는 선민사상 등 여러 이유가 거론되지만 그 어느 것도 대학살의 원인을 명쾌하게 설명해주지는 않았다. 사실 유대인이 지중해를 통해 유럽으로 처음 들어온 시기는 예수의 제자들이 전도 여행을 떠났던 때로 이미 2,000년 전이다. 유대인은 유럽의 2,000년 역사 전체에 걸쳐 있었고, 그들의 존재가 서서히 부정되기 시작한 것은 기독교의 확산과 때를 같이한다. 나는 전공 분야 서적들과 프랑스의 정기간행물들을 읽으며 프랑스에서 유대인의 모습을 정리하는 방식을 택했다. 어느 정도

잡지 《라르슈》(1919)

도움을 주었던 잡지는 유대계 잡지인 《라르슈 L'Arche》, 우리말로 '방주'라는 뜻을 가진 간행물이었다. 형태도 조악하고 기사 역시 짧았지만 꽤 흥미롭게 느껴졌던 잡지다. 실제로 단상 형식으로 이 잡지에 실린 주제나 개념들은 몇 달 후, 혹은 몇 년 후 꼭 대학 강의나 저서를 통해 모습을 드러내곤 했다. 마치 프랑스 사회의 지성을 그 잡지가 이끄는 듯한 느낌을 받을 정도였다. 그중에서도 특히 재미있었던 것은 아시아 관련 기사였다. 유대인은 미국을 비롯해 자신들이 들어

가는 곳마다 그 사회를 지배하는 존재가 되지만, 아시아에서는 유독 힘을 발휘하지 못했단다. 중국에서 마지막으로 유대인의 흔적이 발견되는 시기는 13세기로, 그 이후에는 중국 사회에 동화되어버렸다고 한다. 글을 읽으며 나는 아시아의 정신세계가 역시 서구의 그것보다 더 뛰어나다고 느꼈다. 서구의 배금주의는 정신의 빈곤을 낳았고, 적어도 정신적인 측면에서는 아직도 아시아가 건강하다고 당시 나는 믿었다. 그러나 귀국해 목격한 한국의 종교들은 훨씬 더 세속적이고 비종교적이었다. 유학 시절의 생각과는 반대로 지금은 일상 속에 녹아든 서구의 기독교가 우리보다 훨씬 건강하다고 생각하고 있다.

유럽 사회에서 유대인은 많은 경우 부정적으로 인식되고 있었다. 상징적 혐오 대상은 돈을 갚지 못할 경우 심장에서 가장 가까운 곳의 살 1파운드를 요구하는 셰익스피어William Shakespeare 작품 《베니스의 상인The Merchant of Venice》 속 샤일록에서부터 유럽의 대공황을 뒤에서 조종했다고 의심받는 로스차일드Rothschild 가문까지 아주 다양했다. 19세기 이집트 카이로에서 쓰인 것으로 추정되는 《시온 의정서The Protocols of the Elders of Zion》는 유대 12지파가 비밀리에 세상의 분할을 모의하는 내용을 담고 있었다. 한국에서 전혀 이야기되지 않는 주장도 있었다. 러시아 대혁명은 노동자와 농민 같은 무산자들을 위해 일어난 사건으로 인식되지만, 유럽에서 접한 어느 책은 볼셰비키 등 혁명 주체세력 내에 많은 유대인이 포함되어 있었다는 이유를 들어 세상에 대해 유대인들이 복수한 경우로 규정하고 있었다.

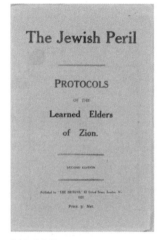

《시온의정서》

유대인이 피해자일까 가해자일까 하는 문제는 유학 기간 내내 나를 괴롭힌 화두였다. 1990년 5월 11일 남프랑스의 카르팡트라 Carpentras 묘지 훼손 사건은 특히 끔찍했다. 남프랑스에 처음으로 정착한 유대인들이 묻힌 아비뇽Avignon 인근 카르팡트라 묘지에서 어느 날 34기의 무덤이 훼손되어 있었고, 81세로 사망한 한 노인의 시신이 무덤 밖으로 파헤쳐져 우산대에 찔린 채 발견된 것이 사건의 개요다. 묘지 훼손 사건에서 나타난 반유대주의를 규탄하는 파리 시위에는 무려 100만 명이 동참했고, 시위 행렬의 선두에는 좌우의 구분 없이 프랑스의 주요 정치인 거의 모두가 모습을 드러내고 있었다. 비슷한 시기에 파리 근교의 한 중학교에서 히잡 착용 때문에 퇴학당한 이슬람 여학생들 문제가 있었다. 여학생들을 지지하는 시위는 참가자도 적었고 정치인들 모습이 거의 보이지 않았다. 그럴 만도 했다. 파리 인구 200만 명 중 유대계로 분류되는 사람은 무려 30만 명에 달한다. 나는 두 가지 풍경의 비교를 통해 프랑스 사회 내 유대인의 힘을 어느 정도 가늠할 수 있었다.

유대인에 대해 공부하며 흥미로웠던 주제 중 하나는 프리메이슨 Franc-maçonnerie[9]이다. 늘 비밀스러운 집회, 공개되지 않는 구성원 등으로 인해 호기심을 불러일으키는 프리메이슨이 대체 어떤 존재이기에 프랑스에서 정치와 경제 쪽의 굵직굵직한 스캔들이 터질 때마다 이들의 관련 여부가 거론되는 것일까?

확실하지는 않지만, 내가 나름대로 얻은 결론이 있다. 프리메이슨은 유대인과 불가분의 관계를 맺고 있다는 것이다. 사전이 기술한 그 어떤 정의도 나의 성에 차지 않았다. 예를 들어 한국의 어느 백과사전에 프리메이슨은 '중세의 숙련 석공Mason 길드에서 시작되어 18세기 초

1800년대의 프리메이슨

영국에서 세계시민주의적·인도주의적 우애를 목적으로 조직되어 발전된 비밀결사단체'라고 정의하고 있다. 그러나 '세계시민주의적·인도주의적 우애'라는 손에 잡히지 않는 표현의 의미는 대체 뭘까? 프랑스의 대표적인 프리메이슨 지부loge(영어로는 lodge) 중 하나에 '대동양단大東洋團, Grand Orient de France'이 있었다. 이 집단의 구호는 '빛은 동방으로부터La Lumière vient de l'Orient'. 여기서 동방은 이스라엘을 의미했다. 난 자연스럽게 프리메이슨과 유대인을 연결시켰다.

연구를 심화해가면서 나는 프랑스 역사와 프리메이슨의 연관 관계를 도출하려 애썼다. 프랑스를 비롯한 유럽인들이 기독교의 중압감에서 벗어나 인간 중심의 세상을 재발견하기 시작한 것은 15세기 르네상스 시대였다. 어떤 의미에서 그들은 당시 근대에 대해 눈을 뜨기 시작했지만, 모든 종교의 자유는 1789년 프랑스대혁명 이후에야 보장된다. 거의 300년간 종교와 비종교 사이의 간극을 메울 수 있을 법한 유일한 도구이면서 겉으로는 종교색을 띠지 않으면서 내부로는 근대 이후의 가치를 담아내는 형태로 프리메이슨이 가장 이상적이었다. 프리메이슨이 내세우는 가치들은 모호하기 짝이 없고, 그들이 내세우는 진

장-폴 사르트르의
《유대인 문제에 대한 성찰》

보·자유·이성·도덕·박애는 더없이 추상적이다. 하지만 훗날 그런 개념들은 프랑스대혁명이 낳은 가치들과 완벽하게 만나게 된다. 전 세계로 흩어진 유대인들이 그들의 입장에서 세계주의를 내세우며 자국중심주의와 대립하는 가치를 발전시켰음을 인정한다면 그들이 프리메이슨과 부분적으로 만났다고 생각하는 것은 무리한 가정이 아니다.

그러나 여전히 나에게 유대인은 글로 말끔하게 정리할 수 있는 대상이 아니다. 장-폴 사르트르는 유대인 문제가 닭과 달걀 중 어느 것이 먼저 생겼는지를 따지는 것과 유사하다고 저서 《유대인 문제에 대한 성찰*Réflexions sur la question juive*》에서 진단한다. 다시 말해 실체가 있는 유대인이 반유대주의를 초래했는지, 아니면 인간의 상상력이 유대인이라는 가상의 존재를 만들었는지를 사르트르는 묻는다.

유대인 문제를 둘러싼 쟁점 중에는 마사다Massada도 있었다. 마사다는 오늘날 이스라엘의 사막에 실존하는 언덕이다. 서기 73년 5월 2일 밤 거의 1,000명에 달하는 유대 지파 열혈당원(젤로트파)이 로마제국 군대에 맞서 최후의 항전을 벌이다 모두 산화한 비극의 현장이다. 갈릴리 부대의 대장이었다가 로마제국에 매수되어 유대 역사를 기록하는 사관史官이 된 플라비우스 요세푸스Flavius Josephus의 《유대 전쟁사*The Wars of the Jews*》에 유일하게 등장하는 마사다 항전은 다른 역사책에서는 전혀 언급되지 않는다. 역사의 진실은 뭘까? 홀로코스트를 겪은 유대인들의 수동적인 모습은 이스라엘 후속 세대에게 격렬하게 반박을 받고 있다. 왜 변변한 저항 한번 없이 마치 도살장에 끌려가는 양들처럼 고분고분하게 죽어갔느냐고…… 마사다 항전은 유대인들의 상처를 치유할 수 있는 영웅적인 이야기였다. 그렇기에 오늘날 입대하는 모든 이스라엘 젊은이들은 마사다 언덕 아래에서 국가에 대해 충성을 맹세한다.

아직도 나는 유대 문제에 대해 어느 정도 공부했다고 감히 이야기하지 못한다. 퐁피두센터에서 유대인에 대해 신학적인 이해를 시도하다가 포기하기도 했다. 한 가지 분명한 것은 인간들의 상상이 편견과 오해를 빚어내고, 종교적 신념이 나와 타자를 구분하며, 그로 인한 갈등이 피로 물든 장구한 역사를 만들어낸다는 사실. 그런 역사를 난 여전히 국외자의 시선으로 지켜보고 있을 따름이다.

프랑스의 이민 문제, 동화에서 통합으로

다민족 국가인 프랑스에 살며 가장 일상적으로 부딪히는 주제는 이민 문제였다. 프랑스에서 외국인 부모에게서 태어나는 아이에게 프랑스 국적을 부여하는 문제에서부터 이민자들에게 참정권을 부여하는 문제에 이르기까지, 이슬람 사원 건립 찬반부터 해수욕장에서 전신을 덮는 수영복 '부르키니burkini' 허용 여부에 이르기까지 이민자들 문제는 크고 작은 복잡다단한 갈등과 관련을 맺고 있었다. 물론 반목의 저변에는 2차대전이 끝난 후 미국의 경제 지원을 통해 마셜 플랜이 본격화하던 1950~1960년대에 프랑스로 건너온 북아프리카 이민자들이 있었다. 그리고 그들 대부분이 이슬람교도였다.

2005년 11월에 일어난 이민자들의 소요는 이러한 갈등의 극을 보여주었다. 경찰의 추격을 피해 달아나던 십대 아랍계 소년들이 감전사하며 발발한 소요는 극심한 후유증을 낳았다. 이 사건으로 4개월 동안 무려 1만 5,000대의 차량이 불탔고, 3,000명에 달하는 사람이 체포되었으며, 120여 명의 경찰이 부상당했다. 1968년 5월혁명 이래 최대 규모의 소요로 기록된 이 사태는 근본적으로 소외당하고 차별받아온 이민자 출신 프랑스인들의 잠재된 불만이 얼마나 컸는지를 상징적으로 보여주었다. 실패한 이민자 통합 정책, 아프리카 이주민 집단에 만연한 실업과 빈곤, 낙후한 주거환경, 시민으로서 누려야 할 보편적 권리로부터의 배제, 우범지역 범죄에 대한 초강경 대응, 소요 가담자들을 '쓰레기'로 매도한 당시 니콜라 사르코지Nicolas Sarkozy 내무장관의 발언 등에 그들은 분노했다. 대혁명 이후 자유·평등·박애의 이름으로 가장 모범적으로 인종을 통합하고 가장 성공적으로 다문화를 구축했다고 자화자찬했던 만큼 프랑스가 받은 충격은 적지 않았다. 이민자 소요 사태는 오늘날의 프랑스가 안고 있는 문제점을 몇 개로 압축할 수 있게 해주었다.

1. 사태의 뿌리는 제국주의 시대까지 거슬러 올라간다. 1830년대부터 프랑스는 영국과 더불어 본격적인 해외 영토 쟁탈전에 뛰어들었고, 북아프리카의 마그레브 지방, 서부 사하라 이남 아프리카의 대부분 지역을 프랑스 영토로 만들었다. 1945년 2차대전이 끝나고 경제부흥이 본격화될 때 노동력이 부족해지자 이 지역 출신 사람들이 대거 프랑스 땅을 밟았다. 프랑스가 옛 식민지 사람들을 대량으로 받아들인 이면에는 자국이 과거사에 지고 있는 채무 의식을 조금이라도 덜어보려는 의중이 당연히 깔려 있었을 것이다. 공식적으로 경제 이민은 1970년대 초반 이후 중지되었지만, 프랑스 땅으로 건너온 이민자들은 1973년과 1979년 두 차례에 걸친 석유파동 이후에도 출신 나라로 되돌아가지 않았다. 그리고 그들은 프랑스에서 백인들보다 더 많은 아이들을 출산했다. 프랑스가 전통적으로 속지주의를 택해왔기에 프랑스 땅에서 태어나는 이민자들의 자식이 프랑스 국적을 자연스레 취득

마티외 카소비츠 감독의 영화 〈증오〉 포스터

할 수 있었음에도, 이민 1세대 혹은 2세대가 부를 축적할 수 있는 수단은 거의 없었다. 주로 3D 업종에 종사하는 이민자들에게 가난이 대물림되는 악순환이 반복되면서 양질의 교육을 제공받지 못하는 빈곤계층이 양산되는 결과를 낳았다. 오늘날 프랑스의 '문맹' 인구가 600만 명 정도로 추산되는데, 이 수치가 프랑스에 거주하는 무슬림 숫자와 그다지 차이 나지 않는다는 점을 알 수 있다. 아프리카 이주민들이 겪는 만성적인 실업과 빈곤은 대도시 교외 지역을 단기간에 슬럼으로 만들어버렸고, 그에 따라 그런 지역에서는 백인들의 모습을 찾아볼 수 없을 정도로 인종 간의 단절이 초래되었다. 현대적 의미의 게토가 양산된 것이다. 마티외 카소비츠Mathieu Kassovitz 감독의 영화 〈증오La Haine〉(1995)는 1990년대 중반 대도시 교외에서 이민자 2세들이 겪은 암울한 현실을 섬뜩할 정도로 사실적으로 그려내고 있다.

2. 상대적으로 균질적인 모습을 보여준 과거 포르투갈, 스페인, 이탈리아 등 유럽 타지로부터의 이민과는 달리, 최근 50년간 이루어진 다른 문명권에서 프랑스로의 대규모 이동은 전혀 예상치 못한 결과를 낳았다. 오늘날 많은 이에게 이슬람은 테러와 동일시되고 있다. 또 아시아계 이민자들은 이질적인 서구 문화에 적응하는 데 적지 않은 어려

움을 겪으면서 각 나라별로 공동체를 형성하고 있다. 전 세계의 사람들이 공존하고 있어 인종전시장으로 불리는 파리에서조차 대체로 비슷한 인종끼리 교류하는 것을 목격할 수 있다.

3. 학자에 따라 다양한 견해를 보이지만, 미국의 이민자 사회는 '모자이크', 프랑스의 이민자 사회는 '멜팅 팟melting pot'으로 분류된다. 다시 말해 미국은 넓은 땅만큼 세계 각국의 커뮤니티가 평행 이동한 느낌을 주면서 서로 병렬적이라면, 프랑스는 대혁명 이후 대두한 '자유·평등·박애' 가치 아래 모든 이질적 요소를 종속시켜버린다. 예를 들어 로스앤젤레스만 하더라도 차이나타운, 코리아타운, 리틀도쿄타운 등이 공존하면서 서로의 정체성을 유지하고 있다. 그러나 프랑스는 프랑스적 가치 아래 모든 타문화를 종속시켜버린다. 문학 쪽에서도 흥미로운 모습이 발견된다. 미국은 솔 벨로우Saul Bellow를 '미국 내 유대 문학', 존 스타인벡John Steinbeck을 '미국 내 아일랜드 문학', 이창래를 '미국 내 한국 문학' 작가로 규정하면서 각 공동체의 개별성과 정체성을 존중한다면, 프랑스는 이민자들의 문학을 모두 프랑스 문학으로 묶어버린다. 1989년 톈안먼天安門 사태를 피해 유럽으로 건너간 가오싱젠Gao Xingjian이 노벨문학상을 받았을 때 프랑스가 이 작가를 '프랑스 작가'로 분류했음은 물론이다. 프랑스에서 오랫동안 '동화assimilation'라는 개념이 통용된 것도 바로 이러한 현상을 반영한다.

4. 프랑스식 사회통합 모델이 전면적으로 문제시된 2005년 사태를 놓고 각계 전문가들은 다양한 해석을 시도했다. 가장 중요한 원인은 북아프리카 출신 저소득층 이민자 2세 젊은이들의

노벨문학상 수상자
가오싱젠과 그의 아들

프랑스 소설가
미셸 우엘벡

뿌리 깊은 소외의식과 미래가 보이지 않는 절망감이며, 그것이 소요사태에서 극단적인 분노로 표출된 것이라 보았다. 북아프리카 이민자들의 수용이 실패로 끝난 이후 프랑스에서 '동화'라는 개념은 '통합intégration'이라는 단어로 대체되면서 부분적으로는 미국식 사회통합을 받아들이는 외양을 취하고 있다. 동화가 주主와 종從의 개념을 연상시키는 동시에 피식민자가 식민자의 강요를 받아들이는 제국주의적 이데올로기를 떠올리게 만든다면, 통합은 양측이 일대일로 만나는 모양새다.

5. 오늘날 유럽에 거주하는 무슬림 인구는 1,500만~2,000만 명으로 추정된다. 이는 유럽 인구의 4~5%를 차지한다. 높은 출산율과 이주 인구의 꾸준한 증가로 오는 2025년에는 그 수가 두 배에 이를 것으로 전망되고 있다. 디스토피아를 그려낸 프랑스 작가 미셸 우엘벡Michel Houellebecq의 논쟁적인 장편소설 《복종Soumission》은 머지않은 미래에 프랑스가 이슬람 국가로 변모할 것이라는 극단적인 진단까지 담아내고 있다. 저자는 작품 속에서 2022년 이슬람 정권이 들어선 프랑스 사회에서 이슬람 대학으로 탈바꿈한 소르본 대학 교수 프랑수아의 삶의 궤적을 추적하면서 사회를 잠식해가는 이슬람, 시대의 변화에 죽은 듯이 복종하는 사람들의 수동적인 모습을 그려낸다.

우리는 유럽이 아닌 다른 지역에 살고 있고, 아시아의 역사 발전과정은 유럽과 같을 수 없다. 그럼에도 한국 사회 역시 타자 문제를 진지하게 고민해야 하는 단계까지 왔다고 볼 수 있다. 식민지를 거느린

제국주의를 경험한 적이 없으니 프랑스처럼 갈등이 첨예화할 것 같지는 않지만, 우리 속에 들어와 있는 타자들에 대해 우리는 얼마나 고민하고 있을까? 그들과 함께 살 마음의 준비는 제대로 하고 있을까? 우리의 관심은 여전히 서구를 향해 있으니, 아시아의 가난과 질곡을 얼마나 깊이 생각하고 있는지도 의문이다. 타자라는 존재는 곧 거울 속의 우리 모습이기도 한데……

프랑스인이 가장 좋아하는 인물들

일요일마다 발간하는 프랑스 신문이 있다. 이름은《주르날 뒤 디망슈 *Journal du dimanche*》. 이 신문이 1년에 한 번 마련하는 이벤트 중 가장 사람들의 관심을 끄는 것이 '프랑스인이 가장 좋아하는 인물들' 선정이다.

늘 흥미롭게 결과를 들여다보곤 했지만, 오랫동안 순위의 상단을 차지하는 인물들은 거의 변함이 없었다. 유학 시절에 접한 순위로 따지자면 최상위권 인물들은 코미디언 콜뤼슈, 피에르 신부Abbé Pierre[10], 자크-이브 쿠스토Jacques-Yves Cousteau 선장[11].

콜뤼슈는 연말에 노숙자들에게 무료 음식을 제공하는 이벤트 '사

콜뤼슈

랑의 레스토랑'을 만든 인물이다. 파리에서는 매년 11월 중순 이후 대형 하이퍼마켓 앞에 설치된 초대형 박스에 장을 본 사람들이 무언가를 집어 넣고 있었다. 주로 캔, 스파게티 등 장기 보존이 가능한 식품들이었다. 알고 보니 사랑의 레스토랑을 위한 식료품 모으기였고 어느 순간부터 나도 따라서 넣게 되었다. 프랑스식 연대, 혹은 나

눔의 전통을 극대화한 행사였다. 프랑스인들이 연중 가장 큰 행사 중 하나로 주저 없이 꼽을 정도로 이 행사가 갖는 의미는 각별하다. 1985년 행사가 시작된 이래 노숙자들에게 제공한 식사가 2015/2016년 20억 건을 넘어섰고 현재 프랑스 전역의 2,112개 센터에서 7만 1,000명의 자원봉사자가 일할 정도로 프랑스인들의 호응이 크고 사회적 의미도 지대하다.

소비사회의 음식 낭비와 농업생산 잉여분의 폐기 처분을 목격하면서 콜뤼슈는 가격 조절을 위한 방식을 고발하며, 남아도는 것을 모아 가난한 자들을 구제하기를 권유한다. '당신을 믿습니다!'라는 슬로건을 내건 행사는 무료식사 제공뿐 아니라 사회적 약자들의 사회 편입을 적극 돕고 있다. 가난을 퇴치하기 위해 전 국민이 노력하는 것이다. 행사의 의미를 더욱 빛내는 것은 자선 콘서트다. 가수 장-자크 골드만Jean-Jacques Goldman이 주도해 1986년부터 시작된 '레 장푸아레Les Enfoirés(얼간이들)' 자선 콘서트에는 매번 최고의 가수들이 총출동하고 있다. 프랑스 전역에서 한 도시를 선정해 매년 한 차례 갖는 공연을 통해 모은 수익금은 전액 사랑의 레스토랑에 기부된다.

1986년 1월 26일 당시 공영채널이었던 TF1을 통해 4시간 동안 진행된 자선공연에는 좌우의 모든 정치인, 무수한 아티스트와 스포츠계 유명인사들이 동참했고, 모은 수익금만 2,000만 프랑에 달했다. 850만끼의 식사를 제공할 수 있는 액수였다. 1989년 프랑스 최고의 가수들인 장-자크 골드만, 미셸 사르두Michel Sardou, 에디 미첼Eddy Mitchell, 베로니크 상송Véronique Sanson, 조니 알리데Johnny Hallyday가 레 장푸아레 첫 순회공연을 가지면서 기금을 모았

가수 장-자크 골드만

고, 1992년부터는 모든 미디어가 주목하는 행사로 발전했다.

레 장푸아레는 저작권을 포기하고 모든 권리를 사랑의 레스토랑에 넘겨 콘서트와 앨범 판매로 생기는 수익금 모두를 기부했다.

피에르 신부 역시 독특한 이력을 자랑한다. 예외적인 혹한이 닥쳤던 1954년 겨울 노숙자들이 거리에서 죽어가자 피에르 신부는 라디오방송에 출연해 도움을 호소했고 그들이 주인 없는 빈 아파트들에 들어가 지낼 수 있게 했다. 주로 외국의 부호들이 여름 별장으로만 사용하는 집들이었다. 신부의 노력은 사회적으로 큰 반향을 낳았고 그가 세상을 떠난 후 현재 엠마우스 재단이 그의 유업을 이어가고 있다.

자크-이브 쿠스토 선장은 에밀 가냥Émile Gagnan 엔지니어와 함께 1943년에 스킨스쿠버용 산소통 '아쿠아렁'을 개발해 해저 탐사 능력

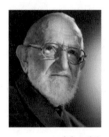

피에르 신부

자크-이브 쿠스토 선장

을 배가시킨 인물이다. 그는 자신의 배 '잔 다르크', '칼립소'(1952년부터 1982년까지 이용)를 타고 여러 차례 해양 탐사를 실시하고, 자신의 해저 기지들을 이용해 심해 탐험을 수행한 바 있다. 또한 13세 때부터 영화에도 지대한 관심을 보여 1955년에 〈침묵의 세계Le Monde du silence〉(루이 말Louis Malle 감독과 함께 제작한 이 영화는 1956년 칸 영화제에서 황금종려상을 수상했다), 1964년에 〈태양이 닿지 않는 세계 Le Monde sans soleil〉를 비롯해 해저 세계를 담은 수많은 영화를 제작하기도 했다. 쿠스토가 TV와 영화를 위해 직접 제작한 영상만도 1,000시간 분량에 달한다.

그는 모나코 해양박물관 관장직을 1957년부

터 1988년까지 30여 년간 맡기도 했다. 1988년에 아카데미 프랑세즈의 회원이 된 그는 50권의 저서, 2권의 백과사전, 만화를 출간한 바 있으며 환경보호 운동가로서도 열성적인 활동을 전개했다. 쿠스토는 바다의 오염, 핵실험, 남극 개발

콩고에서 발행한
자크-이브 쿠스토 선장 기념우표

에 반대하고 환경 문제를 연구하기 위해 자신의 이름을 딴 협회 '쿠스토 소사이어티Cousteau Society'를 1973년에 미국에서 설립한 바 있다. 그러나 미국에 건설한 해양박물관과 1989년 7월에 파리 레알Les Halles에 만든 쿠스토 해양박물관은 1992년 11월에 문을 닫았고, 학문적인 엄격함의 부족과 아름다운 영상을 찍기 위한 무리한 시도 때문에 과학자들과 문화인들로부터 심하게 공격받기도 했다. 예를 들어 2015년에 소설가이자 영화감독인 제라르 모르디야Gérard Mordillat는 쿠스토가 〈침묵의 세계〉를 촬영할 때 다이나마이트로 산호초를 폭파하고 선박의 프로펠러로 새끼 향유고래를 살육하는 등의 만행을 저질렀다며 그를 격렬하게 공격한 바 있다. 그럼에도 쿠스토는 바다의 아름다움을 발견하게 해준 가장 인기 있는 인물로 프랑스인들의 마음속에 여전히 남아 있다. 그가 보여준 모험심과 선구자적 정신이 프랑스인들의 존경을 사기에 충분했던 것이다.

단적으로 세 사람만 보아도 우리가 존경하는 대상과 많이 다르지 않은가? 우리가 복제하고픈 인물들이 왕, 장군, 정치가에 몰려 있다면 프랑스에서는 사회의 문제점을 개선하며 큰 울림을 제공한 인물들에 집중된다. 1998년 프랑스가 월드컵에서 우승했을 때 지네딘 지단

2020년 12월 9일자 《르 몽드》 신문

Zinédine Zidane[12] 같은 인물이 예외적으로 상위를 차지하기는 했지만.

어떻게 보면 이러한 프랑스인들의 유니크한 시각은 사회 전반에 공통된 느낌이었다. 크게 보자면 공동선, 유토피아를 지향하는 이러한 시각은 여러 측면에서 독특한 풍경을 만들어냈다.

재미난 사례가 있다. 매주 주말에 구입하는 《르 몽드》지는 나에게 대단한 행복을 주었다. 우습게 들릴지는 몰라도, 주말판에 다음 주 TV와 라디오 프로그램이 간지 형태로 삽입되어 있었기 때문이다. 당시 음향자료 녹음, 즉 카세트로 주요 라디오 프로그램을 녹음하는 일에 몰두했던 나는 그 간지를 정말 꼼꼼하게 체크했다. 나를 제일 놀라게 한 것은 라디오 방송 관련 부분이었다. 민영 라디오 방송이 많은 프랑스에는 청취율이 높은 인기 방송국이 많다. RTL, RMC, Europe1 등이 그에 해당한다. 하지만 《르 몽드》는 국영 '라디오프랑스' 산하 클래식 전문방송인 '프랑스 뮈지크France Musique', 문화 전문 채널인 '프랑스 퀼튀르France Culture' 프로그램을 예외 없이 모두 소개하는 반면, 정작 청취율이 높은 민영방송들은 아주 간략하게 몇 개 프로만 소개하고 있었다. 두 국영방송의 청취율은 당시 각각 2%를 채 넘지 않던 터였다. 시청률이나 청취율이 떨어지면 곧바로 프로그램을 폐지해버리는 우리 쪽 모습과는 너무나 달랐다. 《르 몽드》는 독자적인 기준에 따라 라디오 프로그램을 소개했다. 프랑스에는 우리와 달리 일회용 TV 및 라디오 프로그램 가이드북이 많아서, 매주 그 책자들의 발행부

수만 수백만 부에 달했다. 《르 몽드》의 자세는 상업적인 정보를 원한 다면 그런 가이드북을 사서 보라는 식이었다. 오만한 동시에 멋지지 않은가?

획일적인 사회와는 너무나 다른 이러한 삶의 방식은 프랑스 사회에 익숙하지 않은 외국인들을 상당히 불편하게 하기도 하지만, 그런 풍경에 어느 정도 적응하면 '저들은 이런 사안, 저런 문제에 대해 또 어떻게 생각할까?'라는 궁금증도 유발한다. 드골이 말하지 않았던가. 치즈 숫자만큼이나 다양한 프랑스인을 통치하기란 너무나 힘들다고. 그런 프랑스의 모습은 '코드화된 사회société codée'라는 표현을 낳기도 한다. 종교, 이데올로기, 사회계층, 출신, 교육수준 등에 따라 관계가 아주 복잡다단하게 암호처럼 얽혀 있어서 프랑스 사회의 평균치를 내는 것은 아예 불가능하다는 의미다. 《르 몽드》의 선택은 시청율, 청취율, 판매 부수 등으로 가치를 평가하는 우리와는 달리 때로는 대중의 취향에 반하는 것도 사회를 위해서는 이롭다는 점을 일깨워준다. 나는 그들의 선택을 사랑할 수 밖에 없었다.

세계 최고의 지성 츠베탕 토도로프Tzvetan Todorov

2017년 2월 7일 77세의 나이에 세상을 떠난 츠베탕 토도로프. 그는 나에게 가장 위대한 지성이자 닮고 싶은 모델이었다. 삶의 역정도 그랬고, 지적인 여정도 그랬다. 그 정도로 나에게 깊은 울림을 주었다는 얘기다. 그는 에세이스트면서 역사학자였고, 기호학자이면서 문학비평가였으며, 작가이면서 사회학자였다. 토도로프를 지칭하는 표현이 이렇게 다양하듯, 그의 지적 사유는 실로 방대한 영역에 걸쳐 있었다. 그의 이름을 처음 접한 것은 내가 프랑스로 떠나기 전인 1980년대에 국내에서 대학원 석사과정을 밟던 시절. 첫 만남은 그다지 인상적이지는 않았다. 그는 구조주의 문학비평가로 소개되고 있었는데, 문학과 사회의 관계에 관심이 많던 나는 구조주의의 도식적이고도 기능적인 적용에 상당히 염증을 느끼던 차였다. 그러나 프랑스에 도착한 후 만난 토도로프의 책들은 구조주의와 아주 거리가 먼 대신 나의 관심사와 아주 가까웠다. 당시 그가 집중적으로 다루던 주제는 문명사였다. 묘하게도 그는 1980년대부터 사상사, 기억의 문제, 역사를 통해 고찰한 타자의 문제 등에 달려들고 있었다. 홀로코스트에 대한 박사학위

논문을 쓰던 내가 관심을 가질 수
밖에 없는 주제들이었다. 토도로프
의 이력은 이채로웠다. 1939년 3월
1일 불가리아의 소피아에서 태어난
그는 1963년 파리로 유학을 떠난
후 1970년에 박사학위를 받는다.
박사학위 논문 지도는 롤랑 바르
트가 맡았다. 1968년부터 국립고
등과학연구원(CNRS)에서 일하기
시작하며, 1983년부터 1987년까지

츠베탕 토도로프

예술과 언어 연구소를 이끈다. 미국 굴지의 대학들인 뉴욕대, 컬럼비
아대, 하버드대, 예일대, 캘리포니아대에서 초청 교수를 거쳤을 정도로
그의 학문은 세계적으로 인정을 받았다.

초창기의 그는 야콥슨Roman Jakobson, 슈클롭스키Viktor Chklovski, 티니
아노프Yury Tynianov 등 러시아 형식주의자들의 글을 번역한 《문학이론
Théorie de la littérature》(Le Seuil, 1965)으로 주목을 받는데, 이 책은 프랑스에 현
대시학을 보급하는 데 크게 기여한 책으로 인정받고 있다. 또 1970년
에는 환상문학이라는 장르를 대중에게 알리는 책을 저술했다. 같은
해에 그는 제라르 주네트Gérard Genette와 함께 《포에티크*Poétique*》 잡지
를 창간한 후 서사학, 기호학, 언어학에 바탕을 둔 문학이론을 발전시
켰다. 인류학적인 동시에 역사적이었던 그의 후반기 작업은 공동체의
삶에 집중된다. 이타성의 문제, 특히 유럽에서 신대륙이 발견을 전후
한 시기의 유럽 휴머니즘 사상 속에서 식민화 과정 때 그리고 20세기
동안 '우리'와 '타자', 기억의 문제가 어떻게 드러나고 있는지를 조망

했다. 휴머니즘의 역사에 대한 그의 연구는 루소Jean-Jacques Rousseau, 몽테스키외Charles Louis Secondat Montesquieu, 몽테뉴, 벵자맹 콩스탕Benjamin Constant의 저작들을 부각시키는 데 주력했다. 후반기의 저서들 중에는 《악의 기억, 선의 유혹*Mémoire du Mal, tentation du Bien*》(Robert Laffont, 2000), 지적 자서전인 《의무와 열락, 지나가는 사람의 삶*Devoirs et délices, Une vie de passeur*》(Seuil, 2002), 《새로운 세계의 무질서*Le Nouveau désordre mondial*》(Robert Laffont, 2003), 《야만인에 대한 두려움 : 문명의 충격을 넘어서*La Peur des barbares : au-delà du choc des civilisations*》(Le Livre de poche, 2008)가 있다. 2000년대에는 기억에 대한 연구에 집중한 듯 《기억의 남용*Les Abus de la mémoire*》(Arléa, 2004)을 썼다. 미술에 대해서도 글을 썼는데, 프랑스의 대가들이 그랬듯이 토도로프 역시 고야Francisco Goya에 대한 저서 《고야, 계몽주의의 그늘에서*Goya à l'ombre des Lumières*》(Flammarion, 2011)를 저술했다.

그러나 무엇보다도 나의 관심을 끈 저작은 1980~1990년대에 출간된 책들이었다. 문학 쪽의 저술과는 별개로 그는 《아메리카 정복 : 타자의 문제*La Conquête de l'Amérique : La Question de l'autre*》(Le Seuil, 1982), 《우리와 타자들*Nous et les autres*》(Le Seuil, 1989), 《극한에 맞서*Face à l'extrême*》(Le Seuil, 1991), 《역사의 교훈*Les Morales de l'histoire*》(Grasset, 1991) 등을 통해 식민주의와 홀로코스트 문제를 다루면서 서방 세계의 침략자적 역사 인식을 비판했다. 이 시기의 책들은 하나같이 나에게 강렬하게 다가왔다. 그가 《우리와 타자들》 속에서 피력한 "자신 속에 평등의 개념이 지배적이라도 대외적으로 그가 노예제도 지지자나 식민주의자가 되는 것을 전혀 막지 못한다. 바로 그것이 애국주의의 논리다"(p. 249)라는 생각에 어떻게 빠져들지 않을 수 있었으랴. 또 《기억의 남용》에 등장하는 "삶은 죽음에 맞서 패배한다. 하지만 기억은 무無에 맞선 투쟁에서 승리를 거둔

다"(p. 16), 《야만인들에 대한 두려움》 속의 "오직
전체주의 국가들만이 조국에 대한 사랑을 의무
화한다"(p. 121) 같은 표현에는?

츠베르탕 토도로프의 《극한에 맞서》

내가 그를 가장 존경하게 된 데는 계기가 있
다. 홀로코스트를 주제로 파리에서 박사학위 논
문을 준비하던 시절, 나는 이 주제와 관련해 전
후 출간된 거의 모든 문학예술 관련 자료를 뒤
진 것 같다. 그러나 정말 놀랍게도, 홀로코스트
를 다룬 다양한 작품들에 대해 비판적으로 접
근하는 글은 단 하나도 찾을 수가 없었다. 그
러던 와중에 만난 책이 토도로프의 《극한에 맞서》였다. 클로드 란즈
만Claude Lanzmann 감독이 9시간 반 길이로 홀로코스트를 기록한 영화
〈쇼아Shoah〉는 전 세계인들이 칭송해 마지않는 영화지만 늘 나에게는
많은 의심을 자아냈는데, 그에 대해 토도로프는 정말 냉철한 시각을
보여주었다.

> 자신이 보여주고자 하는 규칙에 예외 없이, 란즈만은 집합적 유죄의
> 입장을 전개하고 있다. 따라서 영화 〈쇼아〉가 '진정한 폴란드, 심오한
> 폴란드의 모습'을 보여주고 있으며, '이 나라와 관련된 중요한 것을
> 하나도 놓치지 않고 있다.'는 그의 주장은 전혀 사실이 아니다.(p. 250)
> 이 영화에서 재현하고 있는 독일인들의 모습 역시 흑백양분적이고,
> 도식적이다.(p. 251)

토도로프는 영화 〈쇼아〉가 증오에 기초해 있고, 증오를 조장하는

필자의 저서 《아우슈비츠 이후 예술은 어디로 가야 하는가》
〈쇼아〉 DVD와 홀로코스트 관련 영화들

영화라고 단언한다. 나는 이런 유의 논조를 그 후 단 한 차례 더 만났을 따름이다. 그 정도로 토도로프의 글과 입장은 논리적이었고, 선명했으며, 합리적이었다.

또 《극한에 맞서》의 서두는 바르샤바 게토 기념비에 대한 성찰로부터 시작한다. 희생자 대부분이 유대인이었는데도 그 기념비에는 오직 2차대전에 희생된 폴란드인들을 기리는 이야기만 등장한다. 히로시마 원폭 기념관에서 한국인과 중국인을 제쳐두고 일본의 피폭 사실만 강조하는 에피소드와 완벽히 같지 않은지?

무엇보다도 토도로프는 자유인이었고, 회의적인 휴머니스트였다. 1968년 5월혁명 이후 사르트르와 바르트의 담론이 대세였을 때도 그들과 일정한 거리를 유지했다. 정치적으로도 양극단에서 벗어나 중도를 추구했던 것 같다. 러시아 문화에 경도된 아버지, 2차대전이 끝난 후 공산 치하의 불가리아에서 살았던 어린 시절 등을 언급한 마지막 에세이 《예술가의 승리. 혁명과 예술가들. 러시아 : 1917-1941 _Le Triomphe de l'artiste. La Révolution et les artistes. Russie : 1917-1941_》(Flammarion, 2017)에서 토도로프는 스탈린 권력에 맞선 소련 예술가들, 특히 예술이 이데올로기적 속박에서 벗어나 자율적이기를 원했던 화가 카시미르 말레비치 Kasimir Malevitch와 작가 예브게니 자미아틴 Evgenii Zamyatin을 높이 산다.

아쉽게도 문명 간의 만남을 역사적으로 고찰한 《아메리카의 정복》, 《극한에 맞서》, 《우리와 타자들》 같은 책은 아직도 한국어로 번역되지 않았다. 그리고 번역된 토도로프의 저서 대부분이 문학이론에 치중되어 있다. 안타까운 부분이다.

스테판 에셀Stéphane Hessel의
《분노하라!Indignez-vous!》, 그리고……

스테판 에셀의 《분노하라!》

벌써 10년이 다 되어가지만, 아주 짧은 책 한 권이 꽤 많은 사람 입에 오르내린 적이 있었다. 책의 제목은 《분노하라!》(2010). 저자는 레지스탕스 일원으로 활약했던 스테판 에셀Stéphane Hessel(1917~2013)로, 프랑스가 독일 점령으로부터 해방된 후 세계인권선언 문안 작성에 참여한 인물이기도 했다. 《분노하라!》는 프랑스에서 출간 7개월 만에 발행부수가 200만 부를 돌파하고 전 세계 20여 개국에서 번역되었을 정도로 폭발적인 호응을 얻었다. "불태워라" "행동하라" 등의 표현을 자주 구사하는 프랑스이기에 제목에서 받는 별다른 느낌은 없었다. 하지만 당시 관여하던 모 대안학교에서 40여 명의 참가자와 함께 이 책을 프랑스어로 스터디할 때 받은 인상은 정말 강렬했다.

《분노하라!》가 주는 메시지는 사실 우리에게 익숙하다. 현대사회가 개개인의 노력에 마땅한 보답을 해주지 않으니 개개인은 스스로 존엄성을 지키기 위해서도 분노해야 하며, 인간의 권리를 제대로 누리지 못하고 있는 모든 이에게 도움의 손을 내밀어야 한다는 것이다. 우리가 꿈꾸어야 할 사회는 모든 시민에게 생존의 방편이 보장되는 사회, 특정 개인의 이익보다 일반의 이익이 우선하는 사회, 금권에 휘둘리지 않고 부가 정의롭게 분배되는 사회

스테판 에셀

다. 그것은 곧 프랑스가 대혁명 이후 줄곧 견지해온 이념인 자유·평등·박애다. 서양인들의 '생산 위주의 사고방식'이 세계를 위기로 이끌었기에, 그 위기로부터 탈출하려면 '항상 더 많이'라고 외치며 앞으로만 질주하는 태도와 과감히 결별해야 한다. 한마디로 대량소비, 약자에 대한 멸시, 문화 경시, 일반화된 망각증, 만인에 대한 지나친 경쟁 앞에 내몰린 미래 세대를 위해 에셀은 평화적 봉기를 부르짖는다.

책이 담고 있는 내용은 이러한 주제에 공분하고, 같이 고민하며, 위대해지고자 하는 방식에 동참하는 프랑스인들의 일반 정서를 동시에 떠올리게 했다. 이미 프랑스의 많은 문학·예술작품들이 담아내려고 애썼던 그 주제들은 인권부터 사형제와 감옥을 거쳐 빈곤에 이르는 아주 다양한 문제와 관련되어 있었다. 그리고 출발지점은 늘 인간에 대한 사랑이었다.

다른 이야기. 존경하는 분 중에 안인희 선생님이 계신다. 독일 문학과 문화 번역에 관한 한 국내 최고의 전문가 중 한 분이다. '서유럽사회와 문화'라는 강좌를 선생님과 오랫동안 팀티칭Team Teaching한 적이 있

128

프랑스 뮤지컬 〈클레오파트라〉

었다.

〈태양왕Le Roi Soleil〉, 〈클레오파트라, 이집트의 마지막 여왕Cléopâtre, la dernière reine d'Égypte〉을 비롯한 프랑스 뮤지컬을 몇 편 보여드렸을 때 선생님의 멘트가 잊히지 않는다. 바그너Richard Wagner의 작품 〈니벨룽의 반지Der Ring des Nibelungen〉를 전곡 연주하면서 이른바 '원형'을 고집하는 독일에 비해, 프랑스 공연작품들은 현대적 각색과 응용, 사람의 마음을 움직이는 기술이 탁월하단다. 정말 독일에서는 프랑스의 이름난 뮤지컬 같은 작품들을 찾아내기 힘들기는 했다.

두 이야기에서 생각을 연장해보자. 파리의 주변인인 《노트르담 드 파리》의 에스메랄다, 대단하지 않은 죄목으로 평생 쫓기는 《레 미제라블》의 장발장 이야기에 공감하지 않는 사람이 얼마나 될까? 유대인이라는 정체성 때문에 간첩으로 몰려 대서양 너머로 끌려간 드레퓌스의 불행에 슬퍼하지 않을 사람이 얼마나 될까?

이런 성찰은 내가 접한 거의 모든 프랑스 문화 속에서 자주 발견되었다. 예를 들어 카뮈Albert Camus는 사형제도 폐지를 지지하며 "우리 중 어느 누구도 절대적인 심판자를 자처할 수 없다. 최악의 죄인이라고 해도 결정적으로 제거되어야 한다고 선고할 수 없는 것은 인간이 본질적으로 선하지 않기 때문이다."라고 이야기한다. 또 귀스타브 쿠르베Gustave Courbet는 대형 화폭이 역사적·신화적 주제만을 다뤄야 한다고 믿던 귀족과 부르주아지의 오만에 맞서 길이가 6m에 달하는 〈오르낭에서의 장례식Un enterrement à Ornans〉(1850) 화폭에 '민중'의 이미지

귀스타브 쿠르베의 〈오르낭에서의 매장〉

를 담아내며 농민을 왕자와 같은 반열에 올려놓았다. 또 앙드레 말로
는 평생 스페인의 화가 고야를 연구했다. 인간 조건을 지속적으로 담
아냈다는 측면에서 고야는 히에로니무스 보스Hieronymus Bosch, 피터르
브뤼헐Pieter Bruegel과 동급이었다. 그렇기에 앙드레 말로는 저서《덧없
는 인간과 예술L'homme précaire et la littérature》(1977)을 통해 예술은 인간이 운
명을 자기 것으로 만드는 수단이라고 설파하면서 이 화가들이 그려낸
광기, 전쟁, 감옥과 병원을 꼼꼼하게 분석하고 있다.

　현대사회가 소외를 심화시킬수록 프랑스 예술가들은 인간 속에
서 더 큰 의미를 찾아내려고 애썼다. 앙드레 말로의《인간의 조건La
Condition humaine》이 1920년대 중국을 무대로 이데올로기 속에 명멸하는
주인공의 모습을 그려내고 있다면, 로맹 가리Romain Gary가 쓴《하늘
의 뿌리Les Racines du ciel》는 2차대전 이후 아프리카에서 코끼리 보호를 통
해 인간과 인간성의 가능성을 모색하는 인물들 이야기다. 앙드레 말
로의 표현을 빌리자면, '사나이다운 우정fraternité virile'이 그 속에 차고
넘친다. 카뮈의 수필집《결혼Noces》에서는 다음과 같은 구절도 발견된

알베르 카뮈

다. "내가 이 세상의 모든 '훗날에'를 고집스럽게 거부하는 것은 나의 눈앞에 있는 현재의 풍요를 포기하지 않겠다는 의지 때문이기도 하다. 죽음 다음에는 또 다른 삶이 온다고 믿는 것이 내게는 즐겁지 않다." 어떻게 보면 카뮈가 현세주의를 주장하는 것 같기도 하지만, 다른 식으로 해석해보면 세상의 희로애락에 카뮈 문학의 촉수가 닿아 있다는 얘기다. 프랑스 문학은 현실을 직시하되, 세상의 갈등에 대해 분노하며 문제를 제기하는 방식을 취한다. 폴란드 태생 유대인으로 전직 창녀인 모모 아줌마와 아랍 소년 모모가 나누는《자기 앞의 생La Vie devant soi》속 우정은 일견 불가능해 보이면서도 얼마나 감동적인가? 현실의 강제수용소와 상상 속 도시 W를 중첩시키는 조르주 페렉Georges Perec의 작품《W 혹은 어린 시절의 추억W ou le souvenir d'enfance》의 첫 구절, "나는 어린 시절에 대한 추억이 없다."는 강제수용소와 전쟁이 낳은 상흔을 얼마나 절실히 표현하고 있는가? 그런 작품들 대부분은 잃어버린 세상에 대한 노스탤지어를 담아내면서도 인간의 가능성에 대해 탐구하며, 소외를 그려내면서도 인간의 궁극적인 아름다움에 대한 신념을 저버리지 않는다. 카뮈의《이방인L'Étranger》에서 주인공 뫼르소는 죽음을 앞둔 순간 '세상의 부드러운 무관심'에 처음으로 마음을 열며, 존재의 무의미에 구토를 느끼는 사르트르 작품《구토La Nausée》의 주인공 로캉탱은 재즈를 들으며 구원의 가능성을 모색한다. 다른 식으로 표현하자면 분노의 크기는 인간에 대한 애정의 크기와 정비례할 것이다.

즉 프랑스 문화예술 속에 분노가 많이 담긴 것은 인간에 대한 애정이 그만큼 지대하기 때문이다. 행복 추구권, 연대의 정신, 더불어 사는 삶, 유토피아에 대한 희망과 관련이 깊다. 생텍쥐페리Antoine de Saint-Exupéry의 《야간비행Vol de Nuit》(1931)의 주인공 리비에르는 이야기한다. "인생에 해결책이란 없어. 앞으로 나아가는 힘뿐, 그 힘을 만들어내면 해결책은 뒤따라온다네." 우리가 영위하는 삶이 무의미할지라

앙투안 드 생텍쥐페리

도 우리는 넘어지고, 비틀거리면서 또 앞으로 나아가고 있지 않은가?

나 역시 삶의 부조리를 무수히 경험했기에, 프랑스 소설, 샹송, 프랑스 그림이 담아내는 분노를 늘 주의 깊게 들여다보았다. 분노의 대상은 대부분 우리가 어린 시절 지녔던 꿈으로부터 멀어진 현상들이었다. 관광지화된 프로방스 정경, 사물화된 사회, 돈의 맹위, 관계의 실종, 파리라는 괴물, 유럽 통합이라는 환상, 문화라는 상품…… 대상은 끝없이 열거할 수 있다. 분노하는 힘조차 사라질 때 우리 세상은 끝나게 되지 않을까? 난 분노하는 프랑스인들을, 그들이 만들어내는 문화와 예술을 여전히 사랑하고 있다.

돈과 문화, 그리고 교육

문화는 돈으로 살 수 있는 것일까? 많은 한국 사람들이 그렇다고 생각할 것이고, 또 그래야 한다고 믿을 것이다. 그렇게 생각하는 이유는 문화가 여유 있는 자들의 소유물로 여겨지고 그렇지 못한 사람들에게는 상대적 박탈감을 부여하며, 문화를 향유하는 기회가 사회계층을 일정 부분 구분 짓는 잣대로 작동하기 때문일 것이다. 그렇기에 우리는 정말 좋아하는 가수의 공연을 보기 위해, 브로드웨이나 웨스트엔드에서 바로 날아온 오리지널 뮤지컬을 보기 위해, 몇십 년에 한 번 내한한다는 오케스트라 공연을 보기 위해 남들보다 여유가 있기를 갈망한다. 그 비싼 공연 값을 기꺼이 부담하기 위해서 말이다.

오늘날 한국 사회에서 중산층이 아니라면 생각하기 힘든 것이 문화다. 그러나 문화란 지극히 상대적이며 추상적인 개념인 만큼 정의 역시 복잡다단하다. 중산층이라는 개념도 마찬가지지만. 조르주 퐁피두Georges Pompidou 전 프랑스 대통령이 저서《삶의 질Qualité de vie》속에서 말하는 중산층의 기준은 1. 외국어를 하나 정도는 잘할 수 있고 2. 직접 즐기는 스포츠가 있고 3. 다룰 줄 아는 악기가 있으며 4. 남들과는

프랑스 국립행정학교(ENA) ⓒsmapse.com

다른 맛을 내는 요리를 할 수 있고 5. 공부에 의연히 참여하며 6. 약자를 도우며 봉사활동을 꾸준히 한다는 것 등이다.

최근에는 SNS를 통해 프랑스뿐 아니라 영국, 독일, 미국의 중산층 기준이 우리에게도 광범위하게 알려져 있다. 우리의 눈에 터무니없어 보이는 어떤 기준들은 넓은 아파트와 큰 차, 넉넉한 통장으로 설명되는 우리 사회의 중산층 기준을 우습게 만들기도 한다. 그러나 서방 국가들의 기준을 꼼꼼히 들여다보면 공통되는 덕목이 눈에 들어온다. 바로 '사회적 약자에 대한 연대' 정신이다. 그들은 강자의 이름으로 자행되는 약자에 대한 폭력에 민감하며, 사회적 불평등에 분노한다. 그런 점에서 중세의 기사도 정신을 이어받고 있다고도 할 수 있다.

그러나 좀 더 깊숙이 들여다보면 프랑스 사회가 대단히 계층적인 사회, 닫힌 사회임을 알 수 있다. 학벌, 가문, 출신에 따라 닫힌 서클이 작동하고 있으며, 대중교육만큼이나 중시되는 것이 엘리트 교육이다. 프랑스 최고의 그랑제콜 중 하나인 국립행정학교École Nationale d'Administration(ENA)[13]의 경우 재학생의 부모도 이 학교 출신인 경우가 많다. 부와 권력, 가난이 대물림되는 풍경이다.

보기에 따라 지극히 불평등할 수 있는 이런 사회가 어떻게 유지되는지 유심히 지켜봤다. 일단 전시회 관람, 콘서트 관람 등 문화에 드는 비용이 우리보다 싸다. 또 파리에 수많은 공연장이 있는데 콘서트의 경우 학생들에게 할인가격이 적용됨은 물론이며, 공연 시작 직전에 추가 할인 혜택을 누릴 수도 있다. 그래서 돈이 없어 원하는 공연이나 전시회를 보지 못하는 경우는 별로 없다. 매달 첫 번째 일요일에는 파리 및 지방의 주요 미술관들이 무료 방문 기회를 제공한다. 축제를 방문해보아도 공연 가격은 역시 저렴한 편이다.

즉 경제적 여유가 있고 없고에 따라 문화 향유의 기회가 차별되어서는 안 된다는 생각이 전시와 공연 가격에 반영되어 있다. 따라서 공연장 좌석은 우리보다 훨씬 세분화되며, 싼 좌석은 정말 싸다. 다만 제일 저렴한 D석을 구입했다면 공연장 문을 오픈하는 순간 미친 듯이 가장 위층까지 먼저 뛰어 올라가는 수고를 들여야 한다. 그래야 무대가 보이는 자리에 앉을 수 있고, 그렇지 못할 경우 무대가 보이지 않는 기둥 뒤에서 음악을 들어야 하기 때문이다.

1년 내내 상연되는 공연을 지켜보면 무료 공연이 아주 많다. 프랑스 최고의 명절인 7월 14일 프랑스대혁명 기념일에 파리의 에펠탑 밑이나 레퓌블리크 광장Place de la République에서는 수만에서 수십만 명이 모이는 초대형 콘서트가 무료로 열리며, 하짓날인 6월 21일에도 프랑

스 전역이 음악으로 채워진다. 이
날 대부분의 공연은 무료다. 그 외
에도 국가 주도 문화행사를 통해
문화를 무료로 즐길 기회는 다양
하다.

한편에는 그와 교차하는 모습이
있다. 도서, CD, DVD 등 문화상

파리 레퓌블리크 광장 © Bertrand Guay / AFP

품의 가격은 우리에 비해 비싼 편이다. 그러나 직설적으로 이야기하자
면 정말 여유가 없을 때 이런 상품들은 구입하지 않아도 된다. 의식주
에 직접 관계된 것이 아니기 때문이다. 반면 고깃값, 과일값 같은 것은
우리에 비해 합리적이다. 우리의 막연한 추측과는 달리 옷값도 한국이
훨씬 비싸다.

프랑스에 있을 때 궁금하던 여행상품이 있었다. VVF로, 프랑스 바
캉스 빌리지Villages Vacances Françaises의 준말이었다. 여러 여행사의 상품
에 비해 유달리 싼 이 VVF가 어떻게 가능한지 늘 궁금해하다가 스페
인 국경에 가까운 비아리츠Biarritz에서 딱 한 번 이용할 기회가 있었다.
파리에서 상당히 먼 곳까지 내려가는 여정이었다. 숙소에 도착 후 배
정받은 방에 들어가보니 실내는 상상을 초월했다. 거짓말을 보태지
않고, 1970년대 우리나라의 초등학교에서나 쓰였을 법한 걸상이 소
파 구실을 했고, 침대 역시 불편하기 짝이 없었다. 싼 게 비지떡이지라
고 생각하며 정문으로 나오는 순간…… 나는 눈을 의심했다. 우리로
치면 해운대에 조선비치호텔이 위치한 장소에 자리 잡고 있는 것이 아
닌가? 다시 말해 해변에서 가장 가까운 곳이었다. 그리고 숙소에서 약
100미터에 걸쳐 이어진 대로 주변에는 우체국, 편의점, 약국 등 휴양에

방학 캠프

필요한 모든 시설이 줄지어 있었다. VVF는 '사회관광tourisme social'의 한 형태였다. 사회적 약자들이 가장 많이 찾는 시스템이라는 얘기다. 우리 같으면 가장 외진 곳, 사람들 눈에 띄지 않는 후미진 곳에 숙소가 마련되었을 법도 한데, 럭셔리한 호텔보다 더 좋은 자리를 당당하게 차지하고 있는 이런 모습을 어떻게 설명해야 할까? 이 사람들이 중시하는 공동선, 사회적 연대에 대한 합의가 없다면 불가능한 일이다. 사회적 약자 중에는 노인과 신체 장애인이 많고, 그렇기에 그들이 최소한의 동선으로 이동할 수 있도록 배려한 것이었다.

이 사회의 이러한 세심함은 다양한 곳에서 목격된다. 예를 들어 부모가 경제적으로 여유가 없는 아이가 있다 치자. 그럴 경우 낮은 소득을 입증할 수 있는 서류를 학교에 제출하면 국가는 방학 캠프colonie de vacances를 이용하게 한다. 단, 아이를 데리고 그곳에 다녀왔다는 것을 서류로 제출해야 한다. 다시 말해 경제력이 없어 바캉스를 떠나지 못하는 일이 없도록 하기 위한 장치다.

장기적으로 우리가 구현해야 하는 모습을 보여주고 있지 않은가? 경제적 수치나 조건이 아니라 정신적으로 진정한 선진국 반열에 들어가기 위해서는 말이다.

주석

1 국경 없는 의사회 : 1968년 5월혁명 당시 젊은 의사들이 전장과 재난지역의 피해자들을 직접 찾아가 도움을 제공했는데, 이는 새로운 인도주의로 긴급구호를 변화시키며 1971년 12월 22일 국경 없는 의사회가 공식적으로 설립되는 계기가 되었다. 이 단체는 성별, 인종, 종교, 정치적 성향을 떠나 누구나 의료서비스를 받을 권리가 있으며, 사람들에게 필요한 의료 지원이 국경보다 더 중요하다는 신념을 견지하고 있다.

2 루이-페르디낭 셀린(1894.5.27.~1961.7.1.) : 프랑스의 작가이자 의사. 일상어처럼 즉각적으로 감정에 접근하는 함축적이고 사적인 문체를 구사했다. 20세기 프랑스 문학의 가장 위대한 혁신가 중 한 명으로 평가받는다. 반유대주의자로도 유명한 그의 대표 저서로는《밤의 끝으로의 여행》(1932),《외상죽음》(1936),《성에서 성으로》(1957) 등이 있다.

3 시몬 드 보부아르(1908.1.9.~1986.4.14.) : 프랑스 작가이자 철학자. 여성운동을 통해 낙태죄를 폐지시키고 1949년 현대 여성주의의 초석이 된 저서《제2의 성》을 출간하면서 현대 페미니즘 성립에 큰 영향을 미친 인물이다. 장-폴 사르트르와의 계약결혼으로도 유명하다. 소설뿐만 아니라 철학, 정치, 사회 이슈 등에 대한 논문과 에세이, 전기, 자서전 등을 남겼다. 그녀는 보편적으로 알려진 소극적·의존적인 여성성이 여자가 가지고 태어나는 본질이 아니라 사회적 구조와 모순에 의해 만들어진 사회적·문화적 산물이라고 보았다.

4 콜뤼슈(1944.10.28.~1986.6.19.) : 프랑스 배우이자 희극인으로 1984년 세자르 남우주연상을 수상했다. 프랑스 사회연대의 대표적 상징인 '사랑의 레스토랑'을 1985년에 기획했다.

5 장-폴 사르트르(1905.6.21.~1980.4.15.) : 프랑스 철학자, 소설가, 극작가. 자신의 철학을 실존주의로 처음 명명했다. 하이데거의 현상학에서 많은 영향을 받았던 그는 메를로-퐁티와 함께 프랑스 실존주의 철학과 현상학을 대표한다. 철학서는 물론 소설, 연극, 영화 시나리오, 문학비평, 정치평론 등을 썼으며 동시대의 투쟁에 적극 참여했다. 그의 철학은 전후 시대에 큰 영향을 미쳤는데, 대표 저서로는《존재와 무》(1943),《변증법적 이성 비판》(1960),《구토》(1938),《벽》(1939) 등이 있다.

6 미셸 푸코(1926.10.15.~1984.6.24.) : 구조주의 혹은 포스트모더니즘의 대표적 철학자. 철학, 심리학, 정신병리학을 공부했고, 니체, 하이데거, 바타유, 바슐라르, 캉길렘, 알튀세르의 영향을 받았다. 인문학과 사회학 분야에서 가장 많이 인용되는 학자로, 1969년 파리 국립8대학 설립에 관여했다. 또 그는 정신의학이론과 임상을 연구하며 각 시대의 앎의 기저에 무의식적 문화 체계가 있다는 결론에 도달했다. 대표 저서로는《감시와 처벌》(1975),《광기의 역사》

(1961), 《성의 역사》(1976~1984), 《언어와 사물》(1966), 《앎의 고고학》(1969) 등이 있다.

7   피에르 불레즈(1925.3.26.~2016.1.5.) : 프랑스 작곡가, 지휘자, 음악이론가. 현대음악의 정점을
    이룬 지휘자로 작곡가 올리비에 메시앙이 그를 천재로 인정했으나 추후 음악관이 달라 서로
    갈라졌다. 음뿐만 아니라 박자나 셈여림 등을 모두 수학적이고도 규칙적인 배열로 만들어버
    렸기에 그의 음악 세계는 '총렬주의'라는 용어로 정의된다.

8   국립고등과학연구원(CNRS) : 1939년에 설립된 유럽 최대의 기초과학연구기관이다. 총 18개
    의 지역분소로 구성되어 있으며 수학·물리학·행성과학, 화학, 생명과학, 사회과학, 환경 및
    지속가능 개발, 정보과학 등 6개 연구부서로 나뉘어져 있다.

9   프리메이슨 : 16세기 말에서 17세기 초 사이에 태동한 인도주의적 박애주의를 지향하는 단체
    다. 오늘날 세계 곳곳에 여러 형태로 존재한다.

10 피에르 신부(1912.8.5.~2007.1.22.) : 작은형제회 소속 가톨릭 사제이자 2차 대전 중 레지스탕
    스 활동에 동참한 성직자로 전후에는 빈민구제운동에 헌신하면서 프랑스 현대사에서 가장
    존경받는 인물 중 한 사람이 되었다. 노숙자들의 숙소를 짓기 위해 엠마우스 재단을 세운
    후 종교를 초월해 사회적 약자들을 구제하는 사회운동을 벌였다.

11 자크-이브 쿠스토(1910.6.11.~1997.6.25.) : 해군 장교, 탐험가, 생태학자, 영화제작자, 과학자,
    사진작가, 저술가 등 다양한 직업을 가졌던 인물로, 바다에 사는 모든 생물에 대해 연구했
    다.

12 지네딘 지단(1972.6.23.~) : 알제리 카빌리아 출신으로 마르세유 빈민촌에서 성장한 프랑스
    이민자 2세 축구 선수였다. 2019년부터 레알마드리드 감독을 맡았었고, FA컵을 제외한 그
    가 참여한 모든 메이저대회에서 한 번 이상 우승을 차지했다.

13 국립행정학교(ENA) : 프랑스 정부가 고급공무원과 정부 임원 양성을 목적으로 세운 학교.
    1945년 파리에서 개교했으나 유럽의회가 있는 스트라스부르로 이전했다.

세계

Monde

L'ensemble formé par la Terre et les astres
visibles, conçu comme un système organisé

MICHEL
VINAVER

AUJOURD'HUI
OU
LES
CORÉENS

Monde

유럽 예외주의, 미국 예외주의 그리고 한국 예외주의

'예외주의'라는 생소한 표현이 주변에서 자주 목격된다. 문화다양성을 주창하고, 오직 경제로 설명되는 세계를 거부하기 위해 구사하는 '프랑스적 예외exception française' 같은 표현은 한 지역의 정체성을 보여주는 동시에 다른 지역과의 차별성을 강조하고 부각하는 것처럼 느껴진다. 이를 통해 내부를 단속하고 바깥으로부터 자신을 지켜낼 수 있다면 더없이 좋을 것이다. 유럽 통합 차원에서도 프랑스는 '성채로서의 유럽Europe forteresse'이라는 표현을 자주 구사하지 않았던가? 철옹성처럼 무장해 유럽의 이익을 지켜낼 수 있다면 유럽이 통합을 도모하는 이유를 설명할 수 있다는 얘기다.

일찍이 미국정치학회와 미국사회학회 회장을 동시에 역임한 바 있는 세이무어 마틴 립셋Seymour Martin Lipset이 《미국 예외주의American Exceptionalism》(1996)라는 저서를 통해, 또 영국 학자 크리스토퍼 베일리 Christopher Bayly가 《근대 세계의 탄생The Birth of the Modern World》(2006)이라는 저서를 통해 각각 미국과 유럽의 사회문화적 특수성을 진단한 바 있다. 립셋의 저서가 인종적(백인, 유대인, 흑인), 사회적(사회주의와 노동조합주의), 지리적(미국과 일본), 종교적(칼뱅주의) 접근을 통해 미국이라는 사회를 가능하게 한 뿌리를 탐색하면서 문제점과 전망을 동시에 진단했다면 베일리의 저서는 유럽이 어떻게 19세기에 힘의 관계를 전복시키면서 세계의 중심으로 자리 잡게 되었는지를 문명사적으로 추적한다.

립셋은 미국을 움직이는 주요 개념으로 자유, 평등주의, 개인주의, 포퓰리즘, 자유방임주의 다섯 가지를 꼽는다. 봉건적 구조나 귀족제의 부재는 미국이라는 나라가 기회와 평등을 보장한다는 생각을 구성원들에게 주입했고, 자유주의 사상을 발전시키는 데 기여했다. 개인의 자유 극대화는 근본적으로 국가의 존재에 대해 끊임없이 의구심을 품는 국민적 특질을 구축하게 했는데, 이러한 '미국적 기질'은 전 세계 모든 국가의 문제에 개입하는 자국 입장에 전폭적인 지지를 보내는 많은 미국인의 모습과 충돌하기도 한다. 크든 작든 간에 전 세계가 미국의 영향을 점점 많이 받고 있고 세계의 공용언어가 영어로 통일되어가는 현실에 비추어볼 때 미국 예외주의는 특수성 개념을 넘어서서 오히려 보편적 기준으로 느껴지기도 한다. 도덕과 기독교 정신으로 무장한 개인들의 가치는 국가 이데올로기로부터 자유로운 미국의 가장 강력한 힘이자 장점임에 틀림없다. 예를 들어 미국인의 강한 개인주의와 성취지향적 가치관이 마치 '양날의 검'처럼 작동하면서 한편으로는 이기적 행동, 공동선에 대한 경시를 조장하고 있지만, 다른 한편으로는 높은 수준의 개인적 책임감, 독립적인 진취성, 자원봉사 문화를 함양하고 오늘날의 경제대국을 만들어낸 힘이라는 사실을 부인하는 사람은 거의 없다. 일천한 역사적 경험이 역설적으로 새로운 사회를 만들어내는 데 일조했다는 얘기다.

반면 베일리의 책은 유럽에 대한 역사적 접근을 시도하면서 유럽적 특수성을 규명하려고 애썼다. 그에 따르면, 18세기에서 19세기에 이르는 기간 동안 유럽의 발전은 풍부한 식량(설탕, 생선) 및 지하자원(석탄) 확보, 안정적인 법적 제도(소유권 및 지적 재산권), 위험 분담 개념 및 경영자와 소유자의 엄격한 분리를 통한 금융제도의 발전, 전쟁 기술 확보(먼바다로의 항해가 가능한 상설 함대)를 통해 이루어졌다. 여기에다 19세기에 발흥한 각국의 민족주의 문제가 추가되었다. 무엇보다도 유럽적 특수성은 한정된 크기를 가진 유럽 각국의 정치 형태가 경제적 역동성, 궤도에 오른 전쟁 무기 생산, 각국을 서로 대립시킨 맹렬한 경쟁과 절묘하게 일치했다는 사실에서 비롯되었다. '독이 든 사과'에 다름없었던 19세기의 '유럽적 예외'는 세계대전을 통한 유럽의 피폐화라는 부정적인 결과를 낳았다. 오늘날 유럽연합이 지속적인 지역 통합과 장기적인 평화 정착을 모색하고 있는 이면에는 유럽이라는 거대한 공동체에 대한 통합적 논의가 부족했던 지난 시대에 대한 반성이 짙게 깔려 있다.

유럽과 미국의 예외주의에 대한 성찰은 역으로 아시아적인 특수성에 대해 생각하게 만든다. 아시아를 관통하는 지배적인 가치가 있을까? 1980년대 마하티르Mahathir bin Mohamad 전 말레이시아 총리가 역설했던 '아시아적 가치'에는 서구의 '보편적' 세계관, 제국주의적 세계관에 맞서 아시아의 단결을 호소하는 피해자의 시각이 담겨 있다. 그는 "중국은 겨우 2,000마일 거리에 있지만 우릴 공격한 적은 없다. 포르투갈은 8,000마일이나 떨어져 있지만 우릴 공격했다. 자, 누굴 두려워해야 할까?"라고 이야기하면서, 민주주의와 인권을 내세우는 서양이 일방적으로 자신들의 이상과 가치를 강요했고 심지어 종교적 관습에서도 자신들 방식을 요구하고 있다고 항변했다. 또 마하티르는 '유럽적 가치'를 빅토리아 시대의 덕목으로 규정하면서 그 시절 아시아인들이 발가벗지 않았고 동성애에 빠지지도 않았으며 매우 정숙했다고 주장했다. 마하티르는 세계화에 대한 논의가 무성한 이 시대에, '승자독식'이 서양적인 가치라고 비판했다. 반면 공평함에 대한 사고는 아시아적 가치의 뿌리라고 진단했다.

그의 입장이 지리멸렬한 아시아적 정체성을 홀로 부르짖은 것인지, 아니면 경제적 발전과 더불어 필연적으로 더욱 강조되기 마련인 아시아의 정체성 문제를 선지자적 혜안을 가지고 미리 예언한 것인지는 알 수 없다. 분명한 것은 이제 '아시아적 예외'가 논의되어도 좋을 시점이라는 사실이다. 마하티르가 '반反서구주의자'로 일방적으로 매도당한 것을 바라보면 뭔가 부당하다는 느낌을 떨쳐버릴 수 없다.

해답의 일면을 프랑스의 중국학자인 프랑수아 쥘리앙François Julien의 시각에서 찾아볼 수 있지 않을까? 세계에서 지역적으로 아시아 대륙에서 가장 방대한 부분에 지나지 않는 중국의 사고를 아시아의 가치로 규정하는 데 무리가 뒤따르는 것은 사실이다. 하지만 중국 사례는 유럽이나 미국의 사례와 분명히 다르다는 점을 생생히 보여준다. 그는 중국 사회를 들여다보면서 한약과 양약, 서양철학과 중국철학의 공생을 공존과 중첩이라는 두 개념으로써 설명해냈다. 다시 말해 중국은 기술적으로 우위에 있으며 자신들 문명을 주입하고자 애쓰는 서구라는 정복자에 길을 내주는 동시에 서양의 문화를 적극적으로 자기 것으로 만들면서 스스로 자산을 풍요롭게 만들어왔다. 또한 서구가 강조하는 공평함은 중용 개념과 다르지 않으며, 중용은 지혜와 합류한다. 반면 정치 체제의 비교를 통해 정치적 자유를 끊임없이 사유한 유럽인들의 경험과는 달리, 중국에서는 오직 군주제에 대한 사유만이 있어왔다고 프랑수아 쥘리앙은 평가한다. 질서를 확립하기 위해 하나의

프랑스의 중국학자인 프랑수아 쥘리앙

권력만이 필요하다는 중국식 사고방식은 과거에는 군주라는 존재를, 오늘날에는 당이라는 존재를 필요로 한다는 것이다.

중국적 예외는 우리에게도 시사하는 바가 있다. 종교에 대해 더없이 관용적인 우리 사회의 정서는 어디에서 비롯되는가? 그것과 극도로 대비되는 정치적 불관용은? 중국식 사회주의에 비하면 '없는 사람들'에 대한 사회적 안전망이 거의 부재하지만, 인간답게 살 권리에 대한 주의와 주장이 충분히 목소리를 내지 못하고 있는 이유는? 한편 문화 쪽에서도 흥미로운 모습이 많다. 오르한 파묵Orhan Pamuk 같은 터키 작가의 책이 아예 번역되지 않은 중국이나 단 한 권 번역에 그친 일본과는 달리, 한국에서 유난히 많이 읽히는 이유는? 《개미Les Fourmis》의 작가 베르나르 베르베르Bernard Werber가 모국인 프랑스에서보다 한국에서 더 호응을 얻는 까닭은? 이제는 '한국적 예외'에 들어갈 목록을 진지하게 작성해볼 때가 되지 않았는지?

중국 이야기를 거론한 이유는 한국 역시 아시아 국가인 동시에 중국과 다른 발전과정을 밟아왔기 때문이다. 현기증 날 정도로 급변하는 한국의 역사는 아시아의 그 어떤 나라와도 다른 패턴을 보여주고 있다. 제국주의를 경험한 서구의 기준에서 벗어난, 시민들의 힘으로 평등을 이룬 우리만의 예외적인 문화도 충분히 인정받아야 할 것 같지 않은가?

한국과 프랑스, 그 영원한 거리

어떤 세상을 소망하는가? 지구 반대편에서 벌어진 테러 사건이 여과 없이, 그것도 실시간으로 우리에게 전달될 정도로 세계의 시공간적 거리는 줄어들었다. 한반도의 우리 모두도 세계의 갈등과 무관할 수 없고, 세상에 대한 이해를 필연적으로 요구받는 현실에 직면해 있다. 그것은 오랫동안 우리를 지배해온 가치들을 전면 재검토하고, 경우에 따라서는 재조정하는 과정과 다르지 않다. 그 가치들은 때로는 추상적이고, 때로는 구체적이다. 예를 들어 한국 사회가 추구하는 가치는 보편적인가? 아니면 우리 주변 강대국 질서에 달려 있을 만큼 종속적인가? 유럽이 지난한 과정을 거쳐 추구해온 인권이란 보편적인 개념인가? 만약 그렇다면 우리는 어느 정도까지 유럽적 질서를 받아들이고, 또 거부할 것인가? 우리 속에서 파생된 담론 중 세계사적 차원에서 중요한 것은 어떤 것이고, 그것들은 어떤 차원에서 세계적 의미를 확보하고 있는가? 우리가 세계를 바라보는 시각은 한반도라는 지형에 국한된 것인가? 우리의 인식 지평이 어딘가를 향해 열려야 한다면 그러한 지평은 어디까지 확장이 가능한가?

지구촌 시대에 '살아남기' 위해, 보다 궁극적으로는 지구촌과 호흡하고 시대에 유의미한 가치를 창출하기 위해 우리는 세계와 호흡을 맞추지 않을 수 없다. 그러기 위해서는 근본적으로 우리와 타자가 지니는 함의부터 해체해야 한다. 대체 누가 우리이고, 누가 타자인가?

프랑스 유학 도중 타자의 눈으로 바라보는 프랑스 사회, 그리고 프랑스가 바라보는 한국 사회는 늘 흥미로웠다. 유학 중에 받은 질문 가운데 황당한 것들도 적지 않았다. 한국 사람이라고 소개할 때 "혹시 전쟁을 피해 프랑스까지 건너온 보트피플이냐?"라고 물은 프랑스인이 있는가 하면, 심지어 "너희는 학교에서 흙바닥에 앉아 공부하느냐?"는 질문까지 한 사람도 있었다.

한국인에 대한 시각은 결국 아시아인 전체에 대한 프랑스인들의 시각과 대동소이했다. 일본이 19세기 이후 '자포니즘japonisme'의 유행으로 프랑스를 비롯한 유럽에 아주 긍정적인 이미지, 그것도 문화예술로 채워진 이미지를 구축했다면 19세기 이후 중국에 대한 시선은 황화론黃禍論, 즉 폭발적으로 늘어나는 황색 인종이 결국 세상을 지배하지 못하게 해야 한다는 공포로 채워져 있었다. 오늘날 세계의 공장으로서 중국의 부상을 이야기하지만, 《르 몽드 디플로마티크Le Monde Diplomatique》에 실린 한 서평은 유럽이 세상의 패권을 거머쥐었던 19세기 이전에 중국은 이미 전 세계 공산품의 40% 정도를 생산하는 국가였다고 적고 있었다.

한국에 대한 프랑스인의 시각 변화는 서서히 이루어졌다고 봐야 할 것이다. 단 하루도 빠지지 않고 탐독한 《르 몽드Le Monde》 및 이런저런 기사를 통해 확인한 바로는 프랑스 사회가 보편주의에 대한 맹신을 버리고 상대적인 관점을 확보하면서부터였다고 생각된다. 문예사조 측면에서는 포스트모더니즘 이후라 규정하는 세상이다. 세계 문화의 중심을 자처할 때 프랑스가 한국을 비롯한 제3세계에 요구하는 것은 '특수성'이었다. 다시 말해 자신들이 담아낼 수 없는 주제들이었다. 문화만 놓고 이야기할 때 한국이 담아내되 자신들이 접근할 수 없는 주제는 불교였다. 그 어떤 서적들보다 일찍 프랑스어로 번역된 책이 김성동의 소설 《만다라Mandala》(2005)였고, 가장 일찍 프랑스에서 개봉한 한국영화가 불교를 다룬 〈달마가 동쪽으로 간 까닭은?〉(1989)이었음을 생각해보면 쉽게 이해가 된다. 김기덕 감독의 영화 〈봄 여름 가을 겨울 그리고 봄〉(2003)도 아주 호평을 받았다. 아쉬웠던 기억도 있다. 프랑스의 한 친구가 촌철살인의 유머를 담아낸 프랑스 만담 작가 레이몽 드보스 책을 선물했을 때 나는 《만다라》의 프랑스어 번역본을 답례로 선물했지만, 책에 대한 평가는 전혀 들을 수 없었다. 아마 프랑스어 번역이 문제였을 것이다. 반면 우리 문화의 '보편성'은 시간의 흐름과 더불어 서서히 공감을 얻어간 느낌이다. 한국에 대한 영화 쪽의 인식 변화는 〈올드보이〉(2003) 개봉 이후로 생각된다. 폭력의 보편성을 프랑스보다 더 멋지게 그려낸 이 영화에 대해 프랑스에서 호평이 이어졌다. 문학도 비슷한 궤적을 그린 것 같다. 한국문학의 프랑스어 번역은 연차적으로 이루어졌지만, 우리 문학에 대한 프랑스의 시각이 달라진 것은 이문열의 소설 《우리들의 일그러진 영웅》(1990)의 번역 출간 이후로 여겨진다. 역시 한국문학의 보편적인 모습을 확인한 다음부터다. 이후 프랑스는 한국전쟁 등 일부 주제에만 매달리지 않고 한국문학의 다양성과 깊이에 관심을 가지기 시작한 듯하다. 현재 프랑스어로 번역된 한국문학 작품은 적지 않다. 하지만 한국문학번역원의 노력에도 불구하고 아직 갈 길이 멀어 보인다.

이문열의《우리들의 일그러진 영웅》
프랑스어 번역본 문고판

현재 프랑스와 한국의 만남은 그 옛날에는 상상하지 못했을 정도로 변화를 겪고 있다. 한국영화 마니아층도 상당히 늘어났으며, 한국 대중음악이 좋아 한국에 몇 달씩 체류하다가 돌아가는 프랑스 젊은이들도 상당히 많다. 지방 학교에 근무하던 시절 만난 프랑스 학생들에게 한국에 왜 왔냐고 궁금해서 물어봤더니 지금은 기술과 문화 등 모든 측면에서 한국이 대세란다. 긍지를 가져도 좋을 이야기였다.

그러나 이면에 있는 세상을 향해 끊임없이 열려 있는 프랑스의 자세를 주목하지 않을 수 없다. 프랑스에는 한국을 알 수 있는 행사가 무척 다양하고 많다. 영화 분야는 낭트Nantes의 3대륙 영화제Festival des 3 Continents, 도빌Deauville의 아시아영화제를 통해서 한국영화를 풍성하게 접할 수 있다. 또 문학 쪽에는 '레 벨르 에트랑제르Les Belles Étrangères(아름다운 외국 여인들)'라는 이름의 행사도 있다. 작품이 프랑스어로 번역된 세계 각국의 수준급 문인들을 프랑스에 초청해 파리와 지방을 오가며 프랑스 독자들과 만날 수 있도록 하는 행사다. 낭트를 비롯한 프랑스 곳곳에서 열리는 한국 관련 축제도 한국을 알리는 데 기여하고 있으며, 프로그램을 채운 콘텐츠의 퀄리티도 상당히 높은 편이다.

이제 세계에 대한 우리의 접근도 보다 총체적으로 바뀔 필요가 있지 않을까? 내가 겪은 개인적인 경험도 좋은 사례로 거론될 수 있겠다. 나는 2007년 11월 16일부터 18일까지 아트선재센터에서 국악방송과 함께 개최한 제1회 월드뮤직필름페스티벌의 기획위원장을 맡은 적이 있다. 유럽음악을 주제로 제1회 행사를 성공적으로 치른 후 다음해에 열릴 제2회 행사 주제를 아프리카음악으로 잡았다. 미국과 유럽에서 꽤 많은 영상자료를 수집한 후 자료집 발간을 목적으로 구글에서 아프리카음악을 검색했더니, 세계 최대의 정보가 검색 가능한 그 사이트에서 한글로 읽을 만한 아프리카음악 관련 글이 서너 개에 불과했다. 같은 주제를 프랑스어로 검색하자 수많은 문서가 쏟아져나왔다. 그때 내가 받은 충격은 대단했다. 매년 수천 명의 프랑스어 전공자가 배출되고 있고 당시 이미 한·불 수교가 120년을 넘어섰다는 사실을 감안하면, 그 많은 프랑스어 전공자 중 아프리카음악에 관심을 둔 학생은 거의 없었다는 얘기다. 울산 처용문화제, 전주 소리축제가 우리 음악의 확장을 위해 월드뮤직을 내세운 지 꽤 오래되었다. 그러나 이러한 행사들이 해당 지역에 대한 이해와 관심으로까지 확장되었을까? 우리에게 아주 참신한 방식으로 다가왔던 유럽영화나 프랑스영화를 내세운 영화제들은 대개 10년을 채우지 못하고 완전히 사라져버렸다. 세상에 대한 이해가 간헐적으로, 그때그때의 필요에 따라, 그것도 관주도로 이루어지고 있는 느낌이다.

우리 문화가 프랑스를 비롯한 서구 각국에서 호평받는 것을 계기로 우리 역시 각국 문화를 더욱 적극적으로 수용할 필요가 있지 않을까? 실시간으로 세계와 만나고 있는 이 시대에 문화 침투, 문화를 통한 지배라는 생각은 이미 철이 지난 개념이 아닐까? 각국 문화가 뒤섞이며 발전하는 것은 당연하다. 다만, 좋은 문화를 선별하기 위한 기준 확보가 중요해 보인다. 선진국 문화는 지나치게 강조하면서도 경제 측면에서 '후진적'이라고 간주되는 국가에 대해서는 문화까지 무시하는 우리 모습을 시정해야 한다. 타자를 통한 세계 인식 확보가 중요하지 않을까? 문화 교류에서도 철저한 전략이 필요하다. 적어도 "한국에서 외국인은 영원한 외국인이다"라는 평가는 곤란하다. 우리와 다른 것에 대해 적극적으로 눈을 열되, 주체적인 방식으로 그것들을 소화해내야 한다. 인천에서 중국영화제를, 속초에서 러시아영화제를 정기적으로 개최하는 것도 바람직한 방향이다. 어느 외국 감독의 작품세계를 집중적으로 조명하는 소규모 영화제를 여는 것도 잘하는 일이다.

프랑스와 미국, 주도권 싸움?

프랑스에서 아주 흥미롭게 느껴졌던 부분 중 하나가 프랑스와 미국 문화의 차이였다. 두 나라 역사의 길이가 너무나 차이 나는 것을 별개로 치더라도, 유럽은 분명 미국과 다른 세상이었다. 유럽의 일부임에도 늘 미국과 보조를 맞추는 영국만 제외한다면. 영국은 유럽연합에 상대적으로 늦은 1973년에 가입했고, 브렉시트Brexit를 통해 가장 먼저 유럽연합을 떠났다. 그곳에서는 대륙과는 다른 정서가 작동하는 까닭이다. 이 글에서는 편의상 영국과 미국을 묶어서 이야기하자.

두 개의 세상은 세상에 대한 인식이 이원화될 수밖에 없음을 뜻한다. 그리고 그러한 차이는 모든 영역에 걸쳐 있다. 영국과 미국은 애덤 스미스Adam Smith의 자유방임주의 연장선상에서 신자유주의를 주장한다. 관세 등을 통한 역내·역외 국가의 차별을 철폐하자고 부르짖으면서 세계시장이 하나가 되기를 요구한다. 바로 '단일시장marché unique' 개념이다. 하지만 프랑스는 '성채로서의 유럽'을 강조한다. 전 세계 경제가 북미, 아시아 그리고 유럽이라는 삼각 축을 중심으로 돌아가는 현실에서 유럽이 결속해야만 나머지 시장과 맞서 싸울 수 있다는 논

리다. 부분적으로는 유럽의 이기심을 대변하는 풍경이다. 미국이 북대
서양조약기구North Atlantic Treaty Organization(NATO)를 통해 유럽의 안보
에 깊숙이 관여하고 있다면, 프랑스와 독일은 스스로를 지켜낼 수 있
는 유럽 독자방위군 창설을 구상한다. 미국이 반대함은 물론이다. 그
리고 역내 및 역외에서 분쟁이 발발했을 때 일반적으로 프랑스는 독
일·러시아와 한목소리를 내고, 미국은 영국·스페인과 보조를 맞춘다.

가장 큰 차이는 문화에서 드러난다. 1990년대의 관세 및 무역에 관
한 일반 협정General Agreement on Tariffs and Trade(GATT)이나 우루과이
라운드 협상에서 잘 드러났듯이 미국은 문화를 상품으로 규정하면서
각국이 문화시장을 개방하기를 요구했다. 그러나 프랑스는 문화가
정신의 산물이며, 언어가 그렇듯이 교환의 대상이 아니라고 주장한다.
영화를 예로 들어보면 양쪽 지역의 시각차가 확연히 드러난다. 할리우
드로 대표되는 미국영화가 상업주의를 극대화하며 재미와 감동을 강
조하는 반면, 프랑스영화는 국가가 적극적으로 지원하며 작가주의를
중시한다. 영화분야에 관한 한 세계에서 미국이 가장 싫어하는 두 나
라가 한국과 프랑스다. 한국은 세계 대부분의 국가가 이미 폐지한 스
크린쿼터를 아직 유지하고 있으며, 프랑스는 사전제작지원제도avances
sur recette 등을 통해 양질의 영화를 국가가 제작 지원한다. 작품의 흥
망을 상대적으로 덜 고민하기에, 감독들이 자신의 개성을 훨씬 더 자
유롭게 영화 속에 담아낼 수 있다는 이야기다. 영화제의 성격도 차이
가 크다. 칸 영화제가 작품성과 예술성을 중시한다면, 아카데미상은
그해의 흥행 성적을 고려하지 않을 수 없다.

이런 차이는 문화를 바라보는 시각이 뿌리부터 다른 데다 경제와
군사 분야의 힘을 문화에도 담아내려는 미국의 의지 때문에 생겨나기

도 한다. 하지만 힘에 따라 세계 문화가 재편되는 풍경이 과연 바람직할까? 그러한 재편을 우리가 용인할 수 있을까? 안견의 〈몽유도원도〉와 레오나르도 다빈치Leonardo da Vinci의 〈모나리자Mona Lisa〉 중 어떤 것이 더 위대한 그림인가? 답을 얻기가 불가능하다. 그렇다면 세계 각국의 문화는 다 함께 존중받아야 할 대상이지 힘에 따른 순위 매김의 대상이 아닐 것이다. 프랑스의 이런 입장은 '문화적 예외' 혹은 '프랑스적 예외'라는 표현으로 압축된다. 실제로 프랑스는 이러한 입장에 따라 GATT 협상에서 "문화는 공산품같이 무조건적인 교환의 대상이 아니다"라고 부르짖었으며, 문화를 협상 대상에서 제외하는 개가를 올렸다. 힘의 질서가 문화에서는 의미가 없다는 프랑스의 논리는 상대적으로 국가의 힘이 약한 나라들에게 호평을 받을 수밖에 없다. 그렇기에 세계 문화를 총괄하는 유엔의 유네스코United Nations Educational, Scientific and Cultural Organization(UNESCO)에서는 당연히 프랑스 목소리가 크다. 유네스코와 각국 정부가 세계화에 맞서 자국의 문화를 보호하고 문화의 다양성을 확보하기 위해 추진했던 문화다양성협약은 그런 의미에서 프랑스의 목소리를 가장 잘 반영한 형태였다. 2005년 유네스코 총회에 제출된 문화다양성협약 최종안에 동의한 전 세계 국가는 170개국이 넘었고, 반대한 나라는 미국과 이스라엘뿐이었다.

문화다양성 논리를 주도하는 프랑스는 다른 세상의 문화를 받아들이기를 주저하지 않는다. 프랑스의 상당히 많은 문화행사가 세상의 풍요로움을 더 알기 위해 노력한다. 퐁피두센터에서 열리는 영화제는 3개월마다 한 국가를 선정해 무려 70~80편의 영화를 집중적으로 소개한다. 영화제가 일회적 행사이기를 지양하는 동시에, 한 국가에 대한 종합적 접근을 가능하게 하는 것이다. 브르타뉴Bretagne 지방의 작은

두아르느네 영화제 포스터(2021)

도시 두아르느네Douarnenez에서 열리는 영화제는 매년 한 민족과 인종에 대한 인류학적 접근을 시도한다. 영화제가 영화라는 매체를 이용해 세상을 이해하는 장으로 발전한 사례다. 낭트 3대륙영화제는 평소 프랑스인들이 접하기 힘든 남미, 아시아, 아프리카영화들을 집중적으로 소개하고 있다. 우리는 한국 작품의 수상 여부만 따지는 도빌 영화제도 프랑스인들에게 아시아 영화의 참모습을 보여주겠다는 초심을 견지하고 있다. 센 강변의 아랍세계연구소IMA에서는 아랍 각국의 최고 미술 전시회를 만날 수 있다. 파리에서 각국 문화원이 마련하는 행사들도 아주 다채롭다. 국가가 문화를 정신을 담아내는 도구로 간주하기에, 국가 주도 행사를 열거하자면 끝이 없다.

영미권과 다른 프랑스의 모습은 그 밖에도 많다. 프랑스에서는 교육의 최고 목표를 '교양인'으로 설정해 양심과 공동선 확보를 중시하는 반면, 상대적으로 역사가 짧은 미국에서는 전문가 양성을 목적으로 한 실용주의 교육을 내세운다. 또 프랑스와 독일에서는 '쉬운 글은 머리 나쁜 사람들의 결과물'이라고 여기면서 일부러 글을 현학적으로 만드는 반면, 영미 쪽에서는 '어려운 글은 정리되지 않았다'고 평가하면서 쉬운 글쓰기를 강조한다. 물론 우리는 영어책을 더 편하게 받아들인다. 유럽으로 표상되는 '늙은 대륙'과 미국으로 상징되는 신대륙

아스테릭스와 오벨릭스 피규어와 함께한 르네 고시니

의 분위기는 유럽의 비관주의pessimism와 미국식 낙관주의optimism로 대비된다. 종교와 세속성 문제에 대한 접근도 두 대륙이 확연히 다르다. 무수한 종교전쟁을 겪은 프랑스가 1905년 정교분리 이후 정치와 종교의 역할을 엄격히 규정하고 있다면, 미국에서는 대통령 취임식 선서 때 성경 위에 손을 올리고 서약하는 형태를 취한다.

그리고 가장 확연한 차이는 이민자 통합 문제에서 나타난다. 이 주제는 다른 장에서 다루려고 한다.

개인적으로 미국 문화에 대한 프랑스인의 정서를 엿볼 수 있었던 가장 인상 깊었던 체험이 몇 가지 있다. 파리 근교에 유로디즈니가 들어섬을 축하하는 행사가 오페라 가르니에Opéra Palais Garnier 근처에서 열린 적이 있었다. 그런데 대학생들이 달걀을 투척하며 항의했고, 결국 행사는 제대로 진행되지 못했다. 많은 프랑스인은 파리 동쪽의 유로디즈니를 '프랑스에 침투한 미국 문화의 상징'으로 인식한다. 그러나 파리 제1구 레알 지구에 점점 많은 패스트푸드점이 들어서고, 호텔에서도 자국 언어인 프랑스어 대신 영어를 사용하는 서비스가 늘어나는 모습을 보며 생각이 복잡해졌다. 결국 문화는 돈의 문제인지, 오늘날 세상은 결국 돈의 지배로부터 벗어날 수 없는 것인지……

프랑스 작가들 눈으로 바라본 아시아

파리에서 공부할 때 한국인보다 아시아인으로서 정체성을 느낄 때가 더 많았다. 유럽에서 간간이 인종차별을 당할 때마다 프랑스인을 비롯한 유럽인의 눈에는 내가 한국인 이전에 아시아인으로 보이는 모양이라고 생각했다. 전공이 문학이기에, 나는 프랑스 작품 속에서 드러나는 한국 혹은 아시아의 이미지에 늘 관심이 많았다. 그러나 미셸 비나베르Michel Vinaver의 첫 희곡《오늘 혹은 한국인들Aujourd'hui ou les Coréens》(1956)을 읽으면서는 한국에 대해 쓴 글을 좋아

해야 할지, 말아야 할지 생각이 복잡해졌다. 한국전쟁 때 부상당한 프랑스 병사 블레르가 우연히 웬타라는 한국 소녀를 만나며 겪는 일들을 다뤘는데 그 이름은 전혀 한국인 이름이 아니었다. 한국을 조금이라도 공부하고 희곡을 썼는지 의심이 들 정도였다. 내용은 한국인들 마음에 들만하다. 병사가 한국에 남는 쪽을 택하기 때문이다. 이 희곡에 대해 롤랑 바르트는 다음과 같이

미셸 비나베르의
《오늘 혹은 한국인들》

언급한 바 있다. "선택이나 개종, 탈주가 아니라 전적인 '동감'이다. 병사는 자신이 발견한 한국이라는 세계에 찬동해간다……"《《롤랑 바르트가 쓴 롤랑 바르트Roland Barthes par Roland Barthes》》[1]. 아마도 세계와의 편견 없는 만남에는 무수한 성찰과 노력이 동반되어야겠지만, 일반적으로 아시아에 대한 많은 프랑스인의 시각은 고대 중국의 야만을 보여주는 모형을 묘사한 바르트의 시각과 일치할 것이다. "한 무리의 병사들이 가난한 시골 농가에서 불량분자를 색출하고 있는 장면이다. 그 표현은 잔학하고 고통스럽다."[2] 그때 아시아는 무지와 광기, 폭군과 거대한 대륙, 혁명과 영성靈性으로 설명되는 지역이다.

아시아에 대해 가장 치열한 성찰을 보여준 이는 앙드레 말로다. 인도차이나에서 느낀 서유럽 지성의 한계를 토로한 《서양의 유혹La Tentation de l'Occident》(1926), 국민당의 광둥혁명을 배경으로 한 소설 《정복자Les Conquérants》(1928), 크메르 유적을 찾아 나선 자신의 모험담을 모티프로 한 소설 《왕도La Voie royale》(1930), 상하이쿠데타를 배경으로 고뇌와 허무로 채워진 상태에서 벗어나려고 애쓰는 인간 군상을 그려낸 《인간의 조건La Condition humaine》(1933) 등은 섬세하고도 지적인 프랑스 작가의 아시아 인식이 얼마나 대단할 수 있는지 잘 보여주었다. 1923년 캄보디아를 찾았다가 반테아이 스레이Banteay Srei 사원에서 여신상을 밀반출하려다 붙잡혀 감옥살이를 했던 말로는 《왕도》에서 정글에서의 생존과 인간과 운명에 대한 형이상학적인 성찰을 동시에 그려내고 있다. 말로의 작품세계를 집대성한 《반회상록Antimémoires》을 읽어보면 죽음 앞에서의 인간, 숙명론적 사상, 선, 우주 합일, 윤회 등 동양적 주제에 대한 작가의 이해가 어느 경지까지 도달했는지 잘 알 수 있다.

프랑스 작가들의 주된 관심사는 역시 자신들의 식민지가 있었던 인도차이나반도였다. 식민지였던 베트남, 라오스, 캄보디아 등에 대한 프랑스인들의 글은 회한과 노스탤지어로 채워져 있다. 주목할 만한 작품으로는 1906년 공쿠르상 수상작인 클로드 파레르Claude Farrère의 《문명인Les Civilisés》, 피에르 로티Pierre Loti가 쓴 《앙코르의 순례자Un pèlerin d'Angkor》(1912), 마르그리트 뒤라스Marguerite Duras

클로드 파레르의 《문명인》

가 쓴 《태평양의 방파제Un barrage contre le Pacifique》(1950), 파트릭 드빌Patrick Deville이 쓴 《캄푸체아Kampuchéa》(2001), 《페스트와 콜레라Peste et Choléra》(2012) 등이 있다.

《문명인》은 식민주의를 반대하는 내용을 담은 이국적인 서사시다. 의사인 메빌, 엔지니어인 토랄 그리고 해군 장교인 피에르스를 중심으로 현재 호치민으로 이름이 바뀐 사이공에서 이야기가 전개된다. 아시아 땅에서 마약과 육체적인 탐닉에 몰두하는 그들은 악과 유혹을 찾는 퇴폐적인 식민화를 대표하는 인물들이다. 《앙코르의 순례자》는 폐허가 된 앙코르와트에 대해 묘사한 작품으로 잘 알려져 있다. 작품은 크메르 왕조의 왕들이 거주하던 신비로운 도시의 아름다움 속으로 독자들을 끌어들이는데, 바닷사람이자 작가, 장거리 여행자인 한 인물의 삶이 저물어가는 모습을 담아낸 내밀한 우화처럼 읽히기도 한다. 《태평양의 방파제》는 인도차이나반도에서 맛본 환멸을 그려낸 작품으로, 자전적 이야기를 통해 식민지에서의 삶을 생생하게 그려내고 있다. 《캄푸체아》는 인도차이나를 여행하던 앙리 무오가 나비를 쫓다가 추락한 후 우연히 앙코르 신전을 만난다는 이야기다. 작가 파트릭 드빌은 이 일화로부터 출발해 크메르루주 체제의 만행을 포함한 인도

차이나반도의 슬픔을 묘사했다. 이러한 비극에 대해 시적인 성찰을 계속하면서도 작가는 메콩강을 따라가는 자신의 여행과 캄보디아 풍경의 아름다움을 멋들어지게 그려내고 있다. 《페스트와 콜레라》는 리빙스턴David Livingstone을 본받아 학자이자 탐험가가 되고 싶어 하는 젊은 연구자 알렉상드르 예르생Alexandre Yersin을 주인공으로 내세운다. 파리의 윌므 거리Rue d'Ulm에서 출발해 인도차이나에 이르면서 그는 세상과 페스트균을 발견한다. 실존 인물로 바닷사람이자 의사였고 동시에 특파원이었던 예르생은 자신의 삶을 학술적이고도 인간적인 모험으로 채우는 데 몰두했다.

1984년에 공쿠르상을 받고 상업적으로도 대성공을 거둔 마르그리트 뒤라스의 자전적 소설 《연인L'Amant》은 인도차이나를 그려낸 가장 유명한 소설일 것이다. 1914년 베트남의 사이공에서 태어난 그녀는 소설 《태평양의 방파제》와 희곡 《에덴 시네마L'Eden cinéma》(1977)에서 자전적인 이야기들을 담아낸 바 있는데, 《연인》에서도 인도차이나에서의 개인적 체험을 다루었다. 아버지가 죽은 후 얼마 안 되는 돈으로 사업을 하다가 실패해 미쳐가는 어머니, 폭행과 학대를 일삼는 탈선한 오빠, 아주 일찍 죽은 또 다른 오빠, 돈 많은 중국 애인이 등장하는 이

마르그리트 뒤라스의
소설 《연인》

작품은 연대기적 재구성 없이 기억의 리듬에 따라 일인칭과 삼인칭을 섞어가며 자아를 그려낸다. 또 그녀는 원폭투하 이후의 히로시마를 배경으로 사랑과 전쟁의 문제를 그려낸 문제작인 영화 〈히로시마 내 사랑Hiroshima mon amour〉의 시나리오를 쓰기도 했다.

아시아의 다른나라를 다룬 영화도 많다. 그

중 파리에서 만난 가장 특별한 영화는 이탈리아 작가 안토니오 타부키Antonio Tabucchi의 소설을 바탕으로 알랭 코르노Alain Corneau 감독이 영화화한 〈인도 야상곡Nocturne Indien〉(1989)이었다. 인도에서 사라진 친구를 찾아 나선 한 남자가 여행 중에 자신의 정체성을 찾아가는, 약간은 구도적인 내용을 다룬 이 영화에 깔리던 슈베르트의 음악 〈현악 5중주 C장조, op. 163, D. 956〉 중 '아다지오Adagio'는 나를 영화에 완전히 몰입하게 만들었다. 카트린 드뇌브가 주연을 맡은 〈인도차이나Indochine〉(1992), 그리고 앞에서 언급한 마르그리트 뒤라스 작품을 영화화한 〈연인L'amant〉(1992)도 수작이다.

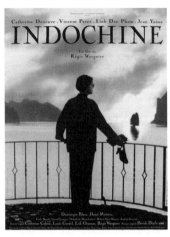

영화 〈인도차이나〉 포스터

영화 〈연인〉 포스터

말로의 작품에는 그 옛날 배를 타고 아시아 땅으로 들어간다는 것은 영겁의 시간을 거슬러 과거로 들어감을 의미했다는 문장이 등장한다. 멋진 표현이었다. 아마 아시아와 유럽은 앞으로도 부분적으로는 서로를 모른 채, 아니 영원히 자신의 본모습을 보여주지 않는 채 몰이해와 짝사랑으로 서로를 바라볼

노벨문학상 수상작가
르 클레지오

것이라는 생각이다. 뭐, 어쩌랴, 그런 방식의 사랑도 가능하다면.

　물론 앙드레 말로의 《반회상록》에서 한국 관련 이야기가 전쟁에만 할애된 것은 아쉽기 그지없었다. 유라시아 반대쪽 끝에서, 또 하나의 '멋진 신세계'를 꿈꾸는 자들이 있다는 사실을 그들은 알까? 이청준 선생님께서 살아 계실 때 댁에 식사 초대를 받은 적이 있다. 선생님은 한국만큼 소설의 소재가 무궁무진한 나라가 지구상에 거의 없다고 말씀하셨다. 100년 사이에 우리는 전쟁과 가난, 식민지배와 독재, 산업화 등 서구가 수 세기에 걸쳐 겪은 모든 일을 겪었다는 것이다. 위대한 소설이 나오지 않는다면 그건 소설가들이 게으른 탓이라는 말씀도 잊지 않으셨다. 노벨문학상을 수상한 르 클레지오Jean-Marie Gustave Le Clézio 같은 작가도 제주 우도의 해녀들을 다룬 소설 《폭풍우Tempête》를 발표한 것을 보면 우리 역시 프랑스 작가들의 눈에 포착되기 시작한 느낌이다. 프랑스와 한국은 앞으로 더욱 자주 만날 것이다. 그 만남이 어떤 새로운 패러다임을 만들어낼지 궁금하다.

서유럽과 동유럽

크쥐시토프 키에슬로프스키Krzysztof Kieślowski 감독의 영
화 〈베로니카의 이중생활La Double vie de Véronique〉(1991)
에는 쌍둥이처럼 같은 날, 같은 시각에 태어난 얼굴이
똑같은 두 여자아이가 등장한다. 한 명은 프랑스의 베
로니크, 다른 한 명은 폴란드의 베로니카. 콘서트 독창
자로 발탁된 베로니카는 어느 날 노래를 부르다 숨이
멎는 순간, 그의 분신에 가까운 베로니크는 영문 모를
눈물을 흘리는데…… 파리에서 접한 이 영화는 대단히
인상적이었다. 일인이역을 한 이렌 자콥Irène Jacob의 감
성적인 연기도 뛰어났지만, 두 인물이 각각 서유럽과
동유럽을 상징하고 있었기 때문이다. 프랑스를 상징하
는 세 가지 색을 주제로 〈블루Blue〉(1993), 〈화이트White〉
(1994), 〈레드Red〉(1994) 3부작을 만들었을 정도로 키에슬
로프스키가 프랑스를 사랑하는 영화인이기는 했다. 하
지만 베를린 장벽과 동유럽이 붕괴되고 얼마 지나지 않

크쥐시토프 키에슬로프스키의 영화
〈베로니카의 이중생활〉 포스터

크쥐시토프 키에슬로프스키 감독

크쥐시토프 키에슬로프스키 감독의 3부작 영화
〈블루〉〈화이트〉〈레드〉

은 1991년에 개봉된 〈베로니카의 이중생활〉은 유럽의 양쪽 지역을 대립시킨 다소 작위적인 설정이라는 느낌을 나에게 주었다.

한국에서는 전혀 생각하지 못했던 동유럽이라는 주제는 박사학위 논문을 쓰면서 어느 순간부터 가깝게 다가왔다. 논문 지도교수께서 아우슈비츠만을 다루는 데 따르는 위험을 이야기하면서 공산주의의 결과물인 굴라그goulag(소련 강제노동수용소)도 동시에 다루라고 권했기 때문이다. 수용소가 20세기 전반의 이데올로기들인 파시즘과 공산주의의 부산물이라는 점도 공부를 계속해나가며 이해할 수 있었다.

프랑스의 동유럽에 대한 시각은 다소 복잡했다. 1920년대 러시아에서 발흥한 형식주의가 동유럽을 거쳐 서유럽에 이식된 사조가 구조주의였고, 그 사조를 프랑스에 이식한 지식인이 불가리아 출신의 세계적 석학인 츠베탕 토도로프, 쥘리아 크리스테바Julia Kristeva였다. 하지만 그와 별도로 동유럽은 서유럽의 도도한 문예 전통과는 달리 러시아의 영향을 받아 자신만의 문화와 예술 전통을 발전시켜온 지역이기도 했다. 소설《참을 수 없는 존재의 가벼움L'Insoutenable légèreté de l'être》으로 유명한 체코의 작가 밀란 쿤데라_{Milan Kundera}의《소설의 기술*L'Art du roman*》에는 흥미로운 이야기가 나온다. 데카르트주의가 내세운 이성과 합리의 전통을 계승하며 프랑스가 문학예술의 형식에 대한 논의를 심화시켜왔다면, 러시아를 포함한 동유럽의 정신세계는 전쟁과 평화, 죄와 벌, 구원의 문제 같은 내용에 대한 관심을 취급해왔다는 것이다. 인간 실존의 문제와 직결된 이런 주제들은 러시아의 정신세계가 그들의 땅만큼이나 넓기에 가능했고, 그렇기에 러시아와 동유럽 문학과 예술은 깊이 차원에서 서유럽을 능가한다는 것이다. 이런 주장이 옳은지 그른지와는 상관없이, 러시아에는 표도르 도스토옙스키_{Fyodor Mikhailovich Dostoevsky}, 레프 톨스토이_{Lev Nicolayevich Tolstoy}, 알렉산드르 솔제니친 같은 스케일 큰 작가들이 존재했고, 서유럽에는 그들에 필적할 만한 작가들이 적었다. 적어도 수용소문학에 관한 한, 서유럽에서 주목할 만한 작가는 프리모 레비가 유일했다. 내가 번역한 책《롤랑 바르트가 쓴

밀란 쿤데라

밀란 쿤데라의《소설의 기술》

《롤랑 바르트가 쓴 롤랑 바르트》

롤랑 바르트》의 한 챕터 〈마테시스로서의 문학〉 속에서 바르트는 수용소가 프랑스 문학 속에 '난입한' 주제이기에 모형母型이 부재하다고 설파했지만("문학은 한편으로 당대의 지식을 넘어설 수 없고, 다른 한편 문학은 전부를 말할 수 없다. (…) 그것은 아연실색할 정도로 깜짝 놀라게 하는 여러 가지 대상이나 스펙터클이나 사건들에 대한 설명 능력을 잃어버리고 만다."[3]) 그건 충분한 변명이

되지 못했다. 인간 조건에 대해 그 누구보다 깊이 접근한 나라가 프랑스였기 때문이다.

문예 일반에 대한 이해로 확장해보면 생각은 더욱 복잡해졌다. 국내 연구자들이 쓴 《문예사조의 새로운 이해》(오생근 외, 문학과지성사, 1996) 속 〈낭만주의〉 부분에 등장하는 독일 문학의 기원에 대한 글이 그런 경우였다. 고전주의가 프랑스의 안정된 정치구조를 바탕으로 만개할 수 있었다면, 낭만주의는 독일의 몫일 수밖에 없었다. 언제인지도 모르는 시기에 중부유럽에 정착한 독일 민족을 지배하는 정서는 불안과 공포, 격정과 방랑의 감정이었고, 그들을 지배하던 문예는 전설과 신화였다. 그들의 눈에 인간 내면을 가장 잘 드러내는 방식은 낭만주의였다. 그래서일까, 중부유럽, 동유럽에는 음습하고 기괴한 이야기들이 차고 넘친다. 우리가 아는 흡혈귀 드라큘라는 루마니아 트란실바니아 지방 귀족의 전설에서 유래했으며, 프라하를 배경으로 한 카프카Franz Kafka의 작품들은 기괴하기 짝이 없다. 일반적으로 동유럽을 머리에 떠올릴 때도 살을 에는 바람과 눈이 늘 연상된다. 홀로코스트를 그려낸 영화 〈쇼아〉의 감독 클로드 란즈만도 "서유럽은 나에게 인간적인 반면 동유럽은 공포감을 준다."라고 이야기하면서, 대학살이 벌어진 동유럽에 대한 두려움을 드러냈다. 그러나 동유럽은 나에게 영성으로 채워진 땅이기도 하다. 에스토니아 음악가 아르보 패르트Arvo Pärt의 음악이 표현해내는 영혼의 울림을 그 어떤 서유럽 음악이 담아낼 수 있으랴. 진보라는 개념

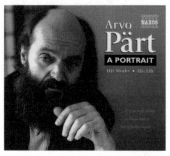

아르보 패르트

을 앞세워 서유럽이 끊임없는 발전
을 도모했다면 동유럽은 마치 시
간이 정지된 땅 같은 느낌을 주었
다. 오히려 신이 원하는 모습에 더
가깝기도 할 듯한……

공쿠르상 수상자 안드레이 마킨

나에게 서유럽과 동유럽, 보다
정확하게는 프랑스와 러시아를 비
교한 가장 강렬했던 글은 안드레이 마킨Andreï Makine이 프랑스 최대의
문학상인 공쿠르상을 수상한 직후 《르 몽드》와 가진 인터뷰였다. 러
시아 출신 작가 안드레이 마킨에게 프랑스 사회는 놀라움 그 자체였
다. 그는 러시아인들이 본질적으로 염세주의자들이며, 영성을 추구하
는 존재라 규정한다. 또 프랑스에서는 모든 것이 너무 물질 위주라 규
정하면서, 골동품으로 뒤덮인 땅 프랑스에서는 눈雪에서조차 냄새가
나지 않는다고 항변한다. 반면 러시아에서 문학은 타이가의 침엽수들
사이로 바라보는 석양, 캄차카반도의 간헐천, 마당에서의 축제, 늑대를
피해 나무에 올라갔다가 추위에 얼어 죽은 사람들에 대한 것이다. 또
마킨은 페레스트로이카(개혁) 이후 모든 사람이 비즈니스를 이야기하는
데 질려 자신이 프랑스로 떠났으며, 프루스트가 주창했듯 문학의 본질
은 궁전의 화려함과 거리가 멀고 작은 방에 더 가깝다고 말한다.

공쿠르상의 상금으로 무얼 할 것이냐고, 아파트를 살지 아니면 고
급 하이파이 오디오세트를 살지 물어보는 기자들에게 그는 러시아와
프랑스가 얼마나 다른지를 당당하게 설명해준다. 러시아에서는 돈이
머리 위로 떨어지면 창작을 위해 그 돈을 모두 소진해버린다고……
아무리 가져도 만족할 줄 모르는 자본주의의 속성을 비웃은 것이다.

인간의 광기와 유토피아를 향한 열망이 늘 공존하는 동시에 충돌하는 세상이기에 서유럽과 동유럽에 대한 도식적인 구분은 문제가 많을 것이다. 하지만 우리의 문학이 오랫동안 러시아 문학과 놀랍도록 닮았음을 상기해볼 때, 서방과 다르고자 하는 동유럽의 고민은 곧 우리의 고민이기도 할 것이다. 사회를 변혁시킬 힘을 문학과 예술은 아직 지니고 있는가? 한국 사회가 급변하면서 문학의 영향력도 예전 같지 않은 느낌이지만, 제도에 도전하는 힘은 여전히 유효하다. 문학의 힘을 우습게 본다면 그건 우리 사회가 그만큼 경박해졌다는 얘기일 것이다.

세상을 바라보는 또 하나의 시선 프랑코포니

영국과 영연방 회원국을 동시에 지칭하는 '커먼웰스Commonwealth', 그리고 그 단어와 비교되는 '프랑코포니Francophonie'라는 표현이 있다. 스페인어권 혹은 스페인어 사용자를 지칭하는 '히스패닉Hispanic', 포르투갈 언어권을 지칭하는 '루소폰Lusophone' 같은 단어도 있다. 한때 세상을 호령했던 국가들이 자국 언어를 구사하는 세계 각지의 공동체들을 묶는 개념이었다.

프랑코포니는 프랑스어를 사용하는 지역, 아직도 프랑스어를 공용어로 채택하고 있는 옛 식민지들을 총괄하는 개념이다. 유럽의 벨기에 남부와 스위스 서부, 북아프리카의 마그레브 지역(모로코·튀니지·알제리), 아프리카 대륙 사하라사막 이남의 옛 프랑스 식민지들, 아시아의 베트남·라오스·캄보디아, 미국의 루이지애나주, 캐나다의 퀘벡주가 모두 프랑코포니로 분류된다. 프랑코포니라는 이름 아래 현재 전 세계 50여 개국이 정기적 혹은 비정기적 만남을 갖고 있다.

프랑스어권 개념을 표현해내는 여러 단어가 있다. 대표적인 단어가 '프랑코포니Francophonie/francophonie'와 '에스파스 프랑코폰espace francophone'. 소문자 f로 시작하는 '프랑코포니'는 일상생활에서 서로 소통할 때 프랑스어를 전적으로 사용하거나 특별히 사용하는 국민, 집단 전체를 지칭하는 표현이다. 반면 대문자 F로 시작하는 '프랑코포니'는 작업이나 의사소통 시 프랑스어 사용을 공유하는 정부, 국가, 공식기구들의 집합을 지칭한다. 또 '에스파스 프랑코폰'이라는 표현은 지리와 언어에 국한되지 않고 문화적인 차원까지 아우르는 개념을 뜻한다. 따라서 이 단어는 프랑스어와 프랑스어권 문화에 소속감을 느끼거나 표출하는 모든 이를 아우르는 뉘앙스를 띤다. 가장 모호한 개념인 동시에 풍요로운 개념이기도 하다.

원래 프랑코포니라는 용어는 1880년대부터 지리학자들이 단지 지리를 묘사하기 위해 구사하기 시작했는데, 용어를 고안해낸 인물은 오네짐 르클뤼Onésime Reclus였다. 그 후 이 단어는 프랑스 문화·프랑스어권 고유의 특성을 나타내는 '프랑시테francité'로 대치되었다. 2차대전 이후인 1962년《에스프리Esprit》잡지의 한 특집호로 인해 '프랑스어권의 의식'이 본격적으로 다루어지기 시작했다. 이 용어는 특히 세네갈 작가이자 정치인이었던 레오폴드 세다르 셍고르Léopold Sédar Senghor 덕분에 대중화되었다. 용어는 점점 공식적인 결정이나 객관적인 자료보다 언어와 문화를 공유한 집단을 점점 의미하기 시작했고, 여러 공동체는 그 점을 자각하기에 이른다.

프랑스어권을 엮는 공식기구의 명칭은 '프랑스어권 국제기구 Organisation internationale de la francophonie(OIF)'다. 이 조직이 2004~2014년에 수행할 임무를 2004년 와가두구 정상회담에서 확정했는데, 강조된 내용은 '프랑스어 및 문화와 언어 다양성 증진', '평

프랑스어권 국제기구(OIF)

화와 민주주의, 인권 신장', '교육, 고등교육 및 연구 지원', '지속 성장과 연대를 위한 협력 확대'라는 네 가지 사항이었다. OIF에 따르면 2018년 기준으로 프랑스어는 세계인 3억 명이 구사하는 세계 제5위 언어였다. 세계 인구의 3.2%에 달하는 2억 3,500만 명의 인구가 매일 프랑스어를 구사하는데, 이 숫자는 2010년에서 2014년 사이에 무려 7%나 증가했다. 프랑스어권 인구는 2050년에 7억 명으로 늘어나 세계 인구의 8%를 차지할 것으로 추정된다.

인구증가 속도를 감안하면 프랑스어권 인구의 85%는 아프리카 대륙에 위치할 예정이다. 수십 년 안에 프랑스어는 세계에서 가장 중요한 언어 중 하나로 자리매김할 것이 틀림없다.

OIF와는 별도로 열리는 프랑스어권 정상회담Sommet de la Francophonie도 있다. 프랑스어권 국가들의 대통령과 정부 수반들은 정기적으로 모여 관심사에 대한 의견을 교환하는 중이다. 프랑스 베르사유에서 1986년에 첫 회합이 열린 후 1987년 캐나다 퀘벡, 1989년 세네갈 다카르, 1991년 프랑스 파리, 1993년 모리셔스군도 그랑베이, 1995년 베냉 코토누, 1997년 베트남 하노이, 1999년 캐나다 몽통, 2002년 레바논 베이루트, 2004년 부르키나파소 와가두구, 2006년 루마니아 부카레스트, 2008년 캐나다 퀘벡, 2010년 스위스 몽트뢰, 2012년 콩고민주공화국 킨샤샤, 2014년 세네갈 다카르, 2016년 마다가스카르 안타나나리보, 2018년 아르메니아의 예레반에서 프랑스어권 정상회담이 개최된 바 있다.

2021년 프랑스어권 정상회담 포스터

프랑스어권 정상회담

　그러나 이런 정치적인 조직과는 별개로 문화 속에서 프랑코포니라는 추상적인 개념이 점차 자리를 잡아가는 모습을 주목해야 할 것이다. 예를 들어 1987년 이후 공쿠르상 수상자 4분의 3은 프랑스어를 모국어로 사용하는 지역 출신이었다. 모로코 출신인 타하르 벤 젤룬Tahar Ben Jelloun, 프랑스와 레바논 이중국적의 아민 말루프Amin Maalouf, 러시아 출신의 프랑스인인 안드레이 마킨, 프랑스와 미국 이중국적의 조나탕 리텔Jonathan Littell, 아프가니스탄 출신의 프랑스인 아티크 라히미Atiq Rahimi가 그런 경우다. 아흐마두 쿠루마Ahmadou Kourouma, 밀란 쿤데라, 외젠 이오네스코Eugène Ionesco, 셍고르를 비롯한 무수한 작가도 다른 국가 출신이지만 프랑스 안팎에서 프랑스어로 글을 쓴 작가들이다.

　프랑코포니를 지지하는 국가들은 관세 및 무역에 관한 일반 협정(GATT)을 비롯한 무역 관련 국제 협약에서 문화를 제외하는 데 보조를 맞췄고, 문화다양성을 '인류 공동의 문화유산'으로 간주하기를

주저하지 않았다. 프랑스어도 교환의 대상이 아
니라 지켜야 할 정신의 한 영역이 된 것이다. 그
에 따라 실제로 오늘날 많은 매체가 프랑스어
보급에 힘쓰고 있다. TV 매체로는 TV5 몽드
TV5Monde와 프랑스24France24, 라디오 매체로는

4,400만 명의 청취자를 자랑하는 라디오 프랑스 앵테르나시오날Radio
France Internationale(RFI), 벨기에 프랑스어 공동체 방송Radio télévision belge
de la communauté française(RTBF), 가봉에서 송출하며 3,100만 명의 청취
자를 보유한 아프리카 넘버원NO1Africa5, 2,300만 명의 청취자를 대상
으로 프랑스어와 아랍어 2개 언어로 탕헤르에서 송출되는 라디오 메
디테라네 앵테르나시오날Radio Méditerranée Internationale(Medi1) 등을 통
해 프랑스어를 지켜나가는 데 열중하고 있다. 또 1835년에 만들어진
프랑스 통신사Agence France-Presse(AFP) 역시 세계 굴지의 통신사로서
프랑스어권의 단합에 기여하고 있다. 전 세계 165개국을 커버하는 110
개 지부에서 50명 이상의 특파원이 취재하고 있다.

　우리 입장에서는 자국 언어의 세계화가 부러울 따름이다. 자기 언어
를 쓰는 지역이 많다는 건 그만큼 세상을 바라보는 눈이 넓어질 수 있
다는 이야기일 것이다. 이런 점은 모든 영역에서 발견된다. 월드뮤직에
관한 한 세상에서 가장 많은 자료를 찾아낼 수 있는 곳이 파리와 도
쿄란다. 일본의 경우는 세상을 알려는 의지와 집요한 노력이 그런 모
습을 낳았다면, 프랑스는 자연스럽게 세계 문화가 몰려드는 장소다.
그렇기에 파리에서 세계 각국의 다양한 문화가 선을 보이고, 파리를
통해 그 문화들이 퍼져나간다. 또 아프리카의 많은 나라가 아직도 프
랑스어를 구사하고 이해한다는 점은 프랑스 외교 차원에서도 큰 장

점이 아닐 수 없다. 나라 크기에 상관없이 한 국가가 한 표를 행사하는 유엔에서 문화다양성을 내세워 자신들의 이익을 대변해주는 프랑스를 아프리카 국가들이 지지하지 않을 이유가 없다. 특히 유네스코에서는 말이다. 우리가 지리적으로 세계 4대 강대국에 둘러싸여 있기에 외교 분야에서 제 목소리를 내는 데 늘 한계를 느끼는 반면, 프랑스는 정치·경제를 앞세운 힘의 논리를 문화의 이름으로 깨부순다. 어렵게 생각할 것 없다. 한글이 프랑스어 알파벳보다 뛰어나다고 주장하려면 타당한 근거가 있어야 하지 않겠는가? 세계와 점점 하나가 되고 있지만 세계 보편의 기준을 제시하기에는 미흡한 한국 사회는 프랑코포니로서 패권을 추구하는 동시에 자국 문화와 언어 지키기에 골몰하는 프랑스의 생존 전략으로부터 교훈을 얻을 수 있을 것이다.

주석

1 롤랑 바르트Roland Barthes,《롤랑 바르트가 쓴 롤랑 바르트Roland Barthes par Roland Barthes》, 이 상빈 옮김(동녘, 2013), 66쪽.

2 같은 책, 259쪽.

3 같은 책, 185쪽.

» 역사

»

Histoire

Connaissance et récit des évènements du passé
jugés dignes de mémoire ; les faits ainsi relatés.
L'histoire ancienne, histoire du Moyen
Âge, histoire des temps modernes, histoire
contemporaine.

LA LITTÉRATURE
EN FRANCE
DEPUIS 1968
Bordas

Histoire

나폴레옹의 학자와 예술가들

《나폴레옹의 학자들》 원서 표지

《나폴레옹의 학자들》 한국어판 표지

로베르 솔레Robert Solé의 저서 《나폴레옹의 학자들 Les Savants de Bonaparte》과의 만남은 프랑스 문화에 푹 빠진 나를 행복하게 만든 충격적인 '사건' 중 하나로 남아 있다. 프랑스 문화사전을 만들기 위해 늘 《르 몽드》지를 들여다보던 1998년 여름에 나폴레옹의 이집트 군사원정 200주년 특집 시리즈가 눈에 띄었다. 난 정말 열광하며 12차례에 걸쳐 연재된 글을 차례대로 모두 읽었다. '이런 형태의 원정이 어떻게 가능하지?'라는 생각은 그 후 한동안 나의 뇌리를 떠나지 않았다. 군사원정에 학자와 예술가들이 동행한 모습도 신선했고, 더없이 방대한 이집트의 고대 비밀이 다른 나라에 의해 파헤쳐진 것도 놀라웠으며, 두 나라의 문화적 연결이 세계사적 중요성을 갖는 것도 흥미로웠다. 그 만남은 프랑스 학문이 다른 세상에 이식되어 과거와 근대 사이에 다리를 놓는 작업이었고, 계몽주의와 대혁명이 가져다준 새 시대의 연장선상에서 젊은 열정이 국가에 대한 충성심과 함께한 거대한 지적 모험이었다. 프랑스 최고의 이집트 학자로 불러도 좋은 로베르 솔레의 글은 마치 역사의 현장 속으로 나를 데려가는 것처럼 생생했다. 그의 다른 저서《프랑스의 열정, 이집트L'Égypte, passion française》역시 프랑스인들의 필독서로 여겨진다. 나는 그해 늦가을 즈음에 쇠이유 출판사를 통해 출간된 단행본《나폴레옹의 학자들》을 번역했다.

나폴레옹 보나파르트의 이집트 원정을 생동감 있는 필치로 기술한《나폴레옹의 학자들》은 여러 면에서 유익했다. 책은 1798년부터 1801년까지 지속된 원정 당시 학자 및 예술가들이 어떤 작업들을 수행했는지를 개관할 수 있게 해주었고, 이집트 태생의 작가이자 저널리스트인 로베르 솔레가 프랑스나 이집트 어느 편에도 치우치지 않는 객관적인 시각을 유지하며 글을 기술했기에 양측 입장을 비교해보는 재미도 있었다. 세계적으로 명성을 얻고 있는 프랑스 내 이집트 연구의 기초가 원정에 참가한 학자 및 예술가들에 의해 구축되었다는 사실, 원정이 끝난 다음 귀스타브 플로베르Gustave Flaubert를 비롯한 수많은 작가가 이집트를 방문해 문학적인 영감을 얻었다는 점, 그리고 1870년 이후 제국주의 시대가 본격적으로 열릴 때 원정 당시 만들어진 다양한 방법론이 알제리를 비롯한 여러 국가에 적용된 양상도 흥미로웠다.

1798년 나폴레옹은 인도로 진출할 때 영국이 이용하던 통로를 차단하고 이집트를 무력으로 정복하기 위해 5만 명의 인원을 데리고 이집트로 떠난다. 원정에 동참한 학자와 예술가 중에는 수학자이자 물리학자인 몽주Gaspard Monge, 화학자 베르톨레Claude Louis Berthollet, 작가이자 예술가이며 고고학자인 비방 드농Dominique Vivant Denon 같은 당

나폴레옹의 이집트 원정

대의 대가와 철학자 샤를 푸리에Charles Fourier, 동물학자 조프루아 생
틸레르Étienne Geoffroy Saint-Hilaire 같은 뛰어난 젊은이들이 포함되어 있었
다. 수학자, 화학자, 기술자, 건축가, 박물학자, 천문학자, 의사, 인쇄업
자, 동양학자, 화가, 음악가들은 전공과 무관하게 3년 동안 역사상 전
례를 찾아볼 수 없는 학문적 열정에 매진했다. 거친 정복이 낳은 행복
과 불행과 함께했던 이들의 서사시는 프랑스의 영광을 만들어내는 데
크게 기여했다. 무의 상태에서 출발한 그들은 열악한 동시에 위험한
조건 속에서 필요에 따라 그때그때 만들어낸 도구들로 작업했다. 이
정도로 짧은 기간에 엄청난 지식과 노하우를 쌓을 수 있었던 것은 실
로 예외적이었다. 학자들 대부분은 기계·토목 기술자였고, 평균 나이
는 23세에 지나지 않았다. 그러나 그들은 최고의 대학에서 선발한 최
고의 수재들이었다. 그들은 모험정신을 가지고 나폴레옹의 뒤를 따랐
고, 몽주와 베르톨레라는 대가들에 대한 신뢰를 기반으로 원정에 기꺼

이 뛰어들었다. 영국의 힘을 저지하고 지중해에서의 무역을 용이하게 하기 위한 통행로 확보가 일차적 목표였을지라도, 과학과 문화예술에 대한 감각과 사회적 합의가 없었더라면 프랑스의 이집트 원정은 약탈의 역사로만 채워졌을 것이다.

프랑스군이 패배하여 군사적 차원에서 원정은 실패로 끝나지만, 원정에 참가한 학자와 예술가들 덕분에 학술적인 차원에서는 대성공을 거두었다. 로제타스톤이 발견되었고 거기에 기록된 상형문자가 나중에 장-프랑수아 샹폴리옹Jean-François Champollion에 의해 해독되며 학자와 예술가들의 연구 결과를 집대성한 《이집트지Description de l'Égypte》가 간행되면서 파라오 문명을 연구하는 '이집트학'이 본격적으로 태동한다. 오귀스트 마리에트Auguste Mariette의 카이로 박물관 창설도 원정 덕분에 가능했다. 이 학자와 예술가들이 그 후 한 세기 이상 경제와 문화 분야에서 중요한 역할을 담당하게 된다.

프랑스가 이집트에 열광한 최초의 나라는 아니다. 이미 그리스인과 로마인도 자신들의 건물을 장식하기 위해 이집트에서 오벨리스크를 가져간 적이 있었다. 하지만 나폴레옹에 의해 파라오 문명의 장엄함과 영광이 모습을 제대로 드러내게 된다. 2차대전과 나세르혁명이 이러한 특권적 관계를 끝내지만, 앞으로도 오랫동안 이집트는 프랑스가 열정을 쏟아부은 대상으로 남아 있을 것이다. 정치에 봉사한 학문과 예술의 역할에 대해 의혹을 품을 수도 있지만 적어도 당시 학자들에게서 이데올로기 갈등을 발견하기란 쉽지 않다. 국가와 개인, 종교와 세속성 문제 등 19세기를 뒤흔든 여러 개념이 차라리 부차적이었을 정도로 그들은 학문과 기술을 통한 부국강병에 몰두했다고 볼 수 있다. 그들은 자신의 전공과 관심사에 일차적으로 몰입했고, 학술적 성과를 통해 조국의 영광에 이바지했다. 의식했든 아니든 간에 원정 당시 그들은 과거 이집트 문화와 근대 프랑스 문화 사이의 연속성을 발견하고자 하는 의욕에 불타고 있었고, 원정을 통해 얻어낸 성과물을 문명의 발상지에 되돌려주고자 했다.

2003년, 번역서가 국내에 처음 선을 보였을 때의 반응은 실로 대단했다. 《동아일보》와 《교수신문》은 오직 이 책 한 권을 위해 한 면 전체를 할애해 리뷰를 게재해주었다. 한편 《경향신문》 기자가 쓴 서평도 기억난다. 그는 "학자와 예술가들의 찬란한 작업은 피와 공포를 이용하여 정복자들이 저질렀던 수많은 과오조차 용서하게 만들고 있는 것이다."라고 내가 '역자 후기'에 기술한 내용에 전혀 동의할 수 없다고 지적했다. 식민주의의 생채기가 우리 사회 곳곳에 여전히 남아 있고, 우리가 스스로를 식민주의의 일방적인 피해자로 여기는 정서가 있기 때문으로 보인다. 책이 담고 있는 내용은 동양의 한 작은 나라 연구자에게 대답보다 질문을 훨씬 많이 던졌다. 문화란 과연 무엇일까? 국가의 의미와 국가가 부강해지는 방식은 어떤 것일까? 프랑스와 이집트의 만남을 가해와 피해 측면에서 접근하는 것이 옳을까, 아니면 다른 시각에서 접근하는 것이 가능할까? 보기에 따라 그런 방식의 접근은 가능한 동시에 불가능해 보였고, 전쟁이라는 국가 간의 충돌은 총체적이면서도 종합적인 성찰을 필요로 했다.

나폴레옹의 이집트 원정이 불러일으킨 역사적 상상력은 사라진 문명을 현실 속에 되살렸으며, 역사는 시공을 초월하여 인간의 위대함에 대한 성찰을 풍요롭게 제공하고 있다. 어쩌면 파라오시대의 복원은 이데올로기로 갈래갈래 찢어진 20세기를 극복하려는 노력이자, 유토피아에 대한 인간의 꿈을 영속시키려는 작업들과 무관하지 않을 것이다. 또 탈이데올로기, 포스트콜로니얼리즘, 탈식민주의에 관련된 담론이 무성한 우리 시대에, 최종적으로는 문화가 정치와 권력을 대신할 수 있는 유일한 대안임을 암암리에 인정하게 만드는 시도일 것이다. 비록 군사적 의도에서 감행되었을지라도 이 원정이 제공하는 '문화적' 의미는 아무리 강조해도 지나침이 없다.

오늘의 한국 사회도 점점 더 세계와 밀접한 관련을 맺는 중이다. 이를 대비해서라도 세계사에 대한 냉철한 인식과 대응이 필요하다. "21세기는 문화의 시대가 될 것"이라는 프랑스 대문호 앙드레 말로의 예언이 실현될지는 알 수 없다. 하지만 이미 타국의 문화를 제 것으로 만들어본 경험이 있는 프랑스는 우리 것의 수출에만 치중하는 한국과는 분명 다르지 않은가?

1968년 5월혁명과 문화

1968년 5월혁명

1968년 5월의 의미는 나에게 늘 공부 대상이었다. 이전과 이후의 문화 양상이 급격히 달라졌기 때문이기도 하고, 오늘날 서구를 비롯한 세계 문화 전반을 지배하는 주도적인 움직임이 그때부터 본격화되었기 때문이기도 했다. 또 다른 이유도 있다. 유학 시절 이틀이 멀다 하고 '프낙FNAC'과 '지베르 조제프Gibert Joseph' 서점을 뒤졌지만, 정작 당시 한국을 휩쓸던 포스트모더니즘을 제목으로 붙인 책은 장-프랑수아 리요타르Jean-François Lyotard의 저서 등 겨우 한두 권 발견했을 따름이다. 영미권에서 비롯된 이 용어를 프랑스가 그다지 선호하지 않는다는 것을 알았고, 동시에 1968년 5월 이후의 모든 문화현상이 사실 포스트모더니즘에서 언급하는 내용과 대동소이하다는 것도 확인했다.

베르톨루치Bernardo Bertolucci의 영화 〈몽상가들
I Sognatori〉이 다룬 시대적 배경도 바로 1968년 5
월이다.

영화 〈몽상가들〉

　프랑스 대통령을 역임한 조르주 퐁피두가 "이
후에는 아무것도 이전과 같지 않을 것이다"라
고 진단했을 정도로 이 '사건'은 정치와 문화, 문
학에 급격한 단절을 가져왔다. 시대를 전혀 반영
하지 못하던 대학에 대한 항의에서 시작된 5월
혁명은 사회 전반의 변화에 대한 시민들의 요구
와 맞물리면서 거대한 파장을 낳았다. 브뤼노 베
르시에Bruno Vercier와 자크 르카름Jacques Lecarme
이 공동 저술한 《1968년 이후의 프랑스 문학La
Littérature en France depuis 1968》의 서문은 5월혁명 이후에
등장한 문화의 여러 양상을 일목요연하게 정리
하고 있다. 책이 다루는 내용을 열거해보자.

《1968년 이후의 프랑스 문학》

1. '제도화된 열등성'을 참지 못한 여성이 글쓰기를 통해 제 목소리
　를 내기 시작했다. 주장의 과격화에 맞서 남성들은 아카데미 공
　쿠르, 아카데미 프랑세즈 같은 기관에 여성을 극소수 받아들이면
　서 효율적으로 대항한다. 페미니즘이라는 기치를 내건 최초의 책
　들이 프랑스에서 나온 것도 우연한 결과가 아니다.
2. 여성 인권 신장과 함께 동성애 문제가 대두했다. 문단에서는 마
　르셀 프루스트와 앙드레 지드처럼 동성애자임이 알려진 작가들
　이 있었지만 그 밖에 다수의 동성애자가 가면을 벗고서 고백이나

변명 혹은 신앙고백의 형태를 취하면서 집단의 권리를 내세우기 시작했다. 그 후 동성애를 개인의 심리적 문제로 치부하지 않게 되었다.

3. 권력에서 배제되어 있던 지역이 발언권을 얻었다. 중앙집중 권력에 맞서 지방정부는 중앙이 경시하던 문화적 정체성을 되찾기 시작했다. 이 책의 다른 부분에서도 언급하겠지만, 지방의 자신감 회복은 1950년대와 1960년대에 성공을 거둔 지역 축제들과도 연관을 맺고 있다. 프랑스 내에서 소수 언어를 구사하던 지역인 브르타뉴, 옥시타니Occitanie, 알자스, 바스크 지방뿐만 아니라 해외의 프랑스어권 지역인 퀘벡, 앙티유제도 등에서도 정체성을 강조하는 문학과 문화들이 속속 등장했다.

4. 외국의 영향. 프랑스 지성계에 깊은 영향을 준 소련의 반체제 이야기다. '타미즈다트tamizdat(외국에서의 출판)' 형태로 프랑스어로 먼저 출간된 솔제니친의 《수용소군도》는 소련이 더는 혁명적인 모델이 아니라는 사실을 증명해주었다. 또 거대한 제국에 맞서 소설이나 자서전, 곧 문학의 힘이 얼마나 대단할 수 있는지 솔제니친은 당당히 입증해 보였다.

5. '복고풍'이 유행했다. 마치 판도라의 상자를 연 것처럼, 2차대전 도중에 프랑스가 내내 위대했다는 환상은 여지없이 무너졌다. 대독협력자 수는 레지스탕스의 수만큼이나 많았다. 미몽에서 벗어난 프랑스인들은 역설적으로 반유대주의자였던 루이-페르디낭 셀린이나 드리외 라 로셸Drieu La Rochelle의 작품을 많이 찾기도 했다.

6. 출판이 정체되었다. 위기를 극복하기 위해 소형 출판사들이 대거 등장하는 한편 거대 출판사들이 시장을 장악하는 모습이 나타

난다. 독서는 일부 독자들의 전유물이 되며, 다양한 문고본, 교육의 민주화, 도서 가격의 완만한 상승에도 불구하고 도서 시장은 전혀 확대되지 않았다. 물론 드문 현상이기는 하지만 한국에서 시집이 수만 권씩 팔리기도 하는 풍경은 프랑스에서는 상상하기 힘들다.

7. 잡지가 위기를 맞았다. 각자 자기 시대를 대표하던《르 메르퀴르 드 프랑스*Le Mercure de France*》, 앙드레 지드가 이끌며 프랑스 문단에서 최고의 영향력을 행사하던《라 누벨 르뷔 프랑세즈*La Nouvelle Revue Française*(신 프랑스 평론)》, 사르트르*Jean-Paul Sartre*가 책임을 맡아 사상의 흐름을 주도하던《레 탕 모데른*Les Temps Modernes*》 같은 잡지는 1968년 5월 이후 나타나지 않는다. 일반 잡지가 비평적 기능을 수행하던 이전과는 달리《유럽*Europe*》《레른*L'Herne*》《오블리크*Obliques*》 같은 잡지는 비평을 위해 특집호 형태로 비평적 기능을 수행한다.

8. 신문 비평이 몰락했다. 예전에는《르 피가로*Le Figaro*》《르 몽드》 등의 신문에 실린 서평의 영향력이 대단했지만, 이런 것이 사라지는 대신 대중성을 갖춘《마가진 리테레르*Magazine Littéraire*》《리르*Lire*》 같은 월간 문학잡지가 등장한다. 이 부분에 대해서는 나도 할 말이 많다. 프랑스의 3대 신문《르 피가로》《르 몽드》《리베라시옹*Libération*》이 간지 형태로 싣던 문학 부록을 모두 모아온 것. 지금은 색이 누렇게 변했지만, 아직 단 하나의 문학 부록도 버리지 않고 있다.

9. TV의 역할이 점차 증대했다. 나중에 나오는 〈아포스트로프 Apostrophes, 문학과 TV가 만나다〉 장에서도 기술했지만, TV는

작가들에게 피할 수 없는 도구가 되었다. 비슷한 시기에 미래학자 마셜 매클루언Marshall Mcluhan도 요하네스 구텐베르크Johannes Gutenberg의 금속활자 시대와 굴리엘모 마르코니Guglielmo Marconi의 무선통신 시대를 비교하면서 새로운 매체의 대두 가능성을 예견했다. 하지만 프랑스에서 영상이 문학을 압도했다는 이야기는 별로 들리지 않는다. 아마 영상과 문학이 테크놀로지와 의식意識, 감각과 사유라는 전혀 다른 영역에 각자 호소하기 때문일 것이다. 둘의 관계는 상호보완적이라고 규정하는 것이 옳다.

10. '하늘 아래 새로운 것은 이제 불가능하다'는 표현이 대세를 이루며, '작가'나 '작품'이라는 개념은 극도로 공격을 받았다. 포스트모더니즘과 완전히 중첩되는 이야기다. 오늘날 작가들은 패러디parodie, 패치워크patchwork, 파스티슈pastiche, 몽타주montage 등의 개념이 지칭하듯 남의 작품에 종종 의지한다. 《장미의 이름 Il nome della rosa》을 쓴 움베르토 에코 역시 자신의 작품이 전적으로 남의 이야기를 모아놓은 것이라 공공연하게 이야기했다. 이제 '패러디'는 '진지한 작품을 우스꽝스러운 방식으로 풍자하며 모방하는 것'이라는 의미를 뛰어넘어 원래 텍스트를 영예롭게 하는 데까지 이른다. 이러한 현상이 문학적 퇴행이나 창조적 정신의 소멸로 읽힐 수도 있겠지만, 문학의 창조가 참기능을 되찾기 시작했다는 것으로도 볼 수 있다. 위대한 패러디 작품은 모든 층위에서 해석될 수 있기 때문이다.

11. 포스트모더니즘은 보편 인권 중심 등의 개념들을 배격하면서 제3세계에 대한 관심을 확대하는 데 일조했다. 문학 역시 주변성 문제를 본격적으로 껴안기 시작했다. 사회의 주변인들, 학교

체제에서 밀려난 자들에게 목소리를 부여하는 작품이 이후 무수히 등장한다. 빅토리아 테람Victoria Thérame이 쓴 《호스토 블루스Hosto Blues》는 과도하게 혹사당하는 간호사의 이야기를, 에밀 아자르Émile Ajar가 쓴 《자기 앞의 생》은 파리 북쪽 빈민가 구트도르Goutte d'Or의 어린이 이야기를, A. D. G.가 쓴 《크라독 밴드Craddock-Band》는 H. L. M. 즉 프랑스의 영세임대주택 이야기를 다루었다.

오늘날 어떤 문학을 이야기할까? 영상의 범람 앞에 문학이 질식당한 듯 보이기는 한다. 문학이 주던 재미 역시 영화나 드라마가 빼앗아 가버렸다. 그러나 소설의 지지부진에도 불구하고 자서전이나 체험담 같은 장르는 여전히 독자들이 많이 찾고 있다. 또 남미나 아프리카 지역에서는 문학이 여전히 고발의 힘을 과시한다. 문학을 기피한다는 것은 우리의 정신이 죽어가는 모습을 방치하는 풍경이 아닐까? 파리의 사교계와 사랑에 빠진 시골 여인 엠마의 심정에 동참하는 독서 시간이 적어도 한 달에 며칠씩은 필요하지 않을까? 1968년 5월혁명이 문화계에 가져온 변화가 파격적이기는 하지만, 글을 통해 구원을 모색하는 문학의 생태계가 적어도 프랑스에서는 여전히 건강해 보인다.

켈트 문화의 정체성

켈트 문화에 대한 관심은 프랑스에 있는 동안 아주 서서히 축적되었다. 본격적인 만남은 2005년 처음 찾아간 로리앙 인터켈트 페스티벌 Festival interceltique de Lorient부터 이루어졌다. 낯설지만 매력적인 문화에 나는 흠뻑 빠졌고, 그 후 켈트 음악에 대한 자료는 구할 수 있는 대로 모조리 수집했다. 거친 대서양, 야생화, 바람으로 나를 설레게 하는 브르타뉴 지방이 켈트 문화와 맞닿아 있어서 마음이 끌리기도 했고, 엔야Enya, 크랜베리스Cranberries, 시네아드 오코너Sinéad O'Connor 등 세계적인 가수와 그룹들이 켈트 문화권으로 분류되었기에 더욱 이 문화

크랜베리스 앨범

를 사랑했는지도 모른다. 얀 티에르센Yann Tiersen 의 음악도 더없이 고혹적이었다. 게다가 일부 프랑스인은 향후 30년 이상 유럽을 먹여 살릴 문화콘텐츠가 켈트 이야기라고 공공연하게 이야기하고 있었다. 그러나 이 문화와의 만남은 해답을 주기보다는 궁금증만 더 증폭시켰다. 내가 느꼈던 의문점을 다음과 같이 정리해보았다.

1. 모든 것이 켈트 이야기이기도 했고, 어떤 것도 켈트 이야기가 아니기도 했다. 이 책에서 로리앙 인터켈트 페스티벌을 다룬 〈바다를 통해 이어지는 켈트인들의 축제〉에서도 나의 생각을 썼지만, 역사적인 켈트 개념과 음악의 켈트 개념이 따로 노는 느낌이었다. 다시 말해 로리앙이 '소집'하는 켈트권은 모두 프랑스 서쪽에

로리앙 인터켈트 페스티벌 포스터

있었다. 2세기 이후 유럽에서 켈트족의 자취는 스코틀랜드와 아일랜드, 웨일스 서부, 프랑스의 브르타뉴 지방 등 극소수 지역으로 한정되지만, 전성기의 켈트인들은 동쪽으로 터키까지 뻗어나갔다고 한다. 그럼에도 로리앙은 스위스·독일·터키 등의 음악을 외면하고 있었다. 어쩌면 프랑스 동쪽 음악들이 그다지 매력적이지 않기 때문이 아닐까? 난 그런 의심을 거둘 수가 없었다. 게다가 '패트릭 성인의 날'을 전 세계가 동시에 경축하는 것과 비교해 보면 의심은 더욱 짙어졌다. 432년 웨일스 태생의 수도사 성 패트릭(성 파트리키우스Patricius)은 아일랜드의 켈트족을 기독교로 개종시켰다는 이유로 아일랜드의 수호성인으로 추앙받고 있다. 오늘날 유럽 대륙이 기독교 문명권인 덕분이다.

2. 켈트 개념 문제는 당연히 학술 연구에서도 논란을 빚고 있었다. 한쪽에서는 '켈트 인종'이 유럽의 일정 지역과 일정 시기에 존재했

켈트족 신화에 영향을 받은 판타지소설 《반지의 제왕》 표지 ©tolkienguide.com

다고 보지만, 다른 한쪽에서는 켈트라는 개념이 현대에 들어오며 구축되었다고 판단한다. 전자의 시각을 지지하는 대표적인 학자는 벤세슬라스 크루타Venceslas Kruta로, 그는 언어, 유적, 신앙과 신화를 통해 식별 가능한 특별한 켈트 문명이 존재했다고 본다. 반면 후자는 17세기에 개념화되기 전까지 켈트족이라는 것은 존재하지 않았다고 주장한다. 갈리아족 전문가인 역사가 장-루이 브뤼노Jean-Louis Brunaux가 두 번째 주장에 동조하는 인물이다. 그들의 주장을 감안하면 켈트 언어에 대한 생각도 복잡해진다. 그들은 브르타뉴어, 게일어, 웨일스어가 인접 지역에 있었기 때문에 서로 유사하다고 주장하면서 켈트어라는 모어母語에서 비롯되었다는 가설을 부정한다. 《반지의 제왕The Lord of The Rings》의 작가이자 언어학자

작가 톨킨

톨킨J. R. R. Tolkien은 자신의 입장을 다음과 같이 명료하게 전했다. "켈트족은 마법의 주머니다. 그 속에 사람들은 자신이 원하는 모든 것을 넣을 수 있고, 거기서 자신이 원하는 것을 무엇이든 빼낼 수 있다."

아스테릭스와 오벨릭스, 강아지 이데픽스

《아스테릭스Astérix》에 대해서도 비슷한 질문을 던져볼 수 있다. 전 세계를 통틀어 1억 부 이상이 팔린 만화 '아스테릭스' 시리즈는 고대 로마 시대에 로마군에 맞서 싸우는 갈리아인 영웅들 아스테릭스와 오벨릭스를 주인공으로 내세운다. 여기에서 언급되는 갈리아인이 바로 고대 유럽을 지배했던 전사 켈트족의 일파다. 하지만 켈트족 이야기로 간주한다면 이 만화가 다루는 내용은 프랑스라는 경계를 넘어서며, 갈리아인 이야기로 볼 경우 지금의 프랑스라는 경계 내로 한정된다. 후자로 간주하는 사람이 많기에 이 만화는 국수주의적 시각이 너무 많이 들어간 작품이라는 비판을 받고 있다.

3. 그리스와 로마 작가들이 금색 머리카락과 푸른 눈동자를 가진 거인으로 묘사한 켈트족이 언어학적으로 인도유럽어족에 속하고, 중앙아시아에서 말을 타고 유럽으로 이동했다는 주장은 나에게 매력적으로 느껴졌다. 그렇다면 유라시아 대륙 반대쪽 끝에 자리한 한반도와도 약간의 연관성을 찾아볼 수 있을 테니까. 실제로 켈트 전통음악의 소리는 나에게 전혀 낯설지 않았다. 켈트

브로셀리앙드 숲 ©broceliande.guide

음악은 단순한 멜로디가 반복되면서 약간은 주술적인 느낌을 준다. 또 우리의 삼족오 문양과 너무나 흡사한 트리스켈triskell 문양은? 이승과 저승이 하나로 연결되어 있다고 믿는 그들의 불교적인 세계관은? 영혼이 죽지 않고 형태만 달리할 뿐 불멸하기에 시간이 지나면 이승으로 돌아와 사람이나 동물로 다시 태어난다고 믿는 순환적 세계관은 우리와 정말 아무런 상관관계가 없을까?

4. 이러한 혼란은 전설의 영웅 아서 왕 이야기와 관련해 극에 달하게 된다. 그의 실존 여부는 차치하더라도, 영국과 프랑스는 둘 다 아서 왕을 자신의 조상으로 여기고 있었다. 서기 410년 게르만족인 앵글족과 색슨족이 브리튼을 공격하자 가장 용감하게 싸운 켈트족 인물이 바로 아서 왕이다. 켈트의 후손인 브리튼인과 아일랜드인은 아서 왕을 추앙했고, 그는 13세기부터 영국인

전체의 영웅이 된다.

한편 이런 신화와 무관하게 프랑스 서북부 브르타뉴 지방에 소재한 브로셸리앙드Brocéliande가 어느 순간부터 켈트 이야기를 강조하기 시작해 관심을 끈다. 유학 기간 만 7년 동안 14종 이상의 정기간행물을 매달 구독한 나이기에, 그 시기에 브로셸리앙드가 단 한 차례도 언급되지 않았다는 사실을 나는 잘 기억한다. 이 지명을 처음 접한 것은 한국에 돌아온 다음이니 1997년쯤이다. 위키피디아를 비롯한 이런저런 자료를 찾아보면 브로셸리앙드는 중세 유럽의 전설에 등장하는 마법의 숲이며, 아서 왕 전설 속 마법사 멀린, 비비안과 모건 같은 호수의 요정들, 일부 원탁의 기사들과도 연관성이 있다고 기술하고 있다. 구체적으로 브로셸리앙드에 살아 돌아오지 못하는 계곡이 있으며, 그곳에 충성스럽지 못한 인간들을 가두었다고도 한다. 브로셸리앙드라는 지명이 처음 등장한 책이 노르망디 공작의 역사를 다룬 중세 시인 와스Wace의 연대기 《루 이야기Roman de Rou》(1160)라고 하지만, 정작 그는 브르타뉴를 여행하며 단 하나의 켈트 흔적도 찾아내지 못했다. 브로셸리앙드 숲은 13세기부터 팽퐁Paimpont 숲과 동일시되고 있다. 브로셸리앙드에는 현재 아서 왕 센터가 들어서 있고, 관련 문화콘텐츠를 계속해서 개발하는 중이다. 역사든 허구든 브로셸리앙드가 프랑스의 상상력이 만든 또 하나의 상품이라 생각하면 과장일까? 내 생각이 틀리지 않았음을 입증하는 증거가 있다. 이 지명을 내세운 많은 소설과 영화, 만화 시리즈가 최근 발표되었는데, 대부분이 2000년 이후에 제작된 것이다. 만화 3부작인 브뤼노 베르탱Bruno Bertin의 《브로셸리앙드의 마녀들Les Sorcières *de Brocéliande*》은 2002년부터 출간된 시리즈고, 얀 브르킬리엥Yann Brekilien의 소설 《드루이드족의 비밀*Le Secret des druides*》도 2002년 작품이다.

　　오늘날 우리는 켈트족에서 비롯된 많은 전설과 신화, 혹은 역사에 열광하고 있다. 그러나 엄밀히 들여다보면 그 정체성은 현재의 필요에 따라 부각되었고, 상상 및 허구와 부분적으로 맞닿아 있다. 프랑스에는 아서 왕과 원탁의 기사 이야기를 공연에서 다루는 테마파크도 있다. 우리는? 신화와 관련해 우리의 상상력을 채울 공간들은 대체 어디 있는지? 없다면 억지로라도 만들어내야 하지 않을까?

1989년에 체험한 대혁명 200주년

프랑스대혁명 200주년을 맞이한 1989년에 내가 프랑스에 있었던 건 큰 행운이었다. 프랑스인들에게 7월 14일은 세계사에 큰 반향을 남긴 대혁명을 경축하는 날로, '바스티유의 날'이라고도 불린다. 보다 구체적으로는 1789년 7월 14일 바스티유 감옥의 함락과 1789년 8월 26일 인권선언 선포를 기념하는 가장 큰 명절이다. 대혁명 200주년을 기념하는 프랑수아 미테랑 정부의 준비는 대단했다. 20세기의 기념물들을 남기는 작업의 일환으로 라 빌레트 공원Parc de la Villette과 오르세미술관이 개관했고, 1989년에 맞춰 바스티유 오페라Opéra Bastille, 루브르박물관의 피라미드, 라 데팡스의 그랑드 아르슈가 준공되었다. 같은 해 12월 12일에는 그레구아르Grégoire 사제, 가스파르 몽주Gaspard Monge, 니콜라 드 콩도르세Nicolas de Condorcet의 유해가 프랑스 위인들의 만신전인 팡테옹Panthéon으로 옮겨졌다. 1989년 7월 14일 프랑스를 찾은 외국 정부의 수반도 33명에 달했다.

매년 7월 14일에는 프랑스 전역에서 거대한 이벤트와 불꽃놀이 축제가 벌어진다. 그래서 나는 여름에 프랑스 여행을 하다가 7월 14일이

프랑스대혁명 기념일 카르카손 불꽃축제 ©maisondelaroche.com

되면 그 도시나 마을에서 대혁명 기념축제를 즐긴다. 지방에서 열리는 불꽃놀이 행사 중 가장 규모가 크고 화려한 것은 유럽 최대의 성채가 위치한 카르카손Carcassonne에서 성채를 배경으로 벌어지는 이벤트다. 2016년에는 일부러 7월 14일에 카르카손을 찾아가기도 했다. 대낮부터 몰려든 50만 명의 인파에 질려 대혁명 기념일에 다시 그곳을 찾을 것 같지는 않지만…… 2019년 남프랑스의 님Nimes에서 만난 7월 14일 행사도 기억에 남는다.

하지만 이날 파리에 있을 때면 어김없이 에펠탑 근처까지 찾아가곤 했다. 행사 형식은 매년 거의 비슷하다. 낮에는 파리의 샹젤리제 거리Avenue des Champs-Élysées에서 군사 퍼레이드가 열리며, 프랑스 곡예 비행단이 청색·백색·적색의 연기를 꼬리에서 뿜으며 하늘을 가른다.

프랑스대혁명 기념일 에펠탑 불꽃 축제 ©en.wikipedia.org/wiki/Bastille_Day

1880년부터 군사 퍼레이드는 예외 없이 열리고 있다. 밤이 되면 에펠
탑 주위에서 초대형 이벤트가 열린다. 샹송 가수 미셸 폴나레프Michel
Polnareff의 콘서트, 아벨 강스Abel Gance 감독의 무성영화 대작 〈나폴레
옹Napoléon〉에 오케스트라 연주를 입힌 이벤트 등이 기억에 남는다.

그리고 보통 전날 밤에는 프랑스 전역에서 대혁명을 축하하는 무
도회가 열리는 경우가 많다. 200주년을 맞이한 1989년의 대혁명 기념
일 전날 열린 무도회는 무려 3만 6,000개에 달했다. 보통 삼색 휘장을
두건에 달거나 당시 혁명군이 입던 옷을 입고서 자유를 만끽한다.

200주년 기념행사를 기다리는 일은 정말 힘에 겨웠다. 발 디딜 틈조
차 없던 샹젤리제 거리에서 100만 인파에 묻혀 오후 2시부터 기다린
듯하다. 일고여덟 시간 동안 저녁도 먹지 못한 채 행사 시작을 기다리
는 일은 고역이었지만, 멋지고도 장엄한 행사는 그 오랜 기다림을 보

장-폴 구드

상하고도 남음이 있었다.

퍼레이드의 총연출은 연출가이자 사진작가, 일러스트레이터, 광고제작자인 장-폴 구드Jean-Paul Goude가 담당했다. 1940년 12월 8일생이니, 그의 나이 48세 때 이 대단한 행사의 책임을 맡았던 것이다. 바로 다음해인 1990년과 1991년에 그는 샤넬의 향수 광고를 연출했고, 2001~2015년에는 라파예트 백화점 광고 캠페인의 예술감독을 맡았다. 2011년에는 파리의 장식미술관 Musée des Arts Décoratifs에서 그의 작품들에 대한 최초의 회고전이 열리기도 했다.

세 시간에 걸친 퍼레이드의 이름은 '라 마르세예즈'였다. 6,000명의 아티스트와 등장인물이 출연한 퍼레이드는 정복·지배·해방 등의 정치적 주제를 피하는 대신 '지구상의 부족들'의 문화적인 표식인 12개의 활인화活人畵를 부각했다. 예를 들어 북을 두드리는 아프리카인, 빗속에서 춤을 추는 영국인, 액체 운반차를 따라가는 소련 군대 모습이 그에 해당했다. 한마디로 퍼레이드가 강조하고자 한 주제는 '혁명의 종말, 정치의 종말, 역사의 종말', '문화 만세'였다.

시작부터 압권이었다. 1989년은 톈안먼 사태가 일어난 해였다. 톈안먼 광장을 탈출한 중국의 반체제인사인 카이충궈蔡崇國, 우얼카이시 吾爾開希, 옌자치嚴家其 등은 대표단을 파견하지 않았던 중국 정부를 대표해 콩코르드 광장Place de la Concorde의 귀빈석에 착석할 수 있었다. 프랑스에서 공부하는 중국 학생들이 머리에 띠를 매고 가슴에 '민주' '자유'를 그린 채 선두에 서서 구호를 외치며 지나갈 때는 같은 동양인으로서 울컥한 심정이었다.

콩코르드 광장에서는 미국 성악가 제시 노먼 Jessye Norman이 프랑스 삼색기로 만든 의상을 입고서 프랑스 국가 '라 마르세예즈'를 잔잔하게, 하지만 힘차게 부르면서 이날의 의미를 더해주었다. 외인부대의 행진, 기사단의 모습, 온통 흑인으로 구성되어 블랙 파워를 자랑하던 미국 어느 밴드의 행진도 아주 특이한 느낌이었다. 검은색의 거대한 옷을 입은 무희들이 전 세계를 상징하는 어린이를 팔에 안고 도는 모습도 인상적이었다. 비주얼 디렉터인 구드의 감각이 한껏 발휘된 장면이었다. 요약하자면 전 세계의 문화를 한자리에 모아놓고 대혁명의 보편적인 의미를 강조하는 방식이었다. 행사는 스코틀랜드의 백파이프 브라스밴드가 들려주는 켈트 음악부터 아프리카 리듬에 이르기까지 모든 장르의 음악, 모든 장르의 춤, 모든 종류의 의상을 선보인 한 편의 거대한 버라이어티 쇼였다. 다양한 피부색을 포함한 세상의 모든 색이 온갖 형태의 깃발과 뒤섞인 한바탕 난장亂場이기도 했다.

제시 노먼의 〈라 마르세예즈〉 앨범

에밀 졸라의 《인간 야수》

마지막 장면도 대단했다. 샹젤리제 거리에 인공 눈이 뿌려지는 가운데 거대한 기관차가 진입했다. 대문호 에밀 졸라가 소설 《인간 야수 La Bête humaine》(1890) 속에 등장시킨 바로 그 기관차였다. 졸라의 소설은 장 르누아르Jean Renoir 감독에 의해 1938년에 영화화되기도 했다. 산업혁명을 통해 기계가 인간을 대신하고, 인간이 소멸되어가는 풍경을 상징적으로 보여주는 장면이었다.

개선문에서 쏘아 올리는 불꽃이 머리 위로 떨어지며 화려함의 극치를 보여줄 때 나는 그 자리에서 죽어도 좋다고 생각할 정도로 행복했다. 태어나서 그 정도로 황홀한 느낌은 처음이었다. 유튜브를 통해 그날의 분위기를 약간은 다시 느껴볼 수 있는데 시원찮은 화질이나 영상이 그날의 느낌을 10분의 1도 전하지 못하는 것 같아 아쉽기 짝이 없다. 지금 같은 고화질 스마트폰이 그때 존재하기만 했어도…… 오직 기억 속에만 그날의 장관이 고스란히 남아 있을 따름이다.

클로드 모네의 〈파리, 몽토르게이 거리 1878년 6월 30일 축제〉

행사에 대한 의견은 갈렸다. 일부 사람들은 독창적이고 트렌디하다고 찬사를 보냈고, 또 다른 사람들은 야심이 너무 많고 우스꽝스러웠다고 깎아내렸다. 정부는 이날 행사를 축하했지만, 극우정당인 국민전선은 "이 행사는 사회주의자들이 열렬히 원하지만 프랑스인들의 정신에 전혀 부합하지 않는 국제사회의 반영이었다"고 딴지를 걸었다. 또 당시 200주년 기념행사에 참석했던 영국의 마거릿 대처Margaret Thatcher 수상은 인권, 의회민주주의라는 개념이 프랑스의 발명품이 아니라고 강조하면서 "최초의 혁명이 1688년에 영국에서 일어났다는 사실을 잊지 말라"고 프랑수아 미테랑 대통령에게 이야기했다. 또 그녀는 프랑스 언론과 인터뷰할 때 "인권은 프랑스대혁명과 함께 시작한 것이 아니다. 우리는 1215년에 마그나 카르타(대헌장)를, 17세기에 이미 인권선언문을 보유한 국가다. 그리고 의회가 왕정에 자신의 의지를 드러냈을 때 조용한 혁명을 겪기도 했다."라고 강조했다.

비록 대혁명이 방데Vendée전쟁을 유발해 수십만 명에 달하는 인명 피해를 낳았고 혁명 주체세력 사이의 갈등이 주요 인물들을 연이은 죽음으로 몰고 갔을지라도, 대혁명이 가져온 변화는 오늘날까지 여전히 이어지고 있다. 정치적으로는 여전히 재해석의 여지를 남기고 있지만 문화적으로는 도시와 시골을 가릴 것 없이 프랑스 전역에서 이날의 의미를 되새기는 이유가 바로 거기에 있다.

'체리꽃 피는 시절Le Temps des cerises'의 파리 코뮌

우리에게도 잘 알려진 가수들인 이브 몽탕Yves Montand[1]이나 나나 무스쿠리Nana Mouskouri가 부른 '체리꽃 피는 시절'이라는 샹송을 들어보셨는지?

체리꽃 피는 시절
_이브 몽탕

체리꽃 필 적에 우리가 노래하면

즐거운 꾀꼬리와 수다쟁이 티티새도 모두 축제를 벌이죠

미녀들은 머릿속으로 열애를 꿈꾸고

사랑에 빠진 사람들은 태양을 가슴속에 품어요

체리꽃 필 적에 우리가 노래하면

수다쟁이 티티새도 더 멋지게 휘파람을 불 거예요

하지만 체리꽃 피는 시절은 너무 짧아요.

그 시절에 우리는 둘이서 체리 따러 가는 꿈을 꾸죠

체리꽃 드레스를 입고 사랑의 체리꽃 귀고리를 다는 꿈,

나뭇잎 아래에서 피처럼 붉은 체리를 맛보면서

하지만 체리꽃 피는 시절은 너무 짧아요

우리가 꿈을 꾸며 겪은 산호처럼 붉은 펜던트

체리의 계절은 너무 짧아요

당신이 체리꽃 피는 시절에 거기 있어도

당신이 사랑의 슬픔을 두려워한다면

미녀들을 피하세요 잔인한 고통을 두려워하지 않는 나조차

괴로움 없이 지내는 날은 하루도 없을 테죠

당신이 체리꽃 피는 시절에 거기 있다면

당신도 사랑의 슬픔을 겪게 될 거예요

나는 영원히 체리꽃 피는 시절을 사랑할 거예요

바로 그때부터 나는 마음에 사랑의 상처를 지닌답니다

운명의 여신이 내게 나타난다 해도

내 고통을 진정시키진 못할 거예요

나는 영원히 체리꽃 피는 시절을 사랑할 거예요

마음속에 간직한 추억도 사랑할 거예요

사랑의 봄을 노래하는 이 곡은 장-밥티스트
클레망Jean-Baptiste Clément이 1866년에 쓴 글에 앙
투안 르나르Antoine Renard가 1868년에 곡을 붙였
다. 비록 낭만적 사랑을 노래한 이 샹송이 1871
년 파리 코뮌Commune de Paris[2] 수립 이전에 발표되 가수 이브 몽탕
었지만, 유명한 봉기 참가자였던 클레망이 코뮌에 헌정하면서 체리꽃
피던 시절의 피비린내 나는 생채기, 특히 코뮌군이 집중적으로 학살당
한 '피의 주간Semaine sanglante'을 애도하는 노래로 자리를 잡는다. 보다
정확하게는 클레망이 피의 주간에 만난 간호사 루이즈Louise에게 이 노

이브 몽탕의 '체리꽃 피는 시절'이 수록된 앨범

래를 헌정한 것이 훗날 1882년의 일인데 그녀는 1871년 5월 28일 퐁
텐오루아 거리Rue Fontaine-au-Roi에서 구급 활동을 펼치던 인물이었다.

파리 코뮌은 1871년 3월 18일부터 피의 주간으로 불린 1871년 5월
21~28일까지 파리시에서 벌어진 봉기를 말한다. 기껏해야 두 달 남짓
지속된 이 사건은 1870년 프랑스·프로이센 전쟁에서 프랑스의 패배
와 파리 포위에 대한 반작용이자, 왕당파가 다수를 차지한 의회와 공
화주의를 추구한 파리 시민의 대립이기도 했다. 또 제2제정 치하 노동
자들의 비참한 삶, 아이들의 노동과 열악한 근로조건에서 비롯된 사
건이기도 했다.

소요 원인은 바로 이전 해인 1870년에 있었다. 나폴레옹 3세
Napoléon III가 프로이센에 패한 후 프로이센은 강화를 제의하나 프랑
스는 항전을 결의했다. 프로이센군은 1870년부터 다음 해인 1871년
까지 파리를 포위했고, 1871년 1월 18일에는 베르사유 궁전에서 독일

1871년 파리 코뮌

제국을 선포한다. 거의 비슷한 시기인 1871년 2월 프랑스에서 선거를
통해 의회가 구성되었는데 왕당파가 다수를 차지했다. 임시정부 수반
아돌프 티에르Louis-Adolphe Thiers는 2월 26일 알자스로렌Alsace-Lorraine
양도, 배상금 50억 프랑 지불, 독일군의 파리 입성을 조건으로 하는
강화조약을 비스마르크Otto Eduard Leopold von Bismarck와 체결했다. 굴욕
적인 강화조약에 대한 파리 민중의 불만은 폭발하고야 말았다. 파리
가 독일에 포위되었을 때 국민방위군에게 나누어주었던 대포를 정부
가 회수하려 들자 파리 시민들은 3월에 파리 코뮌을 결성하면서 정부
에 저항한다. 티에르는 군인들을 베르사유에 집결시킨 후 파리 탈환
을 준비한다. 정부군 7만 명은 5월 22일 새벽부터 파리에 진입한 후 서
쪽부터 차례로 시가지를 점령해나갔다. 무자비한 진압과정에 맞서 코
뮌군 역시 파리 곳곳을 불사르면서 정부군에 대항한다. 코뮌군은 후

몽마르트르 언덕 위 사크레쾨르 사원

퇴하면서 감옥을 습격해 인질들을 잔인하게 학살했는데 파리 대주교도 그때 살해되었다. 지금은 관광명소로만 알려진 몽마르트르Montmartre 언덕 위 사크레쾨르 사원Basilique du Sacré-Coeur은 그의 희생을 기념하기 위해 건립된 것이다. 당연히 내전은 정부군의 승리로 끝났다.

코뮌군이 퇴각하다가 마지막까지 항전했던 모습은 파리 동쪽의 페르라셰즈Père-Lachaise 묘지 가장 깊숙이에서 찾아볼 수 있다. 그곳에 가면 '코뮌 전사들의 벽Mur des fédérés'이 그날의 비극을 생생하게 전한다. 피의 주간이 끝날 무렵 147명의 코뮌 지지자가 정부군에게 처형당한 후 거대한 구덩이 속으로 던져졌던 것이다. 피의 주간에만 2만~2만 5,000명이 처형되고 4만 명이 투옥되었을 정도로 소요의 규모는 컸다. 많은 희생자를 낸 파리 코뮌은 좌파와 우파 모두에게 깊은 인상을 남긴다. 좌파는 그것을 계급투쟁의 신화로 숭배하게 되었고, 우파는 오랫동안 파리를 '붉은 혁명가들과 무정부주의자, 미친 여자들의 전당'이라 생각하게 된다.

문학이 파리 코뮌에 무심할 수 있었을까? 빅토르 위고는 《공포의 해L'Année terrible》(1872)라는 시집을 남겼고, 알퐁스 도데Alphonse Daudet는 단편집 《월요 이야기Contes du lundi》(1873)에서 파리 코뮌을 그려냈다. 또 에밀 졸라는 1880년에 《자크 다무르Jacques Damour》라는 단편소설을,

1892년에 《패주La Débâcle》라는 장편소설을 썼다. 그러나 파리 코뮌에 대한 성찰은 19세기에 국한되지 않는다. 2019년에도 에르베 르 코르 Hervé Le Corre가 쓴 소설 《화염의 그림자 속에서Dans l'ombre du brasier》가 출간되었을 정도로 파리 코뮌은 150년 동안 많은 예술인에게 끊임없이 상상력을 공급하는 중이다.

화가들도 파리 코뮌의 화염 속으로 뛰어들었다. 보르도로 내려가 있던 에두아르 마네Édouard Manet는 1871년 6월 초에 파리로 돌아와 코뮌을 그린 두 개의 석판화를 제작했고, 사실주의 화가로 유명한 귀스타브 쿠르베는 1871년 4월 15일 290명의 예술가를 모은 후 파리예술가협회 창설을 주창하면서 투옥된 시위 참가자들 모습을 크로키로 포착했다. 정확하게 100년 후인 1971년에는 내가 좋아하는 아티스트인 에르네스트 피뇽-에르네스트Ernest Pignon-Ernest도 〈쓰러진 파리 코뮌 사람들Les Gisants de la Commune de Paris〉이라는 작품을 남겼다.

코뮌의 봉기와 해체를 다룬 피터 왓킨스Peter Watkins감독의 영화 〈1871년 파리 코뮌La Commune(Paris, 1871)〉도 있다. 2000년에 제작된 이 영화에 대해 역사가 자크 루주리Jacques Rougerie는 "코뮌을 다룬 가장 완성도가 높고 가장 뛰어난 영화작품으로, 역사에 충실하면서 당시 분위기를 탁월하게 재현해내고 있다"고 평가했다. 345분 길이의 이 흑백영화에는 200명 이상의 배우가 출연했다.

현대사를 점철한 사건 중에서 문학예술로부터 이 정도로 많은 관심을 받은 주제는 거의 없다. 문학예술이 사회적 약자들의 기록이기 때문일까? 파리 코뮌은 정의·평등·자유에 대한 열망이 들끓었던 소요이자, 유토피아의 이상을 실현하기에는 너무 서투르고 지지부진했던 역사 속의 사건이었다. 마르크스주의자, 극좌파 그리고 아나키스트들

영화 〈1871년 파리 코뮌〉 포스터

은 파리 코뮌을 하나의 모델로 간주하면서 러시아대혁명과 소비에트 체제, 스페인혁명과 지방자치 등 다른 혁명을 꿈꿀 수 있는 단초를 얻고자 했다. 하지만 파리 코뮌은 실패와 좌절로 더 기록되고 있는 듯하다. 카를 마르크스Karl Marx는 "노동자들의 파리는 코뮌과 더불어 영원히 새로운 사회의 전령으로 기억될 것이다."라고 기록하면서도 코뮌 지도자들의 무능력을 비판했고, 역사가인 프랑수아 퓌레François Furet 역시 이 사건이 마르크스식 사회주의보다 프랑스의 정치적 토양에 훨씬 큰 빚을 지고 있다고 단언한다. 또 다른 역사가들인 프랑수아 브로슈François Broche와 실뱅 피보Sylvain Pivot는 새로운 사상, 기본적인 가치, 탁월한 지도자가 없었던 코뮌은 신세계의 탄생과 아무런 상관이 없었다고 진단한다.

이러한 다방면의 고찰은 아마 1789년의 대혁명·왕정·공화정·제정을 골고루 경험해본 프랑스, 국가의 대의와 개인 권리의 대립에 대한 성찰을 거듭해온 프랑스, 문화예술이 그 어떤 권력보다도 더 힘을 지니는 프랑스이기에 가능할 것이다. 여전히 역사의 상처가 곳곳에서 자국을 남기고 있는 우리 눈에는 더없이 부러운 모습이기도 하다. 역사를 승화시키되 미학화하는 방식은 과연 뭘까? 문학과 예술의 자리가 아직도 허약한 대한민국에서 그게 가능할까? 파리 코뮌, 홀로코스트, 1968년 5월혁명 등은 나에게 해석 문제를 끊임없이 던진 사건들이었다.

주석

1 이브 몽탕(1921.10.13.~1991.11.9.) : 이탈리아 출신의 배우 겸 가수로 프랑스에서 활동했다. 가수 에디트 피아프의 연인이었고, 영화배우 시몬 시뇨레의 남편이었다. 대표곡 〈고엽〉은 우리에게도 잘 알려져 있다. 영화에도 출연했는데, 대표작으로 〈공포의 보수〉(1953) 등이 있다.

2 파리 코뮌 : 프랑스 파리에서 민중이 처음으로 세운 사회주의 자치정부이자 70일간 존속한 인류 역사상 최초의 공산주의 정부다. 자코뱅주의, 공산주의 등 다양한 이념을 가진 사람들로 구성된 파리 코뮌은 여성의 참정권 보장, 근로시간 제한, 최저임금제, 초등과정 무상의무교육제 등 당시로서는 상상하기 힘든 진보적인 정책을 폈으나 정부군의 탄압으로 붕괴되었다.

장소

Lieux

Partie déterminée d'un espace.

24 jours de course

Le Parisien

TOUR DE FRANCE 49

Lieux

모든 것은 길로 통한다, 유럽의 문화루트들

유럽의회 로고

오늘날 유럽은 하나를 지향하고 있다. 그렇지만 수천 년 동안 서서히 굳어진 경계를 허무는 것은 결코 쉬운 일이 아니기에 공동의 문화유산을 찾으려 애쓰고 있고, 하나의 정체성을 만들어내기 위해 노력하는 중이다. 아직도 국경에 대한 인식이 강한 아시아, 역내의 주변국에 대한 적대감이 현저한 아시아 입장에서 바라볼 때 상당히 부러운 모습이기도 하다. 향후 아시아를 주도하는 역할을 꿈꾸고 있는 차원에서 우리도 유럽을 하나로 묶는 다양한 시도를 무엇보다도 꼼꼼하게 들여다볼 필요가 있다.

유럽의회Conseil de l'Europe/Council of Europe('유럽평의회'라고도 부른다)가 선정한 문화루트Itinéraire culturel는 2019년 기준으로 38개다. 오늘날 유럽의 다양성을 설명해주는 유럽 공동의 기억과 역사를 구성하고 있는 길들이다. '유럽문화루트Itinéraire culturel européen/Cultural Route of the Council of Europe'로 불리기도 하는 이 길들은 유럽회의가 옹호하는 가치인 민주주의, 인권, 문화 간 교류 등에 부합한다.

길에 대한 논의가 이루어진 것
은 상당히 이른 시기였다. 1960년
에 유럽회의 내 한 작업그룹이 '유
럽의 문화적 명소를 집단적으로 자
각하고 그것을 여가문화 속에 포
함하는 방식'에 대해 중요성을 제
기했으며, 그에 따라 1987년 10월
23일 유럽회의 최초의 문화루트인
'산티아고 데 콤포스텔라Santiago de
Compostela 가는 길'이 빛을 보게 된
다. 이후 유럽회의는 유럽 각국 사
람들의 상호 접근을 용이하게 하
면서 역사적·사회적·문화적 의미
를 지니는 길들을 찾아내기 시작
했다. 1998년에는 유럽회의와 룩셈
부르크 정부의 정치적 합의를 통해
유럽문화루트연구소Institut européen
des itinéraires culturels(IEIC)가 개설되
어, 문화루트 프로그램을 관리하

유럽문화루트연구소(IEIC)

샤를마뉴 5세의 루트

유럽 도자기 루트

고 각 루트를 담당하는 협회나 대학 간 네트워크 그리고 유럽회의 사
이의 연결을 책임지고 있다. 연구소는 룩셈부르크의 노이뮌스터 수도
원 문화원에 사무실을 두고 매년 프로그램 주체들과 여러 차례 회합
을 가진다. 또 문화와 관광, 환경 사이의 관계를 항구적으로 고려하는
작업을 통해 주제별 회의를 개최하며, 3년마다 새 루트를 선정해 홍보

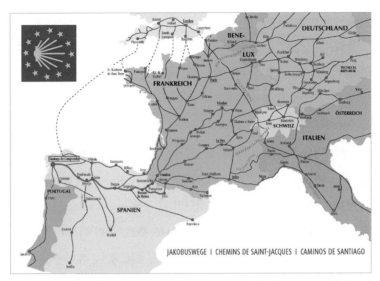

JAKOBUSWEGE | CHEMINS DE SAINT-JACQUES | CAMINOS DE SANTIAGO

1987년 10월 23일 유럽회의가 선정한 최초의 문화루트 '산티아고 데 콤포스텔라 가는 길'

하고 특별전시회에도 참가한다. 2008년 유럽집행위원회는 유럽문화루트연구소를 '유럽 차원의 문화 분야 활동조직'으로 인정한 바 있다. 문화루트 기준에 맞는지를 평가한 후 새로운 유럽문화루트로 선정하는 일은 2010년부터 시행된 조약에 근거를 두고 있다. 2019년 현재 38개 길이 '유럽문화루트'로 확정되었으며, 향후 계속 추가될 예정이다. 문화루트의 테마는 유럽과 상업적, 문화적, 정치적 관계를 맺었고 현재도 맺고 있는 국가를 대상으로 한다.

인터넷상의 유럽문화루트를 검색해보면 유럽문화루트연구소가 올린 글들이 영어 혹은 프랑스어로 뜬다. 하나하나 확인해보면 상당히 재미있다. 그 자료에는 각 문화루트의 제목, 선정 연도, 문화를 공유하는 국가들 이름이 지도와 함께 뜬다. 해당 루트가 갖는 문화적 의미를 다루고, 그 길을 오늘날 여행자들이 어떤 방식으로 찾아가고 있는

지에 대해서 설명한다.

유럽문화루트연구소가 정리한 38개 문화루트를 순서대로 살펴보면 산티아고 데 콤포스텔라 가는 길, 독일 북부의 도시들과 외국에 있는 독일의 상업 집단이 교역의 상호 이익을 지키기 위해 창설한 한자동맹 루트, 바이킹 루트, 캔터베리와 로마 사이의 최단 거리였던 비아 프란치제나Via Francigena 루트, 알 안달루스 문화유산 루트, 페니키아인 루트, 피레네 지방 철 루트, 모차르트Wolfgang Amadeus Mozart 루트, 유럽 유대 문화유산 루트, 마르탱 성인의 길 루트Sanctus Martinus Turonensis, 유럽 클뤼니수도회 유적 루트, 올리브나무 루트, 유럽 서부와 동부 사이의 가장 긴 지상 육로였던 비아 레지아Via Regia 루트, 유럽에 남은 로마 문화유산 루트였던 트란스로마니카Transromanica, 이테르 비티스Iter Vitis 와인 루트 등이 들어가 있다. 또 유럽 시토 수도원 루트, 유럽 묘지 루트, 선사시대 동굴벽화 루트, 역사적인 유럽 온천도시 루트, 올라프 성인의 루트, 유럽 도자기 루트, 유럽 거석문화 루트, 합스부르크 왕가 루트 등도 보인다.

가장 많은 국가에 걸친 루트는 유럽 묘지 루트, 유럽 유대 문화유산 루트, 마르탱 성인의 길 루트, 바이킹 루트, 역사적인 유럽 온천도시 루트 등이다. 2019년 이후에 선정된 루트에는 유럽 산업유산 루트, 철의 장막 루트, 르 코르뷔지에Le Corbusier 건축 산책 루트, 유럽 해방 루트, 종교개혁 루트 등이 있다. 철의 장막 루트, 유럽 해방 루트 같은 것을 들여다보면 현대사와 관련된 길들의 의미를 부각하려는 최근의 경향도 느낄 수 있다. 20세기 전체주의 시대 때 유럽 각 도시에 건립된 건축물들을 잇는 아트리움 루트도 흥미롭다.

문화루트를 분석해보면 인종의 이동(바이킹, 유대인…), 종교 관련 내용

(산티아고 가는 길, 마르탱 성인, 시토 수도원, 종교개혁, 올라프 성인…), **고고학**(선사시대 동굴벽화…), **이동의 소재**(철, 올리브나무, 와인, 도자기…), **통치자**(로마 황제들, 샤를마뉴Charlemagne, 샤를 5세Charles V, 나폴레옹…), **예술**(르 코르뷔지에, 인상주의, 아르누보Art Nouveau), **자연**(철, 올리브나무…) 등이 망라되고 있음을 알 수 있다. 전체적으로는 유럽 각국을 잇는 교량 역할을 하던 루트를 발굴하고 있다는 느낌을 받는다. 장기적으로는 이 루트 모두가 주요한 문화상품으로 자리 잡을 수 있기에 유럽문화루트연구소는 선정에 상당한 공을 들이고 있다. 앞으로 훨씬 많은 유의미한 길들이 유럽 공동의 기억을 만들어가기 위해 연차적으로 선정될 예정이다.

아시아의 길을 들여다볼까? 일찍이 조선 후기 실학자 박지원이 청나라에 다녀온 후에 쓴 재미있는 견문록 《열하일기熱河日記》가 있음에도 중국과 한국을 잇는 문화루트가 만들어지지는 않았다. 또 아시아에는 최소한 4개국 이상이 공유하는 체험이 거의 없는 것 같다. 문화의 수용과 영향이라는 무거운 주제에서 벗어나 예를 들어 불교의 전파를 다룬 문화루트를 만들어볼 수는 없을까? 민간 차원이 아니라 아시아 모든 나라가 그 기억을 공유하고 즐길 수 있도록 말이다. 한

박지원의 《열하일기》

국과 일본, 중국을 연결할 수 있는 길도 얼마든지 많을 텐데…… 무엇이 문제일까? 섬과 다름없는 우리의 국경이 문제일까? 아니면 우리의 부족한 상상력이 문제일까? 벌써 오래전인 1997년 소련 동북부에 거주하던 한인들을 중앙아시

아로 강제이주시킨 역사를 되돌아보기 위해 딱 한 번 운행한 열차가 있었다. 열차 이름은 '회상의 열차'였다. 멋지지 않은가? 나는 아직도 그 이름을 잊지 않고 있다. 결국 아시아 각국에 걸친 그 많은 길 위에 우리가 어떤 이름을 부여하는가가 관건 아닐까? 그 과정을 통해 우리의 역사, 우리의 문화를 되돌아볼 계기가 된다면 더없이 좋은 일이고…… 장기적으로 그런 길들의 선정은 우리의 인식 지평을 넓히고 아시아의 일원으로 지역을 이끄는 데도 분명 공헌할 것이다.

역사학자 강만길의 《회상의 열차를 타고》

굴욕을 영광으로 바꾼
테마파크 퓌뒤푸의 메시지

역사문화 테마파크인 퓌뒤푸Puy du Fou는 역사를 주제로 여름을 뜨겁게 달구는 공간인 '그랑 파르크Grand Parc'와 야간 공연 '시네세니Cinéscénie'로 구성되는데, 축제 문화가 나아갈 길을 모색하는 우리가 주목해야 할 대상이다. 방문자 수로는 프랑스 4위의 테마파크에 불과할지라도 역사를 녹여내는 방식, 발전과 확대 과정, 운영 시스템, 장기적 발전을 위한 노력 등 모든 것을 연구 모델로 삼을 만하다. 시네세니 공연에 참가하는 자원봉사자의 규모, 공연 콘텐츠의 완성도는 공연을 직접 관람한 사람들에게 압도적인 느낌과 형언할 수 없는 감동을 제공한다. 그 속에는 축제와 도시, 공동선과 역사, 문화와 삶에 관련된 모든 코드가 녹아 있다. 퓌뒤푸가 왜 세계 테마 엔터테인먼트 협회Themed Entertainment Association(TEA)에서 최고의 테마파크에 수여하는 테아 클래식 어워즈를 비롯한 세계 유수의 상을 연거푸 받고 40년이 넘도록 여전히 프랑스인들의 사랑을 받는지, 이유를 알기 위해서라도 우리는 직접 이 장소를 찾아가봐야 한다.

퓌뒤푸의 의미는 전적으로 자발성과 상상력으로부터 비롯되었다.

퓌뒤푸 테마파크 지도

퓌뒤푸는 라틴어로 '언덕'을 뜻하는 포디움podium
과 '너도밤나무'를 뜻하는 파구스fagus가 합성된
단어. 즉 '너도밤나무 언덕'을 뜻하는 허구의 지
명이다. 하지만 오늘날 이 테마파크가 들어선 코

테마파크 퓌뒤푸 로고

뮌의 행정 지명 '레 제페스Les Epesses'를 기억하는 사람은 거의 없다. 퓌
뒤푸가 레 제페스보다 더 유명해졌기 때문이다. 어떻게 이런 일이 가
능할까? 모든 것은 역사에서 출발했다. 퓌뒤푸는 방데Vendée 데파르트
망에 소재해 있다. 역사책에 방데전쟁 혹은 방데전투라는 이름으로 기
록된 이 지방 역사는 프랑스사에서 반동의 역사로 분류된다. 이 지역
의 농민들이 대부분 왕정을 지지했지만, 프랑스대혁명이 성공했기 때
문이다. 대혁명이 발발하자 혁명파는 루이 16세Louis XVI와 마리 앙투
아네트Marie Antoinette d'Autriche를 단두대의 이슬로 사라지게 했고, 그런

야만성에 격분한 방데 농민들은 죽창과 농기구를 들고 파리로 진격했다. 일진일퇴를 거듭하던 전투가 혁명군의 승리로 끝나면서 살육당한 농민 숫자는 10만 명에 달했다. 혁명이 성공한 탓에 방데의 슬픈 역사는 19세기 역사책에 단 한 줄도 등장하지 않았다.

방데 지역 출신 정치인이었던 필립 드 빌리에Philippe de Villiers는 "부끄러운 역사도 우리 지역의 역사다"라는 주장을 펴면서 이 지방 이야기를 공연으로 만든다. 1978년의 일이었다. 공연 참가자는 모두가 퓌뒤푸 인근 14개 마을의 주민들이었다. 역사를 공연으로 승화시키려는 필립 드 빌리에의 의도와 방데가 갖는 부정적인 의미를 긍정적인 시각으로 변화시키고자 한 주민들의 의도가 맞아떨어진 덕분이었다. 공연 규모가 확대됨에 따라 퓌뒤푸는 야간 공연을 찾는 사람들을 더 오래 머물게 하는 방식을 고민하게 되며, 이에 따라 테마파크를 개장하기에 이른다.

하지만 모든 위대한 시작이 그렇듯 시네세니의 시작은 미미했다. 필립 드 빌리에의 주도로 1978년 6월 16일 처음 시작된 시네세니 공연에 동참한 자원봉사자는 600여 명에 불과했지만, 첫해에 이미 8만 명 이상이 이 공연을 찾았다 조명등조차 부족해 낡은 자동차 헤드라이트를 이용할 정도로 공연은 소박했다. 그러나 현재 시네세니는 23헥타르 이상의 공간에서 중세부터 2차대전까지의 방데 지방 역사를 보여주며, 3,200명 이상의 출연진이 8,000벌 이상의 의상을 입고 등장할 정도로 엄청난 규모를 자랑한다. 객석은 매회 1만 4,000명을 수용할 수 있는데 1978년부터 지금까지 시네세니 공연을 관람한 사람은 1,000만 명을 넘어섰다.

시네세니가 방데전쟁을 중심으로 방데 지역의 500년 역사를 다루

그랑 파르크 공연 〈승리의 신호〉

고 있다면, 그랑 파르크 공연들
은 좁게는 프랑스, 넓게는 유럽 전
역의 역사를 모두 다루고 있다.
9~10세기 바이킹의 시대뿐 아니라
로마제국, 중세를 다룬 작품들이
고르게 상연된다.

〈승리의 신호〉 포스터

　전통적으로 방데 지역이 동식물의 보고였던 탓에, 그랑 파르크는
동물 보호를 위한 다양한 공간을 테마파크에 마련해두고 있기도 하
다. 테마파크가 관리하는 동물들은 총 117종 1,370마리에 달하는데,
말, 맹금류, 사자, 호랑이, 늑대, 낙타, 타조, 양, 거위 등 아주 다양하다.
퓌뒤푸는 녹색성장에 참여하는 노력을 인정받아 2012년에 그린 글로
브Green Globe 국제 인증을 획득하기도 했다.

그랑 파르크 공연 〈바이킹〉

그랑 파르크의 백미는 시간대별로 여러 장소에서 벌어지는 공연이
다. 〈승리의 신호Le Signe du Triomphe〉는 '갈로로마 스타디움'이라 불리
는 길이 115m에 달하는 콜로세움에서 열리는데, 갈리아족 포로들이
로마제국 검투사들과 싸우는 내용이다. 〈유령새들의 무도회Le Bal des
Oiseaux Fantômes〉를 통해서는 독수리, 올빼미, 매, 콘도르 등 150마리 맹
금류의 비행을 접할 수 있다. 〈창의 비밀Le Secret de la Lance〉이 잔 다르
크를 내세운 중세 이야기라면, 〈바이킹Les Vikings〉은 9~10세기에 갈리
아 지방을 침공한 북유럽인 이야기를 다루고 있다. 〈리슐리외의 삼총
사Les Mousquetaires de Richelieu〉는 루이 13세 치하의 17세기로 우리를 인
도한다. 켈트족 이야기를 다룬 〈원탁의 기사들Les Chevaliers de la Table
Ronde〉은 특수효과를 이용해 물에서 솟아나는 기사들 모습을 보여준
다. 가장 최근에 기획된 공연 중 하나인 〈마지막 깃털 장식Le Dernier

Panache〉은 미국 독립전쟁 당시 라파예트Gilbert du Motier de La Fayette 편에 서서 싸웠다가 1793년 방데전투에 참가하는 한 해군 장교의 이야기를 그려내고 있다. 특수효과가 가장 돋보이는 공연이다.

뛰뒤푸를 주목해야 할 이유를 거론하자면 끝이 없다. 몇 개만 들어 보자.

1. 뛰뒤푸는 정부의 지원을 전혀 받지 않는다. 공연과 테마파크를 계속 개선해나가며 수익구조를 만들어내는 데 성공했고, 그 노하우와 역량을 타 국가에 수출하고 있다. 푸틴Vladimir Putin 대통령의 요청에 따라 뛰뒤푸 콘셉트를 본뜬 테마파크가 현재 러시아에서 건설 중이다. 또 스페인의 톨레도에서는 뛰뒤푸 제작진이 만든 〈톨레도의 꿈El Sueño de Toledo〉이라는 공연이 1,500년 역사를 조명하며 5헥타르의 공간에서 2019년부터 펼쳐지고 있다.

2. 뛰뒤푸는 '뛰폴레Puyfolais'라는 신조어를 만들어냈다. 시네세니에 참여하는 자원봉사자들을 가리키는 표현이다. 역사에 대한 감각을 첨예하게 만들고 지역민으로서 자부심을 가지도록 의도적으로 만들어낸 표현임은 두말할 나위가 없다.

3. 장기적으로 공연 인력을 양성하기 위한 28개의 주니어 아카데미가 운영되고 있다. 재봉에서 승마, 서커스, 조명에 이르기까지 뛰뒤푸 인근의 아이들은 어릴 적부터 특화된 기술을 습득한다. 선순환구조를 만들어내는 시스템이다.

4. 시네세니가 자원봉사자들에 의지한다면, 그랑 파르크는 유급 인력을 운용하는 공간이다. 두 시스템의 적절한 배분은 뛰뒤푸라는 거대한 구조를 효율적으로 가동하게 한다.

투르 드 프랑스 경기 장면

2020년 투르 드 프랑스 경기 루트

5. 역사를 풀어내는 방식도 대단히 바람직하다. 시네세니 공연은 방데 이야기를 다루면서도 증오를 조장하지 않는다. 방데 이야기를 프랑스라는 국가 단위 속에 집어넣은 후 갈등의 역사를 중화시키는 방식을 채택한다.

6. 중단 없는 투자, 새로운 아이템의 끝없는 개발은 퓌뒤푸의 가장 큰 특징이자 장점이라 할 수 있다. 매년 프로그램의 약 30%가 내용을 수정 보완하며, 매년 얻는 수익의 대부분을 다음해 공연을 위해 다시 투자하고 있다. 퓌뒤푸가 성장을 거듭해온 이유다.

7. 배우들의 목소리 협찬 등 홍보 전략도 흥미롭다. 제라르 드파르디외Gérard Depardieu, 알랭 들롱Alain Delon, 장 로슈포르Jean Rochefort 등 기라성 같은 스타들이 재능을 기부했다. 흥행 보증수표나 다름없는 전국 도로일주 사이클대회인 투르 드 프랑스Tour de France, 미스프랑스 선발대회 등의 유치는 장소를 알리기 위한 전략의 일환이었고, 대성공을 거두었다.

8. 장르의 혼합도 두드러진다. 예를 들어 〈리슐리외의 삼총사〉 공연에서는 스페인 춤 플라멩코가 등장하며, 〈창의 비밀〉 음악으로는 스페인 갈리시아 지방 목관악기 가이타로 연주한 카를로스 누녜스Carlos Nuñez의 곡이 등장한다. 요컨대 프랑스의 테마파크가 아니라 유럽의 테마파크로 인정받기를 원하는 것이다. 그리고 퓌뒤푸는 그러한 결합을 통해 새로운 질서를 만들어낸다. 뮤지

컬 장르에서는 〈돈 주앙Don Juan〉이 전적으로 그런 형태를 취하고 있다.

제주 4·3 평화인권 마당극제 포스터

우리식의 퓌뒤푀가 가능할까? 질곡과 슬픔으로 뒤덮인 우리 역사에도 공연의 소재는 무궁무진하다. 어떤 방식으로 그 역사를 풀어내야 할까? 세계인의 공감대를 얻는 방식은 어떤 것일까? 과연 우리의 공연 능력은 한국의 퓌뒤푀를 만들어낼 수 있을까? 우리의 어떤 역사가 이런 유의 공연에 적합할까? 지역은 어디가 좋을까? 여러 고민이 시작되는 지점이다. 나에게 가장 먼저 떠오르는 지역은 제주와 광주광역시였다.

다양한 테마파크들

프랑스의 여름을 수놓는 다양한 축제에 병행해서 즐기기 좋은 방문지는 역시 테마파크다. 테마파크는 한 국가의 기술 수준과 관광, 그리고 개성을 유기적으로 접맥시키고 있다는 측면에서 줄곧 나의 관심사였다. 유학 시절에는 한국에서 손님이 찾아오면 파리 동쪽의 마른라발레Marne-la-Vallée 지역에 들어선 유로디즈니에 들르곤 했다. 크게 보자면 미국 로스앤젤레스에 소재한 디즈니랜드와 대동소이했다. 눈에 들어온 차이는 360도 영화관. 미국에서는 웅대한 자연을 보여주는 데 주력했다면, 프랑스의 그것은 만국박람회가 열리는 파리에서 출발해 유럽 각국을 하늘에서 내려다보는 풍경을 담아내고 있었다.

오늘날 사회현상으로까지 간주되는 테마파크들을 들여다보는 일은 늘 재미있다. 프랑스에서는 새로운 테마파크가 속속 개장하고 있는데, 국립 여가, 놀이 및 문화공간 조합Syndicat national des espaces de loisirs, d'attractions et culturels(SNELAC)의 2018년 통계에 따르면 약 500개의 테마파크를 6,500만 명이 찾았다. 이 분야의 총매출도 30억 유로에 달한다. 또 매년 30억에서 40억 유로가 테마파크에 투자되면서 놀이의 확장성을 도모하는 중이다.

적어도 해외 관광객 유치 차원에
서 프랑스의 테마파크들은 커다란
역할을 떠맡고 있는 것처럼 보인
다. 새로운 투자는 차별화된 상품
을 만들어내며, 숙박에 관한 관람
객들의 편의를 도모하고 있다. 테
마파크마다 가능한 한 더 오래 방
문객을 잡아두는 것이 수지타산에
도움이 되기 때문이다. 차별화를

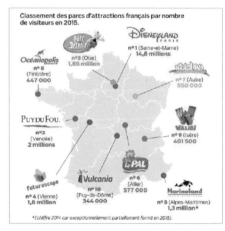

프랑스의 다양한 테마파크들

위해서는 새로운 시설과 이벤트, 공연, 관객 참여형 영화 상영, 전시회
등 다양한 전략이 동원되고 있다.

파리권에는 유럽 유일의 디즈니랜드와 함께 프랑스 고대 역사를 배
경으로 한 만화 주인공 아스테릭스 이름을 딴 테마파크가 있다. 디즈
니랜드가 파리에서 동쪽으로 30km, 그리고 아스테릭스 파크가 파리
북쪽으로 50km 떨어져 있기에 프랑스인들은 디즈니랜드를 프랑스에
침투한 미국 문화의 상징으로, 아스테릭스 파크를 미국으로부터 프랑
스의 문화적 자존심을 지켜내는 공간으로 간주하는 시각이 있다. 최
근 마블 시리즈를 테마파크에 연계시키는 디즈니랜드는 따로 언급할
필요가 없을 정도로 우리에게 익숙하니, 프랑스 고유의 특성을 담아
낸 테마파크들을 주로 언급해보자.

아스테릭스 파크는 르네 고시니와 알베르 위데르조가 창조해낸 만
화 시리즈 속 세계로부터 영감을 얻어 만들어진 놀이공원이다. 만화의
스토리는 단순하다. 현재의 프랑스 지방에 살던 갈리아인들이 로마제

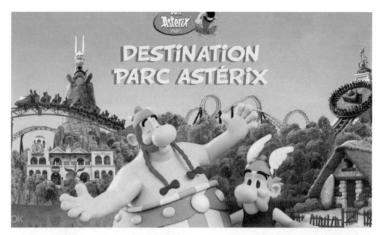

아스테릭스 파크

아스테릭스 캐릭터를 창조한
르네 고시니와 알베르 위데르조

국의 공격을 받고 늘 패배하다가 마법사가 지어준 '마법의 물약'을 먹고 최종적으로 승리를 거둔다는 내용이다. 실제 역사와 정반대이기에 만화는 프랑스인의 국수주의를 대변한다고 오랫동안 비판받았다.

북쪽의 와즈Oise 지방에 소재한 34헥타르 규모의 이 공원은 50여 개의 놀이시설과 공연을 통해 방문객들을 즐겁게 해주고 있으며, 부속 호텔 규모는 2020년 기준으로 450개 객실을 자랑한다. 호텔 이름들은 '매달린 도시La Cité Suspendue'(150개 객실, 2018년 4월 개관), '세 마리 부엉이Les Trois Hiboux'(150개 객실), '파리의 부두들Les Quais de Lutèce'(150개 객실)이다.

수도권의 이블린Yvelines에 소재한 테마파크인 '프랑스 미니아튀르France Miniature'도 주목할 만하다. 5헥타르에 달하는 공간에 프랑스의 117개 유적이 30분의 1 축도로 들어서 있다. 방문자들은 소인들의 나

프랑스 미니아튀르

라에 들어선 걸리버가 된 느낌을 받는다. 사상가 장-자크 루소가 살았던 파리 북쪽 마을 에르므농빌Ermenonville에 소재한 '메르 드 사블Mer de Sable'에서는 '모래바다'라는 뜻의 이름대로 서부개척시대 분위기를 느낄 수 있다.

지방의 무수한 테마파크에 대해 내가 흥미를 느꼈던 부분은 몇 가지가 있다. 지역의 특성을 극대화한 점을 먼저 거론할 수 있다. 프랑스 최고의 과학기술 도시인 툴루즈 가까이 우주항공 테마파크를 건설하거나, 화산 지형이 이어지는 오베르뉴Auvergne 지방에 화산을 주제로 '뷜카니아Vulcania' 테마파크를 만드는 일이 그런 방식이었다. 카타리파Cathares, 십자군 원정에 얽힌 역사가 풍부한 옥시타니 지방에도 역사를 주제로 한 테마파크가 들어서지 않을까 생각했는데, 아니나 다를까, 테마파크 설립을 위해 관련 지방자치단체들이 움직이기 시작했다는 뉴스를 2019년에 접할 수 있었다.

퓌튀로스코프

다음으로 눈에 들어온 모습은 우리의 테마파크들이 놀이를 전면에 내세우는 반면, 프랑스 테마파크들은 교육과 오락을 동시에 추구하는 점이었다. 유럽 전역에 건설된 자연사 박물관들을 둘러보면 그들의 전시공간이 얼마나 교육적인지 알 수 있다. 푸아티에Poitiers 근처에 지어진 테마파크 '퓌튀로스코프Futuroscope'가 대표적인 사례다. 매년 200만 명 정도가 이곳을 방문해 과학과 기술과 관련된 다양한 시설을 즐기고 있는데, 10헥타르의 면적 위에 어린이와 학부모를 위해 만들어진 시설만 21개에 달한다. 아이들은 이곳에서 스포츠맨, 조종사, 정원사, 고고학자 등 다양한 역할을 체험해볼 수 있다. 1987년에 문을 연 퓌튀로스코프를 그동안 찾은 방문객 숫자만 5,000만 명에 달한다.

프랑스 테마파크들 중 상대적으로 늦게 개장한 '어린 왕자 파크Parc du Petit Prince'도 관심 대상이었다. 문학작품을 어떻게 놀이시설과 연계시키는지 궁금하기도 했고, 문학작품들 중 상당수가 영화화되어 사람들의 기대에 부응하지 못했던 것을 떠올리며 이 테마파크의 성공여부에 호기심이 생기기도 했다. 알자스 지방 콜마르Colmar와 뮐루즈Mulhouse 사이에 위치한 이 테마파크는 2014년에 개관했는데, 현재 34개의 놀이시설과 행사를 운영 중이다. 어린이들을 대상으로 하는 만큼 과학, 탐험, 우주, 동식물 등의 다양한 주제를 뒤섞고 있다.

상대적으로 우리의 놀이공원에 가까운 '니글로랑드Nigloland'는 샹파뉴 지방의 오브Aube 데파르트망에 들어서 있다. 1987년에 파트리스 젤리스Patrice Gélis와 필립 젤리스Philippe Gélis 형제의 주도로 문을 연 이 공간에서는 네 개의 구역을 방문하면서 놀이시설 모형 박물관, 실제 놀이시설, 영화 관련 시설, 찻집을 차례로 즐길 수 있다. 또 오베르뉴론알프Auvergne-Rhône-Alpes 레지옹 알리에Allier 데파르트망에 소재한 '르 팔Le PAL'은 놀이, 동물, 특이한 숙박 체험이라는 세 가지 목표

어린 왕자 테마파크 포스터

를 내세운 프랑스 유일의 테마파크이자 동물원이다. 1973년 먼저 동물원 형태로 출발한 이 테마파크는 50헥타르의 공간에서 사파리 탐험을 제공한다. 기린, 코뿔소, 영양 등 700마리의 동물을 만나볼 수 있다. 2013년 이후 매년 50만 명 정도가 이곳을 방문했으며, 2018년의 방문자 수는 64만 명이었다. 이런 형태는 낭트에서 15분 떨어진 거리에 위치한 야생의 세계, '플라네트 소바주Planète Sauvage'에서도 만나볼 수 있다. 루아르에셰르Loir-et-Cher 데파르트망의 '보발 동물원Zoo de Beauval'도 규모로 따져 아주 큰 테마파크다. 600여 종의 1만 마리 야생동물이 40헥타르의 공간을 채우고 있다.

개장 40주년을 맞이한 '왈리비 론알프Walibi Rhône-Alpes' 테마파크에서는 '페스티벌 시티'라는 독특한 콘셉트를 맛볼 수 있다. 이곳은 2020년부터 2023년까지 역사마을을 조성해 2023년에 60만 명의 관광객을 유치할 계획을 세우고 있다.

지역 단위로 자기만의 정체성을 극대화하는 테마파크를 우리도 가

질 때가 충분히 되지 않았는가. 이렇게 다채롭고도 유구한 역사를 가진 나라가 세상에 그다지 많지 않은데…… 결국 상상력이 문제라는 생각이다.

센강 좌안의 문화를 주도하는 카르티에 라탱

파리에서 공부한 한국 유학생들에
게 카르티에 라탱 거리만큼 애환이
얽힌 지역은 없을 것이다. 파리 최
중심, '센강 좌안Rive Gauche'이라 부
르는 센강 남단의 제5구와 제6구
에 걸친 이 동네 이름을 한국어로
번역하자면 '라틴어 구역'이다. 중
세부터 많은 학생이 공부하면서 학

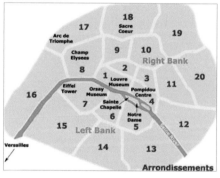

센강을 기준으로 나눈 파리 좌안과 우안 지도와 주요 명소

문의 중심지가 된 이곳에는 무수한 대학과 연구소, 출판사와 서점이
밀집해 있기에 프랑스 지성을 상징하는 장소이기도 하다. 많은 상송
과 글이 다루기도 했다. 종으로는 생미셸 거리Rue St Michel, 횡으로는 생
제르맹데프레 거리Rue Saint-Germain-des-Prés가 교차하는 구역으로, 소르
본 대학 뒤쪽 이면도로에 전 세계 배낭 여행객들이 찾는 값싼 호텔들
이 들어서 있고 거리마다 여러 음식점과 카페 등이 자리 잡고 있어서
일면 평온해 보이지만, 이 지역은 1968년 5월에 프랑스 학생들의 분노

지베르 조제프 서점

가 최초로 불거져 나온 동네다.

전통적으로 파리는 세 개 지역으로 나뉘었는데, 각각 시테 섬île de la Cité, 센강 우안Rive Droite, 센강 좌안Rive Gauche이다. 17세기 작가들은 대학을 익살스럽게 '라틴어 국가pays latin'라 불렀다. 당시 교육에서 라틴어가 집중적으로 사용되었던 탓이다. 이 용어는 이미 역사책에 '라티움Latium'으로 표시되고 있었는데, 용어를 처음 구사한 작가는 게즈 드 발자크Guez de Balzac였다. 그는 스토아학파 윤리학과 그리스도교 윤리학을 통합한 1652년작 저서《그리스도교도 소크라테스Le Socrate chrétien》속에 현학적인 동시에 자만심이 강한 '라틴어 국가의 인간'을 등장시키고 있다. 그리고 18세기 말이 되면 '라틴어 국가' 대신 '라틴어 구역'이 등장한다.

중고서적 판매로 유명한 '지베르 조제프' 서점이 생미셸 거리에 있는데다 유학 초기 2년 내내 소르본 대학 도서관을 이용했기에 난 거의 매일 이 구역을 지나다녔다. 흥미로운 이야기가 있다. 지금은 상황이 많이 달라졌지만 아주 옛날 파리에는 중고서점이 많았다. 세계적 문호 앙드레 말로는 서점마다 책값이 다른 것에 주목하고 한 서점에서 싼 값에 책을 구입한 후 다른 서점에 비싸게 되팔아 돈을 벌었다고 한다. 그 돈으로 주식에 투자했고, 나중에 캄보디아의 앙코르와트까지 여행을 갔다는 것이다.

이 지역에 대해 무슨 이야기를 쓸까? 슬픔과 기쁨, 아쉬움과 설렘, 경탄과 좌절이 뒤얽힌 너무나 많은 장소가 머릿속을 어지럽히기에 이 지역에서 만난 장소를 순서 없이 언급하는 것이 차라리 낫겠다. 학술 기관으로는 소르본 대학을 위시한 파리 1대학부터 7대학까지, 그리고 대중교육에 관한 한 세계 굴지의 기관이라 불러도 손색이 없을 콜레주 드 프랑스, 앙리 베르그송·미셸 푸코·장-폴 사르트르·레이몽 아롱·루이 파스퇴르Louis Pasteur·루이 알튀세르Louis Althusser 같은 세계 최고의 지성을 키워낸 파리고등사범학교(ENS), 퀴리연구소Institute Curie와 파스퇴르연구소Institute Pasteur 이름이 우선 생각난다. 파리 대학들은 묘했다. 인문과학에 관한 한 우파와 좌파 분위기로 나뉘어 있었다. 예를 들어 파리 3대학이나 4대학같이 우파 분위기인 대학에 가면 선생이나 학생들이 정장을 걸치고 있고, 서로 경칭 '부Vous'를 사용했다. 교수를 한번 만나려고 해도 학과에 근무하는 직원을 통해 면담 시간을 미리 정해야 했다. 반면 좌파 분위기의 파리 7대학이나 8대학에서는 상대를 부를 때 막역한 표현 '튀Tu'를 사용했다. 의도적으로 거리두기를 깨부수는 것이다. 대학이 좋아하는 과목들도 완연히 달랐다. 우리가 소르본이라 부르는 4대학은 역사가 깊은 만큼 고전 강의가 많다면, 8대학에서는 현대의 주요 사상과 인문학을 연계시킨 파격적인 강의가 주를 이뤘다.

프랑스 위인들을 모신 지하 납골당 팡테옹을 떠올릴 때면 바로 옆에 들어선 생트주느비에브 도서관Bibliothèque Sainte-Geneviève이 동시에 생각난다. 1년에 한두 차례 팡테옹으로 위인들의 유해를 이장할 때면 대통령까지 참석하는 요란한 행사가 열렸다. 팡테옹 건물 전면에 새겨진 '위인들에게 프랑스가 경의를 표한다'는 문구를 바라보면 프랑스인으로 태어나도 참 행복했을 것 같다는 생각이 들었다. 생트주느비에브 도서관은 소르본 대학 도서관, 퐁피두센터와 더불어 가장 많

클뤼니 중세박물관이 소장하고 있는
〈여인과 일각수〉 태피스트리

은 책을 소장한 격조 있는 도서관이었다. 생미셸 거리 한가운데 위치한 클뤼니 중세박물관Musée Cluny-Musée national du Moyen Âge과 로마시대 목욕탕 유적도 생각난다. 외관이 수수해 눈에 잘 들어오지 않는 중세박물관은 안으로 들어가는 순간부터 수준 높은 소장품들로 나를 매혹했다. 15세기 저택 안에 들어선 이 박물관에서는 중세 회화와 조각의 백미들을 만나볼 수 있다. 유럽 중세 미술의 가장 위대한 작품 중 하나로 알려진, 양모와 실크로 짠 여섯 개 태피스트리로 구성된 〈여인과 일각수Dame et licorne〉도 이곳에서 만나볼 수 있다. 1세기에 건축된 로마 목욕탕 유적은 박물관 바로 옆에

파리 이슬람사원

있었다.

　짙은 먹구름이 걷히며 파리 하늘
이 조금이라도 햇빛을 드러낼 때면
나 역시 프랑스인들과 마찬가지로
뤽상부르 공원을 자주 방문했다.
공원은 정말 파리 사람들에게 사랑
을 받는다는 느낌이 들었다. 공원
옆에는 1968년 5월혁명 때 학생들

파리 이슬람사원 내부

에게 점거당한 바 있는, 오늘날 유럽 굴지의 연극을 소개하는 공간인
오데옹 극장이 있었다. 조금 더 아래로 내려가면 파리 3대학 근처에서
파리식물원과 자연사 박물관, 파리 이슬람사원Grande Mosquée de Paris을
만날 수 있었다. 자연사 박물관은 영화 〈박물관이 살아있다Night at the
Museum〉의 무대가 되었을 정도로 소장품 규모 차원에서 유럽 최대를

자랑하며, 소장품의 퀄리티도 아주 뛰어나다. 자연과학이 오래전부터 발달한 프랑스의 애정이 듬뿍 담겨 있는 공간이다. 1926년에 준공된 파리 이슬람사원은 이색적이고 아름다운 곳으로 사원 뒤쪽의 레스토랑에서는 북아프리카식 민트차와 이슬람 요리도 맛볼 수 있다.

싱어송라이터 가수들이 통기타를 들고 노래하는 카르티에 라탱 클럽들은 우리의 7080세대가 그랬듯이 기성 질서에 반항하는 젊음을 아직도 노랫말로 구현하고 있다. 대형 극장체인과는 차별화되는 무수한 소극장도 이 지역에서 찾을 수 있다. 대개 흘러간 옛 영화나 007 시리즈, 무협영화 등을 상영하며 자신만의 색채로 무장하고 있다. 생미셸 거리 중간에는 포르노영화 전용극장이 있었는데 드나드는 사람은 거의 없었다. 간간이 찾는 사람은 노인 몇 명뿐. 지금은 없어진 것 같기도 하다.

세계 각국의 식당들도 카르티에 라탱 골목 곳곳에 숨어 있기에 마음만 먹는다면 세계의 음식을 이 거리에서 모두 만나볼 수 있다. 세계 여러 지역 학생들이 파리를 찾기 때문이고, 전 세계 관광객이 파리를 찾기 때문이리라. 캐나다 신문사의 파리 특파원으로 일하던 헤밍웨이Ernest Hemingway의 집과 그가 1920년대에 드나들던 '셰익스피어 앤 컴퍼니'도 이 구역에 있다. 파리에서 가장 유명한 영어서적 전문 서점을 드나들던 헤밍웨이의 모습은 그가 쓴 에세이《파리는 날마다 축제A Moveable Feast》에서 잘 드러난다. "젊은 시절 그대가 파리에서 살아보는 경험을 누렸다면 그 후 당신이 방문하는 장소들이 어디건 간에 파리는 움직이는 축제처럼 남은 생 동안 그대 곁에 머물게 되리라." 멋지지 않은가? 정확하게 100년 전에 헤밍웨이는 파리의 매력을 이렇게 묘사하고 있다.

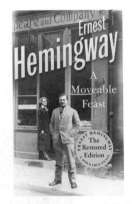

헤밍웨이의《파리는 날마다 축제》

영화 〈아멜리에Fabuleux destin d'Amélie Poulain〉의 배경으로도 유명한 무프타르 거리Rue Mouffetard 중간에 있는 광장의 어느 카페에서는 사과로 만든 독주인 칼바도스도 한잔 주문해 음미해볼 수 있다. 레마르크Erich Maria Remarque가 쓴《개선문Arc de Triomphe》의 첫 페이지에 등장하는 유명한 술이다. 영화 〈다빈치 코드The Da Vinci Code〉에 등장하는 생쉴피스 성당Église Saint-Sulpice, 아름다운 고딕 양식의 생세브랭 성당Église Saint-Séverin을 비롯한 종교 건물들, 작가와 아티스트들이 드나들던 레스토랑과 카페들은 나의 젊은 시절 기억의 일부를 이루고 있다. 나는 대부분 혼자서 그 거리를 배회했다. 거리

〈아멜리에〉 영화 포스터

사과로 만든 독주인 칼바도스

무프타르 거리

에서 떠들썩하게 대화하며 사랑을 나누는 많은 프랑스 젊은이들로부
터 일정 부분 배제되어 있었지만 그건 아무래도 좋았다. 서점과 음반
가게에서 찾아내는 보물들에 나는 무척 행복했고, 카르티에 라탱 거리
의 일부가 된 것만으로도 역사 속에 들어가 있는 느낌이었다. 그 환상
은 아직도 이어지고 있다.

기계와 상상력, 낭트Nantes의 모험

2019년 여름 일군의 사람들과 함께 방문한 툴루즈의 '기계의 전당Halle de la Machine'은 감동적이었다. 건물 밖에 세워져 있던 소 머리에 인간 몸을 한 미노타우로스는 거대한 크기로 보는 이들을 압도했는데, 정해진 타임 스케줄에 따라 사람들을 싣고 툴루즈의 일부 거리를 다니고 있었다. 기계의 전당 실내 전시장에는 유튜브와 인터넷을 통해 이미 여러 번 접한 바 있는 거대한 거미가 자리 잡고 있었다. 이런 놀라운 모습을 한 움직이는 기계장치들은 대체 어디서 제작하는 것일까? 동물을 재현했다는 공통점을 지닌 기상천외한 상상력을 보여주는 그 기계장치들은 역시 같은 공간에서 만들어진 것이었다. 프랑스 서부 도시 낭트 소재 '라 마신La Machine(기계)'이 제작 주체였다.

'라 마신'은 1999년에 프랑수아 들라로지에르 François Delarozière의 주도 아래 태동한 거리극 극단으로, 비정형적인 공연 오브제 제작에 참여하는 아티스트, 기술자, 시노그라퍼Scenographer 사

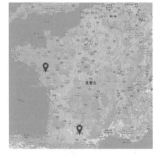

낭트와 툴루즈의 위치

툴루즈 소재 기계의 전당 앞 미노타우로스 ©pictureshot.fr

피에르 오르피스와
프랑수아 들라로지에르

이의 협업을 위해 생겨났다. 라 마신 극단은 낭트와 투르느푀이유Tournefeuille 소재 공장에 각각 보유한 아틀리에에서 작업을 수행한다. 공연, 공예, 상업 및 첨단기술에 관련된 여러 직종의 사람들이 그곳에서 일하고 있다. 오늘날 라 마신은 여러 분야에서 프로젝트를 진행 중인데, 대표적인 것으로는 '섬의 기계들Machines de l'île'(대형 코끼리Grand éléphant, 바닷속 회전목마Carrousel des mondes marins, 세나르 정사각형 회전목마Manège Carré Sénart, 왜가리 나무Arbre aux Hérons 모형)과 거리 공연(똑똑한 기계장치Mécaniques Savantes, 기계들의 대목록Grand Répertoire des Machines, 기계장치 교향곡Symphonie Mécanique, 식물들의 원정Expédition Végétale, 작은 기계장치들의 저녁식사Dîner des Petites Mécaniques)이 있다. '똑똑한 기계장치'는 기계로

낭트의 대형 코끼리 ⓒ*mediacites.fr*

된 두 마리의 거대한 거미를 움직이게 한 것인데, 2008년 영국의 리버
풀시가 유럽문화수도로 선정되었을 때, 2009년 일본의 요코하마가 개
항 150주년을 맞이했을 때 선을 보인 바 있다. 그리고 2014년 10월 17
일 중국의 베이징에서 프랑스와 중국의 외교 관계를 경축하는 행사에
는 용마龍馬, Long Ma가 등장했다.

　'섬의 기계들'은 예술감독인 프랑수아 들라로지에르와 피에르 오
르피스Pierre Orefice가 전시와 이벤트를 위해 함께 만든 공간이다. 낭트
섬의 샹티에 공원Parc des Chantiers에 있는데, 지금은 문을 닫은 옛 조선
소가 있던 자리였다. 낭트시가 2004년 라 마신 극단과 협력하기 시작
해 2007년 개관했다. 애당초 건립 예산은 480만 유로였지만, 실제로
는 600만 유로가 들었다. 다행히 '오브젝티프 2(2000~2006)'라는 유럽
프로그램의 지원을 받아 건립 예산의 25% 정도를 충당할 수 있었다.
홀 중 하나에 위치한 '아틀리에'는 라 마신의 창작 공간이다. 총면적

은 3,000㎡ 이상이다. 방문객들은 7.5m 높이에서 기계장치들을 만드는 현장을 직접 구경할 수 있다. 이 공간의 콘셉트는 공상과학소설 작가 쥘 베른Jules Verne의 '상상 세계mondes inventés', 레오나르도 다빈치가 구상한 기계 세계, 낭트시의 산업사를 한데 묶은 것이다. 우리가 참조할 만한 기획이다. 이러한 참신한 기획으로 라 마신은 2007년 10월 파리에서 열린 국제관광전에서 심사위원 특별상을 수상했을 뿐 아니라, 세계적인 테마파크에 시상하는 테아 어워드를 받은 유럽의 몇 안 되는 관광명소 중 하나이기도 하다. 급증하는 방문객은 이 공간이 갖는 매력 덕분이다. 전시된 기계장치도 어마어마하다. 이제는 낭트시의 명물이 된 대형 코끼리는 나무와 강철로 만들어졌는데, 무게만도 48.4톤에 달한다. 높이는 12m, 폭은 8m다. 코끼리에는 52명이 탑승할 수 있으며, 코끼리가 흔들릴 때마다 그 느낌을 직접 경험할 수 있다.

기계의 전당은 2014년 툴루즈시의 지원을 받아 몽토드랑Montaudran 지구의 옛 아에로포스탈Aéropostale 터에 짓기 시작해 2018년 11월 개관했다. 공연과 관련된 움직이는 기계장치 200여 점을 전시하는 방식을 택했다. 이 프로젝트는 몽토드랑 지구를 문화와 관광 중심지로 만들려는 도시계획 재편 역할을 겸한다.

칼레시에서도 도시정비계획의 일환으로 기계로 대형 파충류 제작을 의뢰했고, 그에 대한 첫 작업으로 2019년 11월 1일 무게가 72톤에 달하는 거대한 칼레의 용이 도착해 3일 동안 개막 공연을 가졌다. 차후 도마뱀과 이구아나들도 칼레의 전략적인 장소에 차례로 자리를 잡을 예정이다.

이러한 공연의 세계, 거대한 구조물은 많은 사람의 상상력을 일깨우면서 도시의 성격까지 바꿔놓았다. 인간의 상상력을 통해 진짜보다 더 진짜 같은 공룡이 등장할지 누가 알았겠는가? 기계로 만든 새가 날갯짓을 하고, 기계장치 애벌레와 개미가 기어가며, 용이 거리를 누비며 불을 뿜어낸다. 중세의 신화 속 등장인물들이 마치 살아 움직이는 듯한 느낌을 주기도 한다.

이 모든 공간이 느닷없이 모습을 드러낸 것은 아니다. 프랑수아 들라로지에르는 마르세유 미술학

루아얄 드 뤽스의 거리 공연 ⓒroyal-de-luxe.com

교 출신으로, 거인을 활용한 공연을 선보이는 루아얄 드 뤽스Royal de luxe 극단에서 공연 관련 기계장치들을 만들어낸 인물이다. 또 피에르 오르피스는 경제학 전공자지만 페도 섬île Feydeau에 식물들로 채워진 항구를 건설하는 아이디어를 고안한 마나우스협회Associations Manaüs의 일원이었다. 1985~1998년 루아얄 드 뤽스의 제작자로 참여한 경험, 그리고 1998~2007년 마나우스협회의 예술감독을 맡은 경험이 이런 독창적인 세계의 구축을 용이하게 만든 것이다.

서구 문학 속에서 판타지가 대세를 이루는 요즘, 과연 이런 기계장치들이 판타지와 아무 상관이 없다고 말할 수 있을까? 다른 장에서 이야기하겠지만, 적어도 내가 만난 프랑스에서는 역사가 늘 오늘과 함께 호흡하며 재해석되고 있었다. 과연 우리의 역사나 선인들의 상상력은 지난 시대의 유물에 지나지 않을까? 우리에게서는 왜 들라로지에르 같은 인물이 나오지 않을까? 우리식의 박제된 역사, 천편일률적인 과학 교육과는 거리가 먼 낭트의 상상 세계 속에서는 실험이

예술과 만나고, 기계가 생명을 얻으며, 아이들은 기계장치의 작동을 이해하면서 과학에 대한 관심을 늘려간다. 방문자를 위한 티켓 가격도 더없이 싸다. 성인 요금이 8.50유로에 불과하다. '섬의 기계들'이 개관한 2007년 이후 2016년 말까지 판매된 티켓은 400만 장이 넘는다. 정확하게는 418만4,252장. 대성공을 거둔 것이다. 프랑스인뿐 아니라 영국인, 스페인인, 독일인도 이 공간을 즐겨 찾는다. 이 공간은 가까운 시일 안에 한 해 100만 명 방문객 달성을 목표로 삼고 있다.

한국에도 이런 공간이 들어섰으면 좋겠다. 또 그것을 통해 과학이 대중화되면 좋겠다. 유럽 각국을 여행하면서 각 나라의 자연사박물관에 놀랄 때가 한두 번이 아니었다. 그 공간들은 오락적 요소뿐만 아니라 교육적 효과를 극대화했다는 측면에서 우리에게 진한 감동을 준다.

낡은 책을 통해 살아난 공동체들, 책마을

'책과 예술의 마을Village du livre et des arts'이라는 표현을 통해 점점 의미를 부각시키는 마을들이 있다. 프랑스 전국을 통틀어 8개 마을이 꼽힌다. 브르타뉴Bretagne 지방의 베슈렐Bécherel, 랑그독루시용Languedoc-Roussillon 지방의 몽톨리외Montolieu, 로렌Lorraine 지방의 퐁트누아라주트Fontenoy-La-Joûte, 부르고뉴Bourgogne 지방의 퀴즈리Cuisery와 라 샤리테쉬르루아르La Charité-sur-Loire, 푸아투샤랑트Poitou-Charentes 지방의 몽모리용Montmorillon, 론알프Rhônes-Alpes 지방의 앙비에를Ambierle, 노르파드칼레Nord-Pas-de-Calais 지방의 에스켈벡Esquelbecq이다. 이 책마을들은 아름답고 역사와 관광자원이 풍부한 곳에 조성되었다. 8개 마을은 2012년부터 '프랑스 책마을협회Fédération des villes, cités et villages du livre en France'를 결성하고 있다.

책마을은 사전적 의미로 '주로 독특한 역사가 있는 교외 지역에 중고서점이나 고서점이 밀집한 작은 마을'을 지칭한다. 리처드 부스Richard Booth라는 사람이 낡은 성을 사서 만든 영국의 '헤이온와이Hay-on-Wye'가 우리에게도 잘 알려져 있지만, 프랑스의 책마을에 대해서는

252

책마을 몽톨리외

기사를 통해서만 존재를 확인했고 직접 가보지 못했기에 늘 호기심만 가지고 있었다. 내가 여름마다 빠짐없이 찾는 카르카손 지척에 몽톨리외가 있었는데도 말이다.

책마을 콘셉트가 태동한 것은 1962년 웨일스 지방의 헤이온와이에서였고, 뒤이어 벨기에 아르덴 지역에서 '르뒤Redu'가 노엘 앙슬로Noël Anselot의 주도하에 1984년에 등장한다. 프랑스에서는 최초의 책마을이 1987년에 브르타뉴의 베슈렐에서 사벤 두아르 협회Association Savenn douar의 주도로, 그리고 1989년에 오드Aude 데파르트망의 몽톨리외에서 제본업자 미셸 브레방Michel Braibant의 주도로 생겨난다. 이 마을들은 고유한 문화유산을 활용해 시골 공간을 활성화하고자 하는 다른 지방의 관심을 끌었다. 문화가 곧 경제적인 파워라는 사실을 잘 깨닫고 있던 덕분이다.

고서나 할인도서를 팔던 서점들, 제본업자, 도금공, 판화가, 서예가,

채색공, 제지업자, 수작업 인쇄업자, 출판인과 같은 책 관련 직업을 가진 전문가들이 마을 내부에 거처를 마련하며 마을에 생명을 불어넣기 시작했다. 그에 따라 연중 내내 계절에 따라 도서 축제, 전시회, 작가와의 만남, 낭독회, 강의, 포럼, 작가 사인회, 연극, 콘서트 등 다양한 문화 관련 행사가 마련된다.

책과 예술의 마을 몽톨리외 ⓒgrand-carcassonne-tourisme.fr

프랑스의 책마을들을 살펴보자.

■ 베슈렐 : 인구 650명, 서점 18개, 설립연도 1987년, 위치는 렌으로부터 36km. '책의 도시 La Cité du livre'라는 이름을 가진 이곳은 일에빌렌 데파르트망에 있다. 21명의 전문가가 상주하고 있는데, 17개의 서점 및 고서점, 10명의 도서 관련 장인, 3개의 출판사, 1개의 도서관을 만날 수 있다.

■ 몽톨리외 : 인구 800명, 서점 17개, 설립연도 1989년, 위치는 카르카손으로부터 18km. 1990년에 '도서 및 그래픽아트 마을Village du livre et des arts graphiques'이라는 타이틀을 획득했다. 20여 명의 전문가가 상주하고 있는데, 17개의 서점, 책을 만드는 장인들, 도서예술직업 박물관, 예술 및 문학센터를 만나볼 수 있다.

■ 퐁트누아라주트 : 인구 310명, 서점 13개, 설립연도 1996년(세르주 보네Serge Bonnet가 주도해 1994년 처음 시작되었지만 10여 개의 서점이 입주한 것

은 1996년이다), 위치는 낭시Nancy로부터 60km, 바카라Baccarat로부터 7km. 로렌 지방에 있으며 15명의 고서상, 1명의 제본가, 1명의 서예가, 1명의 제지업자를 만날 수 있다.

■ 퀴즈리 : 인구 1,600명, 서점 20개, 설립연도 1999년, 위치는 마콩 Mâcon으로부터 37km. 15명 남짓한 고서적상, 1명의 제본가, 1명의 옛 인쇄업자를 찾을 수 있다.

■ 라 샤리테쉬르루아르 : 인구 5,500명, 서점 13개, 설립연도 2000년, 위치는 느베르Nevers로부터 28km, 파리에서 자동차로 2시간 거리다. 현재 1명의 채색공을 포함한 13명의 책 전문가가 입주해 있다. 이 마을은 모 페스티벌(단어 축제)Festival du Mot을 개최하고 있다.

■ 몽모리용 : 인구 7,500명, 서점 8개, 설립연도 2000년, 위치는 푸아티에Poitiers로부터 53km, 푸아티에의 테마파크 퓌튀로스코프로부터는 45분 거리에 있다. 17세기부터 마카롱 제조로 유명한 마을이다. '글과 도서 직업 도시Cité de l'écrit et des métiers du livre'라는 타이틀을 내세운 이 마을은 매년 6월 중순에 도서전도 개최하는 중이다.

■ 앙비에를 : 인구 1,700명, 서점 8개, 설립연도 2007년, 위치는 생테티엔Saint-Étienne으로부터 93km, 로안Roanne으로부터 15분 거리. 2007년부터 '도서와 만화, 이미지의 마을Village du Livre, de la BD et de l'Image'이라는 명칭을 쓰고 있으며, 1명의 출판인을 포함한 4명의 고서적상이 입주해 있다. 작은 인쇄소 하나가 건설 중이다.

■ 에스켈벡 : 인구 2,000명, 서점 8개, 설립연도는 2007년, 위치는 릴Lille로부터 59km 떨어져 있다. 프랑스에서 가장 북쪽, 릴과 됭케르크Dunkerque 사이에 위치한 책마을로 6명의 고서적상이 입주

국제고서전시회

해 있다. 매달 도서 시장을 열며, 매년 7월 첫 번째 토요일에 '책의
밤Nuit des Livres'이라는 행사를 개최한다.

각 책마을은 자신의 지정학적 이점을 극대화한다. 예를 들어 카르
카손으로부터 18km 떨어진 몽톨리외 책마을은 지중해와 대서양이
만나는 중간, 다시 말해 프랑스 동쪽과 서쪽이 만나는 중간지점에 자
리하고 있기에 두 문화의 접점이라는 공감대를
이끌어낼 수 있다. 또 각 마을의 특징을 강조하
기 위해 만화, 글쓰기, 그래픽 같은 고유한 장점
을 부각하기도 한다. 차별화 전략이다.

8년 전부터 8개 책마을은 파리의 그랑팔레에
서 열리는 국제고서전시회Salon International du Livre
Ancien et de la Bibliophilie에서 자신들을 소개하는 기

국제고서전시회

회를 가지고 있다. 책마을을 운영하는 책임자들은 이 전시회를 이용해 진행 중인 프로젝트를 알리고, 네트워크 정보를 공유하며, 그동안 축적한 노하우를 교환한다.

어떻게 마을의 유지가 가능할까? 책의 의미가 퇴색하는 시대에 프랑스인들은 책에 대한 애정을 여전히 고수하고 있다. 나는 여러 기회에 우리 출판시장이 지지부진한 이유에 대한 답을 학생들과의 대화를 통해 얻을 수 있었다. 음악을 어떤 방식으로 즐기냐는 나의 질문에 학생들은 한결같이 "다운로드요"라고 대답했다. LP나 CD에서 느껴지는 아우라를 모르는 대신 기술의 발달이 가져다주는 편리함을 그들은 더 선호하고 있었다. 미미하기는 하지만 책도 마찬가지여서, 점점 전자책 소비가 늘어나고 있단다. 낡은 시집이나 소설집의 표지만으로도 한 시기나 시대를 추억할 수 있는 그 가슴 뛰는 경험을 그들은 모를 테니 더없이 애석한 일이다.

이상한 나라 프랑스, '폴리folies'의 나라 프랑스

프랑스에서 구입한 책 중에 《이상한 프랑스La France insolite》라는 책이 있다. 프랑스에서 일상적으로 접하는 풍경과 너무나 다른 이색적인 장소, 건물, 박물관 등을 다룬 아주 재미있는 내용이었다. 그중에는 '로테뇌프 조각 바위'나 '슈발 우체부의 이상적인 궁전'처럼 다른 지면에서도 단골처럼 등장하는 장소도 있었고, 중복되지 않는 낯선 공간도 있었다. 상상력을 채우기 위해 충분히 방문해볼 만한 가치가 있는 이런 장소들은 다른 정기간행물이나 인터넷 사이트에도 때때로 모습을 드러내곤 했다. 경우에 따라 이런 공간은 '폴리'와 관련을 맺고 있었다.

폴리는 '광기'를 뜻하는 단어인데 건축에서는 18세기에 유행한 별장을 지칭한다. 고대로부터 영감을 얻은 이탈리아풍 혹은 중국풍의 작은 설치물들로 정원을 채웠는데, 그럴듯하게 흉내 낸 유적, 사랑의 신전, 님프 동굴이나 자갈 동굴, 빙하, 피라미드, 타타르족 막사 등이 그런 것이었다. 시간이 지나서 폴리는 상상력이 충만한 특이한 건물들을 지칭하게 되었다. 괴짜 취향은 19세기에도 부르주아 계층에서 유행했다. 반면 가난한 주변부 사람들은 접시 조각, 지방에서 나는 돌,

그림, 석고 혹은 콘크리트 등의 단순한 재료를 이용해 자신만의 독특한 상상의 세계를 만들어냈다. '삶을 아름답게 꾸미려 한' 우체부 조제프-페르디낭 슈발Joseph-Ferdinand Cheval, 묘지 청소부 레이몽 이지도르Raymond Isidore, 아돌프 푸레Adolphe Fouré 사제에게는 재료가 전혀 문제되지 않았다.

20세기에도 동일한 정신을 이어받아 화가 장 뒤뷔페Jean Dubuffet나 건축가 알랭 부르보네Alain Bourbonnais가 상궤에서 벗어난 아웃사이더 아트를 구현했는데, 그중 일부는 사라져버렸다. 셰르Cher 데파르트망에 위치한 리나르 대성당Cathédrale de Linard 같은 상상력의 보물들은 보존되어야 마땅하다. 상상력 충만한 특이한 장소들을 구체적으로 살펴보자.

1. 샹틀루 탑Pagode de Chanteloup

샹틀루 탑ⓒchine.in

1760년. 루이 15세Louis XV 치하의 국무위원이었던 슈아죌Choiseul 백작은 투르Tours 근처 앵드르에루아르Indre-et-Loire에 짓는 자신의 새 샹틀루 성Château de Chanteloup을 위해 거리낌 없이 사치를 부렸다. 그 때문에 샹틀루는 베르사유 왕실의 분노를 산다. 왕의 총애를 잃고 유배를 떠난 슈아죌은 자신의 마지막 친구들에게 헌정할 탑을 성안에 세워달라고 1775년에 르 카뮈Le Camus에게 주문한다. 얼마 후 슈아죌의 미망인은 영지를 팔아버렸고 대혁명이 이곳을 휩쓸고 지나가지만, 탑은 재앙으로부터 기적적으로 살아남았다. 20세기에 이루어진 복원은 건축가 르네 에두아르 앙드레René Édouard André가 맡았다. 건축과 관련해서 7이라는 숫자가 도처에서 등장한다. 7층 탑이고, 숲으로 난 길도 7개이며, 기둥의 숫자 16도 1+6을 의미한다. 입구의 계단도 7개다.

2. 레츠 오지Désert de Retz

레츠 오지

이블린 마를리Marly 숲 가장자리에 커다란 창을 가진 탑 하나가 부분적으로 복구된 공원 쪽을 내려다보고 있다. 뒤 바리Du Barry의 연인이자 식물학과 원예에 미쳤던 프랑수아 드 몽빌François-Nicolas-Henri Racine de Monville이 지내던 곳이다. 그의 광기로부터 오늘날 무엇이 남아 있을까? 이 부유한 미학자는 1774년에 영국식·중국식 정원을 만들 수 있는 전원 지역, 즉 '오지désert'를 찾고 있었다. 르 루주Le Rouge의 도안에 따라 그는 40헥타르 면적에 희귀하고 이국적인 나무들을 심고 20여 채의 건물을 세울 공간을 구상한다. 세상을 향해 열린 이런 모습은 18세기가 중시하던 주제였다. 바벨탑을 상징하는 '무너진' 기둥 주위로 중국풍 집, 목축(목양)의 신 판Pan의 신전, 타타르족 막사, 빙하가 만들어지며, 숲에는 마리 앙투아네트, 미국 건국의 아버지 벤자민 프랭클린Benjamin Franklin과 토마스 제퍼슨Thomas Jefferson의 동상을 세웠다. 소설가 시도니-가브리엘 콜레트Sidonie-Gabrielle Colette와 초현실주의자들은 1936년부터 방치되기 시작한 이 장소로부터 많은 영감을 얻는다. 1941년에 이곳이 역사유적으로 지정되지만, 복원사업은 1970년대에 시작되었다.

3. 마스고의 장식인형들Marmots de Masgot

마스고의 장식인형들 ©routard.com

크뢰즈Creuse 데파르트망의 중심 프랑세슈Fransèches 인근에 자리 잡은 신기한 촌락이 마스고Masgot다. 마을 주민들은 화강암으로 만든 환상 속 인물이나 동물들이다. 여우, 독수리, 개, 오소리, 키메라 혹은 정치인을 비롯한 형상들이 채소밭, 벽, 집의 외벽을 장식하고 있다. 농부이자 석공이었던 프랑수아 미쇼François Michaud는 자기 마을을 투박하고도 시적인 조각상들로 채우면서 거기에 '마르모marmots(괴상한 모양의 장식인형)'라는 이름을 붙였다. 인근의 풍부한 화강암을 이용해 그의 풍부한 상상력은 우물을 신전으로, 여성을 세이렌으로, 농가를 군주의 집으로 변모시켰다. 지역신문과 수도 파리에서 일어나는 사건들에서 영감을 얻으면서 나폴레옹, 쥘 그레비Jules Grévy 대통령, 자유·평등·박애의 프랑스대혁명 정신을 의인화한 여성상 마리안 등이 그의 손에 의해 조각되었다. 화강암에는 라틴어로 다음과 같은 글귀도 새겨놓았다. "죽음 후에는 아무것도 없다. 죽음 그 자체도 아무것이 아니다."

4. 슈발 우체부의 이상적인 궁전Palais idéal du Facteur Cheval

슈발 우체부의 이상적인 궁전

납작한 모자, 콧수염, 외바퀴 손수레가 드롬Drôme 데파르트망 오트리브Hauterives의 우체부인 조제프-페르디낭 슈발, 줄여서 '우체부 슈발'이라 부르는 인물의 이미지이다. 오트리브에서 가난한 농부의 아들로 태어나 가난하게 죽은 그는 두 개의 작품을 33년 동안 만들었던 특이한 사람이다.

19세기 말에 우체부 슈발은 매일 아침 테르잔 루트route de Tersanne의 이 마을 저 마을을 방문하며 32km 거리를 걸었다. 그는 길 위에서 '고통의 충실한 반려fidèle compagne de peine'인 외바퀴 손수레를 끌며 이상한 형태의 돌들을 수집했다. 돌아올 때면 사암, 석영, 규석 등이 손수레에 가득 담겨 있었다. 1879년에 그는 딸 알리스Alice에 대한 사랑 때문에 '이상적인 궁전Palais idéal'이라고 명명될 조형물을, 그리고 나중에 자신이 묻힐 '끝없는 침묵과 휴식의 무덤Tombeau du silence et du repos sans fin'을 자신의 손으로 짓기 시작했다. 우체부 슈발은 1879년부터 1912년까지 이 작업에 달려들었다. 밤마다 돌과 시멘트를 섞으며 진짜 궁을 건립하기 시작한 것이다. 이국 정서, 기괴함과 엉뚱함이 뒤섞였다. 높이는 12m까지 올라갔다. 그의 집요함은 이 건물에 대한 조롱까지 모두 잠재워버렸다. 우체부 슈발은 자신의 손에 들어온 잡지와 우편엽서 이미지들, 성서, 힌두교, 이집트 신화로부터 영감을 얻은 후 이집트 유적, 힌두교 신전, 거인들, 미라, 이슬람사원, 스위스의 전통가옥 샬레, 알제리 가옥, 성채, 동굴과 동물들이 있는 자연의 신전을 건립했다.

1964년에 문화부장관이던 앙드레 말로는 문화부 소속 관료들의 반대에도 불구하고 이 공간이 문화유적으로 지정되는 것을 지지했다. 파블로 피카소Pablo Picasso, 막스 에른스트Max Ernst, 니키 드 생팔Niki de Saint Phalle 같은 여러 아티스트도 말로의 생각에 동의했다. 1969년에 말로는 페르디낭 슈발의 집을 문화유적으로 등재했으며, 그의 결정은 이 집을 평가절하하던 많은 이의 분노를 불러일으켰다. 2017년에 그의 이야기는 영화화되었다. 제목은 〈우체부 슈발의 놀라운 이야기

L'Incroyable histoire du facteur Cheval⟩.

5. 로테뇌프 조각 바위Rochers scultés de Rothéneuf

로테뇌프 조각 바위

일에빌렌Ille-et-Vilaine의 생말로 Saint-Malo에서 동북쪽으로 5km 떨어진 에므로드 해안Côte d'Émeraude에서 만날 수 있는 이 풍경은 신기루가 아니다. 1895년에 청력을 잃게 된 아돌프 푸레 신부는 로테뇌프에 칩거했다. 1910년 죽음을 맞이하기 직전까지 15년 동안 그는 이 절벽 위 500m² 면적의 화강암 바위 위에 300명 남짓한 인물을 조각했다. 조각들은 로테뇌프의 무시무시한 해적들뿐 아니라 동시대 인물들, 이 지방의 인물들을 담아내고 있었다. 16세기 프랑스의 항해가 자크 카르티에Jacques Cartier와 브르타뉴 지역의 성인들이 대상이었다. 또한 괴물, 석루조石漏槽, 동물, 영국과 트란스발공화국이 벌인 트란스발전쟁, 식민지 소식 같은 역사적 장면이나 일상 생활도 조각되었다. 바위뿐 아니라 나무로 만든 조각작품들이 로테뇌프 은자의 집에 쌓이자 사람들은 그 집에 '거대한 광기Haute Folie'라는 별명을 붙였다. 1907년에 말을 할 수 없게 된 푸레 신부는 조각을 중단한다. 시간이 흐르며 푸레의 창작물은 마모되어갔고, 목재 조각들은 사라져 암석 조각만 남아 있다. 시적이고도 아주 감동적인 장소다. 매년 4만 명이 이곳을 찾고 있지만 유적으로 지정되지 않았기에 보존이 시급한 곳이다. 바다와 비도 훼손에 일조하고 있다.

6. 피카시에트의 집Maison Picassiette

외르에루아르Eure-et-Loir 데파르
트망 샤르트르Chartres의 묘지 청
소부였던 레이몽 이지도르의 꿈은
'삶을 아름답게 만들기Embellir sa vie'
였다. 그 덕분에 샤르트르 언덕 위
대성당과 가까운 곳의 한 수수한
집이 접시 조각으로 만든 믿을 수
없는 상상의 세계를 감추게 된 것
이다. 1930년에 레이몽 이지도르는
직접 이 집을 지으며 아직 마르지

피카시에트의 집

않은 콘크리트 벽에 접시 조각을 붙였다. 그에게는 새로운 세계가 열
리는 순간이었다. 그 후 바닥, 벽, 지붕, 침대, 테이블, 의자, 화병, 재봉
틀, 가구 등 모든 것이 접시 조각으로 치장된다. 이웃 사람들은 조롱
조로 그를 '접시의 피카소Picasso de l'assiette'라는 뜻의 '피카시에트'라고
부르기 시작했다. 30년 동안 그는 수백만 개의 접시 조각을 모아 자
신의 상상력을 표현했다. 몽생미셸, 에펠탑, 신과 동물들, '정신의 무덤
Tombeau de l'Esprit'도 표현해냈다. 그의 집을 1981년 샤르트르시가 매입
한 후 1983년 유적으로 지정했다.

7. 로베르-타탱 미술관Musée Robert-Tatin

마옌Mayenne의 시골 깊숙이, 거대한 괴물들이 들어선 이상한 미술관
이 로베르-타탱Robert-Tatin과 그의 아내 리즈롱Liseron에 대해 이야기해
주고 있다. 목수였다가 다양한 예술교육을 받은 로베르는 파리에 자

로베르-타탱 미술관 ⓒleparisien.fr

신의 도예 아틀리에를 오픈하기 전에 자주 여행을 떠났다. 그가 주목한 곳은 라틴아메리카였다. 1962년 60세 나이에 그는 모든 문명의 교차로를 자처하는 '들판의 집Maison des Champs'을 구상하면서 코세르 비비엥Cossé-le-Vivien에 정착해 '명상의 정원Jardin des Méditations'에 이르는 '거인들의 길Allée des Géants'에 거대한 20개의 조각상을 세웠다. 그중에는 로댕, 피카소, 고갱Paul Gauguin 등을 모델로 삼은 작품도 있다. '존재Être'와 '소유Avoir'라는 두 개의 토템, 높이 4m에 달하는 용을 지나 미술관으로 들어가는데, 토템 부조는 동양과 서양을 의미한다. 용의 거대한 입은 태양의 문으로 들어가는 통로로 이용된다. '노트르담투르몽드Notre-Dame-Tout-le-Monde'라 명명된 높이 6.5m 조각이 들어선 십자가 형태의 중앙 수조를 돌아 계단을 올라가면 하늘과 만난다. 회랑에는 자기, 유화, 데생, 수채화 등 로베르-타탱의 다른 작품들이 전시되어 있다.

Littérature

Les œuvres écrites, dans la mesure où elles portent la marque de préoccupations esthétiques ; connaissances, activités qui s'y rapportent.

ROMAIN GARY

Vie et mort
d'Émile Ajar

nrf

GALLIMARD

Littérature

프랑스 문학상과 문화권력의 함수관계

매년 가을 청명한 날씨를 이용해 우리 문화계가 일반인들에게 독서의 의미를 부각하려 노력한다면, 프랑스인들에게 가을은 무엇보다도 문학과 문학상의 계절이다. 우리의 경우 디지털 매체의 보급으로 인한 인쇄 매체, 특히 문학의 죽음에 대한 논의가 많은 신문과 잡지 지면을 채우고 있지만, 프랑스 문학은 변함없이 건강해 보인다. 매년 9월에 학기 시작과 함께 집중적으로 신간 소설이 쏟아진다. 2020년의 경우 총 511권의 소설이 선보였는데, 비록 2019년의 529권에 비해 약간 줄어들었을지라도 적지 않은 양이다. 신작이 많다는 것은 여전히 문학작품에 대한 수요가 있다는 뜻이고, 문학에 뜻을 두는 사람이 여전히 차고 넘친다는 사실을 입증한다. 영상 분야에 무한한 상상력을 제공하는 문학의 역할에 대해 프랑스에서는 사회적 합의가 이루어져 있다. 실제로 오늘날 제작되고 있는 많은 영화가 소설을 기반으로 삼았고, 그렇기에 문학과 영상은 긴밀한 협조하에 공생을 도모하고 있다.

자국 언어에 대해 누구보다 애정이 큰 프랑스인들이기에 언어의 결정체인 문학은 프랑스에서 각별한 관심을 받을 수밖에 없다. 2차대전 당시 프랑스를 점령한 독일 대사가 집중적으로 관리해야 할 대상 중 하나로 1909년 소설가 앙드레 지드가 창간한 문예지《라 누벨 르뷔 프랑세즈》를 거론했다는 사실은 잘 알려져 있다. 적어도 20세기 전반부까지 문학이 프랑스 사회에서 차지하는 영향력은 거의 절대적이었다. 문예지의 의미가 오늘날 많이 퇴색하기는 했지만, 여전히 각종 문예지는 비슷한 형태를 찾기 힘들 정도로 서로 완연히 다른 성향을 자랑하며 출간되고 있다.

《라 누벨 르뷔 프랑세즈》

뛰어난 문학작품에 대해서는 10월부터 시상되는 여러 문학상을 통해 집중적으로 보상이 이루어지는데, 프랑스 문학상의 역사는 100년 전까지 거슬러 올라간다. 에드몽 드 공쿠르Edmond de Goncourt의 유언에 따라 제정된 공쿠르상이 그 시초다. 이 상을 받으면 40만 부 정도의 판매가 보장되기에 많은 작가가 평생 글만 쓸 수 있는 재원을 마련하기 위해서라도 공쿠르상을 소망한

에드몽 드 공쿠르

다. 영화로도 만들어진 바 있는 마르그리트 뒤라스의《연인》은 공쿠르상 수상 이후 100만 부 이상의 판매부수를 기록하기도 했다. 공쿠르상 외에도 1925년 제정된 르노도상Prix Renaudot, 1904년 제정된 후 여성 문제를 다룬 작품들에 수여되는 페미나상Prix Femina, 1958년 만들어진 후 새로운 기법을 추구하는 작가들에게 수여되는 메디치상Prix Médicis, 앙테랄리에상Prix Interallié 등 대표적인 문학상과 엘르 독자상Prix des lectrices Elle, 아카데미 프랑세즈상Prix de l'Académie Française 등 다채로운 문학상이 존재한다. 한국에도 적지 않은 문학상이 있지만 프랑스

프랑스의 대표적인 문학상 로고들

의 문학상 숫자는 세계에서 가장 많은 2,000개 내외다. 그리고 3만 명 정도로 추산되는 문인이 이러한 상들을 겨냥하고 있다.

프랑스 문학상에는 '문학권력' 혹은 '문화권력'이라는 수식어가 항상 따라다닌다. 공쿠르상의 경우 '갈리그라쇠이유Galligrasseuil'라는 표현으로 그 권력이 상징된다. 이 단어는 대부분 공쿠르상을 독식하는 갈리마르, 그라세Grasset, 쇠이유 출판사를 동시에 지칭하는 표현이다.

'공쿠르상을 조종하는 문학권력이 존재하느냐?'에 대해 논쟁이 끝없이 벌어지는데, 출판사가 심사위원 및 언론을 대상으로 벌이는 로비가 존재하지 않는다고 말하기는 어렵다. 작가와 비평가가 지향하는 이데올로기, 글쓰기 경향, 출신학교, 인맥 등에 의해 문단의 현실이 복잡하게 뒤얽혀 있기 때문이다. 이러한 제도권 문학권력에 대항해 시도되는 여러 행사도 언론의 집중 조명을 받고 있는데, 그중 가장 신선한 것이 바로 '고등학생 공쿠르문학상'이다. 공쿠르상을 본떠 1988년 렌Rennes의 프낙 서점에서 한 문학 교사가 주도하여 만든 이 상은 고등학교 2학년과 3학년 재학생으로 구성된 심사위원들이 매년 '올해의 소설' 수상자를 선정하는 독특한 행사다. 행사를 후원하는 교육부는 매년 문학, 과학, 기술을 전공하는 약 400명으로 구성된 13개 학급을 먼저 선정하고, 이들이 9월 중에 공쿠르상 공식 후보작 중 8편을 고른다. 그러면 각 학급은 모든 작품을 읽고 서로 의견을 교환한 후 3개 작품을 최종적으로 선정한다. 그리고 각 학급이 선정한 대표 겸 심

고등학생 공쿠르상

사위원들이 11월 12일 렌에 모여 공쿠르상 수상작이
발표되기 수십 분 전 '고등학생 공쿠르상' 수상작을 발
표하고 작품을 설명, 옹호한다. 로비와 인맥 등으로 얼
룩진 프랑스 최고 권위 문학상들의 메커니즘에 공식적
으로 도전하는 이러한 시도는 프랑스 문화계에 큰 반
향을 불러일으키고 있다.

프랑스의 주요 신문들

   프랑스의 문학권력을 거론할 때면 저널리즘 비평의
무게도 소홀히 다룰 수 없다. 가장 주목할 만한 것은
《르 몽드》《르 피가로》《리베라시옹》의 서평들로, 글의
성격은 각 신문의 성향에 따라 완연히 달라진다. 예를 들어 우파 신문
《르 피가로》가 여행, 식도락과 관련된 문학 특집호를 간간이 꾸미는
반면, 좌파 신문《리베라시옹》에서는 그런 부류의 기사를 찾아보기 힘
들다. 역사 문제와 작가의 사회참여에 훨씬 비중을 두는《리베라시옹》

《리베라시옹》로고

아트 슈피겔만의 만화 《쥐》

은 미국 만화가 아트 슈피겔만Art Spiegelman이 그린 《쥐Maus》가 출간되었을 때 책에 대해 거의 2페이지에 걸쳐 다뤘다. 퓰리처상을 받은 이 만화책이 유대인 학살 문제를 다루었기 때문이다. 또 《르 피가로》가 영국 보수주의자 에드먼드 버크Edmund Burke나 2차대전 당시 독일에 협력한 작가 드리외 라 로셸에 대해 관대한 반면, 좌파 신문들에서는 이런 작가들에 대한 언급을 거의 찾아볼 수 없다. 젊은 층을 겨냥한 《리베라시옹》은 사르트르 같은 작가를 위해서 지면을 10페이지씩이나 할애하는 파격을 보이기도 한다.

하지만 오늘날 프랑스에서 진지하게 제기되는 질문은 문학의 의미 쇠퇴나 변질에 대한 것보다, 문학이 과연 권력을 가지고 있는가 하는 근원적 물음이다. 1968년 5월혁명 이후 도래한 기성 가치의 전복은 문학에도 혁명을 가져왔다. 포스트모더니즘 혹은 누보 로망Nouveau Roman(신소설)이라는 이름으로 표출된 새로운 문학의 모습은 이성, 합리성이라는 서구의 중심 가치를 뿌리째 부정하고 중심과 주변의 경계를 무너뜨리면서 기존 프랑스 문학의 모습을 완전히 뒤바꾸어놓았다. 환언하자면 보편성, 박애, 인권이라는 가치를 내세우면서 세계에 대해 일갈하던 프랑스 문학은 기존의 역할을 내려놓는 대신 주변인, 외국인, 제국주의를 체험한 국가들, 혹은 소외된 자들의 목소리로 말하기 시작한 것이다. 최근 집중적으로 문학상을 수상하는 작가들 중에는 예전에 프랑스가 식민지로 거느렸고 지금도 해외 프랑스령으로 관리하고 있는 지역 출신들이 많다. 어떤 의미에서는 프랑스의 자신감 상실과도 관련되는 이러한 모습은 제3세계 문학에 대해서 훨씬 관심과 주의를 기울이게 한다. 단적인 예로 2004년 9월 프랑스 신문들은 황석영의 《손님》을 가장 주목할 신간 중 하나로 격찬한 바 있다.

황석영의 《손님》 프랑스어판

프랑스 문학계에서 대가들이 거의 사라졌다는 사실에 대해서는 프랑스 사람들이 대부분 동의한다. 오직 미셸 투르니에Michel Tournier 정도가 대가들의 시대에 대한 향수를 느끼게 했으나 그마저 2016년 작고했다. 그렇지만 문학을 통해 세계를 알려는 진지한 노력이 지속되는 한 프랑스 문학권력은 앞으로도 상당 기간 유지될 것이다. 문학상이 문학에 대한 경의의 표시이기는 하다. 그러나 그 이전에, 문학이 건강하다는 것은 사회를 드러내는 한 예술 방식으로서 여전히 존재 이유를 확보하고 있다는 의미다. 문학이 세계 이해의 지름길이라 한다면 새로운 프랑스 소설들의 약진에 대해 우리가 생각해볼 여지가 있지 않을까? 우리 사회에서도 공쿠르상 수상작이 수만 권씩 팔린 시절이 있었는데 말이다.

문학을 명품으로 만든 플레이아드 총서

프랑스에서 가장 고급스러운 문학 도서. 동서양을 막론한 고전과 현대 명저들의 가장 완벽한 버전. 문학에 관심이 많은 가정이 장서용으로 구비하는 책. 프랑스 굴지의 갈리마르 출판사가 발간하는 프랑스 출판의 주요 컬렉션. 플레이아드 총서Bibliothèque de la Pléiade를 지칭하는 다양한 표현이다. 오늘날 이 총서는 프랑스 문학뿐만 아니라 세계문학의 주요 작품들을 간행하고 있다. 가죽 커버, 황금빛 장식, 성경 인쇄용지를 사용해 작은 부피에도 불구하고 아주 많은 페이지를 담고 있는 것이 형태의 특징이다.

권위, 편집 퀄리티, 작가들에 대한 문학적인 예우 차원에서 프랑스 최고로 인정받고 있는 이 컬렉션은 작가에게는 대단한 영광을 의미한다. 그래서 작가 생전에 작품이 이 컬렉션으로 출간되는 경우는 별로 없다. 1939년에 앙드레 지드의 작품이 최초로 작가 생전에 플레이아드 총서에 포함된 이후 2020년까지 그 영예를 누린 작가는 19명에 지나지 않는다. 지드 이후 연대순으로 나열하면 다음과 같다. 앙드레 말로(1947년), 폴 클로델Paul Claudel(1948년), 앙리 드 몽테를랑Henry de

Montherlant(1959년)과 로제 마르탱 뒤 가르Roger Martin du Gard(1955년), 쥘리 앙 그린Julien Green(1972)과 생-종 페르스Saint-John Perse(1972년), 마르그리트 유르스나르(1982년), 르네 샤르René Char(1983년), 쥘리앙 그라크Julien Gracq(1989년), 외젠 이오네스코(1991년), 나탈리 사로트Nathalie Sarraute(1996년), 클로드 레비-스트로스(2008년), 밀란 쿤데라Milan Kundera(2011년), 필립 자코테Philippe Jaccottet(2014년), 장 도르메송[1]Jean d'Ormesson(2015년), 마리오 바르가스 요사Mario Vargas Llosa(2016년), 필립 로스Philip Roth(2017년), 안토니오 로보 안투네스António Lobo Antunes(2020년). 그 밖에 보르헤스Jorge Luis Borges, 셀린, 지오노Jean Giono, 사르트르, 클로드 시몽Claude Simon, 미셸 투르니에는 사망하기 전에 총서 출간을 준비하던 작가들이다. 앙리 미쇼Henri Michaux는 생전에 출간 제안을 거절해 그가 숨진 후 10년이 더 지나서야 총서가 만들어졌다.

플레이아드의 역사는 거의 100년 전으로 거슬러 올라간다, 1923년 1월 러시아 바쿠 출신의 출판인 자크 쉬프랭Jacques Schiffrin이 출판사 J. 쉬프랭 사J. Schiffrin & Cie를 열었다. 1931년에 자크 쉬프랭은 아주 참신한 총서를 만들어내는데, 총서 이름으로 택한 '플레이아드'는 성좌, 16세기 프랑스 시인 그룹, 푸시킨Aleksandr Pushkin의 영향을 받던 러시아 고전작가 그룹을 동시에 연상시켰다. 이미 가르니에 고전총서Classiques Garnier가 택하고 있던 방식처럼 쉬프랭은 고전 및 현대 작가들의 전집을 독자들에게 제공하기를 원했고, 수명이 수백 년에 달하는 성경 용지에 인쇄해 보다 간편하고 튼튼한 책을 제작하고자 했다. 컬렉션의 특징이 문학의 신성화와 책의 환속이라는 이중의 특징을 띠게 된 것이다.

1931년 9월 10일 플레이아드 총서라는 이름으로 출간된 첫 책은 샤

자크 쉬프랭

Bibliothèque de la Pléiade

플레이아드 총서

를 보들레르Charles Baudelaire 작품집 1권이었다. 연이어 주로 19세기의 프랑스 및 외국 소설가와 시인들을 다룬 10여 권이 출간되었다. 대개 앙드레 지드, 앙드레 말로, 장 지오노 같은 당대의 저명한 문필가들의 저작이었다. 컬렉션은 곧 독자들에게 '문화적 기념비monument culturel'로 간주되며, 대성공을 거둔다. 《라 누벨 르뷔 프랑세즈》를 창간했던 앙드레 지드와 장 슐룅베르제Jean Schlumberger가 컬렉션에 관심을 가지게 되며, 이 컬렉션을 사들이라고 가스통 갈리마르Gaston Gallimard를 설득한다. 그에 따라 플레이아드 총서는 1933년 7월 31일 갈리마르 출판사 소유가 된다. 1940년 유대인의 지위에 대한 법률이 시행되면서 자크 쉬프랭은 갈리마르 출판사를 떠나 미국 뉴욕으로 피신하며, 장 폴랑Jean Paulhan이 그를 대신해 총서 발간을 지휘하게 된다.

1953년 앙투안 드 생텍쥐페리 전집의 발간이 대성공을 거두었고, 1960년대에는 외국문학으로 영역을 확대하는 동시에 종교 서적, 아

플레이아드 총서 ⓒinvaluable.com

시아 고전, 철학서 등으로 관심사를 넓혀나갔다. 이 총서는 1980년
대 초에 매년 45만 권이 판매될 정도로 인기를 끌었으나 그 후 30년
간 서서히 판매부수가 줄어들었다. 2000년대에 총서는 두 가지 혁신
을 꾀했다. 그중 하나는 대중적인 작가로 이름난 조르주 심농Georges
Simenon(2003년)과 보리스 비앙Boris Vian[2](2010년)을 총서에 포함시킨 것이
고, 다른 하나는 클로드 레비-스트로스(2008년)와 미셸 푸코(2015년) 책
을 출간하면서 사회과학에도 문호를 개방한 것이다.

　내용과 형태의 엄격함 때문에 오늘날 학계가 플레이아드 총서를 필
독서로 간주하며, 총서에는 '갈리마르 출판사의 꽃', '출판의 롤스로이
스' 같은 별명이 따라붙고 있다.

　플레이아드 총서는 1962년부터 매년 '플레이아드 앨범'도 출간하

고 있다. 한 작가나 시대(1989년 '프랑스 대혁명의 작가들', 1970년 '고전극'), 주제(2000년 'NRF'), 작품(2008년 '성배의 책', 2005년 '천일야화에 대한 도서') 등을 소재로 삼는다. 비매품으로 플레이아드 세 권을 구매하는 고객에게 증정하는 형식이다.

2019년 초를 기준으로 총서는 820권 이상이 출간되어 250명 이상의 작가를 모아놓고 있다. '플레이아드 총서'로 출간된 책이 787권, '플레이아드 앨범'으로 펴낸 책이 58권, '플레이아드 백과사전'으로 간행한 것이 54권이다. 그동안 가장 많이 팔린 책들을 순서대로 열거해보자. 앙투안 드 생텍쥐페리의 《전집》(1953년)이 34만 부, 마르셀 프루스트의 《잃어버린 시간을 찾아서》 제1권(1954년)이 25만 부, 알베르 카뮈의 《연극-이야기와 단편소설집》(1962년)이 21만 8,000부, 《잃어버린 시간을 찾아서》 제2권(1954년)이 20만 8,000부, 폴 베를렌Paul-Marie Verlaine의 《시전집》(1938년)이 20만 7,000부, 《잃어버린 시간을 찾아서》 제3권(1957년)이 19만 8,000부, 앙드레 말로의 《소설집》(1947년)이 16만 부, 기욤 아폴리네르Guillaume Apollinaire의 《시전집》(1956년)이 14만 3,000부, 블레즈 파스칼Blaise Pascal의 《전집》(1936년)이 13만 5,000부, 톨스토이의 《전쟁과 평화Voina i mir》(1945년)가 13만 4,000부 판매되었다.

총서가 프랑스인들로부터 한결같은 사랑을 받는 이유는 1931년 첫 책이 만들어진 후 견지하고 있는 원칙 때문일 것이다. 책의 크기는 11×17.5cm로 통일되어 있으며, 무게는 장당 평균 36g의 성경용 종이를 사용한다. 금을 세공한 장식은 23캐럿짜리를 쓴다. 인쇄는 노르망디 로토Normandie Roto와 오뱅Aubin을 비롯한 여러 인쇄소가 나누어 맡고, 가죽을 씌우는 제본은 1931년부터 라니쉬르마른Lagny-sur-Marne에 소재한 바부오Babouot 아틀리에가 전담하고 있다. 매년 35만 권을 제본한다.

총서로 출간되는 책이 적은 탓에 편집진의 선택은 때로 비판의 대상이 되기도 한다. 예를 들어 예술성과 함께 상업성까지 갖춘 듯한 조르주 심농, 보리스 비앙, 장 도르메송 같은 대중적인 작가의 선택, 전집보다는 선집을 선호하는 최근 추세가 그에 해당한다. 일부 작가들의 미완성 작품을 총서로 출간한 것도 공격을 받고 있다. 하지만 해당 작가에 대한 가장 완벽한 버전의 도서라는 차원에서 용서해줄 만하다. 책을 최고의 명품으로 만들 수 있다면 그 형태가 플레이아드니까 말이다.

프랑스 땅에 넘쳐나는 전설과 신화들

프랑스 땅은 우리가 막연히 생각하는 것보다 훨씬 많은 전설과 신화로 뒤덮여 있다. 그중에는 잘 알려진 푸른 수염 영주나 제보당의 야수 이야기도 있고, 상대적으로 낯선 전설도 있다. 환상적이고도 무시무시한 전설이나 신화에 관련된 지역을 직접 방문할 경우 흥미는 당연히 배가된다. 문학작품을 비롯해 여러 예술작품의 소재가 되기도 하니 자주 등장하는 전설들은 알아두는 것이 좋을 것이다. 선정기준이 특별히 없기는 하지만, 수 세기에 걸쳐 사람들 입에 가장 많이 오르내리는 전설들을 꼽아보려 한다.

1. 모르트메르 수도원의 여자 유령

모르트메르 수도원

모르트메르 수도원Abbaye de Mortemer에는 흰옷 입은 여인인 '담 블랑슈Dame Blanche'가 수 세기 전부터 등장한다고 알려져 있다. 노르망디 공작으로 잉글랜드 왕이 된 정복자 윌리엄William I^{er}의 손녀, 영국 헨리 1세Henry Ier

의 딸이자 훗날 사자왕 리처드Richard Iᵉʳ의 할머니가 되는 마틸다Mathilda
는 외국으로 떠나기를 싫어했지만 신성로마제국 황제 하인리히 5세
Heinrich V와 강제로 결혼해야 했다. 그래서 죽은 후에 어린 시절 머물
곤 하던 이 수도원을 찾아온다고 한다. 그녀의 존재에 대한 소문은 호
기심 많은 이들을 수도원으로 불러들였는데, 1990년대에 유령의 사진
을 찍었다는 사람들도 여럿 있다.

2. 카르낙의 선돌들

전설의 땅 브르타뉴 지방에는 무수한 이야기가 존재
한다. 카르낙Carnac에는 3,000개의 거대한 선돌이 일렬
로 늘어서 있다. 6,000년 전에 이 자리로 옮겨진 것으로
보이지만 기원을 아는 사람은 아무도 없다. 장례 의식,
천체 관찰, 신전과 관련된 다양한 설이 존재한다.

카르낙의 선돌들

3. 푸른 수염 영주

이번에도 브르타뉴. 질 드 레Gilles de Rais 영주는 15세
기에 생장드몽Saint-Jean-de-Monts 근처의 티포주 성Château
de Tiffauges에 살던 수수께끼 같은 인물이었다. 연금술을
신봉하고 악마에게 기도하던 이 부유하고도 신비로운
인물은 140명 이상의 아이들을 살해한 죄목으로 1440
년에 처형되었다. 그에 관한 이야기는 나중에 샤를 페
로Charles Perrault의 동화에 뒤섞였다.

샤를 페로의 〈푸른 수염 영주〉

4. 늙지 않는 생제르맹 백작

늙지 않는 생제르맹 백작

루이 15세로부터 총애받던 생제르맹Saint-Germain 백작 이야기도 프랑스에서 가장 유명한 전설 중 하나다. 여러 언어를 구사하고 여행을 아주 좋아했던 그의 재산이 대체 어디서 났는지 아는 사람은 아무도 없었다. 화장품과 보석을 제조하는 이 화학자의 활동에 대한 소문만큼이나 그의 나이에 대한 소문도 무성했다. 그 자신도 자기 나이를 알지 못한다고 이야기할 정도였다. 50년의 시차를 두고 백작을 만나본 사람들은 시간이 그의 모습에 전혀 흔적을 남기지 않았다고 증언했다. 그가 불멸의 존재라는 이야기다.

5. 제보당의 야수

제보당의 야수

프랑스 민속사를 통틀어 가장 유명한 이야기다. 로제르Lozère 지방에서 100명 이상의 희생자를 낸 잔인한 괴물은 1764년부터 1767년까지 이 지방 사람들과 유럽 전체를 공포에 떨게 했다. 희생자는 주로 여자와 아이들이었다. 사람들의 상상력과 공포는 제보당의 야수를 서로 다른 모습으로 만들어냈다. 늑대, 피에 굶주린 야생의 괴물, 이동 동물원에서 도망친 하이에나, 동물 가죽을 뒤집어쓴 연쇄살인범, 신의 손과 악마의 무기를 가진 존재 등 설은 구구하다. 일부 의문은 오늘날까지도 아직 밝혀지지 않았다. 문학예술이 가장 많이 다루는 전설 중 하나이기도 하다.

6. 데느제수두에 동굴

멘에루아르Maine-et-Loire 데파르트망의 소뮈르Saumur
로부터 수십km 떨어진 곳에 자리한 데느제수두에
Dénezé-sous-Doué 동굴에는 16세기 말 혹은 17세기 초에
돌에 직접 새긴 400점 이상의 조각상이 들어서 있다.
우물 주위로 배치된 이 조각상들의 기원, 의미, 작가를
아는 사람은 존재하지 않는다. 석공? 체제에 반대하던
예술가? 치유자? 밝혀진 것이 전혀 없다.

데느제수두에 동굴

7. 카루주 성

오른Orne 데파르트망의 중심에 위치한 사치스러운
건물인 카루주 성Château de Carrouges에는 마법에 얽힌 전
설이 존재한다. 이 성의 영주 랄프Ralph 백작은 아름답
고도 초자연적인 힘을 가진 요정이 강제로 자신의 아
내를 품에 껴안고 있는 모습을 목격한다. 백작 부인은
요정을 칼로 찌르는데 성공하지만 요정은 죽어가면서

카루주 성 ©euromayenne.org

복수를 하겠다며 카루주 가문에 저주를 퍼붓는다. 다음 날 백작은 목
숨을 잃은 채 발견되고, 백작 부인의 이마에는 붉은 반점이 생긴다. 그
후 일곱 세대에 걸쳐 이마에 반점이 나타나는 저주가 내렸다고 한다.

8. 아레산 이야기

브르타뉴 지방 피니스테르Finistère 데파르트망에 소재한 아레산Monts
d'Arrée은 야생의 풍경 한가운데 솟아 있다. 산들이 이룬 원곡의 바닥에
는 '엘레즈강의 늪Yeun Elez'이 위치해 있다. 안개가 낄 때면 이곳은 불

몽생미셸 예배당

안한 마법의 장소로 변신한다. 이탄으로 뒤덮인 검은색 물은 죽음의 화신이자 죽음의 열정적인 종인 안쿠Ankou 로 여겨지며, 이 물에 빠지면 곧 지옥으로 들어가게 된다고 한다. 안쿠는 이 지역의 많은 납골당에서도 모습을 드러낸다. 한편 인근의 브라스파르Brasparts에 소재한 몽생미셸 예배당은 늪에서 방황하는 망자들 영혼의 수호자를 자처하고 있다.

9. 두아이의 거인

두아이의 거인 재현 행렬 ⓒFranceinfo

500년 전부터 프랑스 북부 노르Nord 지방에서는 매년 7월 초에 열리는 축제 때 두아이의 상징인 가이양 Gayant('거인'을 지칭하는 지방 언어)과 그의 아내 마리 카주농 Marie Cagenon 그리고 그의 세 아들인 자코Jacquot, 필롱 Fillon, 뱅뱅Binbin이 3일 동안 도시를 돈다. 두아이Douai 사람들이 '버드나무 배Vint d'Osier'라고 부르는 행사다. 전설에 따르면 9세기에 제한 줄롱Jehan Gelon이라는 키가 크고 헤라클레스의 힘을 가진 장사가 세 아들을 데리고 노르만족이 포위한 도시를 기적적으로 구해냈다고 한다. 도시를 순회하는 거인들은 이러한 영웅적 행위를 기리는 의식을 대표한다. 오늘날 이 지방의 모든 도시가 자신들의 거인을 보유하고 있지만 그 중에서 가이양이 가장 많이 알려져 있다.

10. 장 드 루르스

피레네Pyrénées 지방에서 가장 유명한 전설 중 하나다. 옛날 옛적에

어여쁜 한 소녀가 곰에 의해서 납치된다. 곰은 그녀를
굴속에 가둔 후 입구를 큰 돌로 막아버렸다. 소녀는 곰
의 아내가 되고, 1년 후에 멋진 사내아이가 태어난다.
사지는 아빠처럼 털로 뒤덮여 있었으나 얼굴은 엄마를
닮아 호감형 인간의 얼굴이었다. 아이 이름은 '곰의 아
들 장'이라는 뜻의 장 드 루르스Jean de l'Ours. 잘 먹고 자
란 덕분에 그는 아주 힘이 세졌고, 마침내 어머니와 자
기를 가둔 돌을 밀어내고 인간 세상을 만나러 가게 된

프랑스 만화가 장-클로드 페르튀제
Jean-Claude Pertuzé의 만화 〈장 드 루르스〉

다. 곰에 의한 여성 납치는 피레네 지방의 동화들에 자주 등장하는 테
마다.

11. 지조르 템플기사단의 보물

노르망디Normandie 지방 외르Eure 데파르트망에 소재
한 11세기 성채의 지하실에는 템플기사단, 십자군, 성
배에 관련된 보물이 있다고 전해진다. 프랑스 국왕에
게 배신당한 템플기사들이 1307년에 지조르 성Château
de Gisors 지하에 유폐되었는데, 그곳에 기사단의 보물을

숨겼다는 것이다. 2차대전이 끝난 후 성을 지키던 관리인은 지하 예배
당에서 19개의 석관과 철로 만든 상자 30개를 찾아냈다고 주장했다.
결과는 아무도 모른다.

12. 몽세귀르 성의 비밀

아리에주Ariège 데파르트망 해발 1,207m에 위치한 몽세귀르 성
Château de Montségur은 역사적으로 이름난 곳이다. 13세기에 이곳에는 카

몽세귀르 성

타리파 교회가 들어서 있었다. 가톨릭교회는 카타리파의 교의가 이단이라고 규정하고 탄압했는데, 220명의 남녀가 신앙을 버리지 않고 장작불 위에 올랐다. 특히 이곳에는 카타리파의 보물이 숨겨져 있었다고 전해진다. 또 매년 하짓날이면 태양빛이 성을 관통한 후 큰 탑의 채광창 네 개를 정확하게 통과한다고 한다. 카타리파 사람들이 태양을 숭배하는 의식을 치렀음을 짐작하게 해준다.

13. 렌르샤토Rennes-le-Château의 비밀
430쪽 〈보물이 숨어 있는 마을 렌르샤토〉 참조

14. 브로셀리앙드 숲
193쪽 〈켈트 문화의 정체성〉 참조

이 전설과 신화들은 프랑스를 채우고 있는 방대한 스토리텔링의 극히 일부에 불과하다. 오늘날 문화콘텐츠로 옮겨지는 경우도 많기에 이런 이야기들을 알아두면 문화를 이해하는 데 도움이 된다. 재미있지 않은지? 나에게는 프랑스 여행을 풍요롭게 만들어주는 가장 흥미로운 이야기들이다.

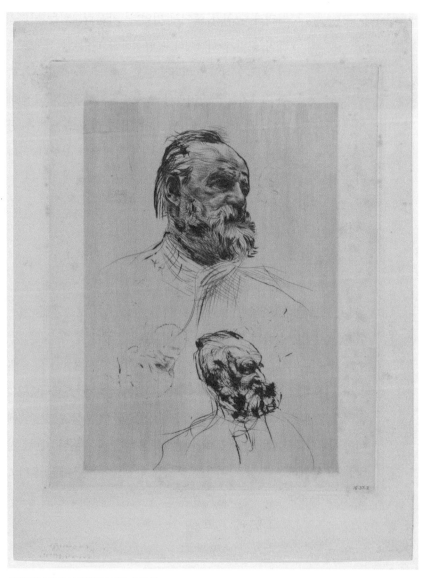

오귀스트 로댕이 그린 빅토르 위고 초상 ©metmuseum.org

빅토르 위고Victor Hugo와 《레 미제라블Les Misérables》

프랑스인들로부터 빅토르 위고보다 더 사랑받는 작가가 있을까? 세대를 막론하고 프랑스인 모두가 좋아하는 작가가 빅토르 위고다. 위고가 작품 속에서 다룬 주제의 보편성 때문이기도 하고, 19년에 걸친 망명 생활 등 그의 삶이 보여준 파란만장한 역경 때문이기도 하다. 1885년 5월 위고의 장례식 날 연도에 늘어선 군중이 200만 명에 달했다는 사실은 그가 생전에 대단한 존경의 대상이었음을 단적으로 드러낸다. 한국을 떠나기 전까지 난 위고가 그 정도로 애정의 대상인 줄은 미처 몰랐다. 젊은 시절에는 이런저런 작가의 현란한 문장에 현혹되기도 했지만, 어느 정도 삶의 경험이 축적된 다음부터 나 역시 빅토르 위고에게 빠져들었다.

빅토르 위고가 작품 속에서 조명한 인물은 한결같이 사회적 약자였다. 《노트르담 드 파리Notre-Dame de Paris》의 주인공 에스메랄다는 안달루시아 출신으로 파리의 안전을 위협하는 집시다. 《레 미제라블Les Misérables》은 문자 그대로 '불쌍한 사람들'의 이야기다. 민중예술을 강조한 위고는 "예술은 민중을 위해 만들어지고 모든 것이 신으로부터

와서 민중에게로 가는 것"이기 때문에 "예술과 연극은 민중적이어야 한다."고 주장했다. 그렇기에 위고의 작품에는 가난한 노동자들에 대한 절절한 사랑이 묻어 있다. 뮤지컬 〈레 미제라블〉 속 '민중의 노래' 가사에 감동받지 않는 사람은 아마 없을 것이다.

민중의 노래

너는 듣고 있는가, 분노한 민중의 노래
다시는 노예처럼 살 수 없다 외치는 소리
심장 박동 요동쳐, 북소리 되어 울릴 때
내일이 열려 밝은 아침이 오리라

모두 함께 싸우자 누가 나와 함께하나
저 너머 장벽 지나서 오래 누릴 세상
자 우리가 싸우자 자유가 기다린다

……너의 생명 바쳐서 깃발 세워 전진하라
살아도 죽어서도 앞을 향해 전진하라
저 순교의 피로써 조국을 물들이라

위고가 얼마나 사랑받는 존재인지는 예술의 다양한 매체를 통해 그의 작품들이 끊임없이 리메이크된다는 데서 확인할 수 있다. 1996년에 디즈니 스튜디오가 제작한 애니메이션 〈노트르담의 꼽추The Hunchback of Notre Dame〉 원작인 《노트르담 드 파리》를 빠뜨릴 수 없지만, 위고 작품의

장 가뱅 주연 영화 〈레 미제라블〉 포스터

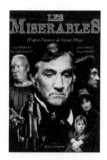

리노 벤추라 주연

제라르 드파르디외 주연

장-폴 벨몽도 주연

최고봉은 단연《레 미제라블》일 것이다. 위고의 작품을 바탕으로 지금까지 제작된 100여 편의 영화 중 무려 40여 편이《레 미제라블》을 각색한 것이다. 작품의 보편적 성격을 잘 알게 해주는 통계다. 미국, 영국, 이탈리아, 인도, 일본, 이집트 등 제작 국가도 다양하다. 프랑스에서만도 장 가뱅Jean Gabin, 리노 벤추라Lino Ventura, 제라르 드 파르디외 등 기라성 같은 배우들이 장발장 역을 맡았다. 1980년에 알랭 부블릴Alain Boublil과 클로 드-미셸 쇤베르크Claude-Michel Schönberg가 각색했 다가 1985년부터 영어 버전으로 런던 무대에 올 린 뮤지컬 〈레 미제라블〉이 거둔 성공을 보라. 여 전히 상연되고 있는 이 뮤지컬은 40개국에서 공 연을 가졌고, 21개 언어로 번역되었으며, 전 세계 5,500만 이상의 관객을 동원한 대작이다. 위고가 《레 미제라블》서문을 통해 드러낸 정치적이고도 사회적인 야망은 실로 대단했다. 그는 글을 읽 을 줄 아는 민중과 더불어 민주주의를 구축하고 자 했다. "지상에 무지와 불행이 존재하는 한 인 간 본성에 관한 책들은 결코 쓸모가 없지 않을 것이다."라고 위고는 썼다. 우리에게 알려진 아주 유명한 표현도 있지 않은가. "세상에는 나쁜 풀도 나쁜 사람도 없는 것이오, 다만 가꾸는 사람이 나쁠 뿐이오." 이 문장은 인간은 평등하며 사회가 차별을 낳을 뿐이라는 생각을 제공한다. 위고의 야망은 전 세계에서 자신의 책이 읽히면서 파급효과를 낳는 것이었다. 그러한 생각이 얼마나 잘 구현되었는지 살펴보면 놀랄 수밖에 없다. 위고의 작품들이 세계에 가장 잘 알려진 프랑스 소설이 되었기 때문이다.

오늘날 이렇게 많이 알려지고 이렇게 다양한 방식으로 작품화되는 '총체적' 소설《레 미제라블》을 쓰기 위해 위고가 어떤 노력을 기울였던 것일까? 그는 자신의 재능, 자신의 영혼을 작품 속에 집어넣었다. 《레 미제라블》에는 빅토르 위고의 모든 것이 들어 있다. 정치적 인물 위고, 극작가 위고, 시인 위고가 동시에 발견된다. 랭보는 이 작품이 한 편의 시라고 이야기했다.

무려 17년 동안 위고는 완전히 반대되는 두 시기에 걸쳐 작품을 썼다. 처음 집필에 달려든 시기는 그의 나이가 43세 되던 1845년이었다. 당시 제목은 '불행들Les Misères'이었다. 위고는 왕으로부터 대접을 받는 아카데미 프랑세즈 회원이자 도처에서 칭송받는 인물이었고, 보수당 소속으로 상원의원에 버금가는 직책인 귀족원 의원Pair de France으로 임명된 유명인사였다. 그러나 그가 간통 현행범으로 체포되며, 명성이 더 럽혀지자 왕은 그를 멀리한다. 마레Marais 지구에 위치한 사무실에 고립된 위고는 그때부터 발자크Honoré de Balzac의《인간 희극La Comédie humaine》에 대한 자신의 대답으로서 소설을 쓰기 시작했다. 내용은 도형장에서 풀려난 죄수 장발장의 운명이었다. 위고는 식음을 잊은 채 아침부터 밤까지 글쓰기에 매달렸다. 위고는 소설 속에 갇혔고, 수십 년에 걸쳐 자료를 축적했다. 오랫동안 사회문제에 관심을 갖고있던 그는 현실과 불행을 가장 정확하게 그려내기 위해서 감옥, 도형장, 공장을 찾았으며, 몽페

오노레 드 발자크의《인간 희극》

르메이유Montfermeil 같은 도시들을 방문하기도 했다.

　그러나 위고가 작품의 4분의 3을 끝냈을 때 1848년 혁명이 발발한다. 위고는 정치에 매진하기 위해 글쓰기를 중단했다. 하원의원에 선출된 그는 프롤레타리아, 매춘, 교육에 대해 의회에서 위대한 연설을 했다. 그런 생각들은 나중에 위고의 소설 속에 포함된다. 그러나 나폴레옹의 쿠데타 이후 위고는 추방되어 망명길에 올라야 했다. 그의 정부情婦였던 쥘리에트 드루에Juliette Drouet가 짐을 싸주었는데, 그 속에는 《불행들》 필사본이 들어 있었다. 그러나 위고는 8년 동안 원고에 손을 대지 않는다. 문학에서 아주 드문 일이기는 하지만, 작가의 입장이 변했기 때문이다. 이데올로기적으로 그는 자신이 이전에 썼던 작품에 동의할 수 없었다. 정치적 선택이 극좌로 넘어간 것이다. 영국해협의 건지 섬에 유배되어 수년간 방황을 거치는 동안 위고는 《불행들》 필사본을 전혀 고치지 않았다. 그러다가 58세 나이에 그는 6개월간 작품 속에 빠져들면서 성찰을 시작했고, 그런 다음 1년에 걸쳐 개작했다. 이번에는 완전히 다른 버전의 사본이 완성되었다. 위고는 《레 미제라블》 집필을 중단했던 정확한 시점인 1848년 2월에 대해 언급하면서

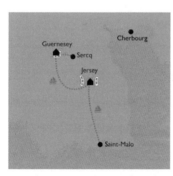

영국해협의 건지 섬

마치 그 소설을 쓴 것이 자신이 아니라는 듯 다음과 같이 기록한다. "이때 프랑스의 아버지는 체포되었다." 그런 다음 공백이 이어지고, 공백 속에 그는 "추방자가 계속해나갔다."라는 표현을 살짝 덧붙인다. 화자를 작중인물 중 하나로 만들며 두 시기를 잇고 있는 것이다. 소

프랑스 삽화가 에밀 바야르의 코제트 스케치, 1886년

설 도입부에서 화자는 새 버전에서 다른 사람의 생각을 자기 것으로 삼지 않을 것이라고 자주 견해를 피력한다. 예를 들어, 그는 "당시 한 보수주의자가 ……라고 이야기하거나 생각했다."라고 표현하면서 그 보수주의자가 자신이라고 명시하지 않았다. 그러는 동안 저지 섬에서 《불행들》은 제목이 《레 미제라블》로 바뀌었고, 위고는 1815년 6월 18

일 나폴레옹이 패배한 워털루전투 기념일에 필사본 작업을 끝낸다. 그는 필사본을 들고 벨기에의 격전장 워털루를 찾아가 두 달간 곳곳을 답사하며 원고를 보완한 후 집필을 마무리했다. 위고는 황제의 검열을 우려해 여러 차례 수정을 가한 후 《레 미제라블》을 1862년 프랑스와 벨기에에서 동시에 출간했다. 얼마 되지 않아 이 책은 10여 개 나라에서 간행되었다. 노동자들은 이 책을 구입하려고 서점에 몰려들었고, 돌려가며 읽었으며, 큰 소리로 낭독했다. 다른 모든 작가가 책의 출간을 미룰 정도로 사람들은 오직 이 책에 대해서만 이야기했다.

1815년부터 1833년까지 장장 19년의 세월을 다룬 《레 미제라블》속 햇수가 그의 망명 기간과 같다는 것은 의미심장하지 않은지? 장발장, 주교, 자베르, 팡틴, 코제트, 마리우스, 테나르디에, 에티엔, 가브로슈 등 《레 미제라블》속 등장인물들이 한결같이 우리의 연민을 불러일으키는 것은 우리가 영위하고 있는 사회가 당시 프랑스 사회와 그다지 다르지 않기 때문일 것이다. 선진국 진입이 가시화된 대한민국의 현실 속에서 우리는 어떻게 살아갈 것인가, 어떻게 연대할 것인가에 대해 고민하고 있지만, 한편으로는 공동선이 개인들의 이기심 앞에 여지없이 허물어지는 모습을 일상적으로 목격하고 있지 않은가? 억압적인 현실에도 불구하고 여전히 새로운 세상이 가능할 것이라는 희망을 담아낸 차원에서 위고의 책들은 앞으로도 영원히 사랑받을 것이다.

로맹 가리Romain Gary, 서정적 광대의 초상

존재 자체가 한 편의 소설이었던 사람. 신비로 채워진 개인사, 반항적인 정신에 기인한 폭넓은 작품들을 쓴 작가. 늙어감을 두려워하는 인간들 사이의 관계를 그려낸 재능 많은 화가. 로만 카체프Roman Kacew, 로맹 가리, 포스코 시니발디Fosco Sinibaldi, 샤탕 보가트Shatan Bogat, 에밀 아자르라는 무수한 이름. 정체성에 대해 풍요롭고도 복잡한 성찰을 시도한 사색가. 분명하고 환기가 잘되며 에너지가 넘치는 문장의 구사자. 권총 자살로 생을 마감한 지 40년이 지난 지금까지도 로맹 가리는 꿈꾸는 현실주의자, 열정과 야망으로 한 시대를 풍미한 몽상가 이미지로 우리를 사로잡는다.

자전적 이야기를 그려낸《새벽의 약속La Promesse de l'aube》부터 나는 그에게 빠져들었고, 그 후《하늘의 뿌리Les Racines du ciel》《유럽의 교육Éducation européenne》 같은 작품들에 대한 독서로 이어졌다. 로맹 가리 작품에는 다채로운 인간이 등장했다. 그들은 따뜻하고도 관대한 마음씨의 소유

로맹 가리의《새벽의 약속》

자들이었고, 고독하며 사랑할 필요를 느끼는 인간들이었다. 또 법, 언어, 사회 등의 체제 밖에 놓인 소외된 자들이었다. 인간의 존엄성을 잃게 만드는 모든 것에 반항하면서 그들은 세상이 스러지는 모습을 방관자적 입장에서 지켜보는 고통, 희망을 간직하기 위한 투쟁 사이에서 몸부림쳤다. 로맹 가리의 삶 역시 극적인 요소와 유머를 뒤섞으며 이러한 투쟁을 몸소 체험했다고 말할 수 있다. 따라서 그의 작품들은 인간이 진부하다는 생각에 자리를 내주기를 완강하게 거부하는 모습으로 집약된다. 이 '카멜레온' 같은 작가가 끊임없이 모순에 대한 취향을 자극했기에 나는 그에게 더 끌렸는지도 모르겠다. 그의 작품들은 어디까지가 허구고 어디까지가 현실인지 경계가 아주 모호했다. 슬픈 동시에 유쾌했고, 비극적인 동시에 냉소적이었다. 로맹 가리의 유머감각은 한편으로 인간과 시대, 사회의 한계에 대한 뼈아픈 인식과 신랄한 비판을 보여준다. 그 인식과 비판이 유머로 표현되는 것은 생명에 대한 궁극적인 애정을 잃지 않기 때문이었다. 그렇기에 그의 작품들을 읽으면 늘 한 편의 동화나 우화를 접하는 느낌이 들었다. 영화 〈인생은 아름다워La vita è bella〉를 감상할 때 받았던 느낌처럼.

영화 〈인생은 아름다워〉 포스터

로맹 가리 자신도 우화와 속임수에 대한 취향을 고백한 바 있다. 이중적인 의미를 지닌 그의 우화들에는 마리오네트, 모호한 존재, 섬세한 마음을 가진 동시에 조롱하는 미소를 보유한 인물, '서정적 광대clown lyrique'가 등장한다. 그들은 신비와 더불어 삶을 저글링하고, 우리가 리얼리티라 명명한 것과 유희한다.《새벽의 약속》속의 무수한 요소들이 실화 같지만, 상상적인 요소들이 거기에 뒤섞인다. 폭발적이고도 무법자 같은 언어를 통해 로맹 가리는 그 유명한 '약속들promesses'을 블랙 유머로 가득 찬 자유와 만나게 한다. 그의 작품 여러 곳에서는 미친 우리네 세상을 지배하는 어리석음의 신 '토토슈', 절대 진리의 신 '메르자브카', 편협과 경멸과 증오의 신 '필로슈'가 모습을 드러낸다. 로맹 가리의 작품과 삶은 이러한 신들이 광기를 부리는 세계 한가운데서 인간에 대한 애정과 낙관적 믿음을 드러내는 순간들로 채워져 있다.

작가의 삶은 온갖 신화적 요소를 구비하고 있다. 1914년 5월 8일 러시아제국 빌나Vilna(현재 리투아니아의 빌뉴스Vilnius)에서 출생해 1980년 12월 2일 66세의 나이로 프랑스 파리에서 자살하기까지 그는 소설가, 영화감독, 시나리오 작가, 군인, 레지스탕, 외교관이자 비행사였다.

그의 부모는 모두 리투아니아계 유대인으로, 사업가인 아버지는 1925년에 가족을 떠나 재혼했으며 어머니는 배우였다. 그는 '카멜레온'이나 '스파이'에 자주 비유될 정도로 자신의 어린 시절과 부모님의 출신에 대해 다양한 버전의 이야기를 풀어냈다. 자신의 친부가 러시아 무성영화 시대의 유명 배우

로맹 가리와 그의 어머니 미나

레지옹도뇌르 훈장

이반 모스주킨Ivan Mosjoukine이라고 주장한 적도 있다. 1차대전이 발발한 뒤인 1917년에 어머니와 함께 서유럽으로 떠났고, 이후 폴란드를 거쳐 1927년에 프랑스 니스Nice에 정착한다. 엑상프로방스Aix-en-Provence와 파리의 법과대학에서 법학을 공부했고, 1935년 프랑스로 귀화했다.

나치의 프랑스 점령 이후 영국으로 건너간 로맹 가리는 유럽과 북아프리카에서 레지스탕스 단체인 자유프랑스군에 복무했다. 2차대전 동안 프랑스 공군에 입대해 로렌 비행중대 대위로 참전했으며, 이 무공으로 종전 후 레지옹도뇌르 훈장[3]을 받았다. 전쟁이 끝난 뒤인 1945년 프랑스 외무성에 입성한 후 대사관 이등서기관으로 임명되어, 이후 프랑스 외교관으로 불가리아, 스위스, 페루, 미국 등지에 체류했다. 1956년부터 1960년까지 미국 로스앤젤레스 주재 프랑스 총영사를 지내면서 할리우드를 가까이하게 되었다.

그는 1945년 첫 작품《유럽의 교육》으로 일약 유명해지며 비평가상을 수상했다. 2차대전의 끔찍함을 생생하게 그렸지만 작품 배경에 깔린 주제는 휴머니즘과 낙관주의다. 이 소설은 뒤에 개작되어 영어판《중요한 것은 영원히 죽지 않는다Nothing Important Ever Dies》(1960)로 출판되었다. 1956년에는《하늘의 뿌리》가 프랑스 최고 문학상인 공쿠르상을 수상한다. 작품에서는 자유와 정의에 대한 예언자적 인식이 인간의 잔인함이나 탐욕에 대한 비관적인 이해와 균형을 이루고 있다. 평생 30권이 넘는 소설, 수필, 회고록을 쓰면서 대중적이고도 왕성한 작품활동을 했으나, 한편으로는 이후 발표한 작품마다 평론가들의 극심한 비판을 받아 심적 고통이 컸던 것으로 보인다.

니스 축제를 배경으로 한 《낮의 색깔들Les Couleurs du jour》(1952), 유대인 코미디언의 망령이 나치 사형집행관에 달라붙은 이야기인 《징기스 콘의 춤La Danse de Gengis Cohn》(1967)은 희극적 내용이지만 도덕적 성찰을 제기한다. 이 밖에도 전후 파리를 배경으로 한 《커다란 탈의실Le Grand Vestiaire》(1949), 사회 풍자물이자 자신의 첫 번째 부인이었던 레슬리 블랜치Lesley Blanch를 모델로 한 《레이디 L. Lady L.》(1963), 1960년대 흑인과 백인, 개인과 집단, 남성과 여성, 자본주의와 공산주의 등 사회갈등을 겪던 격동의 미국에 관한 생생한 보고서인 《흰 개Chien blanc》(1970), 매력적인 40대 남녀의 짧은 사랑을 그린 《여인의 빛Clair de femme》(1977) 등은 사색과 사변, 대담함과 날카로운 블랙 유머가 공존하는 로맹 가리의 진면목을 만나볼 수 있는 작품들이다. 1962년에는 단편 〈새들은 페루에 가서 죽다Les Oiseaux vont mourir au Pérou〉로 미국에서 최우수 단편상을 수상했고, 그 외에도 2차대전 시기 노르망디를 배경으로 한 전쟁 서사 《연Les Cerfs-volants》(1980) 등의 작품이 있다.

1970년대에 로맹 가리는 에밀 아자르Émile Ajar라는 가명으로도 글을 써 문학의 신화화에 일조했다. 1975년에는 《자기 앞의 생La Vie devant soi》을 발표해 공쿠르상을 수상했다. 공쿠르상은 같은 작가가 두 번 받을 수 없는 것이 원칙이었다. 60세를 앞둔 노년의 여자와 14세 소년 사이의 우정이 파격적인 만큼 주제, 문체, 스타일이 이전 작품들과 달랐기에, 사람들은 에밀 아자르가 로맹 가리와 동일인이라고 전혀 생각하지 못했다. 에밀 아자르는 프랑스 문학계에서 엄청난 찬양을 받았다. 로맹 가리는 오촌조카인 폴 파블로비치Paul Pavlowitch에게 에밀 아자르 행세를 시키고 수상을 거부하는 편지를 보냈으나, 아카데미 공쿠르에서는 이를 무시하고 수상자를 에밀 아자르로 선정했다. 이후

《에밀 아자르의 삶과 죽음》

그는 1977년에 로맹 가리 이름으로《여인의 빛》
과《영혼의 짐Charge d'âme》을 발표했으나, 비평가
들은 이 작품들에 대해 "조카 에밀 아자르를 표
절하려 든다."며 혹평했다. 로맹 가리는 재능이
넘치는 신예 작가 에밀 아자르를 질투하는 한물
간 작가로 폄하되었으며, 두 사람에 대한 평단의
평가는 극과 극을 달렸다. 사후 유고인《에밀 아
자르의 삶과 죽음Vie et mort d'Émile Ajar》이 출간되고서야 로맹 가리와 에
밀 아자르가 동일인이었음이 밝혀졌다. 마지막 가명이자 가장 잘 알
려진 가명인 에밀 아자르는 작가로서 로맹 가리의 경력이 끝났음을
의미하기도 한다.

2차대전이 끝난 직후인 1946년부터 1956년까지 '아우슈비츠 이후
어떻게 살아야 할까?'라는 질문을 던지는 로맹 가리 소설들을 지배하
는 주요 인물은 전쟁과 홀로코스트 생존자다.《튤립Tulipe》(1946)에서는
부헨발트 수용소에서 살아 나와 할렘의 '신세계'에 정착하는 주인공
을,《커다란 탈의실》에서는 레지스탕스 조직망을 고발한 반데르푸트
를 그려낸다. 또《낮의 색깔들》속의 자크 레니에는 자유프랑스군에
환멸을 느끼면서 한국전쟁에 자원병으로 뛰어드는 인물이며, 공쿠르
상을 수상한《하늘의 뿌리》속 모렐은 수용소에서 살아남아 아프리
카 코끼리 보호에 전념한다. 에밀 아자르 이름으로 쓴 책들은 작가의
초창기 저술들을 뒷받침한다. '사리사욕 없는 이타주의, 아돌프 아이
히만Adolf Eichmann이 보여준 악의 평범성과 대조를 이루는 선의 평범성'
이 그것이다.

가장 슬픈 순간에도 유머의 힘을 믿는 로맹 가리. 그의 여유는 어디

서 나올까? '유대식 유머humour juif'라는 표현이 있다. 가장 어처구니없는 상황, 가장 부조리한 상황을 겪은 다음 확보할 수 있는 지고한 감정을 가리킨다. 광대의 슬픔이랄까? 삶 속에서 우리가 겪는 희로애락이 바로 그것이다.

인생의 초창기에 만났던 사랑, 로맹 가리의《새벽의 약속*La Promesse de l'aube*》

영화 〈새벽의 약속〉 포스터

나에게 로맹 가리만큼 소중했던 작가는 없다. 시간이 흐르며 그 의미가 많이 퇴색했지만, 젊은 시절의 나에게 그는 정말 색다르고도 매력적인 작가였다. 아무도 로맹 가리에 대해 언급하지 않던 1980년대 중반에 나는 국내에서 처음으로 그의 작품《새벽의 약속》과《하늘의 뿌리》를 비평한 석사학위 논문을 썼다. 프랑스로 넘어간 이후에도 그는 내 박사학위 논문의 일부를 구성했다. 특히《새벽의 약속》은 어느 순간부터 나의 인생소설이 되었고, 로맹 가리의 삶은 나의 삶과 중첩되기 시작했다. 작품 서두에 등장하는 빅 쉬르Big Sur 해안은 나에게 고향 부산의 바닷가를 지속적으로 떠올리게 했다. 내가 가장 힘들 때마다 늘 찾아가는······

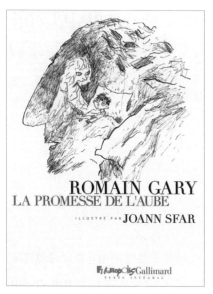

조안 스파르의 삽화가 들어간 《새벽의 약속》

소설 《새벽의 약속》은 정말 특이했다. 자전적 요소들로부터 영감을 얻기는 했지만 자서전은 아닌 이 작품은 화자 겸 작가의 어머니가 아들에게 보여주는 무조건적이고도 열정적인 모성애를 부각한다. 주인공의 어머니는 몸과 마음을 바쳐 아들에게 헌신하는 여성으로, 아들에게 밝은 미래가 예정되어 있다고 믿는다. 자기 아들이 위인이 될 것이고, 유명한 예술가와 외교관이 될 것이며, 모든 여인을 유혹하게 되리라고 확신한다. 어린 아들은 이러한 열정을 종종 부담스러워하면서 자신을 향한 어머니의 사랑이 남자친구를 비롯한 다른 사람에게 향했으면 한다. 어머니의 지나친 사랑을 비난할 수 있을까? 그러한 무조건적인 사랑이 삶을 복잡하게 만들 수 있기는 하다. 다른 여인들의 사랑은 늘 어머니의 사랑과 비교 대상이 되기 때문이다. 하지만 어머니의

유년 시절 로맹 가리와 그의 어머니

도에 넘친 사랑이 작가를 불편하게 만들지라도, 바로 그 모성애가 삶의 가장 충실한 동료이자 멋진 승부수로 작동한다. 그로 하여금 절망하지 않게 만드는 방식이 되기 때문이다. 작가는 희망과 의지, 용기가 어머니로부터 비롯되었다는 점을 보여주고자 한다. 작품 속에서 화자이자 작가는 어머니가 소망했던 목표들에 모두(혹은 거의) 도달하는 데 성공하지 않았던가?

> 어머니의 사랑을 통해, 인생은 그 여명기에 결코 지키지 않을 약속을 당신에게 주는 것이다. 그다음부터는 찬밥을 먹어야 한다. 어떤 여자가 당신을 안아서 가슴에 품어준다 해도, 그것은 조사弔詞에 불과한 것이다.[4]

> 나는 내 팔로 어머니의 어깨를 감싸 안고서, 그녀를 위해 내가 벌이려 하고 있는 모든 투쟁들을, 내가 내 인생의 새벽에 나 자신과 맺은 약속을 생각하였다.

그렇기에 로맹 가리의 사랑은 고독으로 채워진 느낌이다. 소설《여인의 빛》에 등장하는 다음의 고백은 로맹 가리가 거친 사랑의 역사에 대해 이야기해준다.

> 나는 일생 동안 무수한 여인을 만났다. 말하자면 나는 늘 혼자였다.

1939년 니스에서의 로맹 가리(왼쪽 두 번째) ⓒlepoint.fr

너무 많다는 건 아무도 없다는 얘기다.

1977년부터 로맹 가리와 우정을 맺기 시작했고, 2004년 로맹 가리에 대해 《카멜레온 로맹 가리*Romain Gary, le caméléon*》라는 책을 저술한 바있는 미리암 아니시모프*Myriam Anissimov*는 "로맹 가리가 사랑에 성공하지 못했다고 믿는다"고 단언한다. 그리고 다음과 같이 덧붙인다. "사실 그가 유일하게 사랑한 대상은 헝가리 여성 일로나 제스마이*Ilona Gesmay*였다. 그들의 사랑이 끝난 지 수십 년이 지난 다음에도 나는 로맹 가리가 그녀에 대해 언급하며 펑펑 우는 모습을 보았다." 그들이 니스에서 사랑을 나누던 시절 그녀의 나이는 28세, 로맹 가리의 나이는 24세였다. 로맹 가리의 문학 창조에 상당한 영향력을 미친 그녀는 《새벽의 약속》뿐 아니라 《밤은 고요하리라_Nuit Sera Calne_》《유로파_Europa_》 속에 등장할 정도였다. 로맹 가리는 여성들을 통해 자신을 짓누르는 고뇌를 육체적으로 배출하고 싶어 했을 뿐만 아니라, 사랑에 대한 영원한 탐구를 통해 소설과 자서전이 뒤범벅된 글쓰기를 연장시켜나갔다. "로맹 가리는 두 가지가 자신을 구원해주었다고 이야기한다. 그것은 문학과 섹슈얼리티다."라고 미리암 아니시모프는 증언한다.

　문학을 구원의 수단으로 등장시키는 이러한 방식은 《새벽의 약속》 곳곳에서 등장한다.

> 나는 내가 중개자가 되어 어머니가 유명하고 갈채 받는 예술가가 되도록 내 힘에 닿는 것은 무엇이든지 다 하리라는 결심이었고, 그리하여 오랫동안 그림, 영화, 노래 그리고 춤 사이에서 머뭇거리다가 결국 이 땅 위 어디에 끼어들까를 모르는 모든 이들의 마지막 피난처같이 보였던 문학을 택할 수밖에 없었던 것이다.

"나는 문학적 창조를 통해 구출되었다."라고 1975년 그는 이야기한다. 1956년 첫번째 공쿠르상에 이어 두 번째로 공쿠르상을 수상하기 5개월 전 프랑스 앵테르 채널의 인기 라디오 대담 프로그램인 〈라디오 스코피〉와 가진 인터뷰를 통해서였다. 문학은 그가 삶을 '살아내는' 방식이었다. 그리고 문학과 예술이 함유한 상상력과 유머는 그가 이 황폐한 세상과 싸워나가는 데 꼭 필요한 무기로서 작동한다. 그때 사랑과 문학예술은 한 몸이 된다.

> 상상력이 없다면 사랑은 그 어떤 기회도 갖지 못한다.

상상력의 소산이 아니라면 사랑은 대체 무엇일까?

나는 상상의 세계로 은신하여 내가 만들어낸 인물들을 통해 의미와 정의와 동정심으로 가득 찬 삶을 사는 버릇을 갖게 되었다.

이렇다 할 문학적 영향을 받지 않고, 본능적으로 나는 유머라는 것을 발견해내었다. 현실이 우리를 찍어 넘어뜨리는 바로 그 순간에도 현실에서 뇌관을 제거해버릴 수 있는 완전히 만족스럽고 능란한 방법 말이다. (…) 유머는 존엄성의 선언이요, 자기에게 닥친 일에 대한 인간의 우월성의 확인이다.

그때 예술은 인간 조건과 밀접한 관계를 맺는다. 우리 모두가 초월을 꿈꿀 때 문학예술은 우리의 가능성과 한계를 동시에 담아내는 수단이다.

예술이라는 그 지고한 실패를 통해, 영원히 자기 기만자인 인간은 비극적인 질문으로서 남아 있을 수밖에 없도록 단죄된 것을 대답인 것처럼 만들려 애쓰는 것이다.

나는 내가 어떤 불가사의한 영역, 내 모든 존재를 바쳐 도달하고픈 영역, 즉 도달되고 현실화된 불가능의 영역 가까이에 있다고 느꼈다. 그것은 내가 최초로 갖게 된 예술적 표현의 의식적인 방법이었고, 내가 최초로 느낀 완벽 가능성의 예감이었다.

전쟁과 홀로코스트로 인간 본성에 대한 극단적인 회의감을 낳던 20세기 중반에 발표된 《새벽의 약속》은 휴머니스트인 로맹 가리가 인간에 대해 갖고 있던 시각을 아주 유머러스하게, 하지만 대단히 날카롭게 보여주고 있다.

나는 눈만 들면, 패배와 복종의 어떤 기미를 찾기 위해 나를 굽어보고 있는 한 무더기의 적들을 볼 수 있다. (…) 우선 토토슈가 있다. 원숭이처럼 궁둥이가 빨갛고, 형편없이 텅 빈 대가리에, 미친 듯이 공상적인 것들을 좋아하는, 어리석음의 신이다. 1940년에 그는 독일인들의 귀염둥이이며 이론가였다. 오늘날 그는 점점 더 순수과학에 몸을 숨기고 있고 자주 우리의 학자들의 어깨에 목을 기울이고 있는 것을 볼 수 있다. 핵폭발이 있을 때마다, 그의 그림자는 조금씩 더 땅 위로 솟아오른다. 그가 가장 좋아하는 속임수는, 어리석음에다 천재의 모양을 주는 것과, 우리 자신의 파괴를 위해 우리 중에 위대한 사람들을 모아들이는 것이다.

또 절대 진리의 신 메르자브카가 있다. 채찍을 손에 들고, 털모자를 눈까지 눌러쓴, 삐죽거리는 웃음의, 시체 무더기 위에 선 코사크 기병 같은 자이다. 그는 우리의 가장 오래된 주인이며 상전이다. 우리 운명을 좌지우지해온 지 하도 오래되어서, 그는 아주 부자이고 유명하다. 그가 종교적, 정치적 또는 도덕적 절대 진리의 이름으로 죽이고 고문하고 억압할 때마다, 인류의 반은 애정에 넘쳐 그의 장화를 핥곤 한다. 그것이 그를 무척 재미있게 한다. 왜냐하면 그는 절대 진리란 실제로 존재하지 않으며, 오로지 우리를 노예 상태로 떨어뜨리기 위한 수단에 불과함을 잘 알고 있기 때문이다. 이 순간에도, 빅 쉬르의 오팔빛 공기 속에서, 물개들의 울음과 가마우지의 외침 저 너머 아주 먼 곳에서부터 그의 자신만만한 웃음의 메아리가 내게로 굴러온다. 나의 형제인 대양의 소리조차 그것을 억누르는 데 이르지 못하는 것이다.

또 편협과 경멸과 증오의 신 필로슈-그는 사람이 사는 세계의 입구에 위치한 수위실인 자기 집에서 이렇게 외치는 중이다. '더러운 미국인, 더러운 아랍인, 더러운 유대인, 더러운 러시아인, 더러운 중국인, 더러운 검둥이'라고. 그는 집단폭동, 전쟁, 린치, 학대 같은 움직임을 조직하는 데 기막힌 수완가이며, 위대한 성전聖戰의 창조자요 애호가이다. 비록 옴 걸린 머리털에, 하이에나 머리통에, 배배 꼬인 작은 발들을 가지고 있지만, 그는 어떤 수용소에서도 발견되는, 가장 강하고 가장 설득력 있는 신들 중의 하나이고, 우리의 땅을 가장 열성적으로 지키는 파수꾼들 중의 하나이다. 그리고 그는 가장 교묘하게 가장 솜씨 있게 지구의 소유를 두고 우리와 겨루고 있는 것이다.

"어머니의 부서진 얼굴을 볼 때마다 운명에 대한 이상스런 신뢰가 내 가슴속에 자라남을 느꼈다."고 토로하는 가리의 글을 누가 무심히 넘길 수 있을까? 가장 어려운 시기에 위험과 대면할 때마다 우리는 가족을 생각하지 않는지? 어떤 점에서 가리는 겉늙은이처럼 느껴지기도 한다.

진리는 젊어서 죽는 것이다. 노년이 '배워 알고' 있는 것은, 사실은 그것이 잊어버린 모든 것이며, 늙은이들의 그 지고한 평정이란 내게는 거세당한 고양이의 온순함만큼이나 믿지 못할 것으로 생각된다. 그

래서 나이가 그것의 주름과 탈진으로 나를 누르기 시작할 때 나는
나 자신을 속이려 하지 않는다. 나는 근본적으로 과거에는 존재하였
으되 앞으로는 결코 존재하지 못하리라는 것을 알고 있다.

《새벽의 약속》은 나에게 인간 조건의 부조리함을 부각하는 방식이
자, 유대인이 세상과 자신들에 대해 던지는 유머인 '유대식 유머'를 연
상시키기도 한다. 또 로맹 가리의 다른 작품 《징기스 콘의 춤》에서 등
장하는 주제인 '디북dibbouk'도 떠오르게 만든다. 히브리어로 '집착'을
뜻하는 디북은 동유럽의 유대 및 카발라 신화에서 한 개인의 몸속에
달라붙어 거주하는 영靈이나 악령을 뜻한다. 디북이 '산 자 속으로 뚫
고 들어가는 죽은 사람의 영혼'을 의미한다면, 곧 사랑과 광기, 평화와
전쟁이 상존하는 우리의 일상을 대변하는 개념이 아닐까? 사실 우리
의 내면에도 선과 악이 동시에 존재하고 있으니……

어차피 마모되어가는 것이 인생이라면, 문학과 예술, 상상력과 유
머, 섹슈얼리티가 표현해낸 사랑보다 더 소중한 것이 어디 있을까? 늘
나는 부모님이, 가족들이, 친구들이, 선후배들이, 제자들이 나에게 나
눠준 사랑을 생각한다. 물론 그 바탕에는 늘 슬픔이 깔려 있다.

쥘 베른Jules Verne이 그려낸 미래

프랑스에서 가장 사랑받는 작가들은 누구일까?
언뜻 머리에 떠오르는 작가로는 빅토르 위고, 앙
드레 지드, 알베르 카뮈, 생텍쥐페리가 있다. 그
러나 그들과는 완전히 다른 방식으로 사랑받는
작가가 쥘 베른이다. 어린 시절에 《해저 2만 리
Vingt mille lieues sous les mers》《지구 속 여행*Le Voyage au centre
de la Terre*》《지구에서 달까지*De la terre à la lune*》《80일
간의 세계일주*Le Tour du monde en quatre-vingts jours*》등의
제목을 들어보지 않은 사람이 거의 없을 정도로
그는 우리에게도 익숙한 인물이다.

　프랑스가 얼마나 쥘 베른을 사랑하는지 확
인할 기회가 있었다. 파리 동쪽의 유로디즈니랜
드가 개장한 직후 그곳을 찾은 적이 있다. 나는
360도 영화관에서 어떤 영상을 보여줄지 관심
이 많았다. 미국 로스앤젤레스의 디즈니랜드에

25세의 쥘 베른
©thevintagenews.com

《지구에서 달까지》

312

《80일간의 세계일주》

서는 서부부터 동부에 이르는 미국의 웅대한 자연을 보여주는 영상을 만난 터였다. 옐로스톤, 그랜드캐넌, 나이아가라 폭포 등이 망라되었음은 물론이다. 그러나 역시 유럽은 문화를 강조하고 있었다. 그곳의 360도 영화관에서 상영하는 영상은 쥘 베른이 19세기 말 만국박람회가 열리는 파리를 출발해 유럽 전역을 돌아다니다 파리로 귀환하는 내용이었다. 그동안 쥘 베른의 작품이 유럽인, 아니 세계인에게 얼마나 충만한 상상력을 제공했는지 확인하는 순간이었다.

쥘 베른의 집

도시의 성쇠와 그를 연결 지을 수도 있다. 오늘날 프랑스 북부 도시 아미엥은 쥘 베른과 불가분의 관계라고 할 정도로 그를 내세운 다양한 공간이 산재해 있다. 작가가 인생의 후반부인 1871년부터 1905년까지 아미엥에서 살았기 때문이다. 샤를뒤부아 거리Rue Charles-Dubois 2번지에는 '쥘 베른의 집Maison de Jules Verne'이 있다. 2005년에 개조해 박물관으로 문을 연 곳이다. 쥘 베른의 상상의 세계와 일상을 뒤섞어놓은 곳으로 그의 삶과 작품세계를 들여다볼 수 있다. 쥘 베른 서커스 Cirque Jules Verne 극장도 있다. 1888년에 그가 시의원에 선출된 후 대혁명 100주년을 기념해 짓게 한 건물로, 1972년에 〈광대들I Clowns〉을 찍은 페데리코 펠리니Federico Fellini를 위시한 많은 영화감독에게 영감을 제공한 곳이다. 쥘 베른의 무덤이 있는 마들렌 묘지Cimetière de la Madeleine도 많은 사람이 찾는 장소다. 한 명의 위대한 작가가 도시를 활성화하는 대표적인 사례를 보려면 아미엥을 찾아야 할 정도다.

아미엥에 위치한 쥘 베른 서커스 극장

마들렌 묘지의 쥘 베른 무덤 ⓒfrancebleu.fr

또 쥘 베른이 태어난 도시인 낭트Nantes도 쇠퇴한 공업지역을 19세기 스팀펑크 테마의 상상력이 가득한 관광지로 재개발하는 데 쥘 베른을 활용하고 있다. 이 책의 〈기계와 상상력, 낭트의 모험〉에서 기술하고 있듯이, 낭트의 기계 코끼리는 이 도시의 명물로 자리 잡은 지 오래다. 쥘 베른 박물관Musée Jules Verne은 낭트 도심과는 약간 떨어진 서쪽의 루아르Loire강이 내려다보이는 언덕 위에 자리 잡고 있는데, 박물관의 전시 내용은 쥘 베른의 인생을 총체적으로 조망하는 콘셉트로 구성되어 있다.

1828년 2월 8일 낭트에서 태어나 1905년 3월 24일 77세의 나이에

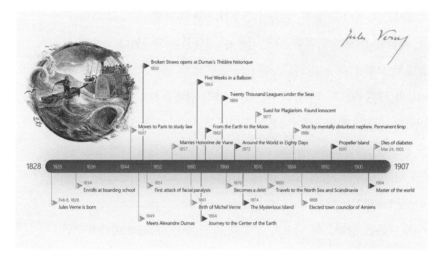

Jules Verne (signature)

Broken Straws opens at Dumas's Théâtre historique
1850

Five Weeks in a Balloon
1863

Twenty Thousand Leagues under the Seas
1869

Sued for Plagiarism. Found innocent
1877

Shot by mentally disturbed nephew. Permanent limp
1886

Moves to Paris to study law
1847

From the Earth to the Moon
1865

Marries Honorine de Viane
1857

Around the World in Eighty Days
1872

Propeller Island
1895

Dies of diabetes
Mar 24, 1905

1828   1829   1836   1844   1852   1860   1868   1876   1884   1892   1900   1907

1834
Enrolls at boarding school

1851
First attack of facial paralysis

1870
Becomes a deist

1880
Travels to the North Sea and Scandinavia

1904
Master of the world

Feb 8, 1828
Jules Verne is born

1861
Birth of Michel Verne

1874
The Mysterious Island

1888
Elected town councilor of Amiens

1849
Meets Alexandre Dumas

1864
Journey to the Center of the Earth

쥘 베른 연보 ©officetimeline.com

아미엥에서 생을 마감한 쥘 베른은 소설가, 시인, 극작가, 가극 작가, 청소년문학가, 지리학자, 최초의 SF소설 작가, 에스페란토어주의자 등 다양한 타이틀을 지니고 있었다. 그의 작품 대부분은 19세기에 이룩된 과학 분야의 진보를 연상시키는 모험소설들이다. 늘 풍부한 자료를 뒤진 후 서술한 쥘 베른의 소설들은 통상 19세기 후반부를 무대로 진행된다. 당시 개발된 테크놀로지를 담아낸 《그랜트 선장의 아이들 *Les Enfants du capitaine Grant*》(1868), 《80일간의 세계일주》(1873), 《미셸 스트로고프*Michel Strogoff*》(1876), 《남반구의 별*L'Étoile du sud*》(1884) 등이 있는가 하면, 기술을 섭렵하지 못한 상태에서 상상력으로 써내려간 《지구에서 달까지》(1865), 《해저 2만 리》(1870), 《정복자 로뷔르*Robur le Conquérant*》(1886) 같은 작품들도 있다.

　처음에는 희곡을 썼지만, 성공은 피에르-쥘 헤첼Pierre-Jules Hetzel이 운영하는 출판사를 통해 첫 소설《5주간의 풍선 여행Cinq semaines en ballon》을 출간한 1863년에 찾아온다. 작품은 대성공을 거두었다.《아트라함장의 모험들Les Aventures du capitaine Hatteras》부터 쥘 베른의 소설은 멋진 여행의 세계 속으로 뛰어드는데, 그가 남긴 장편소설이 62편, 단편이 18편에 이른다. 그중 일부는 청소년 대상 잡지《마가쟁 데뒤카시옹 에드 레크레아시옹Magasin d'éducation et de récréation》, 혹은 성인들을 대상으로 한《르 탕Le Temps》이나 《르 주르날 데 데바Journal des débats》지에 연재물 형태로 먼저 실리기도 했다.

　쥘 베른은 장편소설 말고도 무수한 희곡, 단편, 자전적 이야기, 시, 노래, 학술·예술 및 문학 관련 연구를 남겼다. 그리고 그의 작품은 영화의 탄생 이후 수많은 영화, TV시리즈, 만화, 연극, 음악, 비디오게임의 원천이 되었다. 쥘 베른 작품을 바탕으로 전 세계에서 제작된 영화와 TV시리즈는 무려 300편 이상이며 그중에서 100여 편이 할리우드에서 제작되었다. 문학이 영상으로 옮겨진 순위로는 셰익스피어, 찰스디킨스Charles Dickens, 코난 도일Arthur Conan Doyle 다음으로 네 번째를 차지하고 있다. 쥘 베른의 이름은 세계 전역에 잘 알려졌는데, 애거사크리스티Agatha Christie에 뒤이어 세계에서 두 번째로 외국어로 많이 번역된 작가로 꼽힌다. 프랑스 작가 중에서는 전 세계에 가장 많이 번역된 작가다. 작가 사망 100주년을 기념해 프랑스는 2005년을 '쥘 베른의 해'로 선포하기도 했다.

　《80일간의 세계일주》의 필리어스 포그,《해저 2만 리》의 네모 선장, 미셸 스트로고프 같은 그의 작품 등장인물들은 대중적인 상상의 세계의 아이콘이 되었으며, 많은 선박도 그의 이름을 채택하고 있다. 유럽우주국European Space Agency(ESA)이 개발한 무인우주화물선도 쥘 베

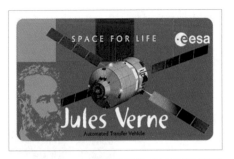
유럽우주국의 쥘 베른 무인우주화물선

른으로 명명되었으며, 무동력 요트를 타고 80일 이내에 지구를 일주하는 경기의 우승자에게는 쥘 베른 트로피가 수여된다. 특히 프랑스에서는 1935년에 결성된 쥘 베른 협회Société Jules-Verne와 1971년에 설립된 국제 쥘 베른 센터Centre international Jules-Verne가 이른바 '베르니엥Verniens'(영어로는 '버니언')이라 불리는 쥘 베른 연구자들을 집결시키고 있다.

미지의 세계로의 모험과 새로운 문명의 이기는 그의 SF 작품을 관통하는 두 주제다. 미래의 파리를 디스토피아적으로 묘사한 《20세기의 파리Paris au XX siècle》를 제외한다면 대부분의 작품이 과학에 대한 낙관적 믿음에 기초해 있다. 잠수함, 잠수용 수중호흡기, TV, 우주선 같은 수많은 과학 도구와 미래의 기술 발전을 예견했던 그의 천재성 앞에서는 할 말을 잊게 된다. 작가가 무수한 여행을 통해 확보한 견문, 주도면밀한 자료 조사를 통해 축적한 지식이 SF라는 새로운 장르의 탄생을 가능하게 했던 것이다. 하지만 결국 창작은 무에서 유를 창조하는 작업이었다. 쥘 베른의 열정을 보여주는 한 일화가 있다. 1839년 열한 살의 쥘 베른은 인도로 떠나는 여객선에 소년 견습선원 자격으로 탑승하려고 시도했다가 팽뵈프Paimbœuf에서 마지막 순간에 아버지에게 붙잡힌다. 쥘 베른은 자신이 사랑에 빠졌던 대상인 사촌 카롤린 트롱송Caroline Tronson에게 진주목걸이를 가져다주고 싶었다고 고백한다. 심하게 꾸지람을 들은 그는 꿈으로만 여행하겠다고 아버지에게 약속했다. 하지만 이 이야기는 가족이 기억을 미화한 에피소드일 것이다. 청소년기의 추억을 그려낸 책 속에서 쥘 베른은 직접 요트를 타고 떠난 많은 여행에 대해 기술하고 있기 때문이다.

어쨌거나. 플로베르Gustave Flaubert가 마지막 작품인 《부바르와 페퀴셰Bouvard et Pécuchet》를 쓸 때 동시대에 출간된 1,500권의 저서를 읽었던 것처럼, 쥘 베른도 책과 신문, 잡지와 학술지를 닥치는 대로 읽으며 메모하고 분류했던 것 같다. 또 그는 쉬지 않고 주위에 자문을 구했다. 예를 들어 수학 쪽으로는 조제프 베르트랑Joseph Bertrand이나 앙리 가르세Henri Garcet에게, 물리학에 대해서는 알베르 바두로Albert Badoureau에게, 항해에 대해서는 동생 폴Paul Verne에게 물어보았다. 그는 인간과 과학이 만나기 시작한 세상을 꿰뚫어보고, 과학이 지배할 미래 모습을 예견하고 있었다. 시대를 앞서간 저서들을 통해 쥘 베른이 보여준 세상은 과학에 대한 우리의 사고가 문화예술 분야의 상상력과 더욱 가까이 만나기를 요구하는 느낌이다.

귀스타브 플로베르의
《부바르와 페퀴셰》

소매 속에 숨기던 책,
프랑스국립도서관의 '지옥_{Enfer}'

유학 시절에 간간이 프랑스국립도서관Bibliothèque nationale de France(BnF)에 들르곤 했다. 지금은 프랑수아 미테랑 도서관Bibliothèque François-Mitterrand이라는 또 다른 이름을 내걸고 파리 13구로 이전했지만, 이전하기 전의 국립도서관은 그 녹색 조명과 고풍스럽고 장중한 건물 덕분에 대단한 격조를 보여주는 공간이었다. 우리의 외규장각 도서와도 사연이 있는 도서관이다.

어느 순간부터 눈에 들어온 이 도서관의 흥미로운 방이 '지옥Enfer'. 문학 쪽으로 대단한 정보를 담아내던 영국 신문, 그리고 내 생각에 영

'도서관의 지옥,
비밀스러운 에로스' 전시 포스터

어로 문학 관련 기사를 제공하는 신문으로서는 《뉴욕타임스 북 리뷰The New York Times Book Review》와 더불어 가장 고급스러웠던 《타임스 리터러리 서플먼트Times Literary Supplement(TLS)》가 이 도서관의 '지옥'을 자주 언급하고 있었다. 이 방이 소장한 책들을 분석하는 박사학위 논문이 적지 않게 나오기 시작했다는 언급과 함께.

프랑수아 미테랑 도서관BnF

1830년대 이후 옷소매 밑으로 거래되다가 소송 대상이 되거나 처벌을 받아 '미풍양속 저해contraires aux bonnes moeurs'라는 딱지가 붙은 작품들은 국립도서관의 나머지 장서들과 분리된 후 '지옥'이라는 별도의 섹션으로 분류되어 희귀도서 보관소에 들어간다. 이 '지옥'에는 약 2,600권이 보관되어 있는데, 사드 후작Marquis de Sade, 이탈리아 화가 티치아노Vecellio Tiziano의 친구인 시인이자 풍자문학가 피에트로 아레티노Pietro Aretino, 미라보Mirabeau 등의 작가 이름에 약 100여 개의 제목이 달려 있다. 물론 작자 미상의 작품도 많다. 기욤 아폴리네르, 페르낭 플뢰레Fernand Fleuret, 루이 페르소Louis Perceau의

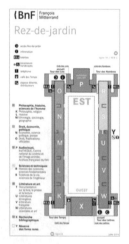

프랑수아 미테랑 도서관 지도
©bnf.fr

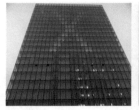

'지옥' 소장품 전시 당시의 건물 외관

작품들도 있다. 다시 말해 '지옥'은 고전작가들이 쓴 외설 서적을 모아 둔 곳이다. 프랑스 문학을 장식한 거장들의 또 다른 모습을 보여주는 프랑스국립도서관의 이 섹션은 에로티시즘 및 포르노그래피와 관련된 조각, 판화, 회화, 사진작품을 포함하는데 어떤 것들은 창작 연대가 500년 이전인 16세기로 거슬러 올라가기도 한다. 2007년까지 일반에 공개되지 않은 채 논문이나 관련 연구를 목적으로 하는 극소수 사람에게만 문호를 개방했지만, '미풍양속'에 대한 개념이 변화하면서 오늘날 이 방은 16세 이상의 모든 사람에게 개방되고 있다.

2016년 11월부터 2017년 3월까지 프랑스국립도서관에서는 '지옥'의 도서들을 전시하는 '도서관의 지옥, 비밀스러운 에로스L'Enfer de la Bibliothèque, Eros au secret' 전시회를 개최했다. 2007년 12월부터 2008년 3월까지 '지옥'을 처음 일반에 공개하면서 열린 전시회 제목도 그와 비슷했다. 미풍양속을 저해한다는 이유로 따로 분류된 도서나 삽화 중 350점의 작품을 전시한 이 행사는 16세 이상만 관람할 수 있었다. 5세기에 걸친 에로티시즘과 포르노그래피의 역사를 담아낸 전시회는 '비밀스러운 에로스'로 분류된 이 문학이 우리와 맺고 있는 관계를 보여주었는데, 전시 품목은 사드가 삭제한 글, 소설과 회고록, 일본 판화, 20세기 초의 사진에 이르기까지 다양했다.

홍미로운 전시를 위해 기획자들
은 이중의 장치를 동원했다. 첫 번
째 장치는 지옥의 내용을 관점에
따라 분류한 것. 18세기 전시는 소
설의 주인공들이, 19세기는 출판인
들이, 20세기는 작가들이 바라본
섹슈얼리티를 다루었다. 두 번째
장치는 진지한 동시에 교육적인 것
인데, '지옥'의 역사, 구성과 변화를
다루었다.

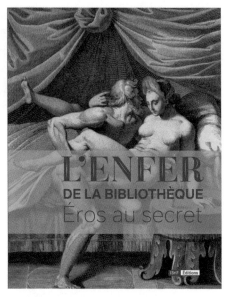

'도서관의 지옥, 비밀스러운 에로스' 도록

구체적인 시대별 특징을 살펴보
자. 17세기, 그리고 특히 18세기에
는 미풍양속을 해친 작가의 신분
이 드러날 경우 투옥되었기 때문에 가명으로 작품을 썼다. 따라서 이
때는 작품의 남자 혹은 여자 주인공이 중요했다. 동 부그르, 펠리시
아, 페니, 그리고 외설 서적들을 탐독한 후 처녀성을 버리고 쾌락에 탐
닉하는 테레즈(아르장 후작marquis d'Argens이 쓴 《철학자 테레즈Thérèse philosophe》 속
인물)가 당시의 주요 주인공들이다. 저자들의 언어는 고급스러웠고, 교
육소설이나 반교권주의를 표방한 정치적 팸플릿 형태를 띠고 있을지
라도 유머가 작품 속에 배어 있었다. 그러나 사드 그리고 18세기의 종
말과 함께 단순한 즐거움과 유머는 무겁고도 잔인한 세상의 영향을
받으며 어두워지기 시작한다.

19세기에는 비밀 출판인들의 몫이 커졌다. 책에 대한 수요가 많아
진 만큼 검열도 가혹해졌다. 벨기에는 '음탕한 출판사들'을 적극 수용

하는 땅이 되어, 이미《악의 꽃Les Fleurs du mal》(1857)을 찍어냈던 출판인 오귀스트 풀레-말라시스Auguste Poulet-Malassis는 프랑스 법정이 단죄한 보들레르의 시집《유실물Les Épaves》을 브뤼셀에서 공급하려고 애썼다. 또 이 시기에는 사진이 발명되면서 에로틱한 이미지들에 무한복제라는 새로운 가능성을 제공했다.

마지막으로 20세기는 작가들의 시대다. 작가들은 어둠 속에서 나와 실명 혹은 익명으로 주제를 다룬다. 기욤 아폴리네르Guillaume Apollinaire는《일만일천 번의 채찍질Les Onze mille verges》을, 피에르 루이스 Pierre Louÿs는《그들 어머니의 세 딸Trois filles de leur mère》을, 루이 아라공Louis Aragon은《이렌Le Con d'Irène》을, 조르주 바타유Georges Bataille는《눈 이야기 Histoire de l'oeil》를, 장 주네는《브레스트의 논쟁Querelle de Brest》을 발표했다. 이 시대에는 비록 베르나르 노엘Bernard Noël(《센 성Le Château de Cène》, 1969)과 피에르 기요타Pierre Guyotat(《에덴, 에덴, 에덴Eden, Eden, Eden》, 1970)가 작품을 압수당하거나 미성년자에게 판매금지되는 일을 겪기는 했어도, 외설을 문제로 법정이 개입하는 일은 드물어진다. 문고판으로 출시되었던 사드 작품이 프랑스 최고의 컬렉션인 플레이아드 총서에 들어가면서 무려 성경 용지로 인쇄되는 세상이 되었으니 지옥에서 유황 냄새가 더는 나지 않게 된 것이다.

도서관 관계자들에게 무엇보다도 어려운 점은 '지옥'이라는 명칭 아래 모든 외설 서적을 모으기 위해 1844년에 도입한 알파벳 코드la cote를 해독하는 일이었다. 해당 책

영화 〈비포 선셋〉 주인공이 읽고 있는
조르주 바타유의《눈 이야기》

에는 '지옥'이라는 언급과 함께 번호가 매겨졌다. 이는 정치권의 선택이었다기보다 도서관의 편의에 따른 결정으로 보인다. 당시 국립도서관이 공공 독서 장소로 자리 잡았기에 '정도를 넘어선' 일부 책들을 모든 사람이 접하지 못하도록 할 필요가 있었기 때문이다. '지옥'에 들어온 거의 모든 책이 소매 속으로 주고받으며 비밀스러운 경로로 유통되던 것들이었기 때문에 책의 기원을 찾아내는 일은 거의 불가능했다. 게다가 외설 서적들은 출간이 비밀리에 이루어지거나 외국에서 인쇄되었기에, 이 컬렉션을 채우는 데는 압수가 크게 일조했다. 1876년에 620권이었던 장서는 오늘날 2,600권에 육박한다.

1969년에 '지옥'은 사라지고 다시 재건되지 않는다. 1968년 5월혁명이 발발하고 몇 달이 지난 후인 1969년, 기존에 이른바 '음탕하다 licencieux'고 분류되었던 모든 책이 일반도서 속으로 편입되었다. 그러나 1983년에 섹슈얼리티를 다룬 모든 책을 보다 쉽게 모으고자 하는 실용적인 이유 때문에 코드는 다시 도입되었다. 차후 이 주제는 비밀의 방을 벗어나 다른 주제들처럼 검색이 쉬워졌다.

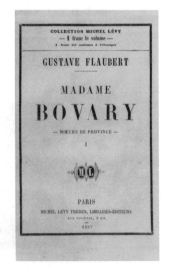

TV와 영화, 인터넷에 포르노그래피가 범람하는 시대에 '지옥'은 어떤 의미를 지닐까? 답은 조심스러울 수밖에 없다. '지옥'을 통해 확인할 수 있는 것은 시대에 따라 성 모럴이 지속적으로 변화했다는 점. 나는 꽤 오래전 한국방송통신대 TV에 출연해 플로베르의 작품 《마담 보바리 Madame Bovary》에 대해 이야기해달라는 부탁을 받은 적이 있었다. 플로베르는 내 전공이 아니므로

《마담 보바리》, 1857년 초판본

그때 처음으로 그의 소설을 비롯한 몇몇 도서를 구입해 읽어보았다. '지옥'으로도 분류되었던 이 작품을 지금 보니 기가 막혔다. 유일하게 외설적인 내용은 농업진흥회 날 엠마가 연인과 함께 마차를 타고 마을을 도는 장면뿐. 성애에 대한 직접적인 묘사는 책 속에 단 한 줄도 등장하지 않았다.

20세기 이전까지 문학작품이 가장 금기시한 두 가지 주제는 죽음과 섹슈얼리티였다. 계몽주의 시대에만 자유분방한 소설들을 단지 쾌락과 유머의 대상으로 간주했을 정도다. 하지만 오늘날 죽음과 섹슈얼리티를 피해 가는 소설이나 영화가 과연 얼마나 있을까? 자본주의 시대가 강조하는 욕망과 성은 서로 맞닿아 있는데…… '지옥'은 지난 세기의 모든 환상을 살찌운 공간이다. 우리는 그곳을 검열의 감옥으로 볼 수도 있고, 호색과 음탕함이 차고 넘치는 규방이나 은밀한 공간으로 여길 수도 있다. 금기의 땅인 지옥으로 들어간다는 것은 도덕이 억압하고 제도가 단죄한 인간의 욕망 내부로 들어가는 것을 의미한다. '지옥'의 책들은 문학사와 사회사를 채운 순간들의 기록인 셈이다.

지방과 세계의 만남, 출판사 악트 쉬드Actes Sud

악트 쉬드는 한국 작가들의 작품을 출간하면서 나의 관심을 끈 출판사다. 서점을 방문해 살펴보니 한국문학뿐 아니라 세계 각국의 주요 작품들을 번역 소개하는 소중한 역할을 하고 있었다. 가장 흥미로운 건 주요 연구소, 학술기관, 출판사들이 대개 파리에 소재한 반면 이 출판사는 예

위베르 니센 ©film-documentaire.fr

외적으로 지방을 고집하고 있다는 사실이었다. '악트 쉬드'라는 이름은 '테마와 통계 지도 아틀리에Atelier de cartographie thématique et statistique'라는 표현의 머리글자를 모은 '악트ACTES'에다 '남쪽'을 뜻하는 SUD를 더한 것이다.

벨기에 출신인 위베르 니센Hubert Nyssen이 1978년에 세운 독립 출판사 악트 쉬드는 처음에 남프랑스 레보 계곡Vallée des Baux에 자리 잡고 있다가 1983년에 역시 프로방스 지방인 부슈뒤론Bouches-du-Rhône 데파르트망의 아를Arles로 이전해, 파리로부터의 문화적 독립을 강조하는 출판사 이념을 고수하면서 여전히 지방을 지키고 있다. 출판사의 이러

악트 쉬드 출판사 로고

스티그 라르손의 《밀레니엄》 시리즈

한 상황은 초창기에 많은 관심을 불러일으켰다. 악트 쉬드는 1987년이 되어서야 언론사 응대를 위해 파리 제6구에 사무실을 열었다.

가족적 분위기의 이 출판사는 주로 번역서를 출판하면서 초창기부터 외국문학(특히 현대문학)에 상당한 관심을 보였다. 그동안 3,000종 이상의 책을 발간했으며, 매년 260종 정도를 간행하고 있다. 총매출은 2018년 기준 6,581만 8,237유로에 달한다. 상당히 큰 규모라는 것을 짐작할 수 있다. 분야는 장편소설, 단편소설, 회고록, 체험담, 전기, 에세이, 호화 장정본, 만화, 도서 CD, 시, 인문학, 사진, 종교 및 청소년 서적을 망라한다.

출판사의 성장 과정은 재미있다. 끊임없이 영역을 다변화하는 중인데, 2005년부터는 만화 컬렉션을 출간하고 2006년에 앙굴렘Angoulême 국제만화페스티벌에서 최우수상을 받으며 입지를 더욱 튼튼하게 다졌다. 또 악트 쉬드 주니어Actes Sud Junior라는 브랜드를 통해 청소년 도서 발간에 주력하고 있다. 2007년에는 스웨덴 작가 스티그 라르손Stieg Larsson의 추리소설 《밀레니엄Millénium》을 번역해 출간하면서 2009년에 100만 부 이상의 판매 실적을 달성했고, 그에 따라 재정적으로 유례없는 번영기를 맞이했다. 2013년 1월에는 파요&리바주Payot&Rivages 출판사를 인수하기도 했다. 2013년 10월부터는 '에그조픽시옹Exofictions'이라는 이름을 내걸고 SF소설 분야에 뛰어든다. 첫 소설은 휴그 호위Hugh Howey가 쓴 《사일로Silo》였 다. 초창기부터 출판에 적극 협력한 위베르 니센 의 딸 프랑수아즈 니센Françoise Nyssen이 가업을 이어받아 1987년부터 2017년까지 출판사를 이 끌었다. 작가이기도 한 프랑수아즈 니센은 출판 분야에서 재능을 발휘했다. 프랑수아즈 니센은 2017년 5월 17일 문화부장관으로 기용되었다가 출판사 탈세 논란 등으로 이듬해인 2018년 10월 16일 경질되었다. 현재는 장-폴 카피타니Jean-Paul Capitani가 출판사를 지휘하고 있다. 2018년 기준 직원 숫자는 214명.

휴그 호위의 《사일로》

프랑수아즈 니센

그동안 이 출판사가 펴낸 책들의 면면은 악 트 쉬드가 출판시장에 어느 정도 기여했는지를 잘 보여준다. 노벨문학상을 수상한 작가도 귄 터 그라스Günter Grass(1999년), 임레 케르테스Imre Kertész(2002년), 스베틀라나 알렉시예비치Svetlana Aleksievitch(2015년) 세 명이나 된다. 1993년에 메디 치상 외국문학상을 수상한 폴 오스터Paul Auster

귄터 그라스 ©theguardian.com

의 《거대한 괴물Leviathan》, 2006년에 페미나상을 수상한 낸시 휴스턴 Nancy Huston의 《균열선Lignes de faille》도 악트 쉬드에서 출간되었다. 무엇 보다 이 출판사의 성장을 가장 잘 보여주는 수치는 공쿠르상 수상작 수다. 위키피디아를 통해 공쿠르상을 검색해보니 악트 쉬드는 2000년 대에만 무려 5개의 공쿠르상 수상작을 출간했다. 2004년에 로랑 고데

Laurent Gaudé가 《스코르타의 태양*Le Soleil des Scorta*》(40만 부 판매)으로, 2012년에 제롬 페라리*Jérôme Ferrari*가 《로마의 몰락에 대한 설교*Le Sermon sur la chute de Rome*》로, 2015년에 마티아스 에나르*Mathias Énard*가 《나침반*Boussole*》으로, 2017년에 에릭 뷔야르*Éric Vuillard*가 《그날의 비밀*L'Ordre du jour*》로, 2018년 니콜라 마티외*Nicolas Mathieu*가 《그들 이후의 그들의 아이들*Leurs enfants après eux*》로 수상했다. 2017년과 2018년에는 연달아 공쿠르상을 수상했을 정도로 2010년대에 악트 쉬드의 약진이 두드러졌다.

그 밖에도 악트 쉬드 출판사가 소개한 후 이런저런 문학상을 수상한 작가들로 앙리 보쇼*Henry Bauchau*, 잔 브나뫼르*Jeanne Benameur*, 장 카베*Jean Cavé*, 카멜 다우드*Kamel Daoud*, 알리스 페르네*Alice Ferney* 등이 있다. 또 러시아 작가 니나 베르베로바*Nina Berberova*의 전 작품, 스칸디나비아 작가 스티그 다게르만*Stig Dagerman*, 토르니 린드그렌*Torgny Lindgren*, 고란 툰스트롬*Goran Tunstrom*, 말리 작가 함파테 바*Hampâté Bâ* 등의 작품을 번역 소개했으며, 스페인, 그리스, 이탈리아, 오스트리아, 일본의 많은 작가를 프랑스에 처음 알리기도 했다.

악트 쉬드는 한국 작가들의 프랑스 내 번역 소개에도 아주 적극적이다. 프랑스의 문학 전문 소셜네트워크 바벨리오*Babelio* 사이트로 들어가보니, 이 사이트가 추천하는 '프랑스어로 번역된 한국문학 작품집 52권' 중에서 11권이 악트 쉬드에서 나왔다. 박완서의 《엄마의 말뚝*Les Piquets de ma mère*》(2005년 12월), 백남룡의 《벗*Des amis*》(2011년 9월, 찾아보니 북한문학이다!), 이균영의 《어두운 기억의 저편*L'Autre côté d'un souvenir obscur*》(2002년 11월), 이문열의 《금시조*L'Oiseau aux ailes d'or*》(1993년 8월), 《시인*Le Poète*》(2001년 9월), 《익명의 섬*L'Île anonyme*》(2003년 10월), 이청준의 《노거목과의 대화*Dialogue avec un vieil arbre géant*(단편소설집)》(2011년 11월), 《흰 철쭉*L'Azalée blanche*(단편

소설집)》(2014년 11월), 천명관의《고래*La Baleine*》(2008년 11월), 최윤의《갈증의 시학*Poétique de la soif*(단편소설집)》(1999년 9월), 최인호의《깊고 푸른 밤*Une nuit bleue et profonde*》(1993년 8월)이 그 책들이다. 그 밖에 악트 쉬드가 출간한 천명관의《고령화 가족*Une famille à l'ancienne*》 등도 추천 도서로 검색되었다.

　나의 눈에 악트 쉬드는 오랫동안 영화 제작자 마랭 카르미츠*Marin Karmitz*처럼 느껴졌다. 다시 말해 아무도 눈을 돌리지 않는 제3세계 문화에 지속적으로 애정을 표시하면서 그 풍요로운 세계를 어떻게 프랑스인들에게 소개할까 고민하는…… 1980년대와 1990년대 프랑스에 체류해본 사람이라면 나의 이야기를 이해할 것이다. 파리의 대형 서점에서 한국문학을 찾아보면 번역된 책이 몇 권 되지 않았다. 번역을 담

마랭 카르미츠 ⓒUnifrance.org

당한 파트릭 모뤼스Patrick Maurus와 최윤 같은 이들의 열정에 감사할 일이지만 악트 쉬드 같은 출판사가 없었더라면 한국문학의 소개는 훨씬 더 늦어지지 않았을까? 파리에서조차 시도하지 못하는 일을 지방에서 끈기 있게 밀어붙이는 뚝심

도 대단하고……

작가의 집, 문학관, 생가 그리고 작가의 길

프랑스에서 내게 인상적이었던 풍경 중 하나는 작가가 연관된 장소를 다루는 방식이었다. 파리의 많은 공간에 어떤 작가가 이 집에서 살았다는 표지판이 부착되어 있었고, 작가들이 거주했던 공간은 대부분 그 작가의 작품세계를 알아볼 수 있는 기념관으로 개조되어 있었다. 거리 이름도 작가 이름이 붙은 곳이 부지기수였다. 우리에게도 문학관이나 작가의 집이 점점 더 소중하게 인식되고 있지만, 서울과 지방을 오가며 둘러본 문학관의 형태는 지역별로 격차가 컸다.

빅토르 위고

위고, 뒤마Alexandre Dumas, 상드George Sand, 셰익스피어, 네루다Pablo Neruda, 키플링Rudyard Kipling, 콜레트 등 많은 작가에게 일생을 보낸 집은 아

알렉상드르 뒤마

주 소중한 의미를 지녔다. 프랑스 철학자 가스통 바슐라르Gaston Bachelard는 "집은 풍경 이상으로 영혼의 상태를 나타낸다."라고 이야

시도니-가브리엘 콜레트

파블로 네루다

기하지 않았던가. 못 말릴 여행자들인 스티븐슨Robert Louis Balfour Stevenson이나 헤밍웨이는 자신의 취향에 맞는 거처를 지었다. 일부 작가들은 집에 칩거하며 창작에 몰두했고, 또 다른 작가들은 자신들의 작품세계와 유사한 건물을 만들어내기도 했다. 몇몇 작가들은 파리에서 일어나는 소요에 적극 뛰어든 반면 또 다른 부류의 작가들은 전원생활이 주는 고요함을 선호했다. 독특한 거주자의 모습에 따라 위고의 그 유명한 오트빌 하우스Hauteville House에서부터 유르스나르의 몽누아르Mont Noir 위 평화로운 집에 이르기까지, 로티Pierre Loti의 별장에서부터 콩트Auguste Comte의 간소한 집에 이르기까지 형태도 아주 다양하다. 일부는 사라질 위기에 처해 있는가 하면, 일부는 지방자치단체가 관리하고 있다. 수도권에서는 '작가의 집 역사 루트Route historique des maisons d'écrivains'라는 이름을 붙여 일드프랑스Ile-de-France와 노르망디 일부를 잇는 여정을 마련해 13명의 작가가 거주하던 12개 공간을 만나게 해주고 있다.

파리와 수도권

1. 빅토르 위고 박물관Musée Victor Hugo

파리 한복판 마레 지구에 있기에 가장 접근성이 뛰어나다. 위고가 살았던 로앙게메네Rohan-Guéménée 저택이 1902년에 박물관이 되었다. 위고는 이 건물의 3층에서 1832년부터 유배를 떠나는 1848년까지 거주했다.

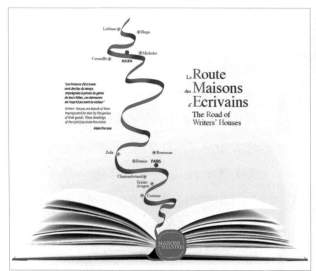

작가의 집 역사 루트
http://www.routecrivains.fr

2. 발자크의 집Maison de Balzac

파리 제16구 파시Passy에 소재한 이 집에서 발자크는 가정부 이름을 내세워 '브뢰뇰 부인Madame de Breugnol'이라는 가명으로 거주했다. 채권자들을 피하기 위해서였다. 그 계략은 7년 동안 통했는데, 레누아르 거리Rue Raynouard와 베르통 거리Rue Berton로 출구가 두 군데 나 있었기 때문이다. 이곳에서 《인간 희극》 연작에 등장하는 6,000명의 인물 중 1,000명의 초상을 만나볼 수 있다. 엄청난 양의 커피를 내렸던 커피기

스테판 말라르메

계, 손으로 베껴 쓴 사본 일부, 지팡이도 전시되고 있다.

3. 알퐁스 도데의 집Maison Alphonse Daudet

130여 년 전인 1887년에 알퐁스 도데는 센 강변 드라베이유Draveil에 소재한 집을 구입했다. 작가는 주요 작품들을 이곳에서 저술했고, 예술가·저널리스트·탐험가·출판인 친구들을 이곳에서 맞이했다. 원할 때는 파리의 아파트를 오가며 수도에서 벌어지는 사건들과 만났다.

4. 스테판 말라르메 도립 박물관Musée départemental Stéphane Mallarmé

1842년 출생한 시인 스테판 말라르메Stéphane Mallarmé[5]는 '밥벌이'로 영어 교사를 하며 열심히 시를 썼던 인물이다. 그가 실제로 거주한 곳은 파리 제17구 롬 거리Rue de Rome지만 박물관은 센에마른Seine-et-Marne 데파르트망 센강 주변의 단독주택에 들어서 있다.

5. 에밀 졸라의 집Maison d'Émile Zola

졸라가 1878년부터 1902년까지 살았던 메당Médan 소재 집이다. 소설《목로주점L'Assommoir》이 상업적으로 성공을 거둔 덕분에 이 집을 구입할 수 있었다. 졸라가 전원생활을 즐기면서 소설을 썼던 곳이 이곳이다. 일명 드레퓌스 박물관Musée Dreyfus으로도 불린다.

6. 샤토브리앙의 집Maison de Chateaubriand

프랑스 작가이자 정치인 샤토브리앙François-René de Chateaubriand의 내밀한 거처인 '라 발레오루La Vallée-aux-Loups'는 그가 제1제정에 반대하면서 나폴레옹의 분노를 샀을 때 피신한 장소였다. 오드센Hauts-de-Seine 데파르트망 샤트네말라브리Châtenay-Malabry에 소재한 이곳에서《죽음 저편의 회상Mémoires d'outre-tombe》《순교자들Les Martyrs》《파리에서 예루살렘까지의 여정*Itinéraire de Paris à Jérusalem*》 등의 저서를 썼다.

7. 엘자 트리올레와 루이 아라공의 집 Maison Elsa Triolet-Louis Aragon

12세기 말에 지어진 빌르뇌브 제분소Moulin de Villeneuve가 딸린 5헥타르의 공간에 이 부부가 거주했다. 제분소는 그들 작품의 배경이자 그들에게 영감을 제공하는 원천이 되었다. 두 사람의 무덤이 있는 이곳은 현재 3만 권 이상의 도서가 비치된 연구공간이자 현대 예술 창작을 지원하는 장소로 활용되고 있다.

8. 몬테 크리스토 성 Château de Monte Cristo

파리 외곽 이블린 데파르트망 포르 마를리Port Marly의 언덕 위에 지어진 이 성에서 알렉상드르 뒤마가 거주했다. 1846년에 매입했지만 뒤마는 빚을 처분하기 위해 3년 후에 이 집을 다시 팔 수밖에 없었다.

9. 장-자크 루소 박물관 Musée Jean-Jacques Rousseau

발 두아즈Val d'Oise 데파르트망 몽모랑시Montmorency에서는 제네바 출신의 철학자이자 가장 위대한 계몽주의자를 만나볼 수 있다. 그는 '연기와 소음, 진흙의 도시ville de fumée, de bruit et de boue' 파리를 피해 이곳에서 1757년부터 1762년까지 머물렀다. 그 유명한 《누벨 엘로이즈*Nouvelle Héloïse*》《사회계약론*Le Contrat social*》이 이곳에서 저술되었다.

그 외에도 수도권에서는 이반 투르게네프Ivan Tourgueniev의 러시아식 별장 다차, 쥘 미슐레의 성, 피에르 코르네이유Pierre Corneille의 집, 귀스타브 플로베르 저택, 모리스 르블랑Maurice Leblanc의 집을 방문할 수 있다.

지방

조르주 상드

1. 조르주 상드George Sand의 성, 르 베리Le Berry

본명이 아망틴 오로르 뤼실 뒤팽Amantine Aurore Lucile Dupin이었던 상드는 혁명적인 글을 썼기에 적도 많았고(특히 보들레르), 친구도 많았다(특히 쇼팽Frédéric Chopin, 발자크, 플로베르, 들라크루아Eugène Delacroix, 위고). 그녀는 노앙Nohant의 커다란 공원 가운데 위치한 아름다운 성에서 작품을 썼다.

2. 피에르 로티의 집, 로슈포르Rochefort

아카데미 프랑세즈 회원이고 터키를 아주 사랑했던 쥘리엥 비오 Julien Viaud, 일명 피에르 로티는 풍부한 여행 경험이 담긴 자전적 이야 기를 많이 남긴 작가다. 아름다운 집의 각 방은 그가 여행했던 장소로 우리를 데려간다.

프랑수아즈 사강

3. 프랑수아즈 사강Françoise Sagan의 브뢰이유 저택manoir de Breuil, 에크모빌Équemauville

'매혹적인 작은 괴물' 혹은 '문학계의 미스 샤 넬'이라는 별명을 가졌던 사강은 무수한 독자에 게 증오의 대상이자 사랑의 대상이었다. 1958년 8월 8일 도빌의 카지노에서 8만 프랑의 잭팟을 터뜨린 후 옹플뢰르Honfleur 근처 에크모빌에 있는 브뢰이유 저택을 구 입해 이곳에서 휴가를 보냈다.

4. 빅토르 위고의 오트빌 하우스, 건지 섬Hauteville House, à Guernesey

내가 가장 가고 싶은 작가의 집이다. 나폴레옹 3세의 독재에 대항 해 그가 필치를 휘두른 곳이다. 프랑스와 가장 가까운 영국 땅 건지

섬에 소재한 오트빌 하우스는 위
고에게 심리적으로 가장 먼 동시에
가장 상징적인 장소였다.

마르그리트 유르스나르와 장 도르메송

5. 마르그리트 유르스나르의 집,
생장카펠Saint-Jans-Cappel

아카데미 프랑세즈에 들어간 최
초의 여성이었던 작가. 박물관으로 변신한 그녀의 집은 작가의 일생과
문학적 모험을 훑어볼 수 있는 자료들을 전시하고 있다.

6. 피에르 코르네이유의 집, 프티쿠론Petit-Couronne

프랑스 연극을 이야기할 때 가장 먼저 거론되는 세 사람이 코르네
이유, 라신Jean Racine, 몰리에르Molière다. 코르네이유는 자신의 부모 소
유이던 노르망디 지방 프티쿠론의 한 작은 집을 자기 것으로 삼은 후
그곳에 아름다운 정원을 만들어 별장으로 썼다.

7. 스탈 부인Madame de Staël, 코페 성Château de Coppet

안-루이즈 제르멘 네케르Anne-Louise Germaine Necker는 품위 있는 여성
이었다. 스웨덴 남작과 결혼했다가 몇 년 후에 이혼했으며, 강한 개성
때문에 나폴레옹에 의해 파리에서 추방당했다. 레만 호수Lac Léman 근
처의 코페 성에서 안식처를 찾으며 페미니즘과 관련된 정치적 투쟁을
계속해나갔다.

그 밖에도 앙주Anjou에 있는 조아심 뒤 벨레Joachim Du Bellay의 라 튀
르믈리에르 성Château de La Turmelière, 에드몽 드 로스탕Edmond de Rostand
의 아르나가 빌라Villa Arnaga, 피에르 드 롱사르Pierre de Ronsard가 살았던
포소니에르 저택Manoir de la Possonnière, 마르셀 파뇰Marcel Pagnol의 오바
뉴Aubagne 소재 집 등이 작가의 집으로 자주 거론된다.

작가의 집에 관한 한 명소 50곳, 100곳을 골라내는 일이 너무나 힘들 정도로 프랑스에는 문인들이 많다. 또 프랑스를 제2의 조국으로 선택한 후 작품활동을 했거나, 하고 있는 작가들도 부지기수다. 사뮈엘 베케트Samuel Beckett, 밀란 쿤데라, 가오싱젠, 샨사Shansa…… 프랑스인들이 문학을 사랑하는 방식에는 정말 본받을 점이 많다.

오늘날 문학의 위상이 예전 같지 않지만 나는 글을 통해 세상을 익힌 세대다. 쵀루탄 난무하던 시절에 읽던 신경림과 신동엽 시의 맛을 지금 세대가 어떻게 알랴. 또 황석영, 이청준 소설의 감동은? 난 빅토르 위고를 통해 문학의 힘을 프랑스에서 재확인하기도 했다. 한국에서든 프랑스에서든 문인들의 꿈과 좌절, 욕망과 한이 뒤얽힌 공간들을 찾아가보시길. 그러한 시도는 결코 무의미하지 않다. 작가 사랑은 아마 작가들의 공간을 찾아가는 일에서부터 시작되어야 할 것이다.

주석

1 장 도르메송(1925.6.16.~2017.12.5.) : 프랑스 작가. 파리 고등사범학교에서 문학과 역사학을 전공했다. 92세로 생을 마감할 때까지 철학자, 작가, 저널리스트로 수많은 작품을 남겼다. 대표 저서로는 《사랑은 기쁨이다》(1956), 《제국의 영광》(1971), 《살아있는 것은 행복이다》(2003), 《눈물의 축제》(2005), 《세계의 창조》(2006) 등이 있다.

2 보리스 비앙(1920.3.10.~1959.6.23.) : 프랑스의 작가, 시인, 음악가, 번역가, 배우, 공학자. 공학도출신의 토목기사였던 그는 1940년 후반부터 1950년 초반에 걸쳐 10권의 소설을 집필했다. 또 트럼펫 연주자로 활동하며 듀크 엘링턴, 마일스 데이비스 등 파리를 방문한 재즈 아티스트들과 교류했다.

3 레지옹도뇌르 훈장 : 프랑스 최고의 훈장으로 무공이나 문화적 공적이 있는 사람에게 대통령이 직접 수여한다.

4 이 장에서 《새벽의 약속》 문장들은 다음의 번역본을 인용했다. 로맹 가리 《새벽의 약속》, 심민화 옮김(1985, 고려원).

5 스테판 말라르메(1842.03.18.~1898.09.09.) : 폴 베를렌, 아르튀르 랭보와 더불어 19세기 후반의 프랑스 시단을 주도한 시인으로 인상과 시적 언어 고유의 상징에 주목한 상징주의 창시자로 평가된다. 대표 저서로는 《목신의 오후》(1877), 《주사위 던지기》(1897) 등이 있다.

» 미디어

Média

Moyen, technique et support de diffusion massive de l'information (presse, radio, télévision, cinéma…).

Média

프랑스 신문을 생각한다

《르 피가로 리테레르》

프랑스 유학 시절 구독한 정기간행물은 정말 많았다. 유학 초기에 가장 힘들었던 문제 중 하나가 프랑스 사회에 대한 정보 부재였고, 그 문제를 해결하는 가장 좋은 방법이 정기간행물을 구독하는 것이라 생각한 나는 유용하다고 스스로 판단했던 많은 신문과 잡지를 매달 읽었다. 오죽하면 특파원보다 더 신문을 많이 읽는다고 파리에서 소문이 났을까. 처음에 너무 힘들었던 프랑스 사회와의 만남은 시간이 흐르며 축적되는 정보의 양만큼 점점 쉬워졌다. 쌓아 올린 정보가 서로 연결되자 나중에는 프랑스 사회를 무차별적으로 헤집고 다니는 재미가 쏠쏠했다. 때로는 프랑스 사람들이 "너는 우리보다 프랑스 사회를 더 많이 알고 있네?"라며 신기해하기도 했다.

매달 사들인 신문과 잡지 제목은 지금도 모두 기억이 난다. 신문으로는 《르 몽드》《리베라시옹》《르 피가로》《앵포마탱Infomatin》 잡지로

는 《텔레라마*Télérama*》《르 피가로
마가진*Le Figaro Magazine*》과 《마담 피
가로*Madame Figaro*》《엘르*Elle*》, 전공과
관련해서는 《라 캥젠 리테레르*La
Quinzaine littéraire*》, 취미와 관련해서는
상송 잡지 《코러스*Chorus*》, 여행 잡
지 《제오*Géo*》, 클래식 음악잡지 《디
아파종*Diapason*》 등이 있었다. 어학
실력을 배양하기 위해 구독한 어린
이 만화잡지도 있었다. 《픽수 마가
진*Picsou Magazine*》과 《르 주르날 드 미
케*Le Journal de Mickey*》가 그것들이었다.
신문들에 간지 형태로 실리던 문학

필자가 구독했던 프랑스의 다양한 잡지

부록들은 지금도 모두 소장하고 있다. 13~14개의 정기간행물을 읽기
위해 매달 지출하는 비용도 적지 않았다.

일간지를 네 개나 본 이유는 정치적 편향성에서 벗어나기 위함이었
다. 실제로 프랑스 신문들은 자신의 정체성을 정치·경제·사회·문화
전반에 덧씌우기에, 부동산·여행·쇼핑 등 모든 분야 기사가 서로 달
랐다. 예를 들어 우파 신문 《르 피가로》가 값비싼 크루즈여행 상품을
소개한다면, 좌파 신문 《리베라시옹》은 공정여행을 강조하는 식이었
다. 또 《르 피가로 리테레르*Le Figaro littéraire*》가 대독 협력 작가의 플레
이아드 총서 삽입을 주장한다면, 《리베라시옹》지의 문학부록은 정치적
선택과 글이 한 몸임을 강조하고 있었다. 한 예로 독일에 협력한 자의
문학은 아무리 좋아도 용서받지 못한다는 점을 강조했다.

1944년 12월 19일자 《르 몽드》 창간호

프랑스 신문들은 우리 신문들과는 다른 모습이 많았다. 예를 들어 프랑스 신문들은 가격이 무척 비쌌다. 당시 신문 한 부가 한국 돈으로 1,500원에 육박했으니, 신문을 읽는 것도 사치였다. 비싼 가격은 광고주로부터 자유롭기 위함이었다. 그래서 프랑스에서는 신문 한 부를 여러 명이 돌려 읽는 일이 흔하다.

사이즈도 제각각이었다. 각 신문이 개성을 드러내는 방식이었다. 예를 들어 대학생들이 많이 보는 《리베라시옹》은 타블로이드판이라 읽기가 편했던 반면, 《르 몽드》와 《르 피가로》는 펼치기가 부담스러울 정도로 컸다.

프랑스 신문들은 정말 다양한 생각할거리를 제공했다. 그중에서도 세계적인 신문 《르 몽드》의 기사는 백미였다. '참조용 신문journal de référence'이라는 별명이 붙을 정도로 이 신문은 정보 전달보다 분석에 주력했다. 따라서 해당 뉴스에 대한 1차 정보가 없으면 읽기가 아주 불편했다. 대한민국 비행기가 사할린 상공에서 러시아 전투기에 격추되었던 당시가 생각난다. 그 소식이 신문의 마지막 페이지 3단 기사로 아주 조그맣게 났을 때 나는 분개했다. 아시아의 작은 나라 이야기라고 이렇게 작게 다루냐고 생각하며. 하지만 그 사건으로부터 만 1년이 되었을 때 《르 몽드》는 사건의 진실이 무엇인지를 분석하는 기사에

한 페이지 전체를 할애했다.

반면 대학생을 주요 독자층으로 삼는 《리베라시옹》은 여러 면에서 파격적이었다. 사르트르 사후 몇 주기 기념일인가에는 사르트르에 대해서만 족히 10페이지를 할애했다. 주제는 사르트르의 철학적 계보, 사르트르의 작품세계, 사르트르가 만난 여인들…… 20세기 프랑스의 대표 철학자니까 그러려니 했다. 하지만 국민가수 이브 몽탕에 대해 비슷한 지면을 꾸몄을 때는 할 말을 잃었다. 우리식 대중문화와 고급문화 구분이 없었을뿐더러, 문화를 진정 사랑하는 프랑스인들의 정서가 고스란히 느껴졌기 때문이다. 이런 파격은 《르 몽드》도 마찬가지다. 우리의 학술원에 해당하는 아카데미 프랑세즈에서는 1년에 한두 명씩 프랑스 최고의 학자가 입회 연설을 하는데, 그럴

《리베라시옹》 장-폴 사르트르 특집호

《리베라시옹》 이브 몽탕 특집 기사

때 《르 몽드》는 그 연설을 거의 2면에 걸쳐 전재했다. 화학자의 평생 연구, 물리학자의 이론에 대해 우리가 뭘 알겠는가. 하지만 《르 몽드》는 연설을 한 단어도 빠뜨림 없이 전재하면서 학문과 사회의 거리를

좁히려 시도했고, 독자인 나는 그 지면 앞에서 경외심을 느꼈다. 이 경우 신문은 책과는 또 다른 방식으로 자료집 역할을 수행한다. 프랑스의 무수한 박사학위 논문에 신문이 주요한 참고자료로 수록되는 것도 바로 그러한 이유 때문이다. 신문의 학술적 가치를 기꺼이 인정하고 있는 것이다. 개인적으로는 영화 〈쇼아〉에 대해 스크랩한 신문 자료가 박사학위 논문 준비에 큰 도움이 되었다. 인쇄되어 배포된 신문을 마이크로필름으로 소장하고 있는 퐁피두 센터에서는 자료를 필요로 하는 사람들에게 유료로 프린트해준다. 혹은 신문 속 기사들을 주제별로 정리한 파일을 제공하기도 한다. 또 다른 부가가치를 만들어내고 있는 셈이다.

《르 몽드》를 비롯한 프랑스 신문들은 국제면에 상당한 지면을 할애했다. 한국 신문과 가장 큰 차이가 느껴지는 부분이었다. TV도 마찬가지였다. 과거 세계사의 중심이었고, 여전히 그렇다고 자처하는 프랑스는 TV뉴스를 세계 각지에서 벌어지는 주요 소식으로 도배한다.

《르 몽드》와 얽힌 추억이 참으로 많다. 신문이 발행되었어도 파리 정기간행물 유통공사Nouvelles Messageries de la Presse Parisienne(NMPP)가 파업을 해 배달이 되지 않을 때면, 신문 한 부를 사기 위해 지하철로 왕복 두 시간이 걸리는 샹젤리제 거리까지 나갔다. 관광객을 대상으로 한 그곳에서는 신문을 살 수 있었기 때문이다.

또 한국에 대한 기사는 빠짐없이 모두 읽었다. 당시 한국을 취재하던 기자는 필립 퐁스Philippe Pons였다. 그는 《르 몽드》의 주일 특파원이었는데, 한국 주재 특파원이 없어 그가 한국 기사까지 쓰고 있었다. 한국을 일본의 시각으로 기술하지 않을까 노심초사했는데 기우였다. 그의 글은 정확하고 치우침이 없었다. 일본에 30년 가까이 거주했으니 일본의 귀신이 될 만도 했건만. 퐁스가 쓴 글은 나중에 《에도에서 도쿄까지D'Edo à Tokyo》라는 제목으로 프랑스 굴지의 갈리마르 출판사가 자랑하는 'NRF 콜렉시옹Collection'을 통해 출간되었다. 무려 미셸 푸코의 저서가 포함된 인문학 분야의 컬렉션이다. 우리는 학술 비평과 저널리즘 비평을 구분하면서 서로 불신하지만, 프랑스에서 기자의 전문성은 최고의 철학과 같은 반

필립 퐁스의
《에도에서 도쿄까지》

열에 있다. 나는 필립 퐁스를 프랑스 최고의 일본통으로 인정하며 그의 전문성을 흔쾌히 받아들였다. 프랑스 대통령은 해외 출장에 이런 각 지역 전문가들을 꼭 포함시켰다. 중국통이었던 알랭 페르피트Alain Peyrefitte만큼이나 일본과의 관계에서 필립 퐁스는 소중한 존재였다. 경제인들 위주로 수행단을 구성하는 우리 정부의 해외 방문과 확연히 다르지 않은가?

그러나 요즘 프랑스 신문은 위기에 봉착해 있다. 비싼 신문값에 미치지 못하는 기사의 질에 불신이 적지 않다. 메이저 신문을 손에 꼽을 정도로 프랑스의 신문 현황은 열악하다. 상대적으로 옐로페이퍼가 강세를 보이는 영국 신문 혹은 독일 신문에 비해서 신문 발행부수는 형편없이 뒤떨어진다. 전국 규모의 중앙지가 지방 신문 《웨스트 프랑스Ouest-France》보다 발행부수가 적다는 사실은 나에게 충격적이었다. 쉽게 설명하자면, 내 고장의 작황·축제·날씨 등이 파리를 중심으로 전개되는 국제적 문제보다 더 중요하다고 느끼는 프랑스 사람들이 많다는 의미다.

고사 직전의 신문에 비해 잡지는 호황을 맞고 있다. 자동차 관련

잡지만 해도 10종에 가까울 정도로 풍성하다. 그리고 잡지가 다루는 주제는 여성, 아동, 여행, 식도락, 영화, 스포츠 등 더없이 다양하다. 프랑스 잡지를 구독한다면 한 분야의 전문가가 될 수도 있으니 한번 생각해보시길. 물론 프랑스어가 전제되어야 하지만.

풍자신문들

프랑스 풍자신문의 존재에 대해서는 마음이 복잡하다. 놀라운 동시에 파격적이었고, 불편한 동시에 존경스러웠다. 2015년 1월 7일 파리 제11구에서 일어난 《샤를리 에브도*Charlie Hebdo*》 테러 사건은 나에게도 큰 충격을 주었다. 이슬람 원리주의 성향의 두 테러리스트가 난사한 총기에 숨을 거둔 12명의 사망자 중 나에게도 익숙한 필진 카뷔Cabu, 샤르브Charb, 조르주 볼린스키Georges Wolinski가 포함되어 있었던 것이다.

《샤를리 에브도》

테러의 원인으로는 2011년 이후 이슬람교 창시자 무함마드Muhammad를 부정적으로 묘사한 만평을 신문이 여러 차례 게시한 점이 지목됐다. 이 사건은 유럽과 아랍권의 해묵은 갈등의 축소판이기도 했다. 이슬람교는 무함마드를 그리는 행위 자체를 신성모독

2015년 테러 사건 재판을 다룬
《샤를리 에브도》특집호

으로 간주해 엄격히 금지하며, 풍자의 이름으로 자신들의 '신'을 조롱

《샤를리 에브도》 연혁과 2015년 테러 사건 ©AFP

할 때 폭력에 의지하기를 주저하지 않는다. 반면 서구에서는 풍자의 대상에 성인도 예외일 수 없다는 원칙을 고수하며 신념을 굽히지 않는다. 이슬람에서는 우리가 예수를 풍자한 적이 있느냐고 반문하지만, 서구는 테러리즘의 뿌리에 이슬람의 불관용이 자리하고 있다고 생각한다. 오늘날 비공식적으로 600만 명 이상의 무슬림이 거주하는 프랑스는 이슬람 문제를 어떻게 풀어가야 할까? 또 공식적으로 세속주의를 표방하는 프랑스가 종교를 극도로 중시하는 이슬람과 어떻게 만나야 할까?

그 어떤 성역도 인정하지 않는 풍자라는 무기가 서구의 도도한 전통을 이어받은 것이기는 하다. 종교에 대한 희화화를 금기시하는 아시아 출신으로서 나는 입장이 어정쩡할 수밖에 없었다. 성인들을 성性과 연결시킬 때는 더욱 난감했다. 그러던 터에 풍자를 주 무기로 삼는 신문이 테러 대상이 된 사건은 다시 한번 풍자에 대해, 풍자신문에 대해, 서구의 풍자 전통에 대해, 기독교와 이슬람의 관계에 대해 생각해보는 계기가 되었다.

풍자 전통은 어디까지 거슬러 올라갈 수 있을까? 주로 권력층이 저지르는 잘못, 해악, 거짓을 희화적으로 발가벗기는 것을 목적으로 삼는 풍자신문은 프랑스대혁명 때 모습을 드러내나, 비약적인 도약을 한 시기는 1830년 7월왕정이 들어선 이후였다. 즉 최소한의 언론 자유가 보장되기 시작한 순간부터다. 풍자신문은 19세기에 유럽 다른 국가들에서도 나타났고 1830년부터 1835년 사이에 언론의 자유에 힘입어 급속도로 성장한다. 1829년에 창간된 후 예술적 소명을 수행하던 《라 실루에트La Silhouette》 신문이 풍자신문으로 변하기도 했다. 이 시기에 창간된 풍자신문만 해도 《르 코르세르Le Corsaire》(1823), 《라 글라뇌즈La Glaneuse》(1831), 《라 카리카튀르La Caricature》(1830), 《르 샤리바리Le Charivari》(1832) 등 다수다. 문맹율이 높았던 19세기 전반부에는 캐리커처 같은 이미지가 중시되었다. 19세기 내내 무수한 풍자화를 그려낸 캐리커처리스트 오노레 도미에Honoré Daumier에 대해 시인 샤를 보들레르는 현대예술의 가장 위대한 인물 중 한 명으로 평가한 바 있다.

또 19세기 후반부에는 《르 안느통Le Hanneton》(1862-1868), 《르 냉 존느 Le Nain Jaune》(1863~1876)를 비롯한 무수한 풍자신문이 등장했다가 사라졌다. 드레퓌스 사건이 발발한 1894년에 창간한 주간 풍자신문 《르 리르Le Rire》는 20세기 초반에 대성공을 거두다가 1950년 폐간되었다. 20세기에 들어서면 《르 카나르 앙셰네Le Canard enchaîné》와 더불어 1차대전을 희화적으로 다룬 《라 바이오네트La Baïonnette》 등이 창간된다. 현대적 의미의 풍자신문들은 1968년 학생혁명 이후에 모습을 드러냈다. 월간지 《하라키리Hara-Kiri》는 1960년부터 1985년까지 발간되다가 검열로 폐간된다. 《시네 마사크르Siné Massacre》(1962~1963), 《랑라제L'Enragé》(1968), 《라 그로스 베르타La Grosse Bertha》(1991~1992) 등이 비슷한 시기에 등장한 풍자를 내세운 정기간행물들이다.

《하라키리》가 1970년 검열로 폐간될 무렵 이름을 바꿔 매주 수요일 주간지로 발행하기 시작한 신문이 《샤를리 에브도》다. 과격한 학생혁명을 치른 프랑스가 내부통제를 강화하기 시작하자 그에 대항해 생긴 신문 중 하나였다. 《샤를리 에브도》는 1969년 창간한 후 1981년에 폐간했다가 1992년 복간되어 현재까지 간행 중이다. 반종교적 성향이

《샤를리 에브도》 테러 사건을 다룬
《르 카나르 앙셰네》

강해 극우, 가톨릭, 이슬람, 유대교, 정치인, 문화 등에 대한 비판적인 기사가 주를 이룬다.

1915년에 창간된 《르 카나르 앙셰네》도 현재까지 발행되며 《샤를리 에브도》와 쌍벽을 이루는 풍자신문이다. 1차대전 중에 전쟁의 실상이 국민들에게 제대로 전달되지 않자 그에 반기를 들고 태어난 것이 이 신문이다. 1960년대에 제왕처럼 군림하는 드골을 풍자한 무수한 글을 게재하기도 했다. '사슬에 묶인 오리'라는 특이한 이름을 가진 이 신문 역시 매주 수요일에 발간된다. '카나르Canard'가 오리와 함께 가짜 정보, 거짓말을 뜻하는 데 착안했다는 설이 있다. 수요일에 지하철을 타면 많은 젊은이가 《르 카나르 앙셰네》를 정독하고 있다. 나의 눈에는 검은색과 빨간색 2도로 인쇄된 그 신문의 형식이 아주 인상적으로 느껴졌다. 정치와 경제적 이익으로부터 자유로운 독립적인 시스템을 고수하면서 정치와 경제 분야의 무수한 비하인드 스토리를 특종으로 다루고 있다.

프랑스 유학 시절에 피부로 느낀 유럽과 아랍권의 갈등 중 하나가 살만 루시디Salman Rushdie 문제였다. 맨부커상을 세 번 수상한 영국 소설가인 그는 종교적 신념과 광신에 대한 성찰을 담은 소설 《악마의 시The Satanic Verses》(1988)를 출간한 후 1989년 이란의 호메이니Ayatollah Ruhollah Khomeini로부터 사형선고를 받는다. 1998년 호메이니가 사망하자 작가에게 정치적 신념이란 무엇인가, 또 종교를 건드리는 것은 작

가에게 금기인가에 대해 많은 생각
을 낳게 했다.

《샤를리 에브도》테러 이후의 프
랑스 분위기도 나의 관심 대상이
었다. 많은 프랑스인이 '나는 샤를
리다'라는 구호를 내세우며 테러를
규탄했고, 표현이나 창작의 자유를

《샤를리 에브도》테러 사건 직후의 추모행렬

옹호했다. 프랑스 사회를 도도하게 흐르는 풍자의 전통이 없었더라면
불가능한 이야기다. 살아남은 《샤를리 에브도》사람들 역시 테러 이
후에도 이슬람을 풍자하는 입장을 여전히 고수하고 있다. 인권을 중
시하는 서구사회의 눈에 풍자는 부분적으로 사회정의의 구현과 맞물
려 있었고, 노골적으로 드러내지 못하는 주제를 에둘러 표현해내는 효
율적인 무기로서 작동하는 느낌이었다. 문제를 직접 고발하는 것보다
쉬운 방식이 어디 있으랴. 핏빛으로 물든 깃발, 요란한 정치 구호를 담
은 전단의 효과가 직접적인 것은 사실이지만, 그것을 한 단계 비틀어
표현할 때 상상 이상의 효과를 낳기도 한다. 문학예술이 풍자를 중시
할 수밖에 없는 이유이기도 하다. 세상의 부조리를 가장 정확하게 표
현해낼 수 있는 방식이라는 얘기다.

훗날 도미에의 풍자 판화를 정리한 로이스 델테이유Loys Delteil가 도
미에를 평가한 말은 더없이 타당하게 느껴진다. "도미에는 일상에서
겪는 사소한 불행과 재난까지도 진솔하고 희극적으로 묘사해낸다. 이
예술가의 위대함은 바로 '무자비한 솔직함'에 있다."

과연 오늘날 언론이 다루는 풍자는 표현의 자유일까 아니면 장삿
속으로 채워진 도발일까? 어떤 방식이 '건전한' 풍자일까? 풍자라는

이름으로 분노만 조장하고 있지는 않은지? 우리의 언론도 분노를 유발한다는 측면에서는 풍자신문과 비슷한 모습을 하고 있지만 정말 부조리를 드러내고 사회정의를 구현하고 있는지는 생각해볼 일이다.

한국으로 가져오고 싶었던 신문
《쿠리에 앵테르나시오날*Courrier International*》

유학 시절인 1990년, 정확하게 31년 전에 창간된 주간신문이《쿠리에 앵테르나시오날Courrier International('국제 우편', '국제 통신'이라는 의미)》이다. 2018년 기준으로 신문 가격은 4.50유로, 발행부수는 16만 9,265부다. 그중 프랑스에서 판매된 부수는 15만 7,160부로 집계되었다. 르 몽드 그룹이 소유하고 있으며, 발간 책임은 아르노 오브롱Arnaud Aubron 이 맡고 있다. 매주 목요일에 발간된다. 회사가 내세운 슬로건은 2010년 '예견하는 법을 배우기Apprenez à anticiper', 2015년부터는 '타자들의 시선Le Regard des autres'이고, 정치·경제와 문화를 비롯한 모든 내용을 다룬다.

　이 신문의 의미는 나에게 아주 컸다. 기사 대부분은 외국에서 발간되는 신문 기사를 프랑스어로 번역한 후 편집한 것이었다. 창간 당시 60개 이상의 외국 신문과 기사 제휴 특약을 맺어 주요 기사를 번역하는 방식이었는데, 한국 신문은 없었다. 당시 모 신문의 파리 특파원이던 대학 동기에게 이 신문의 한국 도입을 생각해보라고 제안했지만, 그 후 감감무소식이었다. 여전히 이 신문과 협력하는 한국 신문은 없

《쿠리에 앵테르나시오날》 창간호
©Courrier International.com

는 것으로 알고 있다. 지금도 상황이 별다르지 않지만, 외신이라고 하면 90%가 영어 기사인 국내 언론환경에 익숙해 있던 내게 이 신문의 창간은 획기적으로 느껴졌다. 예를 들어 미국과 이라크의 전쟁을 다룰 때 주로 영어 기사를 번역하는 한국은 필연적으로 영미권의 시각을 받아들일 수밖에 없다. 아랍의 시각은 송두리째 무시당하는 것이다. 그런 문제점 때문에 알자지라Aljazeera 방송도 생겨나기는 했지만, 유럽의 중심인 파리에서 《쿠리에 앵테르나시오날》의 창간은 특별해 보였다. 현지 사정을 현지 신문을 통해 접하는 것보다 더 객관적인 방식이 어디 있을까?

한국과 제휴하지 않은 이 신문이 한국을 다루는 방식을 나는 주의 깊게 지켜보았다. 유학 도중 《쿠리에 앵테르나시오날》에 실렸던 한국 관련 기사는 여럿 기억난다. 그중 하나가 로스앤젤레스에서 일어난 흑인 폭동. 당시 많은 한인 가게들이 약탈 대상이었지만 《쿠리에 앵테르나시오날》은 영어신문 기사를 번역해 싣고 있었다. 우리의 시각을 대변할 수 없었던 것은 물론이다. 재일교포 문제 같은 것이 일본 신문에 의해 다뤄질 때는 더 우려스러웠다. 한국의 국제화와 더불어 우리의 논조를 세계에 알리는 신문의 발간 필요성은 앞으로 더 강조될 것으로 보이지만, 그 이전에 우리의 감각도 모든 면에서 국제화될 필요가 있다. 우리가 서구사회보다 앞서서 국제적인 기준을 만들고 상황을 선도할 때 세계가 우리를 존경하는 풍경을 코로나바이러스가 맹위를 떨치는 근래에 확인하지 않았던가. 그 정도로 우리는 지구촌이라는 좁은 세상 속에 살고 있다.

《쿠리에 앵테르나시오날》의 창간은 1987년 가을에 장-미셸 부아시에Jean-Michel Boissier, 에르베 라베르뉴Hervé Lavergne, 모리스 로네Maurice Ronai, 자크 로슬랭Jacques Rosselin이 처음 구상했다. 하지만 자금을 확보하지 못해 곤란을 겪다가, 두 명의 투자자가 총 1,000만 프랑을 투자한 덕분에 1990년 11월 8일에야 창간할 수 있었다. 그 사이에 두 개의 시험판이 제작된 터였다.

창간호는 3만 부가 팔렸다. 그러다 10여 년 후인 2001년에는 13만 5,413부가, 2004~2005년에는 17만 6,084부가 팔릴 정도로 성장을 거듭했다. 1991년 1월 17일 발발한 걸프전과 러시아에서 벌어진 사건들 등 국제 문제를 효과적으로 다룬 덕분이었다. 걸프전 당시 프랑스에 수입이 금지된 아랍 신문들을 번역하자, 매스컴이 《쿠리에 앵테르나시오날》을 대대적으로 소개하기 시작했다. 이 신문의 효용가치는 금방 드러났다. 러시아 신문들이 보는 모스크바 군사 쿠데타, 아랍 신문이 보는 알제리 선거, 유럽 신문들이 보는 유럽연합 설립 관련 마스트리히트 조약에 대한 프랑스 국민투표…… 《쿠리에 앵테르나시오날》은 1992년 당시 프랑스에서 전혀 알려지지 않았던 빌 클린턴Bill Clinton을 커버 기사로 다룬 최초의 프랑스 신문이었고, 《뉴 리퍼블릭New Republic》 기사를 번역한 덕분에 미국 예비선

1992년 빌 클린턴을 표지에 내세운 《쿠리에 앵테르나시오날》
©courrier International.com

거에서 그가 승리하리라는 예상까지 할 수 있었다.

창간 후 1994년 말까지 네 명의 창업자 중 하나인 자크 로슬렝이 회사 운영을 맡다가 알카텔Alcatel 그룹 자회사인 제네랄 옥시당탈Générale Occidentale이 회사를 인수한 지 1년이 채 안 된 시점에서 편집국장 지명과 회사의 전략 문제에 대한 이견 때문에 그가 사임하기에 이른다. 알카텔 그룹은 우파 성향의 잡지들인 《렉스프레스L'Express》와 《르 푸앵Le Point》을 소유하고 있었다. 1999년에야 재정 차원에서 수지 균형을 이룬 후 비방디Vivendi 그룹에 매각된다. 2001년에는 르 몽드 그룹이 신문을 사들였다.

2010년 9월, 20주년 《쿠리에 앵테르나시오날》
©Courrier International.com

20주년을 맞은 2010년 9월 9일에 《쿠리에 앵테르나시오날》은 새로운 로고와 새 판형을 도입하며 쇄신한다. 2012년 10월 4일에는 웹을 통한 서비스를 강화하고 1면을 더 강조한다. 2013년 10월에는 직원의 3분의 1인 20여 명을 줄이면서 몸집 줄이기에 돌입했는데 신문사 역사상 처음으로 편집부 파업을 불러일으켰다. 2014년에는 8,417명으로 디지털 구독자 수가 가장 많은 신문이라는 위상을 얻었으며, 2015년 3월 19일부터는 홈페이지를 개편하면서 시사 문제에

《쿠리에 앵테르나시오날》 홈페이지

더 많은 지면을 할애하고 탐사, 여행, 과학, 역사라는 4개 주제를 심층적으로 다루기 시작했다.

2015년에 《쿠리에 앵테르나시오날》은 프랑스에서 16만 7,000부 이상이 팔렸는데, 정기구독보다는 낱개로 판매되는 경우가 더 많다. 2015년 2월 기준으로 1만 5,000명에 달한 인터넷 가입자들도 신문의 수익에 기여하고 있다. 인터넷 사이트는 지면 신문을 보완하는 기사들을 많이 수록하는 편이다. 또 이 신문은 규칙적으로 주제별 별책본을 발간하는 중인데, 그중 한 별책본은 영국 주간지 《디 이코노미스트*The Economist*》와 협력해서 출간하고 있다. 하지만 이 신문 역시 많은 다른 종이신문들과 마찬가지로 최근 발행부수가 상당히 줄어들고 있다. 한편 세계 각국의 실상을 편견 없이 전달할 수 있는 신문의 포맷을 부러워하는 곳이 많아, 동일한 형태를 도입하거나 모방한 신문들이 이탈리아, 포르투갈, 일본, 벨기에, 네덜란드 등에서 발간되고 있다.

《쿠리에 앵테르나시오날》은 건축, 전시회, 이

《쿠리에 앵테르나시오날》과 《디 이코노미스트》가 공동 발간한 《2021년 세계》

에르베 라베르뉴의 《특집호》

미지 등을 세계 각 지역이 어떻게 받아들이고 있는가에 대해서도 지면을 할애한다. 또 창업자 중 한 명인 에르베 라베르뉴는 2011년에 《특집호*Numéro spécial*》라는 소설을 발표하기도 했는데, 작품 속에서 그는 국제적 성격의 매거진 《뢰이유 앵테르나시오날*L'Œil international*(국제적인 눈)》이 만들어진 비사를 담아내고 있다. 작가가 인정하듯이 소설은 대부분 실제 이야기로부터 영감을 얻은 작품이었다.

세계와의 만남은 어떤 방식이 가장 바람직할까? 늘 내가 생각하는 바다. 오늘날 유튜브를 비롯한 다수의 매체가 지역간 물리적·심리적 거리를 상당히 단축시킨 것은 사실이다. 하지만 그럴수록 호혜적인 원칙에 근거한, 세상에 대한 균형 잡힌 이해가 필요하지 않을까? 특히 문화 쪽으로 가면 돈과 무기가 힘을 쓰지 못한다. 우리의 문화가 다른 세계에 의해 왜곡 수용되지 않도록 하기 위해서라도, 우리가 다른 세계를 적극적으로 받아들이고 이를 통해 우리의 것을 효과적으로 전해야 하지 않을까? 난 한국의 군악대가 로리앙 인터켈트 페스티벌에서 우리 전통악기로 울림을 자아내는 풍경을 오래전부터 꿈꾸어왔다. 백파이프와 브르타뉴 지방의 나팔인 봉바르드bombarde가 우리의 소리와 어울리고, 군악대가 중요한 연주단체이며, 페스티벌 주최측에서 켈트 문화를 대외적으로 널리 알리려는 의지가 강하다는 사실을 모른다면 이런 상상은 아예 불가능하다.

어떻게 세상을 이해할까? 매일 국제면에는 코딱지만큼 지면을 할애하면서 사회면의 잡다한 사건에 대한 보도만 차고 넘치는 우리의 신문들도 이제 좀 바뀔 때가 되지 않았을까?

프랑스-독일 합작 채널
아르테ARTE TV의 꿈과 야망

유학 중이던 1992년 5월 30일의 일이다. 프랑스
와 독일이 공동 출자로 설립한 문화 전문 채널
이 개국한다고 하기에 정말 호기심을 가지고 기
다렸다. 방송국 위치는 오늘날처럼 유럽연합이
확대되기 이전 회원국이 12~15개국이던 시절 벨

아르테ARTE TV 로고

기에, 독일, 영국, 스페인, 이탈리아를 통틀어 지리적으로 가장 중앙에
위치한 도시인 스트라스부르Strasbourg에 자리 잡았다. 그 시절에 유럽
의회 건물도 이 도시에 들어섰다. ARTE는 예술을 뜻하는 라틴어이기
도 하지만 '유럽TV관련협회Association relative à la télévision européenne'의 준
말이란다. 현재 프랑스와 독일, 안도라, 오스트리아, 벨기에에서 이 방
송을 직접 시청하고 있으며, 위성방송을 통해서는 핀란드, 이탈리아,
리히텐슈타인, 룩셈부르크, 모나코, 네덜란드, 스위스 사람들이 시청하
고 있다. 프랑스의 아르테 프랑스Arte France(옛 채널은 라 세트La Sept)와 아
르테 도이칠란트Arte Deutschland TV가 반반씩 책임을 맡고 있다. 아르
테는 그동안 다양한 홍보용 슬로건을 내세운 바 있는데, 2016년에 정

한 제목 '아르테, 영원한 개방Arte, ouverture permanente'을 지금까지 고수하고 있다.

난 지극히 한국적인 감성으로 무장한 채 아르테의 첫날 첫 방송을 기다렸다. 당연히 개국을 알리는 양국 정상, 문화부장관들의 축사로 시작할 줄 알았다는 얘기다. 그러나 첫 방송은…… 놀랍게도 한 젊은 미국인의 인터뷰가 아닌가? 한국어로 번역되었기에 우리에게도 잘 알려진 만화《쥐》를 그린 아트 슈피겔만의 인터뷰였다.《쥐》는 수용소를 체험한 아버지를 졸라 수집한 내용을 토대로 등장인물들을 동물로 그려낸 만화다. 작품 속에서 유대인은 쥐, 독일 나치는 고양이, 폴란드인은 돼지로 묘사되었다.

이 작품이 미국의 퓰리처상을 받은 걸작이기는 하다. 하지만 프랑스인도, 독일인도 아닌 아트 슈피겔만이 아르테의 첫 전파를 타는 모습은 나에게 아주 낯선 동시에 신선했다. 그런 풍경을 통해 여러 생각을 했다. 수용소와 홀로코스트 문제는 전후 50년이 지나도 여전히 유럽의 아킬레스건이었다. 문제의 극복 없이는 유럽 통합이 가능하지 않기에, 통합은 문화적으로 풀어나가는 것에서 시작되어야 한다는 생각을 첫 프로그램은 보여주고 있었다. 문화라는 이름을 내걸고 그 어떤 과장된 제스처도 내세우지 않는 지극히 소박한 첫 방영에 나는 오히려 매료되었다.

이 방송국에 대한 구상은 1980년대까지 거슬러 올라간다. 이 시기에 민영방송들이 대거 생겨나면서 프랑스의 시청각 환경은 상당한 변화를 겪었다. 국영방송 TF1은 민영화되었고, 카날 플뤼스Canal+[1], 라 생크La Cinq, TV6 등이 새로 생겨

카날 플뤼스CANAL+로고

났다. 프랑수아 미테랑 대통령은 교육적인 성격을 띤 문화 채널의 설립을 1984년부터 구상하기 시작했는데, 그에 따라 1986년 2월 27일 개국한 채널이 라 세트였다. 지분은 FR3이 45%, 국가가 25%, 라디오 프랑스가 15%, 국립시청각연구소(INA)가 15%를 나누어 가졌다. 비슷한 시기에 독일의 헬무트 콜Helmut Kohl 총리와 미테랑 대통령은 정치 및 경제 협력에 이어 문화 협력을 도모할 필요를 느꼈으며, 그러한 소망에 화답해 라 세트를 프랑스-독일 채널로 바꾼 것이 아르테다. 아르테는 그 후 내게 가장 한국으로 가져오고 싶은 두 미디어 중 하나가 되었다. 다른 하나는 국영 라디오방송인 프랑스 퀼튀르. 이후 아르테는 벨기에의 RTBF, 스페인의 TVE, 이탈리아 RAI 등과도 협정을 맺으면서 명실상부한 범유럽 채널로 자리 잡는다. 독일 프로그램을 프랑스에서 방영할 때는 프랑스어 자막이, 프랑스 프로그램을 독일에서 방영할 때는 독일어 자막이 나온다. 유럽 전역을 커버하는 이 방송이 겨냥하는 목표는 다음의 야심만만한 구절에서도 드러난다.

> 아르테 그룹은 넓은 의미에서 문화적인 동시에 국제적인 TV 프로그램을 구상하고 제작하며, 위성 혹은 기타 수단을 통해 보급하고 보급하게끔 하는 것을 목표로 삼는다. 또 유럽 각국 국민들의 상호 이해와 접근을 용이하게 하는 데 힘쓴다.
>
> _ 1991년 4월 30일자 아르테 구성협약 2.1조

프랑스에서는 아르테가 1992년, 라 생크가 송출되던 5번 채널을 통해 방영되기 시작했다. 라 생크는 나에게 아주 흥미로웠다. '어떻게 저런 방송이 가능하지?' 생각하게 할 정도로 이 방송은 온통 오락과 게

임, 선정적인 프로로 채워져 있었다. 어느 날 TV를 켰을 때 이 채널만 완전히 먹통이 되어 있었는데, 그 이유를 며칠이 지난 다음에 알았다. 공익적 기능을 수행하지 못하는 이 방송을 정부가 없애버렸던 것이다. 현재까지 아르테 방송의 운영 시스템은 아주 재미있다. 오후 7시부터 오전 3시까지 저녁 시간대에만 방송되며, 낮 시간대에는 프랑스5 채널의 프로그램이 나온다. 프랑스5는 교육적 성격이 짙은 방송으로 어린이 프로그램이 주를 이룬다.

가장 나의 흥미를 끈 방식은 '수아레 테마티크soirées thématiques'였다. 우리 식으로 옮기자면 '주제가 있는 저녁'이다. 아르테는 매일 저녁 하나의 주제를 정해 그 주제와 관련된 다양한 프로그램을 편성했다. 노르망디 상륙작전 60주년, 알베르 카뮈, 고양이, 레지스탕스, 사하라사막 등 모든 아이템이 주제로 편성될 수 있었다. 예를 들어 로맹 가리를 주제로 다루는 경우 그의 인터뷰, 그의 소설을 영화화한 〈새벽의 약속〉, 그의 작품들을 분석하는 대담, 그와 관련된 다큐멘터리들이 방영되었다. 해당 주제에 관심이 있는 사람에게는 그날 저녁 가장 행복할 수 있었다. 현재는 '아르테 테마Thema d'Arte'라는 제목을 내세워 역사의 한 시기에서부터 어떤 국가의 발견에 이르기까지, 사회적으로 중요한 이슈부터 비교적 가벼운 주제에 이르기까지 아주 다양한 테마를 다루고 있다. 2014년 이후 화요일 저녁으로 고정된 '주제가 있는 저녁'은 경제, 지정학, 사회문제를 주로 취급하고 있다. 아르테를 통해

홈페이지에서 스트리밍 중인 '아르테 테마' ©www.arte.tv

방영되는 영상물은 다양한 영역에
걸쳐 있다. 예술영화, 실험영화, 무
성영화, 스릴러영화, 역사·문화 및
탐사 다큐멘터리 등 거의 모든 예
술 관련 제작물이 편성 대상이다.
2014년 9월부터 시작한 '아르테 시
네마' 플랫폼은 아르테를 통해 기
상영된 프로그램들뿐만 아니라 희

홈페이지에서 스트리밍 중인 '아르테 시네마' ©www.arte.tv

귀하거나 미발표된 장·단편 영화들을 소개하고 있다. 또 지구촌 현
실에 대한 유럽의 시선을 담아내기 위해 애쓰고 있으며, 연극, 무용,
클래식에서부터 실험음악에 이르는 모든 형태의 예술 장르에 관심을
쏟고 있다. 음악 분야에서 역할을 담당하는 브랜드는 '아르테 콘서
트'로, 매년 900개 이상의 공연을 생방송 혹은 녹화방송 형태로 내보
낸다. 2015년부터는 영어, 스페인어, 폴란드어, 이탈리아어로 자막을
단 온라인 프로그램을 제공하고 있는데, 유럽연합이 일부 경비를 지
원한다.

　아르테 TV를 보면서 늘 궁금했던 것이 아시아권에서는 저런 채널
이 가능할까 하는 점이었다. 중국인은 화석과도 같이 변하지 않는 존
재라고 롤랑 바르트가 비웃은 적이 있는데, 그 말대로 아시아의 각 나
라 국경은 여전히 굳게 닫혀 있다. 한·중·일만 하더라도 자국 위주
로 역사를 가르치기에 서로 공유하는 역사가 별로 없다. 문자 그대로
국경을 뛰어넘어 상대방 문화를 편견 없이 이해하도록 해주는 공동
의 TV 채널이 동아시아에서는 불가능할까? 세계의 모든 이데올로기
가 아시아로만 넘어오면 뻣뻣해지기는 한다. 여전히 북한은 공산주의

의 철옹성이고, 한·일 간의 역사 갈등은 풀릴 기미가 보이지 않는다. 그리고 이 지역의 주요 힘은 정치와 경제에 바탕을 두고 있다. 아시아의 평화도 문화 교류부터 시작되어야 한다고 나는 믿는다. 유럽식 문화 교류가 요원해 보인다면, 아시아의 평화 구축은 앞으로 어떻게 가능할까?

〈아포스트로프〉, 문학과 TV가 만나다

파리에서 만난 가장 고급스러운 TV 문학 프로그램은 〈아포스트로프〉였다. 프로그램이 폐지된 지 이미 오래지만(총 724회가 방영되었는데, 첫 방송 날짜는 1975년 1월 10일, 마지막 방송 날짜는 1990년 6월 22일이다), TV로

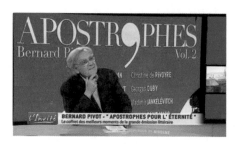

〈아포스트로프〉 진행자 베르나르 피보

보는 문학 매거진은 나에게 참 특별한 기억을 남겨주었다. 매주 금요일 저녁 8시부터(1975~1985년은 9시 30분에 시작) 앙텐 되Antenne 2 TV를 통해 거의 3시간 동안 생방송으로 진행되는 것도 특이했고, 주말의 피크 타임을 문학에 할애하는 풍경도 흥미로웠다. 사회자 베르나르 피보Bernard Pivot[2]의 유려한 언변과 매끄러운 진행도 돋보였고, 시그널 뮤직이었던 라흐마니노프Sergei Rachmaninoff의 피아노 협주곡 제1번도 오랫동안 기억에 남았다. 〈아포스트로프〉를 통해 좋은 인상을 남긴 작가들 책은 다음 날 서점에서 동이 날 정도로 이 프로그램의 영향력은 컸다. 그 옛날 프랑스에서 읽은 어떤 글에 따르면 피보는 매주 50권의

책을 읽었다고 한다. 읽다 보면 한 주, 한 달, 혹은 한 해를 관통하는 주제가 있었고, 그에 따라 선정한 주제와 관련된 출연자를 섭외했다고…… 책 읽기에 지친 베르나르 피보는 뒤이어 1991년 1월 12일부터 2001년 6월 29일까지 해당 주의 문화 전반을 다루는 〈부이용 드 퀼튀르Bouillon de culture〉 프로그램 진행을 맡기도 했다.

〈아포스트로프〉의 등장은 문학을 에워싼 환경의 변화와 맞물려 있었다. 기존의 지배적 문화 형태를 전면적으로 부정하기 시작한 1968년부터 TV의 역할은 점증하고 있었고, 그에 맞추어 피에르 데그로프Pierre Desgraupes, 피에르 뒤마예Pierre Dumayet, 막스-폴 푸셰Max-Pol Fouchet 같은 이들이 문학비평과 대담으로 구성된 〈모두를 위한 독서Lectures pour tous〉 같은 멋진 프로그램을 먼저 만들어냈다. 하지만 문학 프로그램이 인기를 얻은 것은 역시 베르나르 피보가 사회를 맡은 〈괄호를 여세요Ouvrez les guillemets〉와 더불어 〈아포스트로프〉였다. 사회자의 개성, 출연자의 다양성과 자질, 프로그램을 통해 간헐적으로 부각되던 논쟁이 프로의 성공 요인이었다. 〈아포스트로프〉는 평균 300만~500만 명이 시청했고, 어떤 때는 600만 명이 시청할 정도로 높은 인기를 누렸다. 가장 인기가 있었던 1983년의 시청률은 무려 12%에 달했다. 그에 따라 〈아포스트로프〉 출연은 작가들 경력에 아주 중요해졌으며, 작품을 가장 효과적으로 홍보할 수 있는 기회이기도 했다. 작가들은 투우장 같은 이 무대에서 자신을 드러내는 방식에 대해 고민하게 되었다.

〈아포스트로프〉에 출연한 유명 작가들은 일일이 거론하기 힘들 정도로 많았다. 블라디미르 나보코프Vladimir Nabokov, 노먼 메일러Norman Mailer, 알렉산드르 솔제니친, 마르그리트 유르스나르, 수전 손택Susan Sontag, 밀란 쿤데라, 조르주 심농, 윌리엄 스타이런William Styron, 움베르

토 에코, 마르그리트 뒤라스 등이
대표적이지만, 문학인들만 출연한
것은 아니다. 발레리 지스카르 데
스탱과 프랑수아 미테랑 같은 정
치인, 종교 지도자 달라이 라마도
출연한 바 있다. 피에르 부르디외,
클로드 레비-스트로스, 클로드 아

〈아포스트로프〉에 출연한
마르그리트 유르스나르와 장 도르메송 ©L'Express

제주 등 역사학자, 사회학자, 언어학자를 아우른 각계의 지식인도 많
았다. 마르첼로 마스트로얀니Marcello Mastroianni, 로만 폴란스키Roman
Polanski, 프랑수아 트뤼포François Truffaut, 장-뤽 고다르Jean-Luc Godard 같
은 배우나 영화감독들, 조르주 브라센스Georges Brassens, 세르주 갱스부
르Serge Gainsbourg, 르노Renaud 같은 작곡가 겸 가수들도 출연해 자신들
이 쓴 책이나 문학작품에 대해 의견을 피력했다.

프로그램 형식은 가운데 사회자 피보가 앉고, 그의 양쪽에 네댓 명
의 작가나 번역가가 포진하며, 청중이 말없이 지켜보는 식이었다. 한
명의 작가와 대담하는 방식도 있었다. 지난 시대의 문학 살롱, 혹은
철 지난 코메디아 델라르테Commedia dell'arte(16~17세기 이탈리아에서 유행한 가
면희극으로, 가면을 쓴 배우들이 준비한 줄거리를 바탕으로 즉흥적으로 기지를 발휘해 우
스꽝스러운 연기를 한다) 느낌을 주던 이 프로그램에 출연한 작가들은 작
품만큼이나 자신의 주장에 신경을 써야 했고, 어쨌든 좋은 인상을 시
청자들에게 남겨야 했다.

〈아포스트로프〉는 무수한 에피소드를 남겼다. 시청자들에게는 누
가 좋은 작가인지 발견하는 기회이기도 했는데, 이를 통해 유명세를
얻은 작가들이 블라디미르 나보코프, 알베르 코엥Albert Cohen, 모리

〈아포스트로프〉에 출연한 찰스 부코스키

스 주느부아Maurice Genevoix, 마르셀 주앙도Marcel Jouhandeau 등이다. 또 미셸 투르니에는 나이답지 않게 노련한 화법으로 대단한 설득력을 소유한 인물임을 입증해 보였고, 파트릭 모디아노는 자신의 소설 주인공처럼 실어증 환자인 양 우물거렸다. 불타는 듯한 눈빛과 긴 수염의 소유자 솔제니친은 1975년 4월 11일 미국 버몬트주의 거처에서 피보를 맞이하면서 강렬한 러시아어 악센트로 소련 수용소의 야만을 고발했고, 실제로는 존재하지도 않은 에밀 아자르는 출연을 거부해 관객을 기만하기도 했다. 이 프로그램을 통해서는 일반적으로 에세이, 정치적 성격의 팸플릿, 체험담이 더 호응을 얻기도 했다. 1978년 9월 22일 출연한 찰스 부코스키Charles Bukowski는 프로그램 도중 술을 마시다가 만취해 옆자리에 앉았던 작가 카트린 페이장Catherine Paysan의 무릎을 만지고 사회자에게 욕설을 퍼붓다가 쫓겨나면서 유명해졌다. 1979년 7월 27일에는 현직 대통령 발레리 지스카르 데스탱이 출연해 작가 기 드 모파상Guy de Maupassant에 대한 애정을 피력했으며, 1984년 9월 28일에는 마르그리트 뒤라스가 자전적 이야기를 다룬 《연인》에 대해 이야기했다. 같은 해 11월 《연인》은 프랑스 최고의 문학상인 공쿠르상을 받으며 100만 권 이상 팔리는 기염을 토했다. 또 1989년에는 달라이 라마가 노벨평화상을 받기 몇 달 전 그를 초대해 티베트에서 자행되는 문화 학살을 주제로 다뤘다. 문학이 사건을 만들어내고, 사건이 문학을 다루는 식이었다.

나에게도 1980년대 문학작품은 정말 특별한 의미를 지닌다. 그 시절에는 열정과 가난, 반항과 꿈이 서로 만나며 문학의 의미를 드높이고 있었다. 김수영과 신경림의 시집, 이청준, 황석영, 이문구, 김승옥, 오탁번의 소설은 나의 젊은 시절 지적 허기를 채워준 소중한 양식들이었다. 그러나 오늘 우리의 문학은?

물론 문학이 시대를 이끌어가는 세상은 오늘날 가능하지 않다. 옛날 문학이 수행하던 역할은 오늘날 다른 매체들이 대신하고 있기도 하다. 그러나 마셜 매클루언의 진단에도 불구하고 여전히 종이책이 존재한다는 점을 어떻게 설명할 수 있을까? 서구의 경우 영화의 부흥과 더불어 문학작품이 더 많이 팔린다. 서구 영화인들은 상상력과 영감의 대부분을 문학작품으로부터 얻었다는 점을 기꺼이 인정한다. 우리가 작가의 죽음, 문학의 죽음을 공공연히 선포하는 것과는 많이 다른 분위기다.

난 〈아포스트로프〉를 통해 세계와 호흡하는 문학의 모습을 본 것 같다. 이 책에서 자주 꺼내는 이야기지만, 세계인의 감성을 건드리기 위해서라도 우리의 문학은 세상에 대한 관심을 지속적으로 가져야 한다. 그것이 우리의 지역성을 극복하는 지름길일 것이다.

국립시청각연구소의 교훈,
우리의 소리와 모습을 모읍시다

과거 유럽의 영상자료가 아주 소중하다고 생각하는 사람들에게 중요한 문제가 있다. 비디오테이프든 DVD든 가릴 것 없이 늘 호환성 때문에 고통을 겪는 것.

그 옛날 비디오테이프가 존재하던 시절 한국이 채택한 TV 방영 및 영상 기록 방식은 미국, 일본과 같은 NTSC였다. 반면 프랑스, 소련 일부, 아프리카 국가들이 채택한 방식은 SECAM, 독일과 포르투갈 등의 방식은 PAL이었다. 즉 미국과 일본에서 구입한 비디오테이프가 아니라면 이런 자료들을 국내에서 감상할 방법은 없었다. 국내에서 볼 수 있는 방식으로 변환하는 것이 그나마 가능하기는 했지만, 그 경우 화질도 떨어졌고 비용도 많이 들었다. 세계 모든 지역의 비디오테이프를 모두 볼 수 있는 100만 원대 VTR을 삼성에서 잠시 생산하기도 했으나 수요가 없어 생산이 중단된 것으로 알고 있다.

영상을 담아내는 매체가 DVD로 바뀌었을 때 나는 새로운 세상이 열릴 줄 알았다. 하지만 이번에도 오산이었다. 지역코드Area Code라는 것이 등장한 것이다. 미국은 1, 유럽과 일본은 2, 한국과 동남아는 3···

이런 식이었다. '경제는 미국일지라도 문화는 유럽'이라는 생각에 일본은 유럽과 같은 지역코드를 택한 것 같았다. 한국은? 아무리 생각해봐도, K-문화를 동남아에 팔고자 하는 상업적인 목적이 아니라면 굳이 동남아와 코드를 맞춘 이유를 알 수 없었다. 영상 분야의 메이저 회사들이 세계 시장을 분할하기

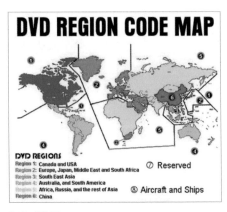

DVD 지역코드

위한 전략으로 지역코드를 도입했다는 이야기가 있지만 진위는 알 수 없었다. 아무튼 DVD의 경우에도 '코드프리Code Free'를 거치지 않으면 미국이나 유럽 영상자료를 편하게 볼 수 있는 방법은 없었다. 이런 문제가 사람들을 상당히 성가시게 하기에 최근에는 지역코드를 0으로 설정하는 상품들이 점점 많아지기는 하지만, 애당초 왜 CD처럼 전 세계 공용 시스템이 채택되지 않았는지 궁금할 따름이다.

'영상과 음향 분야에서 우리의 국가 전략이 있기나 한 것일까?' 하고 의구심이 들던 시기에 가장 먼저 눈에 들어온 것이 INA였다. '국립 시청각연구소'로 번역될 수 있는 기관이다. 지금처럼 영상이 범람하는 시대가 없었던 데다가 웬만한 영상은 거의 유튜브를 통해 접할 수 있어서 영상 혹은 음향자료 보존 의미가 퇴색되고 있지만, 프랑스는 아주 일찍부터 프랑스 내에서 제작되는 모든 시청각자료에 지대한 관심을 기울였던 것으로 보인다.

INA는 1975년 1월 6일에 설립된 산업적인 동시에 상업적인 성격을 띠는 공공기관으로, 시청각 자료의 보존, 생산 및 활용에 목적을 집중

브리쉬르마른에 위치한 국립시청각연구소(INA) ©sortiraparis.com.

하고 있다. 그리고 시청각, 미디어 및 디지털 분야의 지식을 연구하고 축적하며 전수한다는 목표도 지니고 있다. 역사가 70년 이상인 라디오 프로그램들, 60년에 달하는 TV 프로그램들을 수집하고 보존하며, 디지털화하고 복원해 상업화하는 총책임을 진다. 현재 소재지는 브리쉬르마른Bry-sur-Marne이며, 2017년 기준 952명의 직원이 일하고 있고, 한 해 매출은 3,790만 유로에 달한다. 재정의 일부는 시청료로 충당하고 있다.

500만 시간 분량의 라디오와 TV 프로그램, 100만 장 이상의 사진 자료를 보유한 INA는 세계에서 가장 중요한 영상과 음향 보관소로 꼽힌다. 수집대상으로는 연속극, TV 영화, 다큐멘터리, TV 뉴스, 시사 매거진, 스포츠, 오락 프로그램, 대담, 라디오가 제작한 픽션물, 콘서트 등이 모두 망라되어 있다. 예를 들어 앞의 글에서 다룬 〈아포스트로프〉 프로그램을 감상하려면 INA를 이용하면 된다. 또 〈벨페고르Belphégor〉, 〈아르센 루팽Arsène Lupin〉 같은 인기 시리즈, 롤랑 가로스 Roland Garros 테니스대회, 투르 드 프랑스 같은 자전거 경주, 방데 글로브 챌린지Vendée Globe Challenge 같은 요트 경기도 INA를 통해서 감상할 수 있다. 주제별 분류도 잘 되어 있다. 칸 영화제, 청각예술, 샤를 드골, 유럽연합 27개국의 예술 창조를 다룬 '문화의 유럽L'Europe des cultures', 여성 아티스트들의 주요 작품을 소개하는 '퐁피두센터의 여성 작가전 elles@centrepompidou 등이 유명하다.

가장 나의 흥미를 끈 시스템은 의무납본 제도였다. 우리의 도서처럼 모든 영상물을 국가에 의무적으로 제출해야 한다는 규정이다. 1992년 6월 20일의 법 개정을 통해 의무납본 대상은 TV와 라디오 프로그램까지 확장되었다. 이 법은 1995년에 이나테크Inathèque를 만들어 내는데, 의무납본을 통해 확보한 영상 및 음향자료들을 연구자와 학생들이 활용할 수 있도록 하기 위함이었다. 일반에 이나테크가 개방된 시기는 1998년 10월이다. 또 2002년에는 의무납본 대상이 케이블 채널과 위성 채널까지, 2005년에는 지상파 디지털 방송까지 확장되었다. 프랑스 외에 라디오와 TV 관련 의무납본 제도를 채택하고 있는 국가

들로는 미국, 덴마크, 핀란드, 노르웨이, 헝가리, 아이슬란드, 스웨덴, 영국, 폴란드 등이 있다. 북유럽 국가들이 눈에 많이 들어온다.

2001년부터는 소장자료의 디지털화를 가속화하고 있으며, 2006년 4월 27일부터는 사이트(www.ina.fr)를 오픈하면서 대중에게 더 가까이 다가가고 있다. 해당 홈페이지는 매달 방문자 숫자를 100만 명

국립시청각연구소 사이트

으로 설정하고 있다. 2018년 1월 1일 기준으로 4만 9,260시간 분량의 TV와 라디오 자료를 온라인에 올려놓고 있다. 2006년에는 인터넷 자료의 의무납본을 규정한 DAVDSI법이 8월 1일 통과되었는데, 프랑스 국립도서관BnF과 INA가 그 역할을 나눠 갖고 있다. 2011년에는 데일리모션과 2012년 3월에는 유튜브와 계약을 체결했는데, 유튜브에 INA 소장 비디오 일부를 올려놓으면서 광고 수익을 나눠 갖고 있다. 2018년까지 INA 영상자료를 들여다본 숫자만도 4억 5,200만 회에 달한다.

모든 분야의 영상을 집결시키고 있는 만큼 INA는 다양한 행사도 병행하고 있다. 1982년부터 2000년까지는 디지털 영상 전문가들을 한자리에 모으는 연례행사인 '이마지나Imagina' 페스티벌을 개최했는데, 매년 발매하던 상상력 충만한 '이미지나' 비디오테이프는 나에게도 소중한 자료로 남아 있다. 멀티미디어 제작에도 열심이다. 2017년 기준으로 INA가 제작한 DVD는 167개, CD는 250개, LP는 4개에 달한다. 예를 들어 라디오 쪽으로는 'INA 생생한 기억INA mémoire vive' 컬렉션이 클래식 음악 리사이틀, 앙드레 말로, 피에르 망데스 프랑스Pierre Mendès France, 조르주 퐁피두, 미셸 푸코 등 대가들의 연설, 대담, 낭송회, 콘퍼런스 등을 집대성하고 있다. TV 자료로는 '베르나르 피보의 위대한 대담Les Grands entretiens de Bernard Pivot'이라는 제목 아래 그가 마르그리트

'INA 생생한 기억' 컬렉션 이미지

'베르나르 피보의 위대한 대담' 컬렉션 이미지

유르스나르, 쥘리엥 그린, 마르그리트 뒤라스, 알베르 코엥 등과 나눈 대화를 담아냈다.

영상물과 음향자료를 집대성한 공간이 INA이기에, 이 공간과 관련된 재미있는 내용이 많다. INA가 소장한 가장 오래된 자료는 1891년의 것으로, 에펠탑을 건축한 귀스타브 에펠Gustave Eiffel의 육성을 녹음한 것이다. INA 자료 중 사람들이 가장 많이 찾는 것은 드골 관련 자료다. INA가 소장하고 있는 모든 영상 및 음향자료를 보고 들으려면 300년이 걸린단다. 온라인 사이트가 개통되었을 때 동시 접속한 인원은 650만 명이었고, 가장 많이 본 자료는 1968년 5월혁명 관련 내용이었다. 현재 프랑스에서는 징수하는 시청료를 프랑스 텔레비지옹France Télévisions 그룹, 라디오프랑스, 아르테, INA, 라디오프랑스 앵테르나시오날(RF1)에 지원하고 있다. 모두 프랑스가 중시하는 영상 및 음향 관련 기관들이다.

귀스타브 에펠의 육성, 1891년. ⓒina.fr

나는 이미 작고한 박경리, 서정주의 모습과 음성을 다시 보고 들

1928년 5월 15일 조선어학회 이극로 선생이 언어학자 페르디낭 브뤼노의 소르본 대학 구술 아카이브 스튜디오에서 녹음한 음성 파일. 현존하는 가장 오래된 한국어 음성 파일이다.
ⓒ프랑스국립도서관
gallica.bnf.fr

고 싶을 때가 많다. 정치적 해석은 또 다른 영역이다. 프랑스 퀼튀르, 아르테, INA처럼 소중한 영상들을 적극적으로 상업화하지 않으니, 그런 자료들을 어디서 만날 수 있을까? 대한민국이라는 공간을 빛냈던 그들의 모습은 방송사의 전유물일까, 국민 모두를 위한 것일까?

주석

1 카날 플뤼스 : 프랑스 최초의 민영방송이자 네 번째 TV 방송국으로 1984년 11월 4일 개국했다. 일부 프로그램을 제외하고는 유료방송으로 1999년 위성방송, 2006년 HD방송을 시작했다. 프랑스 외에 유럽 몇몇 나라에도 방송되고 있으며, 1987년에 스튜디오 카날을 설립한 후 영화계에도 큰 영향력을 끼치고 있다. 제작한 영화로는 코언 형제 감독의 〈인사이드 르윈〉(2013), 데이비드 린치 감독의 〈인랜드 엠파이어〉(2006), 토드 헤인즈 감독의 〈캐롤〉(2015) 등이 유명하다.

2 베르나르 피보(1935.5.5.~) : 공쿠르상 심사위원장, 저널리스트, 프랑스 최고의 서평가. 책읽기에 대한 남다른 열정을 지닌 베르나르 피보는 1975년부터 10여 년간 TV 문학 프로그램 〈아포스트로프〉를 진행하면서 TV를 통한 책과 대중의 만남을 이끌었다. 1991년부터 20년간 진행한 〈부이용 드 퀼튀르〉는 아티스트라면 누구나 한번쯤 출연하고 싶은 프로로서 명성과 권위를 쌓았다.

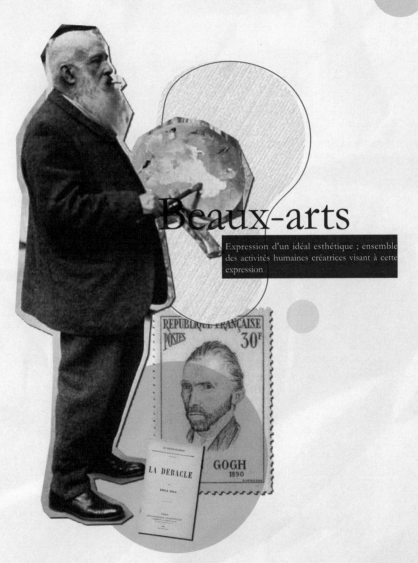

Beaux-arts

Expression d'un idéal esthétique ; ensemble des activités humaines créatrices visant à cette expression

Beaux-arts

오르세미술관Musée d'Orsay,
삶과 풍경이 어우러지다

많은 한국인이 오르세미술관에 대해 알고 있고, 이미 방문해본 사람도 많을 것이다. 루브르박물관과 더불어 파리의 위상을 드높이고 있는 오르세미술관은 내가 가장 좋아하는 파리의 공간이기도 하다. 거의 매년 프랑스를 찾지만, 루브르를 생략할지라도 오르세를 빠뜨리는 법은 없다. 그만큼 오르세에 대한 애정이 각별하다는 얘기다. 센강 좌안, 파리 제7구에 위치한 이곳을 찾아갈 때면 늘 행복감에 마음이 들뜬다.

　파리에서 미술을 효과적으로 즐기려면 머릿속에 담아둬야 할 철칙이 있다. 인상파 미술과 아르누보를 중심으로 한 프랑스의 19세기 작품들을 만나려면 오르세미술관으로 가야 하고, 그 이전 시대의 작품들은 루브르박물관에서, 그 이후 작품들은 퐁피두센터의 현대미술관에서 즐겨야 한다는 것이다. 보다 정확하게 이야기하면 오르세미술관은 1848년부터 1914년까지의 작품을 소장하고 있다. 총 3개 층에 걸쳐 작품들을 전시하고 있는 오르세미술관은 모네Claude Monet의 〈수련 Les Nymphéas〉 연작을 볼 수 있는 파리 4대 미술관 중 하나이기도 하다.

오르세미술관 전경

그 밖에도 이곳에서는 다수의 조각, 장식미술, 사진, 그
래픽 작품, 건축도 만날 수 있다. 비슷한 시기의 작품을
소장하고 있는 유럽 미술관들 중 최대 규모다. 총면적
은 5만 7,400m²이며, 2018년 기준으로 이 미술관을 찾
은 관람객은 328만 6,224명에 달한다. 총 9만 6,000점
의 작품을 소장하고 있는데, 상설 전시 작품도 4,000
점에 육박한다. 주제, 작가, 사조별 기획전도 최근 자
주 열리는 편이라 더욱 이곳을 들여다보게 된다. 개관
한 지 35년에 불과하지만 미술관이 들어선 장소는 유
서가 깊다. 1810년부터 궁전, 역, 창고, 판매장을 차례
로 거친 곳이다. 나폴레옹 1세 치하에 처음 건립된 오
르세 궁Palais d'Orsay은 30여 년 동안 국사원(프랑스 최고행
정재판소)과 감사원으로 사용되다가 1871년에 비극적인
운명을 맞이한다. 파리 코뮌이 진행되던 와중에 시위자
들이 이 건물에 불을 지른 것이다. 작가 에밀 졸라는 이
화재가 "가장 거대하고, 가장 끔찍한 화재"였다고 자
신의 작품 《패주La Débâcle》[1](1892) 속에서 묘사하고 있다.
파괴된 건물은 30년 가까이 폐허 상태로 남아 있었다.
그러다가 1898년부터 1900년까지 폐허 위에 만국박람
회를 기념하는 아르누보 양식의 웅장한 철도역이 건
설된다. 건물은 센강, 루브르박물관, 튈르리 궁전과 조
화를 이뤄야 하는 어려운 임무를 띠었고, 건축가 랄루
Victor Laloux는 당시로서는 첨단기술이었던 재단한 돌
로 금속 구조물을 감싼 형태를 제안한다. 하지만 너무

짧은 플랫폼이 점차 문제가 되었고, 교외선은 운행할 수 없을 정도가 되었다. 그에 따라 독일 점령기부터 1983년까지 이 역은 전쟁포로 수용, 물건 판매, 연극단 숙소 등으로 사용되었다. 한때 철거 위기에 처하기도 했지만, 1986년에 죄드폼 국립 미술관Galerie Nationale du Jeu de Paume에 전시되어 있던 작품들이 이곳으로 옮겨지면서 미술관으로 거듭났다. 원래 철도 역사였던 덕분에 자연 채광 아래서 미술작품을 감상할 수 있는 장소로 유명하다.

오르세미술관 내부

1983년부터 3년간의 개조 공사를 거쳐 현재 모습을 갖추게 되었는데, 역사의 본래 구조를 거의 유지하면서 공간 개조가 이루어졌기에 돔 형태의 유리 천장을 이용한 자연광과 인공조명이 조화를 이루고 있다. 특히 꼭대기 층의 초대형 시계가 있는 유리창을 통해서는 멀리 몽마르트르 언덕을 볼 수 있다. 파리에 있다는 기분을 제대로 느낄 수 있는 최적의 장소이기도 하다.

이 공간이 세계인들로부터 많은 사랑을 받는 가장 큰 이유는 바로 소장 작품들 때문일 것이다. 전시

에밀 졸라의 《패주》

된 작가들은 피에르 보나르Pierre Bonnard, 폴 세잔Paul Cézanne, 귀스타브 쿠르베, 빈센트 반 고흐, '세관원 루소'라고도 불리는 앙리 루소Henri

Rousseau, 에두아르 마네, 클로드 모네, 베르트 모리조Berthe Morisot, 귀스타브 카이유보트Gustave Caillebotte, 카미유 코로Camille Corot, 오노레 도미에, 에드가 드가Edgar Degas, 외젠 들라크루아, 폴 고갱, 구스타프 클림트Gustav Klimt, 장-오귀스트-도미니크 앵그르Jean-Auguste-Dominique Ingres, 앙리 마티스Henri Matisse 등 일일이 거론하기 힘들 정도다.

인상파와 후기인상파 관련 그림은 1,100점으로 전 세계를 통틀어 가장 방대한 컬렉션을 자랑한다. 그중에는 연미복 정장 차림의 남자들과 나신의 여자 모습이 대조적인 마네의 〈풀밭 위의 점심식사 Le Déjeuner sur l'herbe〉와 〈올랭피아L'Olympia〉, 드가의 〈무희Danseuse〉, 쿠르베의 문제작 〈세상의 기원L'Origine du monde〉과 〈오르낭에서의 장례식〉 〈화가의 아틀리에L'Atelier du peintre〉, 세잔의 〈카드놀이하는 사람Les Joueurs de cartes〉과 정물들, 한 가지 대상이 빛의 흐름에 따라 달라지는 모습을 그린 모네의 〈루앙 대성당 연작Série des Cathédrales de Rouen〉, 르누아르Auguste Renoir의 〈물랭 드 라 갈레트 무도회Bal du Moulin de la Galette〉와 〈피아노를 치는 소녀Jeunes filles au piano〉, 밀레Jean-François Millet의 〈이삭줍기Les Glaneuses〉와 〈만종L'Angélus〉, 고흐의 〈자화상Autoportrait〉과 〈반고흐의 방La Chambre de Van Gogh〉, 쇠라Georges Seurat의 〈서커스Le Cirque〉, 툴루즈-로트렉Henri de Toulouse-Lautrec의 〈침대Le Lit〉 등 걸작 회화작품들이 즐비하다. 또 2층에서는 로댕의 〈지옥의 문Porte de l'Enfer〉, 카미유 클로델Camille Claudel의 〈중년L'Âge mûr〉, 부르델Émile Antoine Bourdelle의 〈활을 쏘는 헤라클레스Héraklès archer〉 등 조각작품도 만나볼 수 있다.

한 달 동안 파리 체류가 가능하다면 나는 매일 이곳을 찾아갈 것 같다. 오르세미술관에만 들어가면 나는 왜 쉽게 빠져나오지 못하는 것일까? 예술이 우리의 삶과 밀착되기 시작하던 시기를 가장 진술하게 그려낸 화가들이 인상파였기 때문은 아닐까? 그때 그림은 왕족들의 초상화를 그리던 궁정을 빠져나오고 종교적 성상을 그리던 교회의 틀을 벗어나 우리의 곤궁한 일상과 최초로 만났던 것이다.

2016년 고등학교 친구들과 지베르니Giverny에 소재한 '모네의 집 Maison de Claude Monet'을 찾아간 적이 있었다. 많은 친구가 모네의 그림에 등장하는 연못을 쳐다보며 자리를 떠나지 않았다. 우리는 그렇게 30분을 한마디 대화도 없이 머물러 있었다. 그림 속에 담긴 자연의 아름다움 앞에서 말이 필요 없었던 것이다. 반 고흐의 묘지를 찾았을 때의 느낌도 별다르지 않았다. 고흐의 그림에 등장하는 그 소박한 오베르쉬르와즈 성당Église d'Auvers-sur-Oise을 지나 언덕길을 올라가면 더없이 평범한 마을 묘지에 고흐가 동생 테오Théo van Gogh와 함께 묻혀 있었다. 고흐가 누리고 있는 세계적인 명성에 비하면 그들의 무덤은 수수하기 짝이 없었다. 남프랑스의 생레미드프로방스Saint-Rémy-de-Provence에 있는 고흐가 입원했던 생폴드모졸 정신병원Hôpital Saint-Paul de Mausole을 찾았을 때는 또 얼마나 마음이 아프면서도 경건해지던지……

오르세미술관에서 나는 1,000개의 예술품을 통해 1,000개의 삶과 만나는 기분이었다. 이 공간을 채우고 있는 그림 하나하나, 조각 하나하나에서 예술가들의 체취가, 그들의 좌절이, 그들의 분노가 생생하게 느껴졌다. 마치 세상을 향해 1,000개의 아우성이 서로 충돌하고

모네의 집, 지베르니

명멸하는 듯했다. 어떤 의미에서는 때와 얼룩으로 채워진 인간사를 향해, 그럼에도 세상이 아름다울 수 있다는 것을 시위하는 현장이기도 했다. 오르세를 다시 찾아가, 이 공간을 채운 무수한 예술가들을 만나 당신은 왜 그렇게 살았냐고, 아니면 그렇게 살 수밖에 없었냐고 말을 건네는 꿈을 나는 늘 꾸고 있다.

색과 관능과 이미지의 축제, 프랑스 상징주의 미술

상징주의Le Symbolisme이라는 이름으로 나에게 깊이 각인된 사조가 있다. 문예사조를 오랫동안 가르쳤기에 문학 쪽 상징주의에 대해서는 어느 정도 지식과 느낌이 있는 편이다. 공감각共感覺으로 채워진 랭보의 시 〈새벽Aube〉을 다루기도 했고, 〈모음들Voyelles〉을 분석했으며, 상징주의 이론을 설명하기도 했다.

프랑스에서 오딜롱 르동Odilon Redon 그림을 통해 처음 만난 상징주의 이미지가 준 충격은 상당했다. 파리 교외의 어느 미술관에서였다. 독특한 색채와 이미지에 단번에 매료당한 나는 상징주의 사조와 관련된 그림들을 찾아보기 시작했다. 상징주의 미술은 문학의 상징주의와 꽤 달랐다. 문학의 영향을 받아 반사실주의 경향을 지향하기는 했으나 명확한 주장이나 운동이 있었던 것은 아니고, 음악적·장식적 요소를 강조하던 상징주의 문학과는 달리 신화나 신비적인 주제에 훨씬 경도되어 있었다. 이 미술은 시선보다 상상력에 훨씬 호소하고 있었는데, 신화·성경·전설 속 주제들을 꿈이나 상상력과 뒤섞는다든가, 정교한 그림을 붓으로 지운다든가 하는 방식이었다. 상징주의자들은

'오딜롱 르동' 그랑팔레 전시회 포스터

중세 전설의 세계·꿈·환영·향수를 불러일으키는 고대, 잃어버린 황금시대 등을 탐험했고 비현실과 낯선 세계를 중첩하려고 들었다. 상징주의 화가들은 현대나 과거의 소설과 시(단테의 《신곡》)로부터 영감을 얻었고, 고대 게르만 신화, 켈트 신화, 스칸디나비아 신화로부터 꿈을 공급받았다.

미술의 상징주의는 역사적으로 1880년대 말부터 1차대전이 발발한 1914년까지 지속된 흐름으로 정리된다. 그 이전에 유행하던 리얼리즘과 인상주의는 현실과 일치하기 위해 기존의 미학적 편의주의를 뒤흔들면서 도시와 농촌에서의 삶을 그려내는 데 주력했고, 과학과 기술의 진보, 산업의 발전, 시골로부터의 탈출, 도시화 등 급변하는 사회에 대한 감정을 담아내려고 애썼다. 그러나 현실과 완벽한 조화를 이룬 리얼리즘과 인상주의와는 달리, 상징주의는 19세기 말의 변화에 대한 다소 치기 어린 반작용으로 인식된다. 기술과 합리의 지배에 대항한 반응이었다. 상징주의자들은 세상이 눈에 보이는 현실, 과학적인 합리성으로 축소되어서는 안 된다고 주장했다. 회화 분야의 상징주의는 죽음, 관능, 종교, 민속과 전통의식 등 '신비'를 주제로 다뤘다. 예술가는 세상의 신비를 해독해내는 존재가 되어야 하며, 문학적이거나 회화적인 상징 형태를 통해 신비를 설명해내야 했다. 영성을 내세운 조악한 싸구려 상품이라는 혹평으로부터 자유롭지 못했지만, 상징주의자들은 인간 영혼의 가치와 의미, 그것의 표현에 주의를 기울였다. 상징주의 내부에는 비교秘教와 신비를 그려낸 흐름도 있고, 실존주의적 경향도 있었다. 전설과 신화, 요정 이야기, 신비주의, 외관을 넘어선 진실, 선과 악 사이의 대립, 고독·죽음·잠, 환상과 상상, 여성의 이미지, 사디즘과 사치, 마법, 비교, 내세 등이 그들이 중시한 주제이다.

상징주의 미술에서 여성들은 환상적인 배경 속에서 모습을 드러내며, 보석이나 비단으로 만든 아름다운 천을 두른 나신이다. 상징주의자들에게 여성의 원형은 섹슈얼리티와 죽음을 동시에 나타내는 유디트였다. 순수하고 장엄하며 정숙한 동시에 이상적인 여성의 치명적인 아름다움은 남자들을 죽음으로 인도하는데, 종종 살로메, 헬레네, 스핑크스 같은 이미지로 등장한다. 구체적으로는 여성의 이미지를 세 가지 양상으로 재현했다. 팜 파탈femme fatale(살로메, 데릴라), 성녀(생트주느비에브), 마술사(요정, 여자 스핑크스)가 그것들이다. 여자들 주위에서 꽃들은 선과 악을 함께 상징하고, 동물은 변신하며, 풍경은 초현실적인 모습을 하고 있기도 하다.

어쨌거나 나에게는 상징주의 그림들이 더없이 흥미로웠다. 스타일

귀스타브 모로의 〈살로메의 춤〉

차원에서는 외젠 들라크루아의 논리를 답습하고 있었다. "색깔은 묘사적인 동시에 표현적일 수 있다."고 들라크루아가 주장했기 때문이다. 상징주의는 19세기 초 프랑스에서 아르누보라는 새로운 경향으로 자연스럽게 이어진다.

프랑스의 대표적인 상징주의 화가들로는 피에르 퓌비스 드 샤반Pierre Puvis de Chavannes, 귀스타브 모로Gustave Moreau, 오딜롱 르동, 가스통 뷔시에르Gaston Bussière, 외젠 카리에르Eugène Carrière 등이 있다. 우리의 사랑을 듬뿍 받고 있는 오스트리아의 구스타프 클림트도 상징주의자다. 퓌비스 드 샤반은 상징주의를 예고한 인물로 파리 시청, 도서관, 팡테옹의 벽면을 장식하던 화가였다. 자신보다 젊은 세대인 르동, 고갱, 모리스 드니Maurice Denis, 폴 세뤼지에Paul Sérusier 등에게 상징주의적 영감을 제공한 화가로 꼽힌다.
〈가난한 어부Le Pauvre pêcheur〉(1881)
로 유명한 샤반에게 여성들은 우의
적인 의미를 지녔다. 귀스타브 모
로는 종교적인 주제를 선호한 화
가로 상징주의를 신비주의 속으로
끌어들여 전설 속의 무시무시한 여
주인공들을 아주 화려하게 채색했
다. 〈주피터와 세멜레Jupiter et Sémélé〉
(1894~1895), 〈오르페우스Orphée〉
(1865)가 대표작인 모로는 거인과
바다요정 네레이데스 사이의 상징

오딜롱 르동 〈부처〉

적인 대립에 작품을 집중한다. 오딜롱 르동의 작품에서도 몽환적이고
종교적인 주제가 주를 이루었다. 장엄한 동시에 숨을 멎게 하는 그림
들은 꿈과 환영을 담아내고 있다. 르동이 그려낸 〈숲의 정령Esprit de la
forêt〉(1880), 〈부처Le Bouddha〉(1904)는 정말 특이하고도 행복감을 제공하
는 그림이다. 난 그가 그려낸 부처와 닮은 부처를 어디서도 본 적이 없
다. 〈감은 눈Les Yeux clos〉(1890)같이 이상한 분위기의 작품도 있다. 가스
통 뷔시에르는 발자크, 테오필 고티에Théophile Gautier, 오스카 와일드
Oscar Wilde 등의 문학작품에 들어가는 삽화를 그려낸 화가로 유명하
다. 그리고 여기서 벨기에 상징주의 화가 페르낭 크노프Fernand Khnopff
를 꼭 추가하고 싶다. 브뤼셀 왕립미술관이 소장한 〈스핑크스 혹은
포옹Sphinx, ou les Caresses〉(1896)은 오랫동안 나의 시선을 머물게 한 작품
이다. 사자의 몸을 한 여인은 관능에 몰두하는 표정인 반면, 날개 달

린 지팡이를 든 청년은 무심하기 짝이 없다. 사람의 머리, 여인의 유방, 사자의 신체와 같이 사고와 정감, 본능을 유발하는 것이 괴물 같은 예술의 본질을 구성한다는 상징주의자들의 세계관을 이보다 더 잘 그려낸 그림이 있으랴.

상징주의 미술이 진부한 삶보다 꿈을 추구했고, 두 발로 탄탄히 현실을 딛기보다 상상의 세계 속에서 뛰놀았기에 나에게 의미가 더욱 각별했다. 그런 의미에서 이 사조는 더욱 고급스럽게 느껴지기도 했다. 우리가 신화에 열광하는 이유처럼 상징주의자들 역시 현실세계에서 이데아의 세계로 넘어가고 있지 않은가? 유혹적인 동시에 치명적인 여성은 상징주의 그림 속에서 절충적이고 양성적인 존재이기도 하다. 분열을 모르는 것이다. 잠과 꿈의 세계 속에서는 우리 모두가 꿈꾸는 세상이 행복하게 펼쳐지고 있다. 오딜롱 르동의 〈부처〉를 들여다보면 우리가 희구하는 부처 모습이 가장 아름답게 그려져 있다. 보리수와 함께 있는 부처의 모습은 파솔리니Pier Paolo Pasolini의 영화 〈마태복음Il Vangelo Secondo Matteo〉 속에서 민중을 구원하러 온 '투사'로서의 예수 모습과 아주 거리가 멀다. 우리가 두 눈으로 보는 세상은 단지 외관에 불과하며, 희로애락은 자신의 내면에 있음을 말하려는 듯하다. 화려한 색채 속에 자리 잡은 르동의 인물들은 모두 역사성으로부터 배제되어 있다. 장자의 호접몽胡蝶夢처럼 세상의 실체와 가상의 구분이 흐릿하다는 것을 보여준다. 19세기의 지배적인 사조였던 인상주의가 삶의 진실을 가장 정직하게 그려내려고 애썼고, 그래서 반 고흐의 그림이 우리에게 더 절절히 다가온다면, 상징주의 그림은 그 지독한

파솔리니 감독의 영화
〈마태복음〉 포스터

현실을 신화나 전설로 승화시킬 수 있음을 강조하는 느낌이다. 실상을 알고 보면 우리 모두가 지상으로 내려온 하늘의 성좌들 아니었던가. 행복하게도 오늘날 상징주의자들의 많은 그림을 오르세미술관에서 만나볼 수 있다.

주석

1 《패주》: 프랑스 작가 에밀 졸라의 1892년 작품. 1871년 나폴레옹 3세가 프로이센과 벌인 전쟁이 혼돈과 고통 속에서 파리 코뮌까지 이어지는 역사를 그려냈다. 방대한 사료 연구를 바탕으로 한 역사 다큐멘터리 성격이 강하며, 전쟁보다는 무의미와 우연성 속에 던져진 인간의 조건을 보여준다.

» <u>　　　　　</u> 여행

Voyage

Action de se déplacer par un chemin plus ou moins long pour se rendre d'une ville dans une autre, d'un pays dans un autre, d'un lieu dans un...

Voyage

어두운 역사를 찾아가는
다크 투어리즘Dark Tourism

우리에게도 이미 알려진 개념인 '다크 투어리즘'. 사전적 정의로는 '전쟁이나 학살처럼 비극적인 역사 현장이나 대규모 재난재해가 일어났던 곳을 돌아보며 교훈을 얻는 여행, 인류의 죽음이나 슬픔을 대상으로 한 여행'이다. 그런 여행을 시도하기에 프랑스는 최적의 장소다. 무엇보다도 프랑스는 유럽 역사의 주요하고도 거대한 사건이 진행된 나라였다.

죽음이나 살인에 관련된 장소를 방문하는 여행은 오늘날 유럽 전역에서 상당히 늘어나는 추세다. 예를 들어 홀로코스트의 현장인 아우슈비츠 수용소를 찾아갈 수도 있고, 핵발전소의 피해를 입은 체르노빌을 방문할 수도 있으며, 서혜선종성 흑사병에 걸린 자들의 유해가 있는 빈의 지하묘지 카타콩브Catacombes 내부로 들어가볼 수도 있다.

하지만 다크 투어리즘은 새로운 발명품이 아니다. 에두아르 미슐랭Édouard Michelin과 앙드레 미슐랭André Michelin 형제는 1차대전이 종식되기 이전인 1917년에 이미 프랑스 내 전쟁터 가이드북을 발간하면서 관련 사진들까지 수록하고 있었다. 1996년에 다크 투어리즘이라는 용어를 처음 만들어낸 글래스고 칼레도니언 대학의 존 레넌J. John Lennon 교수는 이러한 현상이 16세기 런던에서 죄수들을 공개 교수형에 처하던 때부터 생겨났고, 1815년에는 마차를 타고 워털루전투를 지켜본 사람들도 있었다고 지적한다. 이럴 때 떠오르는 고민은 타인의 비극을 통한 역사 이해와 관음증 사이의 경계일 것이다. 아우슈비츠 앞에서 셀카를 찍으며 즐거워하는 아이들을 어떻게 받아들여야 할까? 세계대전을 체감하게 해준다면서 아이들을 참호로 데려가 하룻밤 묵게 하는 형태의 관광을 어떻게 수용해야 할까? 침묵과 비장함에 대한 지나친 요구는 분명 문제지만, 이러한 여행이 역사에 대한 이해를 더욱 깊게 하는 일종의 구도적 과정임을 인식한다면 더없이 좋을 것이다.

인터넷을 통해 프랑스의 다크 투어리즘을 검색해보니 대상이 제각 각이었다. 어떤 곳에서는 영국의 다이애나Diana Spencer 왕세자비가 자동차 사고를 당한 파리의 알마 다리Pont de l'Alma 밑 터널과 600만 개의 유골이 보관된 파리의 카타콩브를 들고 있었고, 다른 곳에서는 세계에서 가장 오래된 묘지 중 하나이자 몰리에르, 오스카 와일드, 오노레 드 발자크, 프레데릭 쇼팽, 마르셀 프루스트 같은 인물들이 묻혀 있는 파리 동쪽의 페르 라셰즈 묘지, 카타콩브, 파리 하수도Égouts de Paris 등을 예로 들고 있었다. 또 어느 곳에서는 전쟁과 관련된 장소들을 다수 소개하면서 1차대전의 격전지였던 솜Somme 지방과 베르됭Verdun을, 2차대전과 관련해서는 캉 전쟁 기념관Mémorial de Caen, 노르망디 상륙작전이 감행된 해변(유타 해변, 오마하 해변…), '대서양의 벽', 유대인과 프랑스 레지스탕스인 수감자 약 2만 5,000명이 숨진 나츠바일러슈트루토프 Natzweiler-Struthof 집단수용소의 옛터, 알자스모젤 기념관Mémorial Alsace-Moselle, 레지스탕스 박물관Musée de la Résistance, 드랑시 강제수용소 기

파리 카타콩브 내부

파리 카타콩브 입구

넘관Mémorial de Drancy 등을 거론하고 있었다. 심지어 나폴레옹 무덤도 언급한다. 이 모두가 어두운 역사에 대한 시각의 차이를 보여주고 있다. 내 생각에 다크 투어리즘 대상은 그와 조금 다르다. 위인들과 부자들이 주로 묻힌 페르 라셰즈? 파리의 하수도? 이런 곳들이 '비극'과 얼마나 상관이 있을까? 다크 투어리즘은 무엇보다도 인간사의 비극과 관련이 있어야 한다. 그런 점에서 볼 때 페르 라셰즈 묘지 자체보다 묘지 가장 깊숙한 곳에 위치한 파리 코뮌 전사들의 벽이 다크 투어리즘에 더 어울리는 공간으로 나에게는 느껴진다. 정부군에 밀려 파리 외곽의 공동묘지에서 최후의 항전을 벌이다 숨져간 자들을 기리는 공간이다. 추모의 공간이자 격전지 자체이기도 한 비극의 장소이다.

솜은 20여 개 국적 300만 명의 군인들이 45km 길이에 달하는 전선에서 전투를 벌였던 비극의 배경이다. 전투는 1916년 7월 1일부터 11월 1일까지 계속되었고, 첫날에만 영국군 5만 7,000명이 숨졌기에 역사상 가장 피비린내 나는 전투 중 하나로 꼽힌다. 오늘날에는 당시 참상을 느낄 수 있는 참호, 묘지, 기념비 사이를 걸으며 역사를 반추할 수 있다. 또 인근 페론Péronne에서는 세계대전 역사관Historial de la Grande Guerre도 방문할 수 있다.

2차대전과 관련된 비극의 장소들은 노르망디에 많이 포진해 있다. 무수한 기념유적, 다양한 전쟁 관련 기념관, 전쟁 묘지, 옛 성채와 해안에 설치된 대포, 전차와 상륙용 차량 등이 그에 해당한다. 로리앙, 생나제르Saint-Nazaire, 라로셸La Rochelle에서는 당시의 잠수함 기지도 만나볼 수 있다.

내가 본 가장 비극적인 다크 투어리즘 장소는 오늘날 유령마을이 된 프랑스 중부 리무쟁Limousin 데파르트망 소재 오라두르쉬르글란Oradour-sur-Glane이었다. 1944년 6월 10일 독일 나치친위대 Schutzstaffel(SS)에 의해 마을 하나가 통째로 사라진 곳이다. 노르망디에서 역사상 가장 큰 상륙작전이 감행되면서 전쟁의 흐름이 바뀌고 대결이 끝나가던 시기에, 이곳에서 무장한 독일군 친위대가 남녀노소를 막론하고 마을 사람들 642명을 학살했다. 일부는 기관총 세례를 받았고, 교회에 감금된 여자와 아이들은 산 채로 불에 태워졌다. 당시 모습은 75년이 지난 지금까지 고스란히 보존되어 있어 마을에 들어가면 마치 시간이 멈춘 듯한 느낌을 받는다. 1944년 9월 당시 시인 장 타르디외Jean Tardieu는 '새들조차 날아오지 않는' 이 장소를 애통해하며 복수와 저항을 호소하지 않았던가? 비극을 되새기고 전쟁 중 자행된 잔인

오라두르쉬르글란 ©francecomfort.com

한 학살을 상기시키기 위해 불에 탄 차량, 벽에 박힌 총알 자국까지 고스란히 보존하고 있지만, 70여 년이 지난 지금까지도 이 마을이 왜 끔찍한 일을 당해야만 했는지에 대해 아무도 설명하지 못하고 있다. 폭력적인 죽음 앞에서 방문자는 고통과 절망만을 느낄 뿐이다.

개념을 정의하기에 따라 다크 투어리즘의 대상은 얼마든지 확대 가능해 보이고, 그 개념은 지극히 상대적으로 느껴지기도 한다. 나에게 절대적인 고통이나 절망이 타인에게는 아무런 의미가 없을 수도 있는 것처럼, 나에게 아주 소중한 다크 투어리즘 여행지가 타인에게는 그다지 의미가 없을 수도 있을 듯했다.

이 글을 쓰며 두 가지 풍경이 머리에 떠오른다. 먼저 마틴 스코세이지Martin Scorsese 감독의 영화 〈그리스도 최후의 유혹The Last Temptation of Christ〉이 1988년 파리에서 상영되었을 때. 이해 10월 23일 보수 성향의 가톨릭 지지자들은 영화 상영을 신성모독이라 항의하면서 파리 중심 생미셸 극장Espace Saint-Michel에 불을 질렀다. 극장은 전소되고 14명

의 부상자를 냈다. 극장은 약 1년
간 불탄 상태로 남아 있었다. 종교
가 광신으로 흐를 때 얼마나 무서
운 모습을 보여주는지 알리기 위해
서였다. 한국에서는 2008년 2월 10
일 서울의 숭례문이 불에 탔다. 우

전소된 생미셸 극장 ⓒespacesaintmichel.com

리는 정확하게 3일 후에 그 흉한 모습을 하얀색 가림막으로 완전히
가려버렸다. 드러내는 문화와 감추는 문화의 차이가 느껴지는 풍경이
었다.

유대인의 '자코르Zakhor!', 다시 말해 '잊지 말라!'는 구호처럼 역사의
비극을 잊고서 무슨 현재가 존재하랴. 역사가 질곡으로 채워진 우리
에게도 거제 포로수용소, 서대문형무소 역사관, 제주4·3평화공원, 국
립5·18민주묘지 등 무수한 다크 투어리즘 여행지가 있다. 결국 다크
투어리즘은 우리 역사에 대한 애정, 우리가 몸담은 장소에 대한 애정
으로 이어져야 할 문제라는 생각이 든다. 색다른 풍경, 특이한 경험을
갈망하는 사람들을 위한 대상이 절대 아닌……

특별한 시골을 만나다,
지트 드 프랑스gîte de France

성부터 유스호스텔에 이르기까지 프랑스에는 다양한 형태의 숙박시설이 존재한다. 각자 방식대로 여행자에게 편의를 제공하지만, 정말 각별했던 체험은 지트gîte에서의 숙박이었다. 지트란 농가를 개조해 숙박시설로 만든 것이었는데, 가족 단위로, 혹은 여러 가정이 함께 프랑스 시골을 찾아갈 때 지트만큼 좋은 숙소는 없었다. 통상 '샹브르 도트chambre d'hôtes'라는 시스템과 비교되는데, 샹브르 도트의 경우 주인이 거주하는 건물에서 숙박한 후 다음 날 그 지역 음식으로 아침식사를 제공받는다. 지방 특유의 음식이나 와인을 마시는 행복, 그리고 현지인으로부터 얻는 정보가 샹브르 도트의 강점이지만, 언어 소통이 가능한 경우에나 그 이점을 모두 누릴 수 있다. 그와 달리 지트에는 주인이 상주하지 않는다.

이용해본 지트 시스템은 아주 흥미로웠다, 주말 2박 3일, 1주 혹은 그 이상 대여하는 것이 가능하며, 인터넷 사이트(www.gites-de-france.com 이나 www.gites.fr)를 통해 원하는 숙소를 예약할 수 있다. 사이트에 들어가보면 전국지트협회에서 이삭épi으로 점수를 매겨 지트 등급을 분류

지트 드 프랑스 홈페이지

한다. 호텔의 별처럼 이삭이 많을수록 값이 비싸지며 편의시설도 늘
어난다. 2020년 5월 13일 사이트에서 확인해본 바로는 5개 이삭(럭셔
리Luxury)이 달린 지트가 170개, 4개 이삭(프리미엄Premium)이 달린 지트
가 3,240개, 3개 이삭(컴포트Comfort)이 달린 지트가 2만 7,013개, 2개 이
삭이 달린 지트가 1만 4,887개, 1개 이삭의 지트가 1,385개였다. 또 방
1개인 지트가 8,690개, 방 2개짜리가 1만 8,606개, 방 3개짜리가 1만
1,992개, 방 4개짜리가 4,446개, 방 5개짜리가 1,637개다. 이 지트들은
프랑스 전역에 골고루 분산되어 있다. 예약 요령을 설명하자면, 예를
들어 1주일을 숙소로 임대하려 할 경우 먼저 방문하고픈 여행지를 지
도에 마크한다. 그리고 아침에 떠나 저녁에 돌아올 수 있도록 마크한
여행지들에서 모두 가까운 지트 한 곳을 선정해 예약하면 된다. 이삭
을 어떻게 매기는지 궁금했는데 지트에 직접 다녀온 후 궁금증이 풀렸
다. 정확하게 3~4일이 지나자 집으로 편지 한 통이 배달되었는데 전
국지트협회에서 보낸 것이었다. 개봉해보니, 세상에! 지트 이용에 대한

지트 드 프랑스의 최고 등급인 이삭 5개

느낌을 묻는 설문 항목이 100개 남짓 되었다. 이용자들의 평가를 종합한 후 다음해에 지트 등급을 올리거나 내리는 식이었다. 프랑스인들의 치밀함에 혀를 내두를 수밖에 없었다.

농가라고 해서 우습게 보면 안 된다. 우리와는 달리 돌로 지어진 집이 많아서 운치도 있다. 숙소의 형태는 앞에서 설명했듯 방 1개부터 5개 이상까지 종류별로 있으며, 식기세척기, 세탁기, 오븐, TV, 커피포트 등은 기본으로 갖추고 있다. 대개 조명은 절전용으로 자동으로 켜지고 꺼진다. 각 지트마다 다양한 서비스를 제공하는데 대부분의 지트에서 와이파이가 가능하고, 영유아를 위한 도구들도 구비하고 있다. 외부에 수영장을 갖춘 곳도 종종 있는데, 심지어 실내 수영장이 있는 지트도 발견된다. 정원과 테라스를 갖춘 곳이 많고 그네가 매달려 있는 경우도 있는데, 시골집들이라 거실을 비롯한 실내 및 실외 공간들이 아주 넓다. 통상 시골 마을의 중심으로부터도 어느 정도 떨어져 있기에 기차를 이용해서는 대부분의 지트를 찾아가기가 힘들다는 것이 단점이다. 핸드폰도 없던 시절의 어느 겨울, 자동차를 타고 남쪽의 어느 숙소를 찾아갔을 때가 기억난다. 주소도 명확하지 않아 길에서 헤매다 밤늦게야 지트 가까이 도착할 수 있었다. 다 왔다고 생각했는데 도로에 하얀 토끼가 한 마리 나타나 좀체 움직이지 않는 바람에 거의 5분을 기다린 끝에 계속 길을 갈 수 있었다. 마침내 도착해서 보니 거실에는 커다란 벽난로가 있었다. 추운 겨울이라 장작을 땔 수밖에 없었다. 지트협회에서 보내오는 서류에는 장작한 더미 가격이 표시되어 있었지만 마음씨 좋은 주인은 그냥 필요한 만큼 사용하라고 했다. 큰 통나무 하나를 태우면서 그 앞에서 프랑스와인을 마시는 즐거움이란… 천국이 따로 없었다. 호텔을 이용할 경우 절대 경험할 수 없는 즐거움이기도 했다.

조금 이른 시각에 도착했던 페리고르Périgord 지방의 한 지트에서는 이미 정원과 집을 손본 주인이 우리를 기다리고 있다가 10분에 걸쳐 이용방식을 알려준 후 떠났다. 나중에 열쇠를 어떻게 돌려주어야 할지 물었더니 떠날 때 집의 대문에 설치한 우편함에 넣고 가란다. 주인이 지트에 거주하지 않으니 내 집에 머무는 것처럼 일행들과 자유롭게 시간을 보낼 수 있어 더없이 편했다. 여행 도중 민물 낚시터에 간 적도 있었다. 잡은 물고기 중 정해진 수의 송어만 가져갈 수 있었는데, 지트로 돌아와 다양한 형태로 조리해 먹었다. 아침과 저녁을 숙소에서 직접 요리해 먹을 수 있는 것은 지트를 이용할 때 누릴 수 있는 큰 기쁨 중 하나다. 이럴 경우 하이퍼마켓에서 필요한 만큼 미리 장을 본 후 지트에서 음식을 해 먹는데, 매번 호텔을 이용하고 외식을 하는 여행보다 경비가 훨씬 싸게 먹힌다는 점은 말할 필요도 없다.

전통적인 지트는 시골이나 바다 혹은 산에 자리하고 있고, 농가를 개조한 형태가 많다. 하지만 오늘날에는 현대적 스타일의 가옥이나 도시의 아파트에서도 지트를 운영하는 곳이 생겨나고 있다. 지속성장이라는 콘셉트의 대두와 함께 일부 국가에서는 '에코지트Ecogite'라는 타이틀을 내걸면서 생태라벨 기준에 맞는 숙소임을 강조하고 있다. 1990년에 창설된 에코투어리즘 소사이어티The Ecotourism Society(TIES)는 에코지트를 '자연환경을 갖춘 동시에 에코투어리즘 철학에 부응하는 관광용 지트'라고 규정한다.

에코지트와 판다 지트

1992년에 만들어진 '판다 지트gîtes Panda'라는 것도 있는데, 프랑스의 자연공원이나 국립공원 내에 들어선 지트로, 에너지와 물, 쓰레기 등에 더 엄격한 기준을 요구하는 시스템이다. 2009년 기준으로 230개 지트가 이 라벨을 달고 있다.

제공하는 서비스에 따라 시식 체험 지트ferme-auberge, 말을 타고 이동하며 들르는 지트gîte équestre, 어린이 대상 지트gîte d'enfant, 트레킹이나 등산, 순례, 자전거여행을 하는 단체여행객용 지트gîte d'étape, gîte de groupe 등으로 다양하게 나뉘고, 낚시·스키·장애인 등의 카테고리에도 적절한 지트가 운영된다. 지트 드 프랑스Gîtes de France, 클레바캉스Clévacances, 아퀴에이유 페이장Accueil Paysan, 비앵브뉘 아 라 페름Bienvenue à la ferme 등 다양한 협회가 현재 지트를 운영하고 있다. 농가 지트의 역사는 20세기 중반 프랑스 남동부에서 상원의원 에밀 오베르Émile Aubert의 주도로 시작되었다고 한다. 보다 구체적으로 1950년대 초에 알프드오트프로방스Alpes-de-Haute-Provence에서 최초로 시골 지트를 운영해본 후 1955년 1월 11일부터 지트 드 프랑스 네트워크를 가동하기 시작했다. 2000년대에 이 네트워크에 가입한 지트만도 4만 3,000개에 달한다.

별로 총총한 하늘을 본 지 얼마나 되었을까? 보통 지트 주변에는 10여 채의 농가가 전부라서 칠흑 같은 어둠 속에서 자연의 모든 미세한 소리와 움직임을 느낄 수 있었고, 바로 옆에서 흐르는 시냇물 소리도 제대로 들을 수 있었다. 사냥한 동물들의 머리를 박제해 거실에 걸어놓은 곳도 있었고, 거실 천장에 나뭇결이 살아 있는 목재를 대 장식한 곳도 있었다. 이 모든 것이 파리의 시끄러움과는 달리 프랑스를 제대로 느끼게 해주는 방식이었다. 2016년 여름 함께 프랑스를 여행한 고등학교 친구 중 한 명인 최윤성 교수가 바로 다음해에 또다시 프랑스를 찾았다고 했다. 친구들과 함께 갔던 여행지 중 가장 멋진 곳들을 체크했다가 다시 가족여행을 떠난 것. 돌아오더니 다음과 같이 이야기했다. "아일랜드와 프랑스를 돌았는데, 역시 프랑스더라. 아일랜드에서는 더블린에서 차로 30분만 벗어나도 볼거리가 없던데, 프랑스는 지방 어느 곳을 가도 나름대로 문화와 분위기가 있고 잘 살더라. 왜 네가 프랑스, 프랑스 해대는지 제대로 체험하고 왔네."

정말 프랑스 지방의 속살을 맛보고 싶다면 지트를 이용하면 좋다. 그곳에서는 한국이 꽤 오래전에 상당 부분 잃어버린 시골 정경, 시골 정서가 여전히 살아 숨을 쉬고 있다. 코로나바이러스로 인간의 외부 활동이 제한된 이후 복원되는 자연의 모습에 우리는 얼마나 감동을 받고 있는가? 추후 여건이 허락될 때 지트에서 자발적 격리를 체험해 보시길 바란다. 자연과 하나가 되는 체험은 형언할 수 없는 기쁨을 제공할 것이다.

우슈아이아를 상상하며

TV 프로그램 〈우슈아이아〉

프랑스에서 부러운 모습 중 하나는 사회 전반에 가득한 호기심과 모험심이었다. 남아메리카 대륙 남쪽 끝의 지명을 딴 〈우슈아이아Ushuaïa〉라는 TV 프로는 전 세계를 다니며 극한 체험을 하는 여행 프로그램이었다. 실제로 우슈아이아는 현지 사람들이 '핀 델 문도Fin del Mundo', 즉 '세계의 끝'이라고 부르는 곳이다. 남극을 제외한 세계 최남단, 설산으로 에워싸인 작은 항구 마을은 지리적으로도 프랑스인들의 열정을 불러일으키기에 충분했다.

세계의 중심이 되어본 적이 있기 때문일까? 프랑스인들의 관심사는 세계 전역에 걸쳐 있었고, 지리도 예외일 수 없었다. 신대륙이 발견되고 항해술이 발달하며 대륙을 잇는 항해수단이 본격적으로 만들어지면서 그들의 이국 취향을 채우는 방식은 훨씬 수월해졌지만, 머나먼 지역에 대한 그들의 호기심은 아주 일찍부터 만개한 것으로 보인다. 내가 번역한 책 중에 《나폴레옹의 학자들Les Savants de Bonaparte》(1998)이 있다. 1798년 나폴레옹이 5만 명의 병력을 이끌고 이집트로 군사원정을 떠날 때 동행한 167명의 학자와 예술가들이 이집트에서 수행한 연구에 대한 이야기다. 어디로 떠나는지조차 알지 못하면서 배에 탑승한 당시 22세의 엔지니어 프로스페르 졸루아Prosper Jollois는 자신의 아버지에게 다음과 같이 편지를 쓰고 있다. "비록 그것이 한 번에 불과할지라도, 왜 제가 그런 열기에 빠져들기로 결심했는지 이제 아버지께 말씀드려야 할 것 같습니다. 그것은 제가 오래전부터 꿈꾸어왔던 여행에 대한 갈망 때문이었습니다. 어떤 상황에서도 지금보다 더 모험을 감수하는 여행을 할 수 있으리라고는 생각하지 않습니다. 또 이 여행이 저에게 유익하리라는 사실을 개인적으로 믿어 의심치 않습니다." 우리가 잘 알다시피, 그 원정은 로제타스톤을 비롯한 고대 이집트 문명의 비밀을 파헤치는 계기가 되었다.

세상을 더 알아내겠다는 프랑스인들의 호기심은 학술에서 스포츠까지, 여행에서 작가의 글쓰기까지 다양한 분야에서 표출된다. 스포츠만 하더라도 프랑스 국경을 뛰어넘는 행사가 여럿 있다. 대표적인 행사는 극한의 요트대회인 '방데 글로브'. 단 한 사람의 항해자가 요트를 모는데, 모터나 기타 기계에 의존하지 않고 오직 자신의 힘과 바람, 조류에 배를 맡긴 채 가장 빠른 시간 안에 세계일주 항해를 완주하는 경기다. 1989년부터 지금까지 4년마다 개최되고 있는 행사로, 프랑스 서부 도시 레사블돌론Les Sables-d'Olonne을 출발, 중간 기착 없이 남극을 돌아 출발지로 돌아오기까지 약 3개월이 걸린다고 한다. 항해 거리만 무려 4만 8,000km에 달한다고. 파리-다카르 랠리Rallye Paris-Dakar라는 행사도 있다. 1979년 티에리 사빈Thierry Sabine의 주도로 시작된 자동차·모터사이클 경주대회로, 아프리카 사막의 비포장지대를 질주하

첫 번째 파리-다카르 랠리를 소개한 《파리 마치》

2020년 파리-다카르 랠리

는 이벤트다. 일부 사람들은 이 경기를 자연과 인간의 환경을 존중하지 않는 대중매체를 위한 행사로 비난하지만, 유럽과 아프리카를 잇는 이 랠리는 그럭저럭 계속되고 있다.

작가들의 호기심도 타국, 타지방에 대한 상상력을 자극하는 데 일조했다. 플로베르의 이집트 방문, 스탕달Stendhal의 이탈리아 여행, 앙드레 지드의 콩고 여행과 모스크바 방문은 우리에게도 어느 정도 알려져 있다. 우편비행기를 타고 대서양 어딘가에서 사라져간 생텍쥐페리가 주는 매력은 또 얼마나 큰가. 프랑스 문학과 예술 속에는 유럽을 벗어난 세상과의 만남이 넘쳐난다. 작가 샤토브리앙은 1791년 모피 상인과 함께 미국을 여행하며 겪은 체험을 바탕으로 미국과 인디언 원주민을 이국적으로 묘사해 젊은이들을 열광시켰다. 알랭 코르노의 영화 〈인도 야상곡Nocturne indien〉에서 친구 자비에르를 찾아 봄베이, 마드라스, 고아를 전전하는 주인공 로시뇰의 이야기도 아주 매력적이었다. 논외로 프랑스 영화는 아니지만 이탈리아 영화 〈일 포스티노Il Postino〉가 보여주는 풍광, 주인공인 칠레 작가 파블로 네루다가 그 순박한 마을과 만나는 모습도 나의 감성을 오랫동안 자극했다.

모험과 탐험에 관한 프랑스 역사는 일일이 거론하기 힘들 정도로

풍부하다. 생말로를 방문하면 대
서양을 바라보는 자크 카르티에
동상을 성벽 위에서 만날 수 있
다. 1534년 프랑스인 최초로 바
다 건너 캐나다 대륙을 발견한 그
의 모습에서 미지의 세계를 꿈꾸
던 이 도시 출신의 탐험가를 상상

폴-에밀 빅토르 ©grands-espaces.com

해볼 수 있다. 평생을 탐사와 인류학 연구, 환경보호에 매진한 폴-에
밀 빅토르Paul-Émile Victor는 이미 1840년 남극의 테르아델리Terre-Adélie
빙하를 발견한 뒤몽 뒤르빌Dumont d'Urville의 뒤를 따라 남극과 북극지
방, 그린란드를 탐험한 인물이다. 그는 1995년 3월 태평양 보라보라
섬의 태양 아래서 숨을 거두었다. 그를 포함해 대서양에서 스스로 표
류 실험을 한 알랭 봉바르Alain Bombard, 탐험가 자크 쿠스토 선장, 화
산학자 아룬 타지에프Haroun Tazieff 같은 인물들은 선구적 환경보호
론자이기도 했다. 항해사 에릭 타바를리Éric Tabarly도 프랑스인들의 사
랑을 받는 인물이다. 1964년과 1976년에 '오스타르Ostar' 같은 대양횡
단 요트 경기에서 우승한 그는 브르타뉴를 비롯한 프랑스 각지의 해
양활동 붐을 일으키는 데 크게 기여한다. 바다를 탐험했던 20세기 이
전의 역사적 인물들은 사뮈엘 드 샹플랭Samuel de Champlain(1580~1635),
르네 뒤귀에-트루앵René Duguay-Trouin(1673~1736), 장-프랑수아 드 라
페루즈Jean-François de Lapérouse(1741~1788), 앙리 드 몽프레드Henry de
Monfreid(1879~1974) 등이 꼽힌다. 그들은 스포츠와 모험, 전쟁과 역사,
예술과 문학, 정치와 과학, 군사와 외교에 영향을 미친 인물들로 인류
학과 지리 쪽에서도 성과를 냈다.

그러나 프랑스의 여러 분야가 그렇듯, 이 인물들은 역사 속에 박제된 존재가 아니다. 오늘날 프랑스는 이들의 업적을 기리며 새롭게 그들의 시대를 조명하고, 인물들의 의미를 재해석하며 그들의 고독과 절망을 되새긴다. 대한민국이라는 지리적 한계를 극복하려면 이미 15세기부터 세상을 향해 뛰쳐나갔던 유럽인들의 모험심을 본받아야 하지 않을까? 그것을 통해 인종과 문화에 대한 편견을 버리면서 우리의 감각이 진정 세계화될 수 있지 않을까? 여전히 좌우의 대립이 격심하고, 타자에 대해 무지하며, 정치만이 능사라고 생각하는 이 조그마한 땅덩어리에서 말이다. 우리의 클로드 레비-스트로스는 언제쯤 나타날까? 물론 대한민국 사람들이 전 세계 구석구석을 누비고 있기는 하지만, 어떤 마음가짐과 자세를 안고 찾아가느냐가 문제일 것이다.

지구를 등에 업고 세계로, 가이드북 '기드 뒤 루타르Guide du Routard' 시리즈

프랑스에 있을 때 가장 여행에 도움이 된 책은 '미슐랭' 시리즈와 더불어 '루타르' 시리즈였다. 1975년 삽화가 장 솔레Jean Solé가 그린 지구를 등에 업은 배낭여행자 표지는 아주 친숙하게 느껴졌고, 책의 볼거리와 먹거리 관련 정보는 '학구적'인 미슐랭과는 다르게 실용적이었다. 그래서 프랑스 지방 및 다른 나라로 여행을 떠날 때면 늘 두 종류의 가이드북을 동시에 지참하고 다녔다. 덕분에 여행은 풍요로웠지만, 여행 짐의 무게가 늘 부담스러웠음을 고백해야겠다. 거기다 미국에서 나온 《레츠고 유럽Let's Go Europe》까지 가지고 떠났으니 말이다.

오늘날 여행 시즌이 되면 프랑스 주요 서점의 매대를 화려하게 장식하는 이 가이드북이 두 젊은이의 아이디어로부터 시작해 대성공을 거둔 것은 놀랍기 그지없다. '기드 뒤 루타르', 이른바 GDR는 1973년 4월 미셸 뒤발Michel Duval과 필립 글로아겐Philippe Gloaguen이 미국의 '백패커스 가이드Backpacker's Guides'를 참조해 시작한 프랑스 여행서 컬렉션을 통칭한다. 처음부터 루타르는 미국에서 1971년에 간행된 《유럽을 여행하는 히치하이커를 위한 안내서Hitch-hiker's Guide to Europe》로부터

필립 글로아겐의 《루타르의 삶》

아이디어를 얻었다. 돈 없는 여행자들을 위한 실용서인 이 시리즈의 첫 책은 아서 프로머Arthur Frommer의 주도로 1959년 미국에서 출간되었다. 또 루타르는 미국 하버드 대학 학생들이 1960년에 만들어낸 가이드북인 '레츠고' 시리즈로부터 영감을 얻었다. 한마디로 이러한 콘셉트의 프랑스어 버전이라 할 수 있다.

모든 것은 1971년에 시작되었다. 7월 11일 필립 글로아겐과 미셸 뒤발은 배낭을 등에 메고 테헤란, 라호르, 델리, 카트만두로 떠나며, 여행 중 보고 듣고 느끼는 것을 꼼꼼하게 메모했다. 파리로 돌아와 필립은 당시 언더그라운드 언론의 꽃이었던 《악튀엘Actuel》지에 연재를 제안했고 그 제안은 받아들여진다. 연재 후에는 여행서 발간 쪽으로 눈을 돌렸지만 하마터면 루타르 시리즈의 첫 책《인도로 가는 길La Route des Indes》은 빛을 보지 못할 뻔했다. 19개 출판사가 거부했고, 오직 소규모 출판사 게달주Gedalge만 성공을 확신했다. 그러나 1973년 여름 갑자기 출판사 사장이 버스 사고로 숨지면서 아셰트Hachette 출판사가 출판권을 이어받는다. 당시 아셰트 출판사에서 여행 관련 서적 총책임을 맡고 있던 거물 제랄드 가시오-탈라보Gérald Gassiot-Talabot와의 만남은 필립 글로아겐에게 큰 행운이었다. 애당초 아셰트 출판사는 자사의 대표상품인 '기드 블뢰Guides Bleus'를 기대했지 루타르에는 그다지 애정을 가지지 않았다. 그러나 야심만만한 대학생과 프랑스 굴지의 출판사의 만남은 30년 후 양쪽 모두에 큰돈을 벌게 해준다. 필립은 판매부수가 1만 5,000부가 넘을 경우 더 많은 저작권료를 달라고 요구했

'기드 뒤 루타르' 시리즈 ⓒroutard.com

는데, 오늘날 이 시리즈는 매년 무려 250만 부가 팔리는 중이다.

루타르는 당시 여행 패턴에 얽매이지 않고 아주 저렴한 가격에서 가장 비싼 가격의 레스토랑과 호텔을 모두 소개하면서 청년들을 위한 가이드북으로 자리를 잡으며 아셰트의 효자상품으로 거듭난다. 그리고 아무도 신경을 쓰지 않던 지방 여행에도 눈을 돌렸다. 아셰트의 도박은 1980년부터 빛을 보기 시작했다. 10종류가 출간된 루타르 시리즈는 그해에 10만 부가 나갔다. 《주말의 파리Week-ends autour de Paris》와 《브르타뉴Bretagne》의 성공은 프랑스 지방에 관련된 후속 시리즈로 이어졌다. 2003년의 판매부수를 보더라도 《브르타뉴》가 8만 2,200부, 《코르시카Corse》가 8만 1,500부로 해외를 다룬 《모로코Maroc》의 5만 2,400부, 《안달루시아Andalousie》의 4만 7,200부, 《포르투갈Portugal》의 4만 3,800부를 훨씬 능가할 정도였다.

루타르는 시간이 흐르면서 다양한 방식으로 사업을 다각화했다. 1990년에 최초의 부가상품이 등장한다. 1999년에는 '루타르 추리소설Le Polar du Routard' 시리즈를 만들어 소설 분야에 뛰어든다. 또 '루타르디스크Disque du routard'를 통해서는 여행 관련 음악을 편집해 음반으로 출시한다. 2001년 6월 아르노 라가르데르Arnaud Lagardère와 함께 여행 정보를 제공하는 사이트(www.Routard.com)를 오픈한 이후에는 종이책과 인터넷 사이트의 상생에 성공하고 있다. 그렇기에 우리도 주의 깊게 지켜볼 필요가 있다. 인터넷 사이트는 여행을 떠나고 싶은 욕구를 부여하고 각 지역별 특징을 제공하지만, 목적지가 정해지면 더 많은 정보를 위해 종이책을 사보도록 만들었다. 필립 글로아겐 입장에서 종이는 가장 '노마드'적인 여행수단이고, 이용하기 좋으며, 배터리도 필요 없고, 태양과 모래도 견뎌내는 도구였다.

루타르는 명품 칼을 제조하는 라기올Laguiole과 2004년에 출시된 한정판 시리즈인 르노 캉구Renault Kangoo 자동차에도 자사의 상표를 이용할 수 있도록 했다. 2003년에는 '루타르 트로피'를 만들어 개발도상국에 인도주의 활동을 펼치러 떠나는 젊은이들에게 장학금과 항공권을 지원했다. 2003년 말부터 루타르 시리즈는 영어, 이탈리아어, 스페인어, 네덜란드어 등 4개의 외국어 번역판을 공동 출간하기 시작했고, 곧 독일어판도 추가되었다. 또 2010년에는 모바일 어플리케이션을 제작해 디지털 형태의 정보를 이용할 수 있게 했다.

2020년 기준 150종에 달하는 이 가이드북들의 출판은 1975년부터 '아셰트 투리슴 리브르Hachette Tourisme Livre'가 담당하고 있다. 1972년부터 2017년에 이르는 45년 동안 총 5,000만 권이 팔렸다. 매년 판매 부수는 250만 부 정도. 루타르가 거둔 성공이 얼마나 대단했는지 알려주는 수치가 있다. 필립 글로아겐이 매년 벌어들이는 저작권료는 300만 유로 정도로 추정된다. 그 액수는 세계 각국에서 110권의 도서를 출간한 파울로 코엘료Paulo Coelho가 매년 벌어들이는 인세와 같다고 한다. 출판 전문지《리브르 에브도Livre Hebdo》가 매달 판매량을 집계하는 월간 히트퍼레이드의 '여행서' 분야에서 12개 중 10~11개가 루타르 시리즈일 정도다.

루타르는 시대의 흐름을 따라가며 더 많은 독자를 만나려고 시도하면서도 '독립, 존중, 공유'라는 초심을 유지하고 있다. 컬러를 도입했지만 가격을 인상하지 않은 것도 시리즈가 사랑을 받는 이유 중 하나다. 또 다른 성공 요인은 개정판의 완성도를 들 수 있다. 오늘날 필립 글로아겐이 아셰트 투리즘 리브르 출판국장을 맡아 브랜드를 관리하고, 아셰트 모기업은 제작과 유통을 담당하면서 매출원가를 공유하고 있다. 글로아겐은 저작권으로 편집을 지원하고 아셰트는 책을 만드는 비용을 댄다. 매 신간에 드는 비용은 거리, 국가의 규모, 동원한 사람의 수에 따라 5만~10만 유로다. 통상 4~5명의 조사원이 여러 주에 걸쳐 해당 지역을 방문하는 형태를 취하고 있다. 가이드북을 개정하기 위해 루타르는 매년 200회(해외는 160차례, 프랑스 국내는 40차례) 이상의 여행을 조직하는데, 여기에 드는 경비는 80만 유로 이상이다. 2년마다 4~5권의 가이드북이 개정판을 내고 있다.

최근 루타르는 또 다른 실험을 하는 중이다. 2016년 지방 행정제도가 개편되면서 슈퍼레지옹super-régions이라 불릴 수 있는 지역들이 생겨났지만, 루타르는 역으로 문화적 동질성이 강한 작은 지역에 대한 가이드북들을 출간하고 있다. 출판 비용의 4분의 3은 지방의 중소기업들이 댄다. 그에 따라《그라니 로즈 해안Côte de Granit Rose》《에스테렐Estérel》《가스코뉴Gascogne》 같은 책들이 출간되었다.

우리에게도 시사하는 바가 많지 않은지? 오늘날 많은 한국 젊은이들이 안정적인 직장을 구하는 데 골몰하고 있다면 필립 글로아겐은 이미 20대 나이에 새로운 세상의 발견을 통해 새로운 시장을 창출하는 데 성공한 것이다. 오늘날 그는 여행의 대부로 인정받고 있고, 기드 뒤 루타르 시리즈는 이미 하나의 제도로 인식된다. 굴지의 출판사 갈리마르에서 발간하기 시작한 '제오기드', 세계적으로 유명한 영국 가이드북 시리즈인 '론리 플래닛Lonely Planet'의 도전에도 불구하고 여전히 루타르가 독보적인 위상을 이어가고 있는 것은 필립 글로아겐의 열정과 끊임없는 도전, 세상을 보는 새로운 시선, 완벽한 책을 만들려는 아셰트의 장인정신 덕분일 것이다. 한국에서도 우리만의 시각을 담아낸 명품 여행서의 출현을 기대해본다.

알비Albi, 생트세실 대성당Cathédrale Sainte-Cécile과 툴루즈-로트렉Henri de Toulouse-Lautrec을 만나다

생말로와 더불어 어느 순간부터 내가 가장 사랑하는 도시가 되어버린 알비Albi. 이곳을 찾아갈 때마다 나의 가슴은 뛴다. 알비 십자군 이야기를 접할 때면 중세의 역사 현장 한복판으로 빨려 들어가는 느낌이고, 벽돌로 지은 세계에서 가장 높은 건물인 생트세실 대성당Cathédrale Sainte-Cécile에 입장할 때면 프랑스의 여느 대성당에서도 만날 수 없는 상상력 충만한 공간으로 들어가는 기분이며, 로트렉 미술관Musée Toulouse-Lautrec이 들어선 베르비 궁Palais de la Berbie 정원의 아름다움을 맛볼 때면 지난한 인생을 살았던 한 예술가의 아름다움을 몰래 엿보는 기분이었다. 역사와 문화, 미술과 삶이 뒤얽힌 이 도시는 나를 충분히 매혹하고도 남았다. 남프랑스를 찾을 때 내가 알비를 절대 지나치지 않는 이유가 거기 있다.

먼저 알비 십자군. 십자군의 알비 원정은 13세기 초인 1209년에 남프랑스에서 시작되며, 약 30년 동안 계속된다. 가톨릭교회가 보낸 군대가 프랑스 남부의 영주들 및 주민들과 격돌한 사건이었다. 이단으로 여겨지던 알비 사람들이 교황의 분노를 산 것이 원인이었다. 교황

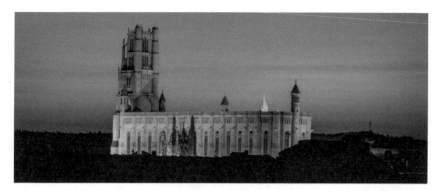

알비의 생트세실 대성당

은 '카타리파'라 불리던 알비 사람들이 카타리즘이라는 종교를 신봉하고 있다고 비난했다. 구약에 바탕을 둔 이 종교는 신에 대한 기도를 가톨릭과 공유하긴 했으나, 선과 악이 각각 하늘과 땅을 통치하고 있다고 생각했다. 마니교 신앙의 일종이었다. 그들 눈에는 지상에 속하는 모든 것이 나쁜 것이기에 거부되어야 했다. 봉건 체제의 기본이 서약이었는데, 카타리즘이 서약을 절대적으로 금지했기에 그들은 가톨릭으로부터 이단으로 간주될 수밖에 없었다. 더없이 관용적 분위기의 사회였던 남프랑스 지역은 장자長子의 권한도 인정하지 않았고, 농노도 거의 고용하지 않고 있었다. 교회의 종교적·정치적 권력은 이 지역에서 그다지 힘을 쓰지 못했고, 귀족과 부르주아도 이단을 자처할 수 있었다. 1204년 교황 클레멘스 7세Clemens PP. VII는 특사를 파견해 카타리파에 동조하는 주교들을 처벌했으며, 1206년부터 카타리파를 후원하고 이단을 몰아내기를 거부하는 귀족들을 파문하기 시작했다. 그리고 알비 사람들을 진압하러 십자군을 파송한다. 자신의 이익을 염두에 둔 프랑스 국왕의 지원으로 십자군 원정은 두 차례에 걸쳐 이루어지며, 이 지역을 피로 물들였다. 알비 십자군의 군사작전은 1209 년에서 1255년까지 계속되었으며 세 시기로 나뉜다. 첫 시기는 십자 군이 대대적인 공격을 감행해 랑그독Languedoc의 상당 지역을 점령한 1209~1215년이고, 두 번째 시기는 카타리파의 반란과 지역 귀족의 반 격이 이루어진 1215~1225년이다. 1223년부터 카타리파에 대한 종교 재판이 시작되면서 카타리파의 저항은 예전의 힘을 회복할 수 없었다. 세 번째 시기의 기점인 1226년 십자군이 다시 파송되었고, 1255년 카 타리파가 전멸되면서 알비 십자군의 작전은 종료되었다. 원정이 끝날 때 랑그독 지방은 주권을 잃고 프랑스왕국에 귀속되었다. 지역의 희생 자 규모는 20만 명에서 100만 명으로 추산되나 확실하지는 않다. 이 지역 역사를 공부할 때 흥미로운 점이 있다. 독립을 추구한 코르시카 나 바스크 지방과는 달리, 옥시타니가 내세운 지방주의는 파리를 중 심으로 한 북부가 남부의 패권을 앗아갔다는 상실감에서 기인한다는 점이다.

다음은 생트세실 대성당. 이 도시를 눈부시게 만드는 건물은 무엇 보다도 생트세실 대성당이다. 알비 대주교구가 관장하는 이 건물은 1282년부터 건립이 시작되어 1480년에야 완공되었다. 무려 200년에 걸쳐 지어진 붉은 대성당은 프랑스 남서부만의 전형적인 스타일인 남 프랑스 고딕 양식을 하고 있다. 2010년에 유네스코 세계문화유산에 등재되었다. 가히 옥시타니 레지옹 타른Tarn 데파르트망의 보물이라고 할 수 있다. 군사적인 목적으로 건립된 성채의 외양과 내부를 채운 화 려한 그림과 조각이 연출하는 대조가 극적인 효과를 낳는 곳이다. 프 랑스에서 그 많은 대성당과 교회를 방문해보았어도 성당에 들어가는 순간 숨이 멎는 듯한 경험을 한 것은 알비가 처음이었다. 내게는 파리

생트세실 대성당 내부

의 노트르담 대성당보다 더 멋졌다. 오늘날 프랑스의 대성당 중 가장 많은 관광객이 찾는 장소 중 하나다.

건축은 시대를 반영한다. 십자군 원정 이후 옥시타니 지역을 차지한 프랑스 국왕은 이단에 동조했던 지역의 정서를 고려해 화려한 북부의 고딕 양식과는 달리 청빈을 역설하던 카타리파의 소박함에 더 어울리는 건축 양식을 택했다. '독립적인' 남프랑스 고딕 양식으로 벽돌로 채워진 도시 툴루즈의 자코뱅 수도원Couvent des Jacobins에서 비슷한 느낌을 받을 수 있다. 성당의 규모는 웅장하다. 종루까지의 높이는 78m, 건물의 총길이는 113.5m에 달한다. 그러나 정작 압권은 대성당에 들어가면서부터 느낀다. 유럽의 다른 대성당들과는 달리 단 하나의 빈 공간도 남겨두지 않고 1만 8,500m²에 달하는 내부 전체가 채색되어 있다. 〈최후의 심판Jugement dernier〉은 파이프오르간 아래 자리를 잡고 있는데, 1474년부터 1484년까지 제작된 거대한 프레스코화다. 하늘과 땅 그리고 지옥이 그려져 있으며, 지옥에서는 7가지 중죄를 지은 불신자들이 각 방을 채우고 있다. 비스듬히 누운 모습의 성녀 세실리아Sancta Caecilia 조각도 환상적이다. 매년 세실리아 성녀를 기리는 축제가 콘서트, 웅장한 미사와 더불어 열린다. 고딕 오르간의 위용도 대성당에 장엄함을 더하고 있다. 성당을 장식한 그림들도 들여다볼 만

하다. 대표적인 것은 1345년에 제작된 이탈리아 전례용 병풍 형태의 그림으로 예수의 삶을 다양하게 표현하고 있다. 자크 블랑샤르Jacques Blanchard가 1628년 제작한 그림은 성 베드로에게 열쇠를 건네는 예수 모습을 담아냈다.

한편 생트세실 대성당 바로 옆에 자리한 툴루즈-로트렉 미술관은 알비의 멋과 풍취를 극대화한 건물이다. 연중 20만 명 이상이 이곳을 찾는데, 방문자 숫자로 따지면 옥시타니 지방에서 가장 많은 관광객이 찾는 미술관이다. 대성당과 마찬가지로 2010년에 유네스코 세계문화유산에 등재된 베르비 궁 내에 있다. 베르비 궁은 13세기의 성채였는데, 알비 주교들이 1905년까지 거주하던 장소였다. 정교분리가 이루어진 그해에 타른 데파르트망 소유로 넘어간 것이다. 툴루즈-로트렉 미술관은 알비에서 태어난 앙리 드 툴루즈-로트렉의 작품을 주로 전시한 공간으로, 바로 옆의 생트세실 대성당 건물과 한 몸이라는 느낌을 준다. 소장품은 1901년 로트렉이 사망하면서 그의 부모가 알비시에 기증한 작품들이다. 미술관이 개관한 것은 1922년 7월 30일이었다. 1,000점 이상의 회화, 석판화, 데생, 포스터가 전시되어 있는데 툴루즈-로트렉 작품 규모로는 세계 최고를 자랑한다. 로트렉은 몽마르트르 언덕 아래서 몸뚱이 하나로 힘겹게 삶을 지탱하던 사람들을 주로

그렸고, 파리의 무희들을 그려낸 〈물랭 루주Moulin Rouge〉 같은 그림은 우리에게도 잘 알려져 있다. 그 밖에도 이 미술관은 오귀스트 로댕이 조각한 작가 오노레 드 발자크 흉상, 아리스티드 마이욜Aristide

알비의 툴루즈-로트렉 미술관

베르비 궁의 프랑스식 정원

Maillol 등의 조각도 다수 보유하고 있다.

색과 빛을 글로 표현해내는 것보다 어려운 일이 어디 있을까? 남프 랑스의 푸른 하늘을 배경으로 펼쳐지는 알비에서의 감상을 글로 묘 사하는 일은 부적절하다고까지 느껴진다. 베르비 궁에서 만나는 프랑 스식 정원의 정갈함도 글로 표현해내기 힘들다. 고교 친구들과 2016 년 생트세실 대성당을 처음 찾아갔을 때가 기억난다. 전부 둘러보고 나올 때까지 친구들은 침묵으로 일관했다. 그만큼 이 장소가 주는 감 동이 압도적이었다는 이야기일 것이다. 프로방스도 좋지만, 너무 상업 화된 프로방스 지역과는 달리 역사와 문화가 어우러진 알비를 찾을 필요가 있다. 영성 충만했던 카타리즘, 역사가 차고 넘치는 옥시타니 지방을 만나는 것만으로도 현세에서 누리는 행복을 극도로 중요하게 생각하는 한국인들에게 의미가 크지 않을까?

보물이 숨어 있는 마을 렌르샤토_{Rennes-le-Château}

한국외대 대학원 글로벌문화콘텐 츠학과 임동욱 선생과 2016년에 처음 찾아간 옥시타니 레지옹 오 드 데파르트망의 마을 렌르샤토 는 프랑스의 그 어떤 마을과도 느 낌이 다른 곳이었다. 라제스Razès가

카타리파 성채들 위치 안내도

내려다보이는 막달라 탑Tour Magdala 옆 언덕에 올라서면 광풍이 몰아 치는 분위기가 을씨년스럽기 그지없었고, 무엇보다도 로밍한 핸드폰 에서 인터넷이 잡히지 않았다. 프랑스 전역을 여행하며 처음 겪는 일 이었다. 툴루즈에서는 99km, 몽펠리에Montpellier에서는 150km 떨어 진 산속의 이 오지에서는 1년에 300일 이상 바람이 분다고 했다. 외지 인에 무심한 마을 분위기도 범상치 않았다. 자그마한 생트마리마들렌 성당Église Sainte-Marie-Madeleine 입구 붉은색 성수반의 악마 조각상도 기 괴한 분위기를 자아냈다. 그 후 두 차례 더 마을을 방문했는데 언젠가 부터 소설《다빈치 코드Da Vinci Code》출간 이후 왜 이 마을이 유명해졌

430

렌르샤토 ⓒfrancecomfort.com

는지를 기록한 안내판이 마을 입구에 세워져 있었다. 한편 나는 그 어디서도 구할 수 없는 공연 DVD 자료들을 마을의 작은 서점에서 확보할 수 있었다. 십자군 원정을 주제로 한 내용. 행복했다.

2017년 기준으로 총인구가 70명에 불과하고 해발 435m에 자리 잡은 이 작은 마을 렌르샤토는 19세기 말에서 20세기 초 본당에 거주하던 한 신부에 의해 유명해진 곳이다. 그는 베랑제 소니에르Bérenger Saunière였다. 1885년 6월 그가 부임한 후 마을에 들어선 성당과 건물의 외양이 바뀌게 된다. 소니에르는 1891년부터 성당을 개보수하기 시작했고, 그 가까이에 빌라와 정원, 온실과 테라스가 딸린 건물을 지었다. 그러는 동안 소니에르가 보물을 찾아냈다는 소문이 퍼져나갔다. 역사적 증거가 부재함에도 불구하고 그가 1885년에 기원과 성격을 알 수 없는 보물을 찾아냈다는 무수한 설들이 존재한다. 허구 작품들이 살을 붙여 꾸며낸 일화 때문에 다양한 차원의 조사가 이루어졌고, 프랑스 및 외국 언론들이 이곳을 취재하면서 렌르샤토는 유럽 및 앵글로색슨 국가들에서 국제적인 명성을 얻게 되었다. 게다가 교단은 미사를 돈으로 거래했다는 의혹 때문에 소니에르 신부를 대상으로 조사를 시작했는데, 당시로서는 심각한 처벌 대상이 되는 죄목이었다. 신부는 재산이 어디서 생겼는지 상세하게 밝히기를 거부하고 침묵으로 일관한다. 옥시타니가 이미 역사와 선사 관련 유적이 넘치는 지역이었음에도, 이러한 에피소드 덕분에 이 작은 마을에는 1960년대 말부터 관광객들이 더욱 쇄도하기 시작한다. 논쟁적인 역사와는 상관없이 시와 시의회는 땅을 사들인 후 베랑제 소니에르 신부에게 박물관을 할애하기로 결정한다. 현재 박물관은 이 작은 동네 한복판에 있다. 이야기가 거창하지만 마을을 방문해보면 정말 외길 옆의 건물들이 전부다. 막달라 탑, 베타니 빌라Villa Béthanie, 성당이 들를 만한 곳 전부일 정도로 작은 마을이다.

《다빈치 코드》에 얽힌 이야기는 나에게도 아주 흥미롭게 느껴졌다. 1982년 렌르샤토의 신비에 대해 여러 영화를 제작한 후 3명의 영국 저널리스트 헨리 링컨Henry Lincoln, 마이클 베이전트Michael Baigent, 리처드 리Richard Leigh는 《신성한 수수께끼L'Énigme sacrée》라는 에세이를 공동 저술했다. 책은 역사적인 검증 없이 시온 수도원Prieuré de Sion에 관한 중세 역사, 템플기사단, 카타리파, 메로빙거 왕조, 성배, 기독교의 기원 이야기를 뒤섞고 있었다. 막달라 마리아가 예수와 자신 사이에서 낳은 아이와 함께 프랑스 땅에 왔다는 내용도 잊지 않았다. 책은 국제적인 반향을 불러일으켰다. 그 후 2003년, 미국 베스트셀러 소설가 댄 브라운Dan Brown이 보물의 존재

오드 지방 지도 앞에 선 필자

를 다룬 1967년 작품 《렌의 황금L'Or de Rennes》과 《신성한 수수께끼》를 바탕으로 렌르샤토에 얽힌 소문을 재구성한 소설 《다빈치 코드》를 출간한다. 소니에르 신부의 비밀을 파헤치려는 사람들로 더욱 붐비게 되자, 마을은 몰래 땅을 파헤치는 것을 공식적으로 금지하기에 이른다.

그러자 마을에 관한 이야기는 무엇보다도 소니에르 신부와 더불어 시작된다. 부분적으로 확인된 사실은 그가 돈을 받고 미사를 거래했고, 마을의 일부 무덤을 도굴했다는 내용뿐이다. 그러나 보물의 진위에 관한 전설은 많은 가설을 낳았다. 그리고 그 가설들은 하나같이 재미있다. 연대기 순으로 정리해보자.

■ 고대 로마제국의 갈리아족 보물이라는 소문. 기원전 279년에 켈트족이 그리스 군사원정을 떠나 델포이에 있는 아폴로 신전을 약탈했을 때 노획한 보물이라는 설이다. 너무 오래된 얘기고, 그 보물이 렌르샤토까지 옮겨졌을 가능성도 희박하다.

■ 서고트족Visigoth 혹은 예루살렘의 보물이라는 가설. 알라리크 1세 Alaric I^{er}왕이 410년 로마 침공 이후 레대Rhedae(현재의 렌르샤토) 지역에 갖다놓은 보물이라고 한다. 전설과 역사, 종교를 뒤섞고 있기에 가장 잘 알려진 가설이다. 일부 전문가들은 최근 스페인에서 발견된 서고트족의 보물들과의 연관성을 따지기도 한다. TV시리즈인 〈악마의 황금L'Or du diable〉이 이 가설을 줄거리로 차용하기도 했다.

■ 블랑카 데 카스티야Blanca de Castilla의 보물이라는 설. 그녀의 아들 루이 9세Louis IX의 통치 시기인 1251년에 일어난 목동들의 십자군 원정과 관련을 짓고 있다. 공주가 마을의 존재를 알고 있었을 리가

없기에 전혀 근거가 없다.

■ 템플기사단의 보물이라는 설. 필립 4세 르벨Philippe IV Le Bel이 1307~1314년 템플기사단 공동체를 제거한 시기와 연관 짓는다. 특히 《렌의 황금》 작가 제라르 드 세드Gérard de Sède가 이러한 주장을 지지했다.

■ 14세기 베쥐 성Château du Bézu 화폐 위조범들의 보물이라는 설. 역사적 자료가 없기에 근거가 없다.

■ 카타리파의 보물이라는 설. 1244년 십자군이 몽세귀르 성을 함락할 당시 카타리파 사람 네 명이 보물을 가지고 도피했다는 기록이 존재한다. 그러나 이 이야기도 근거가 희박하다. 경건한 카타리파 사람들은 지상의 가치인 물질을 경시했다.

■ 프랑스대혁명 당시 렌르샤토에서 봉직했던 앙투안 비구Antoine Bigou 신부의 보물이라는 가설. 언론이 종종 원용하는 이야기이며, 지역사 연구자인 르네 데카이유다스René Descailledas가 연구한 내용을 근거로 하고 있다. 혁명가들이 교회 재산을 압수할 것을 걱정했던 이 신부가 1789년에 금으로 만든 물건들 일부를 교회 안에 숨겼으리라는 추정에 근거한다. 하지만 마을의 부富를 고려했을 때 기껏해야 적은 돈에 그쳤을 것이다.

■ 교회 재산을 은닉하면서 외부의 도움을 받았을 것이라는 가설. 인근 지역 렌레뱅Rennes-les-Bains에 봉직하던 앙리 부데Henri Boudet 신부가 소니에르를 돕는 중재자 역할을 했으리라 추정한다. 이 스토리역시 〈악마의 황금〉이 차용하고 있다.

■ 소니에르 신부가 묘지의 일부 무덤을 도굴했고, 공금을 유용했으며, 미사를 거래했을 것이라는 가설. 1895년 3월 마을 사람들은 오

《렌 보물에 대한 신화》
ⓒBNF

드 데파르트망 지사에게 사제가 야간에 묘지를 훼손했음을 고발하는 편지를 보낸 바 있다.

그 밖에도 마을에 얽힌 비사는 많다. 2016년 내가 처음 렌르샤토를 방문했을 때 예수의 존재는 부정하는 대신 마리아를 신봉하는 전 세계 신자들이 비밀리에 매년 여름 렌르샤토를 찾고 있다는 이야기도 들을 수 있었다. 무엇이 진실인지 알 수 없지만, 오늘날 이 마을은 상상력을 극대화하는 데 전념한다. 2015년부터 마을에서는 일부 배우들이 주도해 '이상한 영화제Festival du film insolite'를 개최하고 있다. 신비주의에 관련된 영화들을 취급하는 행사다. 또 신비스러운 현상을 다룬 책들을 다룬 도서전시회도 열고 있다. 이 모든 논란에도 불구하고 한번 찾아가 직접 보고 싶지 않은지?

절벽 위에 우뚝 선 '카르카손의 다섯 아들'

2016년 4월 나는 서울시 연례행사인 세계문자심포지아 학술단장 자격으로 남프랑스 일대를 방문한 적이 있다. 프랑스의 지방 언어이자 경계어들인 코르시카어, 바스크어 등에 관련된 자료를 찾아 떠났던 것. 무려 3,000km의 여정이었다. 그때 방문할 수 있었던 곳이 케리뷔스 성채Château de Quéribus였다. 정말 험한 산 위에 들어선 성채에서 받는 느낌은 특별했다. 아주 멀리 눈에 덮인 카니구Canigou산의 위용이 눈에 들어왔고, 코르비에르Corbières 산괴 위에서는 광활한 이 지방 전경이 한눈에 들어왔다. 이 특별한 장소에 대한 관심은 자연스럽게 케리뷔스 성채를 비롯한 이른바 '카타리파 성채들Châteaux cathares'에 대한 호기심으로 확장되었다.

성채들은 흥미로운 비밀을 간직하고 있었다. 이른바 '카타리파 보물'이라 불리던 것의 최종 목적지에 얽힌 신비. 몽세귀르 성채가 함락된 후 일부 카타리파 사람들이 보물을 가지고 이탈리아로 도망쳤다는 이야기였다.

카타리파라는 '이단'의 탄생도 재미있었다. 역사가들은 프랑스 미디

Midi 지방에 신비스러운 이단이 생겨난 시기가 10세기에서 12세기 사이라고 추정한다. 당시 루아르Loire 남쪽에서는 오크어라는 언어를 구사했고, 로마제국 문화로부터 영향을 받아 북쪽과는 완전히 다른 체계를 구축하고 있었다. 미디와 아키텐Aquitaine 지방의 도시들은 영주와 동등한 자격으로 대화할 수 있는 자신들만의 행정관consul을 보유했다. 또 이 지역에서는 오크어 음유시인인 트루바두르troubadour들이 사랑과 명예를 노래했다. 이러한 맥락에서 많은 신자들은 종교적인 의식 차원에서 단순함을 갈망했다, 영혼의 순수함에 대한 열망을 기저로 카타리즘이 태동했던 것이다.

카타리파 사람들 혹은 알비 사람들로 불리던 그들은 신과 인간의 관계에서 극도의 단순함을 추구했으며, 교회가 자신들을 가둔 사치스러운 틀로부터 벗어나기를 원했다. 그들은 삶이 선과 악 사이에 있다고 여겼는데, 선은 영혼을 순화시키는 유일한 길이었다. 그들 중의 완덕자完德者, Parfaits는 금식을 하고 모든 성사聖事를 거부하는 것으로 사제 역할을 수행했다. 하지만 카타리즘의 팽창을 가톨릭교회에 대한 위협으로 생각한 가톨릭교회와 프랑스왕국은 1209~1218년과 1226년 두 차례에 걸쳐 십자군을 이 지방으로 보내기에 이른다. 프랑스 국왕의 랑그독과 아키텐 지역을 지배하려는 것이 목적이었다. 랑그독 지방의 영주들은 카타리파 사람들 편에 서서 북부의 영주들과 맞섰다. 시몽 드 몽포르Simon de Montfort는 알비 사람들을 대상으로 한 십자군 원정을 이끈 유명한 우두머리였다. '북부의 엄격주의자' 몽포르는 '남프랑스의 자유주의자'를 대표했던 툴루즈의 레이몽 6세Raymond VI와 대립했다. 서로 다른 문화가 충돌했던 십자군 원정은 1244년 3월 16일 몽세귀르 성채가 함락되고 개종을 거부한 200명의 카타리파 사람들이 화형을 당하면서 끝이 났다.

'카르카손의 다섯 아들'이 표시된 지도

　오늘날 카타리즘이라는 용어가 비판을 받고 있기는 하다. 1953년에 페미나상을 수상한 조에 올덴부르Zoé Oldenbourg의 소설 《주춧돌La Pierre angulaire》이 당시의 십자군 원정을 일반에게 알리고, 앙리-폴 에두Henri-Paul Eydoux가 고고학의 도움을 받아 카타리즘과 이 지역 성채들의 존재를 부각시키기는 했어도, 장 뒤베르누아Jean Duvernoy나 미셸 로크베르Michel Roquebert 같은 역사가들은 카타리파 성채의 성격에 의문을 제기한다. 옥시타니주의Occitanisme를 주장하는 지역 역사가들은 북부와 남부 사이의 해묵은 갈등을 근거로 내세운다. 하지만 에두조차 1950년대만 해도 카타리파 성채 옆의 거주민들이 카타리즘을 알지 못했다고 증언한다. 십자군 이야기도 재검토의 대상이다. 어쨌거나, '카르카손의 다섯 아들'은 이런 역사적 배경을 안고 있는 성채들이다. 하지만 '카타리파 성채'라 불리는 대부분의 성채는 12세기에 발흥한 이단과 아무런 상관이 없다. 성채 대부분은 프랑스 국왕이 알비 십자군 원정이 종식된 후 아라곤왕국과의 남쪽 경계를 튼튼하게 하기 위해 지은 것으로, 13세기에 수차례에 걸친 아라곤 군대의 공격으로부터 프랑스를 지켜냈다. 그렇기에 엄밀하게 말하자면 대부분의 성채는 '카타리 지방의 성채Châteaux du Pays cathare'가 맞다. 오늘날 카타리 지방의 11개 성채는 유네스코 세계문화유산에 등재를 기다리는 중이다. 앞으로도 역사 관련 논쟁은 끊이지 않을 듯하니, 이 정도로 그치고 카르카손의 다섯 아들 각각에 대해 살펴보자.

1. 아길라르 성채Château d'Aguilar

튀샹Tuchan 마을 서쪽으로 2km 떨어진 곳에 있는 성채로, 12세기에 건립이 시작된 후 13세기와 14세기에도 건축이 계속된 것으로 추정된다. 테름Termes 가문이 보유하고 있던 이 봉건시대의 성채는 13세기에 왕국의 요새로 변신했다.

2. 페르페르튀즈 성채Château de Peyrepertuse

카르카손의 다섯 아들 중 규모가 가장 크며, 그로 인해 '천상의 카르카손Carcassonne Céleste'이라는 별명을 얻었다. 길이가 300m, 폭이 60m에 달하는 거대한 규모다. 해발 800m 고도에 세워졌다. 카타리 성채 중 가장 중요한 위상을 차지하다가 국경을 지키는 요새로 사용하기 위해 프랑스왕국에 양도되었다. 매년 8월 이곳에서 중세축제가 열린다.

3. 퓔로렌스 성채Château de Puilaurens

13세기 후반에 지어졌으며, 해발 697m 암벽 돌출부에 자리 잡고 있다. 주탑과 블랑카여 왕 탑Tour Dame Blanche을 방문할 수 있다.

4 케리뷔스 성채

해발 728m의 암벽 돌출부에 건설된 성채로 퀴퀴냥Cucugnan 마을을 내려다보고 있다. 퀴퀴냥이라는 이름은 낯설지 않을 것이다. 작가 알퐁스 도데가 단편집《별

Les Étoiles》에 수록한, 이 마을의 사제를 등장시킨 단편 〈퀴퀴냥 본당의 신부Le Curé de Cucugnan〉를 썼기 때문이다. 이 성채에서 코르비에르 산괴, 지중해, 피레네산맥이 보이는 멋진 전망을 즐길 수 있다.

5. 테름 성채Château de Termes

카르카손에서 동남쪽으로 40km쯤 떨어져 있으며, 테르므네 협곡Gorges de Termenet과 그림 같은 테름 마을을 내려다보고 있다. 1210년의 포위로 유명하다. 같은 해에 알비 십자군 원정 때 시몽 드 몽포르가 성채를 차지하기 위해 포위했는데, 갇힌 사람들은 여러 달 지속된 식수 부족 때문에 결국 항복하고 말았다.

수년간 이 지역을 공부했지만, 카타리즘과 관련된 이야기에는 여전히 불분명한 측면이 없지 않다. 그런 까닭에 성채들의 위상 역시 일방적으로 카타리파와 연결시킬 수 없기도 하다. 하지만 수수께끼에 대한 해답을 얻기 위해서라도 이 지방 역사를 탐구하게 되었으니 그걸로 족하지 않은가. 옥시타니 지역은 앞으로도 상당 기간 상상력의 보고로 작동할 것이다. 프랑스 남쪽에서는 가장 많은 스토리를 안고 있는 지역이기 때문이다. 내 말을 믿어보시길.

클럽 메드Club Med, 느림의 미학

프랑스에서 살아본 사람이라면 모두 동의하는 부분이 일 처리의 답답함일 것이다. 적어도 계산에 관한 한 아시아인의 능력은 세계 최고다. 소매점 타바tabac에서, 또는 우체국에서 잔돈을 거슬러 받을 때 울화통이 터질 뻔한 한국 사람은 한두 명이 아니다. 그런 관점에서 실증주의자 콩트가 인간의 주요한 세 가지 능력을 지성·행동·감정으로 분류하면서 세 '인종' 즉 백인·황인·흑인이 각자 소중한 동시에 필요한 능력을 대표한다고 주창한 것은 흥미롭게 다가온다. 백인이 가장 지적이며, 황인은 가장 일을 잘하고, 흑인은 감성의 챔피언이라는 것이다. 관조적·활동적·감성적 영역을 분리하는 주장이다. 콩트의 주장을 빌려 프랑스 사상가 츠베탕 토도로프는 저서 《우리와 타자들》에서 홍콩이나 도쿄에 공장을 짓고, 파리나 런던에 대학을 세우며, 아프리카 시골에서 축제를 여는 미래의 보편적 국가를 상

츠베탕 토도로프의
《우리와 타자들》

상해볼 수도 있다고 거론한 바 있다.

어쨌거나. 프랑스인들의 모습은 여러 측면에서 우리와 많이 다르다. 그들은 문명의 이기나 기술의 발전에 대해 그다지 흥미로워하지도 않는다. 성숙한 사회의 단면이겠지만, 한쪽에서 패스트푸드를 즐기며 현대 사회의 속도를 강조하는 반면 다른 쪽에서 슬로푸드를 추구하고 라디오를 듣는 사람의 비율이 상당히 높은 것도 인상적이었다. 프랑스에 주요 가전회사가 거의 존재하지 않는 이유도 거기서 비롯된다. 유학 시절 전자제품 매장 다르티Darty에서 만난 프랑스 회사는 톰슨Thomson이 거의 유일했다.

느림의 미학을 가장 잘 포착해 상업적으로 성공한 기업으로 '클럽 메드Club Med'를 거론하지 않을 수 없다. 1950년에 벨기에인 제라르 블리츠Gérard Blitz가 '클럽 메디테라네Club Méditerranée'라는 이름으로 창립한 이 회사는 '당신을 놀라게 해드립니다Amazing you'라는 슬로건을 내세운 새로운 여행상품으로 선풍적인 인기를 끌었다. 주요 상품은 '바캉스 빌리지Villages de vacances', 단체여행, 유람선 여행이었다. 현재 그룹은 70개 가까운 빌리지를 운영 중이며, '클럽 메드 2'라는 유람선을 보유하고 있다. 2019년 기준 클럽 메드를 이용한 관광객 숫자만 150만 명에 달하며 총매출 16억 유로, 한화로는 2조 원 이상일 정도로 규모가 크다. 질베르 트리가노Gilbert Trigano, 세르주 트리가노Serge Trigano, 필립 부르기뇽Philippe Bourguignon, 앙리 지스카르 데스탱Henri Giscard d'Estaing이 연이어 경영을 이어받으

클럽 메디테라네의 초창기 풍경

며 회사는 부침을 거듭하고 있다.

2015년 중국 재벌 푸싱Fosun International의 수중으로 넘어간 이야기는 별도로 치고, 이 회사의 성장에 기여한 것은 바로 느림의 철학을 반영한 '빌리지'였다. 첫 번째 빌리지는 스페인 마요르카의 알쿠디아에서 빛을 보며, 그 후 이탈리아, 그리스, 스위스에 빌리지가 차례로 건설된다. 스포츠와 자연, 음식, 축제 분위기가 빌리지를 채우는 세 가지 주요 요소다.

콘셉트는 의외로 단순하다. 전 세계 천혜의 자원을 자랑하는 곳에 빌리지를 만드는데, 거기서는 문명의 이기들을 만날 수 없다. 대신 사람들 간의 만남을 중시하고, 원하는 스포츠를 'GO'의 도움을 받아 배울 수 있다. 최초의 빌리지도 물과 전기가 들어오지 않는 마요르카섬 북동쪽의 작은 어촌 마을 알쿠디아에서 300명을 수용하기 위한 200개의 텐트로 시작했다. 적어도 시작 당시에는 돈으로 인한 사회 장벽을 깨뜨리려 시도했던 셈이다. 관광객들은 8명이 앉는 테이블에서 함께 식사했고, 함께 야외 생활을 즐겼다. 친밀한 사람들끼리만 구사할 수 있는 호칭인 '튀투아예tutoyer'도 빌리지 내부에서 사용을 의무화했다. 1953년 코르푸라는 영어 지명으로 잘 알려진 그리스 서해안의 케르키라섬에 문을 연 빌리지에는 폴리네시아 분위기를 덧씌웠다. 제라르 블리츠의 두 번째 부인이자 1940년대에 타히티에 거주한 적이 있는 클로딘 블리츠Claudine Blitz가 연출한 작품이었다. 숙박객은 허리에 타히티 의상 파레오를 두르고

클럽 메드 빌리지

꽃목걸이를 목에 걸었다. 1954년에는 튀니지의 제르바에서, 1955년에는 타히티에서 빌리지가 문을 연다. 첫 번째 겨울 빌리지는 1957년 스위스의 레장에서 오픈했다가 2000년대에 문을 닫았다.

전후 10년 동안 클럽 메드가 제시한 스포츠들은 수상스키, 스킨스쿠버, 스쿠버다이빙같이 사치스러운 것들이었다. 현재도 클럽 메드가 제시하는 상품들은 프랑스에서 가장 고가에 속한다. 1957년에는 '바 전용 목걸이collier bar'를 도입했다. 현금을 가지고 다니지 않아도 목걸이만으로 바에서 계산할 수 있도록 하는 장치였다. 이 시스템은 1990년대 중반까지 존속되다가 '바 전용 카르네carnet bar'로 대치된다. 스카우트 캠프와 지식인 공동생활체를 섞어놓은 듯한 클럽은 운영의 묘도 살리고 있다. 평소에 배우기 힘든 스포츠뿐만 아니라 야외에서의 클래식 음악 콘서트, 철학 콘퍼런스, 서양 게임 강좌, 오케스트라 합주 참가 등을 통해 다른 여행상품들이 모방할 수 없는 격조를 유지하면서 호평을 얻었다. 1970년대에 '웃기', '놀기', '호흡하기', '관조하기', '사랑하기', '마시기', '음식을 즐기기', '떠나기' 등 주로 행동을 나타내는 단어를 주제로 캠페인을 했다면 1980년대 이후 회사가 내거는 다양한 슬로건을 관통하는 주제는 '행복'이다. '클럽, 행복의 발명 이후 가장 아름다운 생각', '내가 원한다면 행복을'이 1980년대 말에 등장한 구호였고, 2007년 이후 강조하는 슬로건이 '세상의 모든 행복'이다. 커플, 가족, 어린이 그리고 시니어 계층을 대상으로 삼고 있다.

차별화를 도모하기 위한 노력은 빌리지를 구성하는 사람들에게도 적용된다. 빌리지를 채우는 사람들을 클럽 메드는 CDV, GO, GE, GM 등으로 부른다. CDV는 빌리지 촌장Chef de Village의 준말로, 빌리지의 일상을 관리하고 본사와 소통한다. 빌리지 분위기를 책임지는 인물도 CDV다. GO는 '친절한 관리자Gentils organisateurs'의 준말로, 프로그램 사회자들뿐 아니라 전기, 요리, 인력 관리 등 빌리지에 필요한 모든 분야의 책임자를 지칭한다. GE는 '친절한 사원Gentils employés'을 줄인 표현으로 서빙하는 인력, 정원사 등이 포함된다. 파트타임으로 일할 수도 있고, 정규직으로 일할 수도 있다. GM은 '친절한 멤버Gentils membres'의 줄임말로, 영어 'Great Members'와 유사한 개념이다. 고객을 지칭한다.

느림의 미학으로 성공한 클럽 메드에 대한 글을 쓰며 생각나는 일화가 있다. 2012년 일군의 여인들을 인솔하고 프랑스 여행 갔을 때 일이다.

키브롱Quiberon에서 저녁식사를 한 날이 때마침 7월 14일이었다. 대혁명 기념일로 가장 큰 명절인 이날은 프랑스 전역에서 크고 작은 축제와 불꽃놀이가 열린다. 콘서트를 보고 싶은데 보고 나면 늦은 시각에 숙소까지 걸어 들어가야 하는 터라 선택의 기로에 놓였다. 우리가 빌린 리무진 버스가 늦은 시각까지 운행하지 않았기 때문이다. 저녁을 먹은 후 바로 호텔로 향하든지, 아니면 콘서트를 즐긴 후 수km 떨어진 숙소까지 걸어가는 두 가지 방법밖에 없었다. 후자를 택한 후 가로등 하나 없는 칠흑 같은 대서양 바닷길을 따라가던 도중 갑자기 일행들이 괴성을 질렀다. 노래까지 불러대며… 한국 돌아온 후 이야기를 전해 들으니, 여정 전체를 통틀어 그때가 가장 좋았단다. 어린 시절 이후 그렇게 많은 별이 촘촘히 하늘을 채운 풍경은 처음이었다고. 하늘 한번 올려다볼 수 없는 바쁜 세상, 어쩌다 고개를 들어봐도 별이 보이지 않는 세상을 우리가 살아가는 것일까?

프랑스 작가 상소Pierre Sansot는 '나태'와 달리 '느림'은 삶의 매 순간을 구석구석 느끼기 위해 속도를 늦추는 '적극적 선택'이라고 정의했다. 행복한 삶을 찾아가는 도정인 것이다. 2021년 우리는 어디를 향해 질주하고 있을까.

빛의 채석장 Carrières de Lumières

레보드프로방스

캄캄한 실내에서 시야를 가득 메운 거대한 명화, 그리고 감동을 배가
시키는 음악. 세계적인 명성을 얻고 있는 덕분에 이곳에 입장하기까
지 기다려야 하는 시간은 점점 길어지고 있지만, 남프랑스를 여행할
때 절대 빼놓을 수 없는 공간으로 자리를 잡아가는 곳이 '빛의 채석장
Carrières de Lumières'이다. 웅장한 산세에 둘러싸인 골목길을 따라 끝까
지 위로 올라가면 모습을 드러내는 레보 성Château des Baux의 드넓은 광

'빛의 채석장'으로 거듭난 발 당페르 계곡의 그랑 퐁 채석장

장은 역사의 현장 속에 있는 느낌을 준다. 단테가 《신곡》을 쓸 때 영
감을 얻으려고 찾았다는 레보드프로방스Les Baux-de-Provence에 위치한
빛의 채석장 공연은 프랑스 여행의 피로를 충분히 씻어주고도 남을
정도로 인상적이다. 또 남프랑스의 대표적인 명소들인 아를, 아비뇽,
살롱드프로방스Salon-de-Provence, 생레미드프로방스와 가깝기에 마음만
먹으면 충분히 들렀다 갈 수 있는 위치에 자리를 잡고 있다. 빛의 채석
장은 자연환경조차 문화로 승화시키는 프랑스인들의 저력을 확인할
수 있는 기회이기도 하다.

빛의 채석장은 '자연 명소Site naturel classé'로 지정된 공간에서 '이머시
브Immersive 전시'를 투사하는 디지털 예술공간으로 규정할 수 있다. 이
머시브 전시는 '관람자를 에워싸는 듯한 압도적인 크기의 스크린이

장 콕토의 영화 〈오르페의 유언〉
스틸컷과 관련 기사

특징인 전시'를 지칭하는 개념인데, 감각적인 조명과 영상, 기술과 HD 프로젝터를 결합한 미디어아트 기반의 색다른 전시를 통칭하는 표현이다.

폐공간을 활용하는 방식에서도 프랑스인들의 상상력은 만개하고 있었다. 이 전시공간은 원래 석회석 채석장이었다. 발 당페르Val d'Enfer 계곡 내에 갤러리를 만든 '그랑 퐁Grands Fonds'이라는 이름의 이 채석장은 레보드프로방스 마을이 성을 짓는 데 필요한 석회석을 캐던 곳이었는데, 1920년대까지 운영된 후 방치되다가 1935년에 완전히 폐쇄되기에 이른다. 현대적인 건축재를 이용하는 것이 훨씬 싸게 먹히게 된 탓이다. 프랑스 작가이자 예술가인 장 콕토Jean Cocteau가 감독한 영화 〈오르페의 유언Le Testament d'Orphée〉(1959)이 동굴, 복도, 기둥의 환상적인 아름다움을 담아내면서 채석장이 일반에게 알려지긴 했지만 전시공간으로서의 매력을 찾기까지는 오랜 시간이 필요했다.

《파리지엥 리베레Parisien libéré》 신문의 편집국장이자 '이미지를 찾는 사람들Gens d'Images' 협회 회장이었던 알베르 플레시Albert Plécy는 1975년 그랑 퐁 채석장의 아름다움에 빠져들어 '이미지의 대성당Cathédrale d'Images'이라는 공연을 개최하기에 이른다. 상설 공연이 시작된 해는 1976년. 공연의 형식은 복잡하지 않았는데, 애초 '총체적인 이미지image totale'를 탐구하기 위해 만든 공연이었다. 초창기 전시는 슬라이드와 음악을 단순하게 조화시키는 방식이었다. 거대하고 곡면이 별로 없는 수직 석회석 벽면은 극장의 스크린과 같은 역할로 쓰일 수 있었고, 채석장 벽면에 거대한 이미지들을 투사하는 화면은 이후 4,000m²까지 확대되었다. 공연은 매년 주제를 새롭게 하면서 진행되었고, 2009년

이미지의 대성당 ©laprovence.com

에 피카소를 내세운 공연을 찾은 사람은 25만 명이 넘었다. 그에 따라 유럽을 통틀어 가장 뛰어난 민간 주도 문화 프로그램 중 하나로 자리매김한다. 특정 화가를 내세운 전시들로는 2006년의 폴 세잔 전시, 2008년의 반 고흐 전시, 2009년의 파블로 피카소 전시를 들 수 있다. 명승지 사진들이 투사되기도 했는데, 2008년의 베네치아, 2010년의 오스트레일리아 사진전이 그에 해당한다. 어떤 해에는 두 주제가 섞이기도 했다. 1978년에는 '바다의 동화Féerie de la Mer'와 '영원한 인도L'Inde Éternelle'를, 1989년에는 '반 고흐의 인상Impression de Van Gogh'과 '가장 아름다운 탄생Les Plus Belles Nativités'을, 1992년에는 '유럽의 문들Les Portes de l'Europe'과 '여성, 천사, 마돈나Femmes, Anges, Madones'를, 1995년에 '알피유산맥의 금L'Or des Alpilles'과 '베네치아의 어느 겨울Un Hiver à Venise'을 나란히 배치한 전시가 열렸다.

2011년에 레보드프로방스시는 채석장의 운영을 컬처스페이스Culturespaces에 이전했고, 이 공간의 활용도가 높다는 점을 간파한 회사는 1만m²에 달하는 내부 공간을 2012년부터 활용하기 시작했다. 2012년 '고갱, 반 고흐, 색의 화가들Gauguin, Van Gogh, les peintres de la couleur' 전시회부터 '빛의 채석장'이라는 이름이 처음 등장했다. 전시회를 찾은 인원은 25만 명이었다. 시간이 흐르며 방문객은 점차 늘어났

'빛의 채석장'에서 열린 구스타프 클림트 전시

'빛의 채석장'에서 열린 폴 세잔 전시

는데, 2016년에 열린 '샤갈, 여름밤의 꿈Chagall, Songes d'une nuit d'été' 전시를 찾은 사람은 56만 명에 달했다.

현재 전시 형태는 유명 화가나 특정 예술 사조의 수천 개 그림 이미지들을 투사하고 그에 어울리는 음악을 틀면서 멀티미디어 쇼를 펼치는 것이다. 당연히 전시의 퀄리티를 보강하는 것은 첨단기술이다. 전시회를 위해 컬처스페이스는 '예술·음악 몰입형 체험Art & Music Immersive Experience(AMIEX)'이라는 기술을 개발했는데, 사전에 디지털화한 수천 점의 고화질 이미지가 음악에 맞춰 채석장 실내를 채운다. 따라서 실내의 천장, 내벽, 기둥, 바닥 등 모든 면이 영상 투사의 대상이 된다. 100여 대의 프로젝터를 통해 투사되는 이미지가 최대 16m 높이까지 달하기에 빛의 채석장을 찾는 사람들은 그림에 압도되는 느낌을 받는다. 한 화가에 할애된 영상의 길이는 30분 정도. 영상이 반복 상영되므로 장면을 놓칠까 걱정할 필요가 없다. 음악은 따로 제작하기도 하고, 클래식에서 팝에 이르기까지 기존의 명곡들을 이용하기도 한다. 클래식 작곡가들만 해도 륄리Jean-Baptiste Lully, 비발디Antonio Vivaldi, 푸치니Giacomo Puccini 등 아주 다채롭다. 또 여름에서 가을로 넘어가는 며칠간은 그동안의 전시 영상을 한자리에 모아 보여주기도 한

다.

컬처스페이스의 이머시브 전시는 첨단기술을 통해 전시 효과를 확연히 다르게 만들었다. 앞에서 언급한 2012년의 '고갱과 반 고흐' 전시회에 이어 2013년에는 '모네, 르누아르… 샤갈. 지중해 여행Monet, Renoir… Chagall. Voyages en Méditerranée' 전시를 열었다. 지중해를 소재로 삼은 16명의 대가를 주제로 한 전시였다. 2014년의 '클림트와 빈Klimt et Vienne'은 빈학파 탄생 100주년을 기념하는 기회였고, 2015년에는 '미켈란젤로, 레오나르도 다빈치, 라파엘로. 르네상스의 거인들Michel-Ange, Léonard de Vinci, Raphaël. Les Géants de la Renaissance' 전시를 통해 이탈리아의 대가들을 조명하기도 했다. 2016년에는 '샤갈, 여름밤의 꿈', 2017년에는 '보슈, 브뤼겔, 아침볼도Bosch, Brueghel, Arcimboldo' 전시를 열어 인간 조건에 대해 성찰했고, 2018년에는 '피카소와 스페인의 거장들Picasso et les maitres espagnols'을 통해 피카소, 고야, 소롤라Joaquín Sorolla 같은 화가들이 음악과 대화한 방식을 살폈다. 2019년의 전시 주제는 '반 고흐'.

그간 이 장소에서 작품이 투사된 화가들 면면을 보면 알겠지만, 색채의 마술사로 불러도 과언이 아닐 정도로 강렬한 색채를 구사한 화가들이 주를 이룬다.

컬처스페이스는 2019년 파리 제13구에 '빛의 아틀리에Atelier des Lumières'를, 2020년 보르도에 '빛의 수조Bassins de Lumières'를 열면서 자신들의 영역을 무한 확장 중이다. 보르도의 전시장은 옛 잠수함 기지를 개조한 것이다. '빛의 채석장'의 몰입형 미디어아트 전시는 컬처스페이스와 제휴한 제주도의 '빛의 벙커'에서도 만나볼 수 있다. 2018년 문을 연 미디어아트 전시관인 '빛의 벙커'는 2020년 12월 개관 2년 만에 관람객 100만 명을 돌파하기도 했다. 우리의 미술과 음악을 활용한 이머시브 전시가 세계인들에게 충격과 행복을 제공하는 때는 언제일까. 사실은 이 모두가 상상력 싸움일 것인데…

Théâtre
Dance

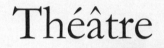

Art visant à représenter devant un public une suite
d'évènements où des êtres humains agissent et parlent ; genre
littéraire, œuvres qui y correspondent.

Suite de mouvements rythmés du corps (le plus souvent au
son d'une musique) ; art, technique qui règle ces mouvements
(chorégraphie).

Théâtre·Dance

아리안 므누슈킨Ariane Mnouchkine과 태양극단

〈제방의 북소리〉
오리지널 공연 포스터

〈제방의 북소리〉
서울 공연 포스터

프랑스에서 처음 알게 된 연극인 중 가장 강렬했던 이는 아리안 므누슈킨이었다. 1939년 3월 20일 불로뉴비양쿠르Boulogne-Billancourt에서 출생한 프랑스의 연출가, 영화감독, 시나리오 작가 겸 배우로, 1964년 태양극단Théâtre du Soleil을 설립한 후 지금까지 이끌고 있는 인물이다. 1961년 이후 지금까지 전방위적인 활동을 펼치면서 프랑스 문화계를 풍요롭게 만들고 있는 소중한 존재로, 2019년에 일본이 주관하는 국제상인 교토상 사상예술 부문을 수상했다.

나는 태양극단의 작품 〈제방의 북소리Tambours sur la digue〉 관람을 통해 그녀를 가까이서 볼 기회가 있었다. 서울 공연은 2001년이었던 것 같다. 남산의 국립극장 주차장에 초대형 가설무대를 세우고 단 한 번만 공연을 가진 〈제방의 북소리〉는 정말 특이했다.

가설무대 내부 역시 이 극단의 정
신과 콘셉트를 고스란히 반영하고
있었다. 예를 들어 배우가 내의를
갈아입는 경우를 제외하고는 관객
들이 공연 시작 전에 분장하는 배
우 모습을 모두 볼 수 있도록 꾸민
다든지, 프랑스에서 가져온 음식을
실내에서 요리해 팔면서 축제 분위

〈제방의 북소리〉 공연 ⓒdesingel.be

기를 만든다든지, 공연 자료들을 구입할 수 있도록 간단한 서점을 마
런한다든지 하는 방식이 그랬다.

공연은 기대치를 훨씬 넘어섰다. 무대 배경은 대홍수가 난 수천 년
전 중국의 어느 도시였고, 의상은 일본의 가부키와 노에서 차용한 복
장이었으며, 음악은 한국의 사물놀이와 인도 음악을 번갈아 생음악
으로 연주했다. 스토리도 더없이 흥미로웠다. 대홍수를 겪는 도시에서
황제가 북쪽 제방과 남쪽 제방 중 어느 쪽을 무너뜨려야 할지 고민하
는 내용이다. 한쪽에는 프로이트식으로 말하면 현실원칙에 해당하는
것들, 즉 공장, 빌딩, 항구 등이 존재하고, 반대편 쪽에는 쾌락원칙에
해당하는 것들, 즉 학교, 도서관, 인형극장 등이 자리 잡고 있다. 마치
동전의 양면처럼 우리 삶을 지탱하는 두 축이다. 태양극단은 아시아적
인 문화 코드들을 완벽하게 소화한 후 이를 보편적인 주제로 승화시
키고 있었다.

더욱 놀라운 것은 공연 후 풍경이었다. 무대 바깥 홀로 나가니, 스
태프와 출연진 등 50명에 달하는 인원이 줄지어 있다가 한국관객들에
게 사물놀이 연주를 들려주었다. 너무 연주를 잘해서 소름이 끼칠 정

인도 음악을 직접 연주하는 아티스트 장-자크 르메트르

도였다. 나중에 물어보니 김덕수 사물놀이패 단원 중 한 사람을 파리로 초청해 그에게 10개월간 사물놀이 연주를 배웠다고. 인도 악기를 직접 연주하는 아티스트 장-자크 르메트르Jean-Jacques Lemêtre도 멋졌다. 긴 수염을 한 그가 공연에 음악을 넣는 광경을 나는 바로 뒤에 앉아서 즐길 수 있었다. 그가 연주한 악기만도 어림잡아 20개. 르메트르는 인도에 오래 체류하면서 악기 연주기법을 모두 익혔단다.

세계적인 주제를 공연으로 풀어내 각광받는 아리안 므누슈킨의 감성은 출신 배경에 기인한다. '레 필름 아리안Les Films Ariane'이라는 영화 제작사를 설립했던 '그녀의 할아버지 알렉상드르 므누슈킨Alexandre Mnouchkine(1908~1993)은 유대계 러시아인으로, 유대인에게는 금지되었던 상트페테르부르크에 거주하기 위해 정교로 개종한 인물이었다.

아리안 므누슈킨은 1959년 10월 소르본 대학에 파리대학생연극협회Association théâtrale des étudiants de Paris(ATEP)를 만들면서 연극인으로서 발을 내딛는다. 1964년 5월 29일에는 연극협회를 만든 친구들과 함께 태양극단을 설립하고 1970년부터 파리 동남쪽 외곽의 뱅센숲Bois de Vincennes 내 옛 병기고Cartoucherie de Vincennes에 입주한다.

태양극단은 정말 특이한 단체였다. 공동체 정신을 내세우는 노동자 조합으로, 모두가 동일한 액수의 임금을 받고, 공개적인 장소에서 분장하며, 관객들에게는 수프를 제공한다. 므누슈킨은 입구에서 본인이 티켓을 검사하기도 한다. 또 그녀가 배우들에게 역할을 배분하지 않

태양극단 ©theatre-du-soleil.fr

는 대신 배우들이 직접 상황과 감 Théâtre du Soleil
정에 대해 연구한다. 므누슈킨과
1979년부터 함께 일하고 있는 장- 태양극단 로고
자크 르메트르는 인간 오케스트라로 불리며 늘 현장에서 생음악을
들려준다.

아리안 므누슈킨은 무엇보다도 작품의 주제와 극도로 시각적인 연출(예를 들어 여러 각도에서 무대를 보여주는 움직이는 장식)로 다른 극단들과 차별화를 꾀했다. 취급 주제들은 인간 조건에 대해 생각하게 해주는데, 종종 세계를 뒤흔든 비극들이다. 예를 들어 몰리에르의 희곡이 원작인 〈타르튀프Tartuffe〉(1995)는 근본주의를, 〈제방의 북소리〉는 정치의 비열함을 보여준다. 2003년에는 〈대상隊商들의 마지막 숙소(오디세이)Le Dernier Caravansérail(Odyssées)〉를 무대에 올렸는데, 아프가니스탄 혹은 프랑스 북부 상가트Sangatte의 난민들이 더 나은 삶을 위해 영국으로 밀입국을 시도하는 내용이다. 또 2006년의 집단 창작 연극 〈하루살이들Les Éphémères〉은 무대를 프랑스로 설정해 일상의 미세한 순간들을 다뤘다. 아프가니스탄 카불의 아프탑 극단Théâtre Aftab 소속 배우들이 태양극단과 작업하기 위해 프랑스로 건너오기도 했다. 2018년 5월 28

〈리처드 2세〉 공연 ©theatre-du-soleil.fr

일에 아리안 므누슈킨은 2016년에 제작한 연극 〈인도의 방Une chambre en Inde〉으로 프랑스 연극계에서 최고의 상인 제30회 몰리에르상Prix Molière[1] 최우수 연출가상을 받았다. 태양극단의 연극을 영화로 제작한 작품도 많다. 〈1789〉(1970), 〈몰리에르 혹은 교양인의 삶Molière, ou la vie d'un honnête homme〉(1978) 등이 그에 해당한다.

그녀의 삶은 정치적 참여로도 유명하다. 자국에서 고문과 정치적 폭력에 희생되었다가 프랑스로 망명한 사람들을 지원하기 위해 프리모 레비 협회Association Primo Levi에 동참했으며, 1997년에는 중국에 의한 티베트 점령을 비판하는 연극 〈그리고 갑자기, 각성의 밤Et soudain, des nuits d'éveil〉을 무대에 올리기도 했다. 그녀의 연극들은 빌라르Jean Vilar, 브레히트Bertolt Brecht, 헤겔Georg Wilhelm Friedrich Hegel의 전통을 이어

받아 늘 연극과 사회의 관계를 고
찰한다. 또 고전 작품들(몰리에르의 〈
타르튀프〉(1664), 셰익스피어의 〈리처드 2
세Richard II〉(1981), 〈헨리 4세Henri IV〉
(1984) 등), 현대 작품들(엘렌 식수Hélène
Cixous, 아널드 웨스커Arnold Wesker의 희곡
등), 동양의 전통(인도 연극, 일본 연극
등)에서 영감을 얻은 작품들로 아
주 다양한 시각을 보여준다.

아리안 므누슈킨의 대담집 《현재의 예술》 표지

　흥미로운 것은 그녀가 바라보는
동양 연극이다. 그녀는 동양의 연
극이 진짜 연극이라 말하면서, 오
직 사실주의적 형태만 창조할 줄 알았던 서양 연극에 반해 동양 연극
은 자신을 매혹했다고 주장한다. 그렇기에 그녀는 일본의 가부키, 노,
분라쿠에서 무수한 영감을 받았다.

　아리안 므누슈킨을 바라보며 가장 부러웠던 것은 세상에 대한 따
뜻한 시선, 지칠 줄 모르는 열정, 세계의 갈등에 대한 정면 돌파, 복잡
한 주제를 예술적으로 승화하는 기법이었다. 프랑스 문화에서 공통적
으로 드러나는 모습이지만, 동양과 서양을 나누는 지리적 구분은 이
들에게 그다지 의미가 없다. 예를 들어보자. 한국의 어느 극단이 유럽
의 어느 나라, 아시아의 어느 지역으로 깊이 들어가 그들의 문제를 자
기 것으로 만들고 있을까? 솔직히 말하자면 〈제방의 북소리〉 공연을
보면서 나는 사물놀이가 이제 한국 것이 아니라고 진단했다. 한국과
프랑스를 잇는 이런 시도는 프랑스에서 적지 않게 발견된다. 어떤 의

미에서 그들은 비교관점으로 무장한 채 세상을 잇는 가교로 문화를 생각하는 것이다.

아직 국경이 더없이 공고한 아시아에 유럽 이야기가 공허하게 들릴지도 모른다. 그러나 지역 공동체가 점점 더 굳건해지는 여타 대륙의 현실을 감안하면 우리의 문화도 다른 세상을 자발적으로 감싸 안아야 하지 않을까? 적어도 이런 얘기에 관한 한 프랑스는 우리보다 너무나 멀리 앞서 있다. 다른 장에서도 이야기하겠지만, 그들은 세상의 모든 것에 관심을 가진다. 복식, 음식, 음악, 그림, 시와 소설, 영화 등 세상 각 지역 사람들이 창출해내는 모든 문화가 그들의 호기심 대상이다. 아직도 한류를 부르짖어야 할까? 만약 그래야 한다면 우리 것을 내세우는 만큼 타 문화에 관심을 가져야 하지 않을까? 우리 속에 들어와 있는 이민자들은 대체 어떤 존재일까? 그들의 문화는 한국 사회 내에서 어디쯤 자리하고 있을까?

〈월식Éclipse〉, 판소리와 말을 통해 만나는 한국

"때때로 나는 인간이 도래하기 이전 세계의 야생적인 아름다움을
  말馬의 시선 속에서 느끼곤 했다."

_ 바르타바스Bartabas

바르타바스는 프랑스의 기수이자 말 조련사인 동시에 기마 연극 혹
은 기마 오페라를 창작하는 안무가이다. 그는 말을 춤추게 하고, 말
들을 진정한 연극배우로 변신시킨다. 또한 그는 뛰어난 무대연출가이
기도 하다. 그는 전통음악과 춤이 함께 어우러진 신비로운 공연을 연
이어 만들어내며 관객들을 매혹한다. 성聖과 속俗, 일상과 예술, 이국주
의와 꿈 등 이질적인 요소들을 한자리에 모아 관객들을 몽상의 세계
로 이끌고 있다.

　바르타바스가 이끄는 극단 징가로Zingaro는 기마 연극을 한국
의 시나위, 판소리에 접맥시킨 작품 〈월식〉을 아비뇽 페스티벌Festival
d'Avignon[2]에 소개해 큰 반향을 불러일으킨 바 있다. 흑과 백, 빛과 어둠,
균형과 절제의 조화는 동서양의 경계를 뛰어넘어 새로운 형태의 작품

<월식> 공연 ©bartabas.fr

을 창조해내는 데 성공했다. 프랑스 굴지의 영화사 MK2가 DVD를 출시해준 덕분에 나는 2007년 11월 14일 제1회 월드뮤직페스티벌에서 국내 관객들에게 이 작품을 처음 소개할 수 있었다.

오직 빛과 그림자로 채워진 이 연극 속에서 흑과 백 이외의 색깔은 최소한의 터치조차 천박하거나 부주의하게 느껴질 정도다. 곡예에 가까운 배우들의 기술에 절제되었지만 흥겨운 음악이 가미된다. 음악이 바뀔 때마다 소리꾼이 노래와 북을 통해 알린다. 시나위, 판소리 등 한국 가락은 히말라야 음악과 절묘한 조화를 이룬다. 의상 역시 승무의 장삼 형태와 유사하다. 배우가 연기할 때마다 그 옷은 나비의 움직임을 연상시킨다. 아리랑, 강강술래 등을 통해 전달되는 고요한 아침의 나라 한국의 내면적·영적인 힘은 이 공연을 통해 한 단계 승화되고 있

〈월식〉 공연 ©polka.paris

바르타바스 ©franceinter.fr

다. 다른 세계를 향해 떠난 기나긴 여행처럼 연극은 금욕과 절제, 조화를 향해 작가가 나아가는 여정을 생생히 보여준다. 바르타바스 입장에서는 매번의 공연이 곧 기나긴 여행이다. 숨 막힐 듯한 아름다움을 제공하는 장면들은 경쾌함과 섬세함, 그리고 균형을 동시에 갖추고 있다. 유채색을 배제한 풍경이 보여주는 비장미에도 불구하고 음악과 시적 분위기로 충만한 이 연극은 해학과 에로티시즘까지 느끼게 해준다.

〈월식〉은 아리안 므누슈킨이 이끄는 프랑스 태양극단의 연극 〈제방의 북소리〉와 더불어 동양과 서양을 조화시킨 가장 성공적인 작품으로 꼽힌다. 한국에서도 공연을 가진 바 있는 〈제방의 북소리〉는 사물놀이 음악을 공연에 도입한 작품인데, 중국 역사, 일본 의상, 한국과 인도 음악이 동일한 무게를 지니며 원용되었다. 바르타바스가 사용하는 음악 역시 한국에서부터 히말라야를 거쳐 인도에 이르는 세상의 음악들이다. 음악은 바르타바스에게 세상을 이해하는 수단이자 편견과 차별 없이 세상을 보여주는 가장 민주적인 방식이다. 프랑스 특유의 문화적 배합 실력을 여지없이 보여주는 〈월식〉 속에서도 기모노 비슷한 의상을 입은 배우들은 한국 음악을 배경으로 일본 삿갓을 쓰고 일본 부채를 흔들며 일본 다도를 흉내 낸 퍼포먼스를 보여준다.

공연을 통해 세상에 대한 이해를 시도한다는 차원에서 바르타바스를 가장 국제적인 연출가 중 한 명으로 규정해도 무리가 없을 것이다. 그는 〈월식〉 공연을 위해 1996년에 한국을 방문해 김인태, 노종락, 정성숙, 한성수 등 7명의 국악인과 계약을 맺고 2년여 동안 독일, 스위스와 프랑스의 아비뇽 등을 돌며 공연을 가졌다. 한국 음악을 알린 공로로 그와 징가로 극단은 한불문화상을 수상하기도 했다.

본명이 클레망 마르티Clément Marty인 바르타바스는 1957년 6월 2일 의사 겸 건축가의 아들로 태어났다. 알자스 지방에서 자라난 그는 아주 일찍부터 말에 대한 애정을 느끼고서 말 조련사를 직업으로 삼았다. 비밀스럽고 완벽함을 추구하는 동시에 유토피아주의자인 그는 우선 순회극단에서 일하다가 징가로 프로젝트를 구상한다. 이탈리아어로 집시를 뜻하는 '징가로'는 극단의 마스코트였던 흑마의 이름을 딴 것인데, 말과 음악이 하나가 되는 이 연극에서 기수와 무용가들이 조화를 이루게 될 터였다.

아마추어 기수였던 바르타바스는 1976년 몇몇 동료와 함께 코메디아 델라르테를 주종으로 하는 앙포르테 극단Théâtre Emporté을 창단한 후 1977년 아비뇽 페스티벌 오프Festival Off에서 〈연금술사L'Alchimiste〉를 무대에 올렸다. 1984년에는 징가로 기마극단을 정식으로 창단했다. 파리 근교 오베르빌리에Aubervilliers 시장의 제안에 따라 극단은 1989년부터 이 도시에 소재한 성채에 자리 잡게 되며, 40여 명의 단원이 30여 마리의 말과 함께 생활하면서 10여 편의 연극을 선보였다. 각 공연은 매번 화제를 불러일으켰다. 〈기마 카바레Cabaret équestre〉〈기마 오페라Opéra équestre〉〈쉬메르Chimère〉〈월식〉〈트립틱Triptyk〉〈룽타, 바람의 말들Loungta, les chevaux de vent〉〈바튀타Battuta〉 등의 생소한 제목을 단 공연들이었다. 최초의 기마 연극인 〈기마 카바레〉의 경우 1984년부터 3개 버전을 선보였다. 북아프리카 베르베르족과 조지아(옛 그루지아)의 노래에 안무를 넣은 〈기마 오페라〉는 1991년 아비뇽 페스티벌에 처음 소개되었다. 1994년에 발표한 연극의 '쉬메르'라는 제목은 그리스 신화 속 키메라를 뜻하는 프랑스어인데, 인도를 배경으로 한 작품이다. 바르타바스는 연극, 서커스, 카바레라는 다양한 표현 양식을 동원하면서 자신이 상상해낸 공간을 '구조structure'라 명명한다. 닫힌 공간이기를 거부하고, 마치 영적 여행이 그러하듯 자유로이 동서양의 간극을 넘나들고 있는 것이다. 1998년 이 극단은 뉴욕에서도 공연을 하며 대성공을 거두었다.

2003년부터 바르타바스는 베르사유 궁 안에 기마 연극 아카데미를 연 후 무용, 펜싱, 노래, 궁도, 승마 등을 결합했다. 기마술을 예술의 경지까지 끌어올린 지식의 전수를 목표로 삼고 있다. 학교가 배출한 전문가들은 궁에서 열리는 야간 축제에도 참가하고 있다. 초창기에 베르사유 궁 안에서 두 편의 연극을 무대에 올렸다. 〈성 조르주의 기사, 궁정의 아프리카인Le Chevalier de St George, un Africain à la cour〉(2004)은 바이올린 연주자이자 작곡가였던 조제프 드 볼로뉴Joseph de Bologne(1745~1799)의 삶에서 영감을

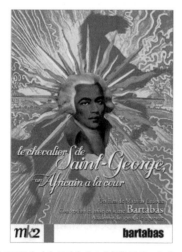

〈성 조르주의 기사, 궁정의 아프리카인〉 공연 포스터

얻은 작품이고, 〈우아한 인도로의 여행Voyage aux Indes Galantes〉(2005)은 해군이자 탐험가인 르네 마덱René Madec(1736~1784)의 일생에서 모티프를 얻은 작품으로 라모Jean-Philippe Rameau가 작곡한 오페라 발레 음악에서 이름을 따왔다. 이후 2008년에 상연한 〈밤의 암말들Les Juments de la nuit〉은 셰익스피어의 〈맥베스

Macbeth〉를 바르타바스 방식대로 해석한 작품이다. 또 2014년의 〈중국의 밤Nuit de Chine〉은 프랑스와 중국의 외교관계 수립 50주년을 기념하는 공연이었다. 2017년 모차르트 주간Mozartwoche에 잘츠부르크에서 공연한 〈레퀴엠Requiem〉도 유명하다.

파리에서 대성공을 거두자 바르타바스는 〈월식〉 〈트립틱〉 〈룽타〉, 〈바튀타, 바람의 말들〉 등을 가지고 프랑스 지방을 포함해 해외 순회공연에 나섰다. 2006년 5월 5일 터키의 이스탄불에서 그는 〈바튀타, 바람의 말들〉을 공연했다. 이 작품은 집시들의 삶의 상징으로 말들을 등장시키고 있다. 2007년 6월 3~6일에는 모로코의 페스에서 '일출'을 주제로 공연을 가졌다. 징가로 극단 소속 말 카라바주Caravage와 수피 음악의 대가들인 터키출신 네지 우젤Nezih Uzel, 쿠치 에르구너Kutsi Erguner가 극에 참가했는데, 이 음악가들과의 협연은 2006년 6월 파리 바가텔 공원Parc de Bagatelle에서의 공연 이후 두 번째였다.

자신의 삶을 걸고 모든 에너지를 말에 대한 애정으로 채운 바르타바스는 기마술을 혁신시켜 이 기술을 존재론적이고 미학적인 차원까지 끌어올렸다. 사람들은 그를 '말의 군주'라 부른다. 인간보다 말을 더 잘 이해하는 방식을 그가 찾아냈기 때문일 것이다. 그에게는 말이 곧 인간이다. 바르타바스의 말들은 각 공연을 대표하면서 인격까지 부여받고 있다. 예를 들어 너무나 일찍 우리 곁을 떠난 '징가로'는 바르타바스 세계의 기억 자체이자 영혼이다. '로트렉Lautrec'은 〈쉬메르〉 공연에서 입술의 움직임을 통해 타악기 주자와 교감했으며, '라레네L'Araignée'는 〈쉬메르〉에서 긴 창을 든 바르타바스와 하나가 되었다. 〈트립틱〉 속의 '피카소Picasso'는 삼색의 에스파냐종이다. 마치 화가 피카소처럼.

2020년 Talk4Film에서 진행한 필자의 〈월식〉 강연

질료에 대한 빛의 반향을 섬세한 방식으로 탐구하는 〈월식〉이 한국 음악으로의 여정을 가능케 한 것처럼, 바르타바스는 매번 동일한 방식으로 우리로 하여금 타 문화를 발견하게 한다. 그에게는 이국적인 것이 곧 창조의 원천이다. 사람들은 그의 작품에 대해 종종 '기마 연극'이라 칭하지만, 사실 기마 무용, 시적 공간, 그림자의 침묵, 인간과 말의 질주 등 그 어떤 표현도 가능하다. 달 속 그림자는 노래하며 외친다. 인간과 말은 함께 밤을 거닌다. 신비로운 분위기의 검은 말과 흰 말은 마치 질료 속에 투영된 욕망을 은유하듯 느릿느릿, 때로는 불온하게 움직이며, 인형이자 유령인 여성들은 군무를 춘다. 날개 달린 피조물은 눈雪 속에서 흰 말을 영접하고, 목탁 소리와 여가수의 노래는 민속과 양식화를 드러낸다. 그것은 경의의 표시이자 리듬을 부여하는 방식이기도 하다. 바르타바스는 우리네 인생이 불안한 상상 세계의 장소라는 것을 대단히 심미적인 방식으로 보여준다.

마기 마랭_{Maguy Marin}의 새로운 실험

유튜브에 있는 다큐멘터리 영화
〈마기 마랭, 조속한 몸짓Maguy Marin,
L'Urgence d'agir〉 예고편을 보셨는지?
허옇게 분장한 무희들의 강렬한 시
선, 역동적인 동작은 어디서도 만
날 수 없었던 독창성을 보여준다.
이 영상을 처음 접하는 순간부터
난 마기 마랭에 끌렸고, DVD로 출
시된 이 작품을 주문해 감상했다.
2019년에 출시된 영화는 마기 마랭

〈마기 마랭, 조속한 몸짓〉 영화 포스터

의 아들 다비드 맘부슈David Mambouch가 감독 및 내레이션을 맡아, 아
들이 어머니에게 헌정하는 성격을 띠었다. 아들 다비드 맘부슈의 이
야기, 마기 마랭과 그녀가 이끄는 무용단 무용수들의 이야기가 작품
〈May B〉를 중심으로 전개되는데, 무용수들이 공연 전 얼굴과 몸에 진
흙을 바르고 말리는 과정부터 대단히 강렬한 느낌을 준다. 역시 내 눈

마기 마랭 ©vanityfair.fr

이 옳았다. 그녀는 1980년대 들어 프랑스와 벨기에를 중심으로 활발해진 누벨 당스Nouvelle Danse를 이끈 인물이었고, 현대무용 최고의 대가인 모리스 베자르Maurice Béjart에게서 사사한 인물이었으며, 그녀의 작품은 아메리칸 댄스 페스티벌 어워드 수상(2003), 뉴욕 베시상 수상(2008), 베네치아 비엔날레 황금사자상 수상(2016)에 빛날 정도로 세계적으로 인정받고 있었다.

마기 마랭은 1951년 6월 2일 남프랑스 툴루즈에서 태어난 안무가이자 무용수다. 툴루즈 콘서바토리Conservatoire de Toulouse, 스트라스부르 소재 라인 국립오페라발레Opéra national du Rhin, 무드라학교École Mudra, 모리스 베자르의 20세기발레단을 거치며 자신만의 세계를 구축해, 1973년부터 활동을 시작하면서 춤과 인간의 언어를 연결하는 작업에 매진한다. 춤의 전통적인 역할을 뛰어넘는 작업을 시도하면서 마기 마랭은 "무용은 인간의 모든 것을 탐험하는 도구이자 발레나 현대무용으로 정해진 규칙을 넘어선 영역"이라고 진단한다. 텍스트와 영상, 미술, 무용 등 예술 장르 사이의 경계를 의도적으로 깨부순 것이다. 그녀는 자신의 작품들에 사회적 성격을 부여하며, 무용의 사회적 역할에 대해서도 고민한다. 인간 사이의 소통 단절을 극대화한 사무엘 베케트Samuel Beckett의 희곡《고도를 기다리며Waiting for Godot》를 춤으로 옮긴 〈May B〉(1981), 동화를 재해석한 〈신데렐라Cendrillon〉(1985)가 모두 그런 시각의 연장선상에 있다. 그렇기에 그녀의 작품들은 늘 예측을 불가능하게 만들며, 새롭다. 그녀의 스타일은 연극적인 요소를 차용하면서 독일에서 피나 바우쉬Pina

피나 바우쉬 ©pina-bausch.de

Bausch가 발전시킨 탄츠테아터Tanztheater와 비슷한 느낌을 준다. 하지만 문학을 무용과 연결하고, 소리와 대사를 적극 활용한다는 점에서 피나 바우쉬보다 더 자유분방한 스타일로 인정받고 있다. 상상력 넘치는 독창적인 작품, 파격적이고 특이한 분장을 한 무용수들 모습은 마치 영화가 무용 속으로 들어온 듯한 느낌을 준다. 1987년부터는 작곡가 드니 마리오트Denis Mariotte와 긴 협력관계를 시작하며, 각자의 예술 영역을 벗어나 서로 질문하면서 새로운 경험의 장을 마련한다. 그리고 크레테유 국립무용센터Centre chorégraphique national de Créteil와 릴리외라파프 국립무용센터Centre chorégraphique national Rillieux-la-Pape 무용감독을 거쳐 툴루즈와 생트푸아레리옹Sainte-Foy-lès-Lyon에 차례로 정착했다. 40여 편의 작품을 제작했는데, 주요 작품은 일일이 열거하기 힘들 정도다. 앙제Angers에서 처음 선보인 〈May B〉에서부터 〈바벨 바벨Babel Babel〉(1982), 〈신데렐라〉, 〈오텔로Otello〉(1987), 〈일곱 가지 중죄Les Sept péchés capitaux〉(1987), 〈쿠데타Coups d'États〉(1988), 〈메이드 인 프랑스Made in France〉(1992), 〈코펠리아Coppelia〉(1993), 〈아마도 오늘Aujourd'hui peut-être〉(1996), 〈움벨트Umwelt〉(2004) 등을 거쳐 〈능선Ligne de crête〉(2018)에 이르기까지…… 최근에는 비무용non-danse 영역에 몰두하고 있다. 그녀의 작품에는 의지할 곳 없는 사회적 약자들이 차고 넘치며, 세상사에 대해

영화감독인 아들 다비드 맘부슈와 마기 마랭

분노하는 모습이 고스란히 담긴다. 2018년은 프랑스와 이스라엘이 공동으로 문화 시즌을 경축하는 해였는데, 마기 마랭은 이스라엘이 팔레스타인 사람들에게 자행하는 폭력에 항의하며 행사를 보이콧하는 청원서에 서명하기도 했다.

그녀의 작품세계를 알 수 있도록 다섯 항목으로 나눠 더 자세히 고찰해보자.

1. 마기 마랭은 무용수로 출발했다. 10년간 발레 훈련을 받은 후 무드라학교에서 공부하기 시작했는데, 이곳은 모리스 베자르가 1970~1988년 벨기에 브뤼셀에서 운영한, 학제 간 교육으로 유명한 학교였다. 이곳에서 20세기발레단에 합류한다. 잠시 연극 쪽에서 일하다가 라르슈 발레극단Ballet Théâtre de l'Arche을 창단한 후 1970년대 후반부터 누벨 당스의 대표주자로 부상한다.

2. 연극적인 요소를 작업 속에 통합시켰다. 무용에 연극의 미학적인 요소를 가미하면서 그녀는 이 시기의 다른 안무가들과 차별화되었다. 그녀는 무용에 사람 목소리, 오브제, 음향효과, 음악을 집어넣었다.

3. 마기 마랭 컴퍼니는 협력자들의 집합체다. 무용수, 작곡가, 행정가 등 소속된 사람들은 친구인 동시에 협력자들이다. 그들은 함께 〈May B〉〈람담RamDam〉〈박수는 먹히지 않는다Les Applaudissements ne se mangent pas〉〈움벨트〉를 위시한 48편의 작품을

〈May B〉 공연 ©viefestival.com

만들어냈다. 또 파리 외곽의 크레테유, 리옹Lyon 근처의 릴리외라
파프에서 무용감독을 맡으면서 그녀는 무용센터 주변의 거주민
공동체들과 대단히 밀접한 관계를 유지한다. 마기 마랭과 그녀의
팀이 2015년에 세운 독립예술센터는 '람담Ramdam'이라 불리는데,
이 공간을 무용수들에게 훈련장으로, 여타 분야 무용 예술 아티
스트들에게는 주거 장소로 제공하면서 야심찬 새 프로젝트들을
구상하고 있다. 또 프랑스 내의 여러 협회와 파트너십을 체결하
기도 했다.

4. 마기 마랭의 작품 중 두 편이 450회 이상 공연을 가졌다. 첫 작
품은 1981년 처음 상영된 〈May B〉로, 합창단원으로 설정된 남
녀 무용수들은 얼굴에 두꺼운 진흙을 바르고 흰색 의상을 입은
후 몸을 떨고, 서투르게 움직이며, 바닥에서 발을 굴러댔다. 창
작된 지 얼마 지나지 않아 작품은 국제적인 성공을 거두었다. 또
다른 작품은 〈신데렐라〉(1985)로 리옹 오페라발레단이 주문한 작
품이었다. 작품은 모두의 예상을 뛰어넘었는데, 마기 마랭은 감
정을 고조시키기 위해 잔인한 장면들을 강조하면서 이 동화를
그로테스크하고 풍자적으로 탈바꿈시켰다. 인간 사이즈의 인형

마기 마랭의 〈징슈필〉 한국 공연 포스터

으로 등장하는 무용수들은 가면과 가발을 썼다. 일부 무용수들은 몸을 뚱뚱해 보이게 변형시키는 의상을 착용하기도 했다. 무대 장식은 인형의 집과 장난감 가게를 오갔다.

5. 마기 마랭의 무용 인생은 여러 차례 상을 통해 보상받았는데, 특히 아메리칸 댄스 페스티벌 어워드는 외국인이 받은 적이 거의 없는 상이었다. 이 상을 수상했을 때 그녀는 다음과 같이 말했다. "나는 시장경제, 미디어, 소비지상주의, 전쟁을 위시해 점점 더 복잡해지는 탄압이 지배하는 세상을 인정할 수 없습니다. 나는 광신도가 아닙니다. 하지만 있는 그대로의 세상을 인정할 수 없어요."

마기 마랭은 2013년 〈총성Salves〉, 그리고 2014년 독일어로 '노래의 연극'이라는 의미의 신작 〈징슈필Singspiele〉을 가지고 한국을 찾은 바 있다. 앞으로도 한국과 만날 기회가 있을 이 안무가를 꼭 기억하시길. 그녀에게서는 예술을 뛰어넘어 세상과 호흡하는 대가의 면모가 느껴진다. 연극계에서 아리안 므누슈킨이 그렇듯, 현대사회 속 예술 형식과 예술의 의미에 대한 안일한 의식을 깨부수는 것만으로도 마기 마랭의 작품들은 충분히 의미를 지닌다. 난 그녀의 무한한 상상력이 좋다.

주석

1 몰리에르상 : 루이 14세 재임 초기에 극작가로 명성을 떨쳤으며 배우, 연출가, 극단장 등으로 마지막 순간까지 연극에 몰두했던 몰리에르의 이름을 따서 1987년에 만든 상이다. 매년 4월 말에 열리는 시상식은 '몰리에르의 밤'이라고 불리며 프랑스 전역에 생중계된다.

2 아비뇽 페스티벌 : 1947년 장 빌라르가 시작한 세계에서 가장 큰 연극축제이다. 프랑스 남부 아비뇽에서 매년 7월에 열린다. 축제 주최측이 1년 6개월 전부터 엄선한 공식 초청작으로 구성된 '축제 인(공식)'과 장소에 구애받지 않고 누구나 공연을 올릴 수 있는 '축제 오프(비공식)'로 나뉜다. 축제가 열리는 동안 아비뇽의 골목, 광장, 거리는 모두 공연장으로 변신한다. 초창기에 연극 중심으로 열리던 축제는 뮤지컬, 발레, 현대 음악, 영화, 미술 등을 아우르는 종합예술축제로 발전하고 있다.

» 영화

» Cinéma

Procédé permettant d'enregistrer photographiquement et de projeter des vues animées.

LA GRANDE BOUFFE

Cinéma

꿈을 지켜내라,
시네마테크 프랑세즈_{Cinémathèque française}

시네마테크 프랑세즈 로고

영화 애호가라면 프랑스의 시네마
테크 프랑세즈Cinémathèque française
를 모를 수 있으랴. 세계에서 가장
큰 영화 데이터베이스로 간주되는
시네마테크 프랑세즈는 2015년 12
월 20일 기준으로 4만 편의 고전

및 현대 영화, 2,100점의 의상과 액세서리, 2,300점의 오브제와 장식품,
카메라와 프로젝터 등 6,000대의 기계 및 부속품을 보유하고 있다. 또
영화도서관과 화상자료실은 2만 3,500권의 도서, 500종류의 전문잡
지, 3만 건의 문서자료, 1만 2,000점의 DVD·블루레이·VHS 형태의 영
화, 50만 점의 사진, 6만 5,000점의 디지털 사진, 2만 3,000점의 디지털
화한 포스터, 1만 4,500점의 디지털화한 데생, 2만 5,000점의 디지털화
한 신문 리뷰를 소장 중이다. 진정한 의미에서 영화의 전당이다. 한국
영화를 대상으로 특별전도 열기에 우리에게도 어느 정도 익숙한 공간
이기도 하다. 2005년 이후 파리 제12구 베르시 공원Parc de Bercy 내에 프

시네마테크 프랑세즈 ⓒrtl.fr

랭크 게리Frank Gehry가 설계한 건물에 자리하고 있다. 70mm, 35mm, 16mm 영화들뿐만 아니라 디지털 영화를 상영할 수 있는 시설을 갖추고 있는데, 국립영화센터의 보조금, 메세나 형태의 후원금, 자체 예산(회원 등록비, 티켓 판매, 서점 운영, 대여)으로 운영된다.

1935년에 앙리 랑글루아Henri Langlois와 조르주 프랑쥐Georges Franju가 과거의 작품들을 알리기 위해 만든 시네클럽ciné-club이 전신이다. 다음해인 1936년 9월 2일 영화감독 폴-오귀스트 아를레Paul-Auguste Harlé의 재정 지원을 받아 시네마테크 프랑세즈가 태동하며, 이때부터 이 기관은 영화에 관한 모든 것을 수집하기 시작했다. 파리 제5구 윌므 거리를 거쳐 시네마테크는 1963년 6월 샤이요 궁Palais de Chaillot 내에 공간을 얻는다. 재정부의 압력을 받던 앙드레 말로 문화부장관은

1968년 2월 시네마테크의 변화를 요구하며 앙리 랑글루아를 해고했으나, 곧 그를 지키기 위한 위원회가 결성되어 항의 시위가 벌어졌다. 앙리 랑글루아는 4월 22일 시네마테크 관장에 복직했다. 아주 어설픈 방식으로 처리된 '시네마테크 사건'은 언론과 대중의 동참을 통해 직접적인 방식으로 곧 일어날 5월혁명을 예고한 셈이었다. 1977년 창설자 앙리 랑글루아가 갑자기 사망한 후에도 시네마테크는 존속된다. 1997년 7월 24일에는 화재가 발생해 샤이요 궁의 지붕이 전소됐다. 다행히 소장품들은 무사했지만, 시네마테크는 샤이요 궁을 떠나야만 했다. 1998년 6월 30일에 카트린 트로트만Catherine Trautmann 문화부장관은 베르시 거리rue de Bercy 51번지에 소재한 옛 아메리칸센터American Center에 '영화의 집Maison du cinéma'이라고 불리던 시네마테크를 입주시키기로 결정한다. 또 2002년 10월 29일에 장-자크 아야공Jean-Jacques Aillagon 문화부장관은 시네마테크와 영화도서관Bibliothèque du film(BiFi)

클로드 베리

코스타-가브라스

의 합병을 선언하며, 실제로 2007년 1월 1일 합병이 이루어진다. 2007년 6월부터는 클로드 베리Claude Berri[1] 후임으로 코스타-가브라스Costa-Gavras가 기관을 이끌고 있다.

시네마테크 프랑세즈는 놀라운 역설의 면모를 보여준다. 이 기관은 영화에 할애된 가장 오래된 기관도 아니고(스웨덴의 스벤스카 영화협회Svenska Filmsamfundet가 3년 앞서 건립되었다), 영화의 보유량이 가장 많지도 않으며(17만 5,000편의 영화를 보유한 영국 런던의 국립영화도서관National Film Library이 단연 선두다), 스위스 로잔이나 미국 뉴욕의 시네마테크들처럼 잘 조직된 것도 아니다. 그럼에도 시네마테크 프랑세즈는 제7예술의 세계적 명소로 꼽힌다. 이러한 명성은 어디에서 기인할까? 그것은 창설자 앙리 랑글루아의 공이 크다. 1936년부터 1977년에 이르기까지 시네마테크 활성화를 위해 매진한 랑글루아의 지칠 줄 모르는 열정과 노력이 없었다면 이 공간은 지나간 영화들의 삭막한 진열장 정도에 불과했을 것이다.

1930년대에 여러 나라가 경쟁적으로 영화의 보존에 몰두한 반면, 프랑스는 이에 뒤처져 있었다. 당시 파테나탕Pathé-Natan, 아이크Haïk, 오소Osso, GFFA와 같은 영화사들이 연쇄 도산하면서 프랑스 영화산업은 심각한 위기를 겪고 있었고, 정부는 이러한 곤경을 애써 외면했다. 랑글루아는 영화감독 프랑쥐, 아를레와 장 미트리Jean Mitry 같은 몇몇 인물의 지원을 받아 시네마테크 프랑세즈를 설립했다. 시간의 흐름에 따라 폐기 직전에 구출해낸 필름 수가 증가해, 개관 후 1년 동안 시네마테크가 수집한 영화의 수가 1,000편에 달하게 된다. 이 영화들은 모든 수단을 동원하여 이에나 대로Avenue Iéna에 집결된 후 몽테뉴 고등학교Lycée Montaigne로 옮겨졌다. 외무성에 근무하는 쉬잔 모렐Suzanne Morel이 외교행낭 형태로 도움을 주기도 했다. 짧은 기간에 랑글루아 방식은 결실을 맺었다. 독일 점령기에 영화를 보존한 극적인 상황과 폐기 직전에 구출해낸 엄청난 양의 필름으로 말미암아 랑글루아와 시네마테크 프랑세즈는 신화의 반열에 들어선다. 해방과 더불어 파리의 메신 거리rue de Messine에 정착한 시네마테크는 세 방향에 주력한다. '대중의 영화 사랑에 바탕을 둔 시네클럽 운동을 지지하는 것', '1948년 10월에 개관할 영화 박물관Musée du Cinéma 설립을 준비하는 것', '일본이나 브라질 영화처럼 프랑스에 잘 알려지지 않았거나 아예 알려지지

시네마테크 멜리에스 박물관 ⓒcinematheque.fr

시네마테크 컬렉션 ⓒcinematheque.fr

않은 영화들을 소개하는 것'이 그것이었다. 시네마테크의 성격은 창설자의 개성과 어쩔 수 없이 연결되어 있다. 랑글루아는 '자신의' 필름 보관소를 거장과 창작자와 관객이 서로 마주할 수 있는 생생한 만남의 장으로 만들기 위해, 재정적인 어려움에도 불구하고 회고전, 심포지엄, 전시회를 수시로 기획했다. 콕토에 따르면 '우리의 보물을 감시하는 용龍'인 독학자 랑글루아는 세간의 숱한 화제를 불러 모았다. 그에게서는 무질서의 경향과 규범을 넘어서는 추진력도 목격된다.

오늘날 시네마테크는 시사회와 콘퍼런스를 진행하며, 잘 알려진 감독들에 대한 전시회를 열어 그의 작품세계와 관련된 중요한 물건들을 전시하고 있다. 2005/2006년에는 화가 오귀스트 르누아르와 그의 아들인 영화감독 장 르누아르Jean Renoir, 2006년에는 페드로 알모도바르Pedro Almodóvar, 2006년과 2014년에는 프리츠 랑Fritz Lang의 〈메트로폴리스 Métropolis〉가 전시 대상이었다. 2007/2008년에는 작가이자 감독이며 배우였던 사샤 기트리Sacha Guitry, 2008년에는 혁신적인 특수효과를 도입해 '영화의 마술사'로 불리는 조르주 멜리에스Georges Méliès의 작품세계에 대한 전시회가 열렸다. 2010년에는 영화 촬영의 무대가 되었던 파리, 베를린, 할리우드를 주제로 전시했고, 2011년에는 스탠리 큐브릭Stanley Kubrick, 2012년에는 팀 버튼Tim Burton, 2012/2013년에는 마르셀 카르네Marcel

〈메트로폴리스〉 전시 포스터

조르주 멜리에스 전시 포스터

멜리에스 박물관 상설 전시 ©cinematheque.fr

Carné 감독의 〈천국의 아이들Les Enfants du paradis〉이 전시 주제였다. 2013/2014년에는 파솔리니와 그가 배경으로 삼은 로마, 2014/2015년에는 프랑수아 트뤼포François Truffaut, 2015년에는 미켈란젤로 안토니오니Michelangelo Antonioni, 2015/2016년에는 마틴 스코세이지가 뒤를 이었다. 그 외에도 구스 반 산트Gus Van Sant, 크리스 마르케Chris Marker, 세르지오 레오네Sergio Leone, 페데리코 펠리니 등이 전시회를 빛낸 영화인들이다.

2005년 베르시 거리로 이전한 다음부터 시네마테크를 찾는 사람의 숫자는 급격히 늘어났다. 2005/2006년 시즌에 44만 명이었던 그 숫자는 다음해에 35% 더 늘어났다. 2012년 3월 7일부터 8월 5일까지 팀 버튼에 할애된 전시회는 35만 명을 끌어들이며 시네마테크가 기획한 흥행기록을 갱신했다. 2017년에 방문자 숫자는 38만 명이었고, 관객의 연령대는 점점 젊어지는 중이다. 극장을 채우는 점유율도 2016년 40%에서 2017년 44%로 개선되고 있다. 전시와 연구에 할애된 고급 문화공간이 이 정도로 대중의 호응을 얻고 있으니 놀라울 따름이다. 정교한 기획 이전에 프랑스인들의 영화 사랑이 전제되지 않았다면 불가능했을 일이다.

다양성을 담아내는 그릇, 프랑스의 영화제들

프랑스의 크고 작은 영화제들은 나에게 시사하는 바가 컸다. 파리에서 개최되는 영화제들이 시네마테크, 퐁피두센터와 영화관 같은 문화공간을 최대한 활용하면서 오락과 교육의 기능을 동시에 충족시키고 있다면, 지방의 영화제들은 오랜 준비와 지정학적 환경을 전략적으로 최대한 활용한 축제 성격이 짙었다. 그렇기에 다양한 영화제의 성격을 따져보는 일은 프랑스 이해에 상당히 도움이 되었다.

프랑스 영화제들을 종합적으로 고찰해보면 우리와는 차별화되는 모습이 다수 발견된다. 영화제는 타 문화에 대한 이해의 장으로 본격적으로 활용되며, 해당 지방자치단체의 수익원 기능을 넘어서서 사회를 풍요로운 동시에 행복하게 만들고 있다. 그런 차원에서 영화제는 문학과 예술, 문자와 영상, 문화산업과 인문학 정신을 동시에 충족시키는 드문 기능을 수행하는 느낌이었다. 일부 영화제들이 프랑스에서 미개봉된 영화들을 가장 먼저 소개하는 방식을 택하는가 하면, 또 다른 영화제들은 흘러간 영화들을 체계적으로 분류한 후 다시 보여주는 방식을 택하고 있다. 특정 국가 영화감독들을 대상으로 한 '회고전'은 한 감독의 작품세계를 체계적으로 보여주기에 대단히 유효한 방식이다.

프랑스의 영화제는 150개가 족히 넘었다. 우리와 비교해볼 때 대단히 많은 영화제가 있음을 알 수 있다. 그러나 영화제들 성격은 서로 겹치는 법이 별로 없었다. 차별화는 영화제의 성공을 위해서 필수 불가결한 조건이기도 했다. 프랑스의 영화제들을 나름대로 분류해보자.

도빌 미국영화제 포스터

시네손 유럽영화제 포스터

먼저 대상 지역의 특성을 극대화한 영화제들을 들 수 있다. 아시아, 남아메리카, 아프리카를 아우르는 낭트의 3대륙영화제는 이미 고전의 축에 속한다. 셰르부르Cherbourg의 영국·아일랜드영화제, 도빌의 미국영화제와 아시아영화제, 브줄 Vesoul 아시아영화제, 옹플뢰르의 러시아영화제, 일드프랑스 지방 에손 Essonne에서 열리는 시네손 유럽영화제, 루앙의 북유럽영화제, 디나르 Dinard의 영국영화제, 비아리츠의 스페인영화제 등은 영화제를 통해 특정한 국가나 지역의 영화를 집중적으로 탐구하는 방식을 택하고 있다. 남프랑스의 교육 도시 몽펠리

에에서 열리는 지중해영화제는 지
중해에 면한 지역들끼리의 상호 이
해증진을 도모한다. 지리적 특성이
아주 중요한 요인이라는 얘기다.
셰르부르와 디나르는 영국과 가깝
다는 이점을, 도빌은 대서양 건너
편이 미국이라는 상황을 이용하면
서 최고의 해변에 카지노와 경마장
이 들어선 도시의 고급스러운 이미

지를 극대화하고 있다. 남프랑스의
군항 툴롱Toulon에서 개최하는 '해

2021년 클레르몽페랑 국제단편영화제 포스터

양영화제'도 항구로서의 입지 조건
을 살려 바다를 주제로 한 영화제
다. 그뿐 아니라 오트랑Autrans에서
열리는 '산과 모험 영화제'는 베르
코르 지방자연공원Parc naturel régional

du Vercors이 가까운 산악지방에 자

2021년 아네르 무성영화제 포스터

리한 마을의 특성을, 그루아섬île de
Groix에서 열리는 '섬영화제' 역시
섬이라는 지리적 이점을 살리고

있다.

브레스트 유럽단편영화제 포스터

　두 번째로 장르의 특성을 살린 영화제들을 거론할 수 있다. 단편영
화만을 취급하는 클레르몽페랑Clermont-Ferrand 영화제 외에도 아네르
Anères 무성영화제, 브레스트Brest 유럽단편영화제, 마르세유Marseille 다

큐멘터리영화제, 애니메이션만 다루는 안시Annecy 국제애니메이션 영화제 등은 장르를 타이틀로 내건 대표적인 영화제들이다. 특정 장르에 할애된 영화제들은 영화 미학에 대한 논의도 덩달아 심화시킨다. 특히 다큐멘터리는 문학의 자서전, 체험담과 더불어 오늘날 주류로 자리 잡은 장르이기도 하다. 허구와 사실 사이의 단선적인 구분을 완전히 해체하는 이러한 예술의 출현은 영화라는 장르의 한계를 훌쩍 뛰어넘어 문화사적 담론, 철학의 논의와도 맞닿아 있다. 예를 들어 파리 퐁피두센터에서 열리는 다큐멘터리영화제는 다큐멘터리라는 장르를 이론적으로 분석하는 학술총서의 발간과 떼놓을 수 없는 관계를 맺고 있다. 또 영화사 초창기 무성 영화들을 취급하는 까닭에 평소 접하기 힘든 작품들을 감상할 수 있는 아네르영화제는 그 희귀성만으로도 영화 애호가들이 찾게 만든다.

세 번째로 주제를 부각하는 영화제들을 들 수 있다. 페삭Pessac의 역사영화제, 제라르메Gérardmer 판타스틱영화제, 코냑Cognac의 추리영화제가 이 범주에 들어가는 대표적인 행사들이다. 그 밖에도 문화적 차이와 정체성을 탐구하는 아미엥 국제영화제, 크레테유 여성영화제, 오세르Auxerre 음악과 영화 페스티벌, 라 비올La Biolle 농촌영화제 등이 차별화된 특성을 극도로 강조하고 있다. 이런 행사들은 프랑스에서 유일한 경우가 많다. 그래서 예컨대 역사를 주제로 다룬 영화들에 관심이 많거나, 역사와 영화 사이의 관계에 대해 특별한 흥미를 느끼는 사람은 폐삭의 행사를 들여다보도록 만든다. 1985년부터 사부아 Savoie 지방의 라 비올에서 열리고 있는 농촌영화제는 평소 문화를 접하기 힘든 농촌 사람들에게 며칠만이라도 문화적 혜택을 제공하는 소중한 기회로 인정받고 있다. 독보적인 행사가 지방분권 및 지역 정체성 확보에도 이바지하는 것이다.

제라르메 공포영화제

네 번째로 시기를 활용한 행사도 많다. '유럽과 미국영화의 만남'이라는 제목을 단 아비뇽영화제는 세계적인 연극제인 아비뇽 페스티벌이 열리는 여름을 최대한 이용하고 있다. 그런가 하면 가장 추운 1월 스키 시즌에 제라르메에서 열리는 공포영화제는 나에게 가장 이상한 느낌을 준 영화제다. 우리는 가장 무더운 여름철에 공포영화들이 집중 개봉된다면 유럽의 여러 나라는 공포영화제를 겨울에 개최하고 있었다.

다섯 번째로 행사 장소를 최대한 활용한 영화제들도 있다. 파리의 17개 구에 산재한 유명 건물 외벽이나 공원을 이용해 무료 시사회를 여는 방식으로 진행되는 파리 달빛영화제, 매년 여름 파리 제19구라 빌레트 공원의 드넓은 잔디밭에서 반쯤 누운 상태로 영화를 감상하는 빌레트 야외 영화 축제Festival du cinéma en plein air de La Villette 등은 아이디어 하나로 특화에 성공한 행사들이다.

빌레트 야외 영화 축제

그 밖에도 과학영화제, 음악영화제, 데뷔작영화제 등 프랑스 전역에서 열리는 다양한 형태의 영화제는 주제 및 소재의 다양성 차원에서 타의 추종을 불허한다. 영화제를 개최하는 도시의 인구도 파리의 200만 명에서부터 그루아섬의 2,000여 명, 아네르의 148명에 이르기까지 극히 다양하다. 적어도 인구는 영화제 개최를 좌우하는 결정적인 변수가 되지 않음을 알 수 있다.

왜 우리에게도 영화제가 더욱 강조되어야 할까? 내 생각에 영화제는 영화 자체뿐 아니라 영화가 제작된 나라의 문화에 대한 전문성과 직결되는 것이다. 국내에서 아프리카영화제를 개최할 수 있는 지역이나 단체가 몇 군데나 될까? 아프리카영화를 꿰뚫고 있는 인물은 단한 명도 떠오르지 않는다. 또 많은 영화제를 개최할 때 견본시장을 동시에 연다면 시장의 확보 및 네트워크 구축에도 크게 기여할 것이라는 생각이다. 물론 이 역시 전문성을 가진 인력을 전제로 한다.

프랑스영화제 현황에 대한 고찰은 많은 생각을 낳는다. 훌륭한 도서관에 훌륭한 사서가 요구되듯, 다채로운 영화제를 마련하기 위해서는 해외 및 국내의 영화들을 섭렵하고 있는 양질의 기획자들이 전제되어야 한다. 영화제가 활성화될수록 언어 구사 능력을 바탕으로 한 각국 전문가들이 더욱 필요할 수밖에 없다. 그리고 영화에의 관심 역시 세계의 주류 영화에 한정할 것이 아니라 아프리카영화, 남미영화에 대한 이해로 확장되어야 한다. 이 책에서 누누이 강조했듯이 세상은 군사력과 경제력만으로 돌아가지 않는다. 세상에 대한 이해는 영화로부터 시작되어도 충분히 좋다.

말할 수 없는 것을 말하는 영화 〈쇼아_{Shoah}〉

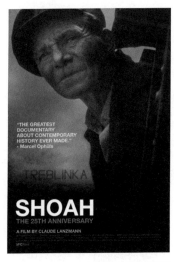

영화 〈쇼아〉 포스터

나의 박사학위 논문 제목은 〈수용소세계 기술론 : 문학과 수용소〉. 전대미문의 극한 현실을 미학적으로 극복할 수 있는가가 나의 관심사였다. 논문의 분석 대상이 된 작품들은 주로 소설과 영화였고, 그 중에서도 〈쇼아〉는 가장 문제적인 동시에 가장 흥미로운 생각거리를 제공했다.

영화 〈쇼아〉를 통해서 기념비적인 족적을 남긴 클로드 란즈만이 2018년 7월 5일 92세를 일기로 우리 곁을 떠났다. 프랑스의 저널리스트, 작가, 영화감독이자 영화제작자로 다방면에서 활동한 지식인이었지만, 그는 무엇보다도 유럽 유대인 학살을 다룬 대작 〈쇼아〉의 감독으로서 잘 알려져 있다. 이 한 편의 영화로 클로드 란즈만Claude

Lanzmann은 다큐멘터리 감독으로서 세계적인 거장 반열에 올랐고, 작품은 무수한 분석의 대상이 되었다. 영화는 1985년 발표된 후 1986년에 전미영화평론가상과 로테르담 국제영화제 최우수 다큐멘터리

클로드 란즈만

상 등을 휩쓸며 세계적인 호응을 얻었고, 2013년 2월 14일에는 그의 작품세계 전체가 베를린 국제영화제에서 명예황금곰상을 수상하기에 이른다. 지칠 줄 모르고infatigable, 통제 불가능하며incontrôlable, 참을성 없고insupportable, 고갈될 줄 모르며inépuisable, 만족할 줄 모르고insatiable, 과도하다excessif. 이 모든 프랑스어 형용사가 란즈만을 수식하던 표현이다. "100개의 삶도 나를 진력나게 하지 않는다"고 스스로 표현했을 정도로 그는 열정적인 인물이었다. 고집스럽고têtu, 악착스러우며 acharné, 강박적obsessionnel이라는 형용사도 그에게 덧붙일 수 있을 것 같다. 《리베라시옹》 신문의 출판국장인 로랑 조프랭Laurent Joffrin은 란즈만 사망 직후 남긴 헌사에서 이 영화감독을 "착란적인 범죄가 자행된 20세기 한가운데서 율리시스의 여행"을 감행한 인물로 묘사하고 있다. 그만큼 그가 답파한 여정이 길고도 험난했다는 얘기일 것이다. 그런 연유로 란즈만의 일생은 독특한 유산을 우리에게 남겨주었다. 이스라엘에 대한 무조건적인 지지, 타고난 사르트르주의자, 소련에 대한 옹호 등은 비판할 여지가 있지만 란즈만은 태곳적 기억에서 빠져나와 지상에 다시 탄생한 신생국가 이스라엘의 허약함과 과도함을 충실히 보여주었고, 또 인간에 대한 믿음을 뒤흔들면서도 종국에는 그 인간이 살아남아 승리할 수 있다는 사실을 동시에 일깨워주었다.

란즈만의 삶은 유대적 정체성의 발견과 필연적으로 연결된다. 1925 년 11월 27일 란즈만은 수도권의 부아콜롱브Bois-Colombes에서 태어났다. 그의 뿌리는 유대인으로, 19세기 말 동유럽 벨라루스 출신 할아버지와 당시 러시아의 지배를 받던 리가(현재의 라트비아) 출신 할머니가 결혼해 프랑스로 이민해서 란즈만의 아버지를 낳았다. 1934년에 부모가 이혼하자 클로드와 동생 자크Jacques, 여동생 에블린Évelyne은 아버지와 함께 오트루아르Haute-Loire 지방에서 살기 시작한다. 1938년 9월 이후에 란즈만은 파리로 올라가 콩도르세 고등학교Lycée Condorcet를 다니며, 거기서 반유대주의를 처음 접한다. 18세 나이에 청년공산주의 단체에 가입했고, 2차대전이 발발했을 때는 오베르뉴 지방 클레르몽페랑의 레지스탕스에 참가하기도 했다. 전쟁이 끝나자 란즈만은 다시 파리로 상경하고, 그때부터 그의 철학적 여정이 시작된다. 루이르그랑 고등학교Lycée Louis-le-Grand에서 장 코Jean Cau를 만난 후 서로 깊은 우정을 이어가며, 고등사범학교 시험에 낙방한 후에는 소르본 대학 철학과에 입학했다. 학위 취득을 위해 선택한 주제는 '라이프니츠에게 있어서 가능과 불가능'이었다. 란즈만이 내내 집착한 홀로코스트의 미학적 극복 가능성을 연상케 하는 제목이다. 1947년에 친구인 미셸 투르니에의 권고에 따라 란즈만은 독일 튀빙겐 소재 에버하르트 카를 대학에서 철학을 공부하며, 그곳에서 군인이 아닌 민간인 독일인들을 만나기를 갈망한다. 1948년에는 베를린 자유대학에서 미국학 강사 자리를 얻었다. 그때 클로드 란즈만은 자신의 교육자적 재능을 발견한 것으로 보인다. 란즈만의 표현에 따르면 그 재능은 '스탕달의 《적과 흑Le Rouge et le Noir》과 사르트르의 《존재와 무L'Être et le néant》를 하나로 엮는 방식'이었다. 1947년 사르트르의 저서 《유대인 문제에 대한

성찰》의 출간은 란즈만 입장에서 중요한 사건이
었다. 그는 사르트르의 주장이 극복되어야 한다
고 생각하면서 1952년 이스라엘로 첫 여행을 떠
났다. 또 탈脫나치화가 지지부진하다고 생각하
면서 1949년 동독 신문《베를리너 자이퉁Berliner
Zeitung》에 두 편의 글을 발표한다. 그러나 글의 기
고는 란즈만이 대학에서 자리를 잃게 만들었다.

프랑스로 돌아와서부터는 저널리스트로서의
삶이 시작된다.《프랑스 디망슈France Dimanche》《엘
르》《프랑스수아르France-Soir》 등이 그가 협력한
신문과 잡지들이다. 1951년에는 동독에서의 삶
을 다룬 르포 연재물을 '철의 장막 뒤의 독일'이

시몬 드 보부아르가 쓴 '〈쇼아〉: 끝없는 기억' 기사

라는 제목을 달아《르 몽드》에 게재하기도 했다.
이 연재물은 곧 사르트르 눈에 띄었고, 사르트르
는 자신의 잡지에 협력해달라고 란즈만에게 요
청했다. 그에 따라 1952년에 란즈만은 사르트르
와 시몬 드 보부아르와 교류하기 시작했다. 철
학을 전공한 저널리스트였기에 란즈만은 곧 그
들과 친구가 되며, 두 사람이 1945년에 창간한
잡지《레 탕 모데른Les Temps Modernes(현대)》의 편집
위원회에 들어가게 된다. 그 후 1970년까지 란즈
만의 활동은《레 탕 모데른》지와 저널리즘에 집

시몬 드 보부아르와 클로드 란즈만

중된다. 1986년 시몬 드 보부아르가 사망하자 그는《레 탕 모데른》을
운영하는 발행인이 되었다.

《레 탕 모데른(현대)》 창간호(1945)

클로드 란즈만의 정치적 참여는 그의 작품세계와 불가분의 관계를 이루고 있다. 1958년 5월 저널리스트 자격으로 그는 북한을 방문했다. 반식민주의 노선을 채택하면서 1960년 당시 알제리 봉기를 탄압하던 프랑스를 규탄하는 '121인 선언Manifeste des 121'에 서명하기도 했다. 1967년에 그는 《레 탕 모데른》 특집호를 이스라엘-아랍 분쟁을 주제로 꾸몄고, 1987년에는 러시아의 스몰렌스크 근교에 있는 카틴 숲에서 벌어진 대학살의 장본인을 소련으로 돌리는 시각을 순전한 '나치 프로파간다'로 규정하는 주장을 《레 탕 모데른》에 실었다. 20세기 후반기에 참여적 성격의 지성사, 문화, 정치를 다룬 잡지 《레 탕 모데른》을 통해 란즈만은 반제국주의 투쟁에 앞장서면서 인도차이나전쟁, 베트남전쟁, 알제리전쟁에 반대하는 활동을 전개하기도 했다. 다만 그가 잡지에 관여하기 시작하면서 동유럽 유대인의 입장을 일방적으로 대변한 것은 잡지가 보여준 한계로 남아 있다.

1970년부터 클로드 란즈만은 영화에 뛰어들었다. 1973년에 개봉한 그의 첫 영화 〈왜 이스라엘인가Pourquoi Israël〉는 이미 란즈만식 작법을 드러내고 있었다. 여러 사람들과의 대담을 모자이크처럼 이어 붙인 영화에 인터뷰 진행자인 란즈만 자신이 배우인 동시에 연출가로 등장하는 방식이었다. 이 영화를 끝낸 후 란즈만은 영화 〈쇼아〉로 선보일 주제에 12년 동안 집중한다. 다큐멘터리 연구, 생존자·가해자·증인들과의 만남, 편집자 지바 포스텍Ziva Postec과 함께 편집한 6년에 걸친 몽타

주 등이 그것이다. 〈쇼아〉 제작을
위해 란즈만은 1974년부터 1981
년 사이에 무려 350시간이 넘는 분
량의 필름을 촬영했다. 9시간 반에
달하는 상영시간으로 1985년 개
봉한 〈쇼아〉는 기념비적 영화로 평
가되었다. 그 후 제작한 영화들은
〈차할Tsahal〉(1994), 〈방문하는 생존
자Un vivant qui passe〉(1997), 〈소비보르
수용소, 1943년 10월 14일, 오후
4시Sobibór, 14 octobre 1943, 16 heures〉

클로드 란즈만 감독의 영화
〈네 자매들〉 포스터

(2001), 〈빛과 그림자Lights and Shadows〉(2008), 〈카르스키 보고서Le Rapport
Karski〉(2010), 〈마지막 부당한 자Le Dernier des injustes〉(2013) 등 모두 수용
소 문제와 관련된 다큐멘터리들이며, 2017년에야 유대인 문제로부터
멀어져 북한을 다룬 〈네이팜Napalm〉을 제작했다. 하지만 '이스라엘 군
대는 타국 군대와 같은 군대인가?'를 질문하는 영화 〈차할〉에서 란즈
만이 취하는 태도는 편파적이고도 호교론적이라는 비판을 많이 받았
다. 이스라엘 군대의 주장을 받아들이면서 레바논전쟁에 대해서는 침
묵했던 탓이다. 그가 발표한 최후의 작품은 수용소에서 네 명의 여성
이 겪은 공포를 다룬 〈네 자매들Les Quatre Sœurs〉(2018)이다.

란즈만의 대표작이자 영화사상 최고의 역작 중 하나로 평가되는
〈쇼아〉. 쇼아란 '지구상에서 벌어질 수 있는 재앙 중 가장 큰 재앙'이
라는 뜻을 가진 히브리어다. 영화는 촬영한 현재의 이미지만으로 과거
의 역사를 다룬다는 특징을 보여준다. 자료화면 없이도 대학살을 다

〈쇼아〉 예고편

룸으로써 말할 수 없는 것을 말하는 데 성공한 것이다. 강제수용소의 생존자들, 홀로코스트를 지켜본 사람들, 나치 부역자들 등은 자신들 앞에 놓인 카메라 앞에서 고통스럽게 기억을 토로해낸다.

이 영화 〈쇼아〉는 단순한 픽션도, 다큐멘터리도, 저널리즘도, 정치영화도 아니며, 란즈만 스스로는 '예술영화'로 규정될 수 있다고 주장했다. 역사와 영화(문학), 사실과 허구 사이의 전통적인 구분을 해체한 이 영화를 우리가 어떻게 받아들여야 할까? 자료화면도 없고 코멘트도 없으며 오직 바람, 청명한 하늘, 다시 덮인 땅, 눈물을 쏟아내는 생존자들, 덫에 걸린 사형 집행인들, 천진난만하다 못해 무지하기까지 한 폴란드 농민들이 엮어내는 대서사시는 학살 메커니즘을 그 어떤 방식보다 더 전율스럽게 우리에게 보여준다. 학살 메커니즘의 본질은 정교하고도 세심하며, 산업적인 동시에 행정적인 나치의 광기였다.

그러나 영화는 동시에 많은 문제점을 드러내기도 했다. 란즈만은 자료화면과 논평을 거부하는 대신 몽타주 기법을 구사하고 있다. 처음에 무수히 등장하던 증인과 목격자들은 시간이 흐르자 종적을 감추며, 대신 바르샤바 게토에서 무장투쟁을 벌인 '투사'가 영화의 마지막에 등장한다. 유대인의 수동적인 이미지가 사라지고 능동적이고 적극적인 이미지로 교체되는 것이다. 또 란즈만은 홀로코스트 생존자인 작가 엘리 위젤Elie Wiesel과 마찬가지로 〈쇼아〉가 역사의 영역에 편입되는 것을 원치 않았다. 한편으로 그는 영화 〈쇼아〉가 탈무드적 성격을 지닌 작품이라 주장한다. 열린 해석을 허용하지 않는 종교적 텍스트와 다를 바 없다는 얘기다. 홀로코스트 역사의 세 축을 형성하는 피해자(유대인)-가해자(나치)-시각적 증인(폴란드인)을 그려내는 방식에 있어서도, 한결같이 피해자 입장에서 양쪽을 모두 공격하고 있다. 영화 속에 유대인을 구출하기 위해 노력한 독일인이나 폴란드인 모습은 부재한다. 그는 관객들에게 고통을 강요하며, 심지어 "트레블링카의 나치를 카메라를 통해 죽이고 싶었다."라고 강조하면서 여과되지 않은 증오심을 담아내고 있다. "서유럽은 나에게 인간적이며, 반면 동유럽은 공포감을 준다."는 그의 시각도 더없이 편향적이다. 그렇기에 나는 "이 영화에서 재현하고 있는 독일인들의 모습이 흑백양분적이고 도식적"이라는 츠베탕 토도로프의 지적에 기꺼이 공감한다. 자료화면을 관음증을 자극하는 포르노에 비교하는 그의 시각도 극단적이다. 그러나 시각적 재현을 포기하는 대신 구술을 통한 재현을 채택한 그의 방식은 역사를 프레임에 가두기를 거부하면서 증언을 현재화시키는 새로운 기법을 제시하는 데 성공했다.

내가 홀로코스트에 달려든 지 이미 30년이 지났다. 란즈만과의 불편했던 동거는 그의 죽음과 더불어 끝나는 느낌이다. 란즈만의 사망은 나에게 20세기의 종식, 전체주의의 끝, 홀로코스트의 종말처럼 다가온다. 나는 파리의 프낙에서 그를 직접 만나보기도 했다. 하지만 〈쇼아〉를 보기 위해 찾은 파리의 영화관과 프낙의 강연장에 모여든 사람들은 아마도 그 옛날에 수용소를 체험했을 노령자들뿐이었다. 기억의 재생과 갱신을 필요로 하는 사회적 요구 앞에서 〈쇼아〉는 이미 기억의 장을 떠나간 느낌이었다. 정치 앞에 퇴색한 지성이었을까? 아니면 해석을 거부하는 그의 지적 오만함이 대중에게 버림받았던 것일까? 홀로코스트라는 주제에 접근하기 시작한 지 30년이 더 흘렀음에도 난 아직도 해답을 얻지 못하고 있다.

영화제작자 마랭 카르미츠Marin Karmitz, 다른 세계를 향한 시선

프랑스 유학 시절 영화 관련 기사
에서 가장 자주 접한 이름이 마랭
카르미츠. 직업은 영화감독, 영화제
작자 및 배급자. 독립영화 쪽으로
특화된 영화인이기도 하다. 특히
한국영화를 비롯한 제3세계 영화

영화제작자 마랭 카르미츠

관련 기사에 어김없이 등장했던 터라 처음에는 낯설던 이 이름이 점차
정겹게 느껴졌다. 나중에 그의 이름은 MK2라는 영화관 체인에 다시
등장하며 더욱 친숙하게 다가왔다. 유학 시절만 하더라도 아직 한국
영화에 대한 프랑스인들의 인지도가 상당히 낮았기에 그의 이름은 반
가울 수밖에 없었다. 더구나 당시는 프랑스에서 한국영화를 소개하는
방식도 미숙하기 짝이 없었다.

　낯이 뜨거웠던 일 하나가 기억난다. 1993년 10월부터 1994년 2월까
지 한국영화제가 퐁피두센터에서 열린 적이 있었다. 3개월에 한 번씩
한 국가의 영화를 70~80편 집중적으로 소개하면서 해당 국가에 대한

이해를 돕는 패턴이었다. 첫날 첫 상영작을 보러 가니 황석영 소설을 영화화한 〈삼포 가는 길〉이었다. 소설을 읽은 터라 반가운 마음에 영화를 감상하기 시작했는데⋯⋯ '그'를 프랑스어로 '그녀'라고 번역하는 등 자막이 엉망이었다. 프랑스인들이 제대로 이해나 했을지 걱정될 정도였다. 당시 이 영화의 자막 번역을 누가 담당했는지 모르겠지만, 정말 부끄러웠다. 감수를 제대로 거치기나 했는지⋯⋯

젊은 날의 마랭 카르미츠

영화감독 아녜스 바르다

마랭 카르미츠는 1938년 10월 7일 루마니아 부카레스트의 유대인 집안에서 출생했다. 아버지는 경제인이었고, 어머니는 지식인이었다. 아홉 살이던 1947년 프랑스 니스에 건너와 나중에 프랑스 국적을 얻었다. 그는 1957년 파리의 국립영화학교Institut des hautes études cinématographiques(IDHEC)에 입학해 학위를 받은 후 장-뤽 고다르, 아녜스 바르다Agnès Varda, 자크 로지에Jacques Rozier, 피에르 카스트Pierre Kast 같은 영화인들의 조감독을 거쳤다. 1964년에는 마르그리트 뒤라스의 시나리오를 바탕으로 최초의 단편영화 〈캘커타의 검은 밤Nuit noire, Calcutta〉을 제작했다. 1965년에는 사무엘 베케트와 함께 〈코미디Comédie〉를 작업했다. 영화는 같은 해에 열린 베네치아 영화제 개막작으로 선정되었으나, 아방가르드적인 형태 때문에 논란을 불러일으켰다. 하지만 40년 후에 베네치아 예술비엔날레에서 수상한 후 전 세계 박물관에서 상영되고 있다. 그의 첫 장편 영화는 1967년에 만든 〈7일간 다른 곳에서Sept jours ailleurs〉였는데, 이 영화도 베네치아영화제 본선에 진출한다. 1968년 5월혁명 이후에는 〈동지들Camarades〉(1970)과 〈대거리Coup pour coup〉(1972)라는 두 편의 영화를 제작했다.

아마 그의 인생에서 전환점이 된 것은 1974년일 것이다. 이 해에 카르미츠는 영화감독뿐 아니라, 1967년 만들어진 단편영화 제작배급사인 MK2 프로덕션 운영을 맡게 되었다. 이후 40년에 걸쳐 그는 108편의 영화 제작을 도맡았고 그것들을 350개 이상의 영화관에 배급했다. 오늘날 세계 굴지의 영화감독들이 그와 협력했는데, 크쉬시토프 키에슬로프스키, 클로드 샤브롤Claude Chabrol, 알랭 레네Alain Resnais, 루이 말Louis Malle, 타비아니 형제Vittorio Taviani · Paolo Taviani, 테오 앙겔로풀로스Theo Angelopoulos, 구스 반 산트, 조너선 노시터Jonathan Nossiter, 로지 케리건Lodge Kerrigan, 켄 로치Ken Loach, 자크 두아용Jacques Doillon, 압바스 키아로스타미Abbas Kiarostami, 홍상수, 미카엘 하네케Michael Haneke, 자비에 돌란Xavier Dolan 등 그와 작업한 세계 영화인은 무수히 많다. 홍상수 감독과는 〈여자는 남자의 미래다〉(2003), 〈극장전〉(2005)을 함께 작업했다.

그가 제작한 영화들은 국제영화제에서 상당한 인정을 받았다. 150차례 이상 수상과 노미네이트를 기록했는데, 칸 영화제에서 세 차례 황금종려상을, 베니스영화제에서 세 차례 황금사자상을, 베를린영화제에서 한 차례 황금곰상을 수상했고, 오스카상에 세 차례 노미네이트, 세자르상에 25차례 노미네이트되었다.

그는 극장의 역할을 중시해, 1974년 5월 1일 배급사인 MK2 디퓨전

mk2
une autre idée du cinéma

MK2, 영화에 대한 또 다른 시선

오데옹에 위치한 MK2 극장

을 만든 후 10개의 멀티플렉스 영화관을 지어 65개 이상의 스크린을 운영 중이다. 극장 체인으로서는 프랑스에서 세 번째 규모에 해당한다. 스페인에서도 110개 스크린을 보유하고 있다. 그가 주관하는 제작, 배급 및 극장 운영은 1998년에 MK2라는 이름으로 통합되었다. 현재 MK2는 프랑스 제4위의 영화기업으로, 다양한 시청각 분야에 진출해 있다. 찰리 채플린Charlie Chaplin, 프랑수아 트뤼포, 크쥐시토프 키에슬로프스키, 클로드 샤브롤, 압바스 키아로스타미, 구스 반 산트 등이 만든 500편 이상의 영화에 대한 저작권을 보유하고 있으며, 출판한 도서만도 400종이 넘는다. 2005년 10월 이후 MK2의 운영은 그의 아들 나타나엘Nathanaël Karmitz이 맡고 있다.

마랭 카르미츠의 화려한 이력을 열거하려는 게 아니다. 하지만 그가 제작을 지원한 영화들을 들여다보면 세계 각 지역이 거의 다 포함되어 있다. 1975년 제라드 스킴벡Gerhard Schirmbeck과 서지 줄라이Serge July의 영화 〈비바 포르투갈Viva Portugal〉, 1981년과 1987년 켄 로치의 영화 〈외모와 미소Looks and Smiles〉와 〈조국Fatherland〉, 1977년과 1982년 타비아니 형제의 영화 〈파드레 파드로네Padre padrone〉(칸 영화제 황금종려상 수상)과 〈산 로렌초의 밤La notte di San Lorenzo〉 등이 유럽의 시선을 담아내고 있다면, 클로드 샤브롤의 여러 작품, 고다르의 〈할 수 있는 자가 구하라 : 인생Sauve qui peut (la vie)〉 (1981), 알랭 레네의 〈멜로Mélo〉(1986), 루이 말의 〈굿바이 칠드런Au revoir les enfants〉(1987) 등은 프랑스 영화에 대한 따뜻한 시선을 담아내어 보여

영화감독 모흐센 마흐말바프

준다. 또 판소리와 마상 연극을 결합시킨 〈월식〉으로 우리에게도 어느 정도 알려진 바르티바스의 〈마제파Mazeppa〉(1993)와 〈샤만Chamane〉 (1996)도 MK2가 제작했다. 1993년과 1994년에 베네치아, 베를린영화제를 강타한 크쥐시토프 키에슬로프스키의 삼부작은 마랭 카르미츠가 제작한 최고의 화제작 중 하나

모흐센 마흐말바프 감독의 영화 〈고요〉 포스터

였다. 개인적으로는 1995년에 개봉한 클로드 샤브롤의 영화 〈의식La Cérémonie〉도 대단히 강렬한 작품이었다. 교육을 제대로 받지 못한 한 여인이 부르주아 가정에 가사도우미로 취직하면서 벌어지는 갈등을 다룬 이 영화는 그 어떤 문학 작품보다 더 첨예한 계급의식을 그려내고 있었다.

1996년부터 1998년까지 이란의 영화감독 모흐센 마흐말바프Mohsen Makhmalbaf의 세 영화 〈가베Gabbeh〉와 〈순수의 순간Nun va Goldoon〉 〈고요Sokout〉를 제작 지원하고, 1999년에는 압바스 키아로스타미의 〈바

영화감독 미카엘 하네케

미카엘 하네케 감독의 영화 〈피아니스트〉 포스터

람이 우리를 데려다주리라Bād mā rā khāhad bord〉 제작에 참여한다. 키아로스타미와의 만남은 2001년에 〈ABC 아프리카ABC Africa〉로도 이어진다. 2001년에는 오스트리아 영화감독 미카엘 하네케의 영화 〈피아니스트La Pianiste〉로 칸과 세자르 영화제에서 이름을 날렸고, 2003년에는 드디어 한국영화와 만난다. 그 밖에 2000년대에 카르미츠와 함께한 해외 영화인들은 방글라데시의 타레퀘 마수드Tareque Masud, 유대계 프랑스인 라파엘 나자리 Raphaël Nadjari, 튀니지의 압델라티프 케시시Abdellatif Kechiche 등 국적이 아주 다양하다.

오늘날 세계 각국의 영화 관련 기관들이 그에 대한 오마주 행사를 열고 있을 정도로 그는 뛰어난 제작자이자 존경받는 영화인이다. 한국영화가 세계에 점점 진출하는 것에 발맞추어 국내에서도 세계 영화에 대한 인식을 확보한 더 많은 영화가 소개되고 영화제가 열리기를 원하면 시기상조일까? 멀티플렉스가 보편화된 세상임에도 제3세계 영화에 대한 인식이 우리에게 부족한 것은 여러모로 아쉽다. 영화가 세상으로 이어지는 창이라는 사실을 부인할 수 없다면 말이다. 어디서부터 시작해야 할까?

영화로 정치를 담는다,
감독 코스타-가브라스_{Costa-Gavras}

예술이 정치색을 띠는 것을 경계하는 나로서도
거부할 수 없도록 매력적인 정치영화를 만드는
감독이 있다. 다수의 작품에서 한결같이 정치적
문제의식을 담아낸 감독의 이름은 코스타-가브
라스. 무엇보다도 감독의 이름이 발음할 때 멋있
었다. 그는 1933년 2월 13일 그리스에서 출생한
후 파리에서 활동하고 있는 프랑스와 그리스 이

코스타-가브라스 감독

중국적 소유자이다. 본명은 콘스탄티노스 가브라스Konstantínos Gavrás.
반대파와 공존하기를 거부하는 자기 아버지의 정치적 입장 때문에 그
리스에서 공부할 수 없었기에, 그는 19세이던 1952년에 그리스를 떠나
프랑스에 정착한다. 소르본 대학에서 문학사 학위를 받은 후 영화계
에 입문하며, 앙리 베르뇌이유Henri Verneuil, 자크 드미Jacques Demy, 르네
클레망René Clément, 이브 알레그레Yves Allégret, 르네 클레르René Clair 등
기라성 같은 감독들의 조수로 일했다.
  코스타-가브라스가 만드는 영화들은 하나하나가 정치적 참여와

영화 〈제트Z〉 포스터

영화 〈뤼미에르와 친구들〉 포스터

권력에 대한 성찰을 담아내고 있다. 〈제트Z〉와 〈자백L'Aveu〉 같은 정치적 스릴러 영화로 최초의 성공을 거두었고 비극을 거쳐 사회적인 소재의 픽션을 다루고 있다. 코스타-가브라스의 영화들은 아주 정치적 성격을 띨지라도 서스펜스와 줄거리를 절묘하게 배합해 지식인들뿐만 아니라 광범위한 영화 마니아들을 끌어들인다.

그가 만든 영화들을 연대순으로 살펴보자. 장편영화로는 〈침대칸의 살인자Compartiment tueurs〉 (1965), 〈제트Z〉(1969), 〈자백(혹은 '생사의 고백'으로 번역된 적도 있다)〉(1970), 〈계엄령État de siège〉(1972), 〈특별구역Section spéciale〉(1975), 〈여인의 빛Clair de femme〉 (1979), 〈의문의 실종Missing〉(1982), 〈한나KHanna K〉 (1983), 〈도둑 가족 이야기Conseil de famille〉(1986), 〈뮤직 박스Music Box〉(1989), 〈매드 시티Mad City〉 (1997), 〈아멘.Amen.〉(2002), 〈액스, 취업에 관한 위험한 안내서Le Couperet〉(2005), 〈낙원은 서쪽이다Eden à l'ouest〉(2009), 〈캐피털Le Capital〉(2012), 〈어른의 부재Adults in the Room〉(2019) 등이 있다. 또 단편영화로는 1991년에 샹탈 아커만Chantal Akerman, 미셸 피콜리Michel Piccoli 등 33명의 영화인이 모여 30개국의 양심수들을 사면할 것을 주장하며 제작한 옴니버스 영화 〈망각을 반대하며Contre l'oubli〉, 1995년에 프랑스에서 영화탄생 100주년을 기념하기 위해 제작한 〈뤼미에르와 친구들 Lumière et Compagnie〉 등이 있다.

코스타-가브라스가 그리스에서 보낸 어린
시절에 만난 책이 바실리스 바실리코스Vassilis
Vassilikos의 소설《제트》였다. 작품은 좌파 지도자
를 경찰이 암살한 후 평범한 사건으로 위장하는
내용을 담아내고 있었다. 가브라스가 이 소설을
영화화한 〈제트〉는 세계적인 성공을 거두며 유
수의 영화제들에서 상을 받았다. 흥미롭게도 그

바실리스 바실리코스

다음 제작한 영화는 〈자백〉. 소련 스탈린 체제
의 야만성을 담아낸 이 영화에는 프랑스 국민배
우 이브 몽탕이 합류해 성공을 거두었는데, 2년
이 넘는 시간 동안 소련 체제로부터 정신적·육
체적으로 고문당하는 한 인간의 심리를 그려낸
수작이다. 냉전의 시대였고 동서의 갈등이 첨예

바실리스 바실리코스의
소설《제트》

하던 시기였지만, 가브라스는 한편에서는 우파를 공격하고 다른 한편
에서는 좌파를 공격하는 두 편의 영화를 통해 흑백론적인 분류기준에
서 벗어난다. 사실 그가 공격하고자 한 것은 20세기 전반기를 지배하
던 전체주의였다. 그렇기에 그의 영화들은 시대를 뒤엎는 정치적이고
도 문화적인 현상으로 받아들여졌다. 〈계엄령〉은 남미의 독재자에게
CIA가 보급한 고문을 다루었으며, 〈특별구역〉은 점령 당시의 파리에
서 한 독일 장교를 살해한 네 명의 젊은 이데올로그들을 그려낸 영화
로 전체주의 체제와 맞선 개인의 자유 문제를 조명했다. 〈여인의 빛〉
은 로맹 가리가 쓴 소설을 영화화한 것이다. 배우 더스틴 호프만Dustin
Hoffman은 이 영화를 자신이 아는 가장 아름다운 사랑 이야기로 평
가했다. 이때부터 할리우드는 코스타-가브라스 감독을 주목하기 시

Charlie Horman thought that
being an American
would guarantee his safety.

His family believed that
being Americans
would guarantee them the truth.

They were all wrong.

missing.

THE FIRST AMERICAN FILM BY COSTA-GAVRAS.
BASED ON A TRUE STORY.

UNIVERSAL PICTURES and POLYGRAM PICTURES Present

JACK LEMMON · SISSY SPACEK

in an EDWARD LEWIS Production of A COSTA-GAVRAS Film
MISSING starring MELANIE MAYRON · JOHN SHEA
Screenplay by COSTA-GAVRAS & DONALD STEWART
Based on the book by THOMAS HAUSER Music by VANGELIS
Executive Producers PETER GUBER and JON PETERS
Produced by EDWARD and MILDRED LEWIS
Directed by COSTA-GAVRAS
Read the AVON Book · A UNIVERSAL PICTURE

영화 〈의문의 실종〉 포스터

작하며 그에게 〈대부The Godfather〉의 감독을 맡아달라고 제안했으나, 마리오 푸조Mario Puzo의 원작소설이 시원치 않다며 거절했다. 〈의문의 실종〉은 실화를 바탕으로 만든 영화로, 1973년 칠레에서 아우구스토 피노체트Augusto Pinochet 쿠데타 때 실종된 한 미국 저널리스트 이야기를 다뤘다. 영화는 미국에서 많은 논란을 불러일으켰는데, 이 쿠데타에 관여한 미국 첩자들을 부각했기 때문이다. 하지만 영화는 칸 영화제에서 대상을 거머쥐었고 아카데미 영화제에서도 최우수 시나리오상을 받았다. 영화음악도 그리스의 또 다른 거장 반젤리스Vangelis가 담당했다. 〈도둑 가족 이야기〉는 코스타-가브라스가 유일하게 희극 장르에 접근한 영화다. 〈뮤직 박스〉는 미국에서의 나치 전범 추적을 다뤘고, 1997년에 존 트라볼타, 더스틴 호프만을 출연시켜 만든 〈매드 시티〉는 TV 뉴스의 권력에 대해 성찰했다. 영화 〈아멘.〉은 나치 수용소에서 대학살이 자행되고 있다는 사실을 가톨릭 지도자들에게 알리려 애쓰는 한 독일 장교의 이야기를 다뤘다. 그는 홀로코스트 희생자들의 모습을 감동적으로 그려내는 대신 독일의 경제적 이익을 중시한 관료조직, 가톨릭교회의 무관심 등 당시의 잔인한 현실을 드러냄으로써, 영화 〈쉰들러 리스트 Schindler's List〉나 〈인생은 아름다워La vita è bella〉와는 전혀 다른 방식으로 대학살의 실체에 접근하는 데 성공하고 있다. 한편 〈액스, 취업에 관한 위험한 안내서〉는 한 좌절한 실업자가 취업 때문에 자신과 경쟁하는 타인들을 죽이기로 결심한다는 스토리를 담고 있다. 〈낙원은 서쪽이다〉는 불법 노동자 이야기이고, 〈캐피털〉은 2012년 세계경제위기 때 개인들의 삶, 개인들의 필요에 아랑곳없는 기업의 부패와 탐욕을 그려냈으며, 가장 최근작인 〈어른의 부재〉는 2015년에 국가부도 위기를 겪었던 그리스를 파헤치는 내용이다.

코스타-가브라스는 2007년부터 현재까지 프랑스 굴지의 영화기관인 시네마테크 프랑세즈의 관장을 맡고 있으며, 고문과 정치적 폭력으로 희생당한 사람들을 지지하는 활동을 벌이고 있다. 2008년 2월에는 베를린영화제 심사위원장을, 2014년에는 제40회 도빌 미국영화제 심사위원장을 맡기도 했다. 그의 수상 내역만 봐도 더없이 화려하다. 앞에서 언급한 수상 실적 말고도, 1983년 제35회 미국작가조합상 각색상을, 1990년 제40회 베를린 국제영화제에서 황금곰상을 수상했다. 2019년 9월 제67회 산세바스티안 국제영화제에서는 평생공로상을 받았다. 그는 자신이 만든 제작사 K.G. 프로덕션을 통해 영화 작업을 계속해나가고 있다.

나의 눈에 그는 정치적 영화감독 이전에 휴머니스트였다. 세상을 바꾸는 것이 목적이 아니라 자신을 깊이 감동시킨 이야기를 영화에 담아내는 것이 더 중요하다고 그 자신도 말하고 있다. 관객에 대한 생각도 명확하다. 관객들이 정치적이거나 학술적 성격의 담론을 들으러 극장을 찾는 것이 아니라 '공연'을 보러 간다고 그는 생각한다. 그렇기에 그의 영화 속 주인공들은 그 어떤 정치적 제스처를 취하기 이전의 인간들이다. 코스타-가브라스가 그려내고자 하는 것은 바로 그런 인간의 이야기들이다. 어쩌면 그가 문학에서 출발해서일지도 모른다. 그는 영화인이기 이전에 대학에서 먼저 발자크, 위고, 졸라 등의 프랑스 작가들에 심취했고, 애당초 작가를 지망하던 문학도였다. 문학을 통해 세상을 바라보면서 그는 정치의 비정함, 경제의 잔인함을 느꼈을 것이다. 어떤 의미에서 그는 돈과 권력이 횡행하는 현실 앞에서 인간의 소중한 가치들이 얼마나 덧없이 망가지고 있는지를 영화를 통해 증언하는 것인지도 모른다. 내가 정치를 증오하지만, 그의 영화가 한국 관객들에게 알려지는 것을 두 팔 벌려 환영하는 이유다.

영화 〈그랑 부프La Grande Bouffe〉의 충격

프랑스에서 본 영화 중 어떤 영화가 가장 기억에 남아 있을까? 감동을 받은 영화로는 〈미션The Mission〉이 최고였고, 지독한 느낌을 받은 영화로는 〈그랑 부프(대만찬)〉와 〈살로 혹은 소돔의 120일Salò o le 120 giornate di Sodoma〉 정도가 생각난다. 〈살로…〉가 이탈리아 감독 피에르 파올로 파솔리니의 작품이기에 이 책에서는 〈그랑 부프〉에 대해 언급하련다.

공교롭게도 프랑스에 처음 도착한 해인 1987년 겨울에 이 영화를 만났다. 충격은 상상을 초월했다. 난 교내에 최루탄이 난무하던 한국을 갓 떠나온 입장이었고, 당시 한국은 아직도 독재와 가난으로 힘들어하던 터였다. 1994년에 귀국했더니 불어과의 모 외국인 교수가 나에게 "한국이 언제부터 변했는지 아니?"라고 물은 적이 있다. 내가 모르겠다고 했더니 올림픽을 치른 후 급속도로 변하더란다. "한국 사람들이 이제는 아주 비싼 옷을 입는다"면서 지하철을 탄 사람들 복장을 살펴보라는 이야기도 덧붙였고… 그는 한국 사회의 현기증 나는 변화에 상당히 놀랐다고 했다. 사실 프랑스로 떠나기 전에 본 한국 사람들이 원색 옷을 많이 입기는 했다. 빨간 바지, 노란 티셔츠, 파란 남방…… 패션과는 아주 거리가 멀었지만 우리는 가난했고, 독재로 인해 몸과 마음이 피폐했으며, 사회에서는 소요가 끊일 줄 몰랐다. 더구나 1987년 6월항쟁을 겪은 지 불과 몇 달 후 프랑스에 도착했으니, 다른 사회를 접하며 느낀 충격이 얼마나 컸겠는가.

이탈리아 영화감독 마르코 페레리

프랑스와 이탈리아가 합작한 〈그랑 부프〉의 감독은 이탈리아의 마르코 페레리Marco Ferreri가 맡았고, 주요 출연진은 프랑스와 이탈리아의 유명 배우들인 마르첼로 마스트로얀니Marcello Mastroianni, 필립 누아레Philippe Noiret, 미셸 피콜리Michel Pioccoli, 우고 토그나지Ugo Tognazzi와 안드레아 페레올Andréa Ferréol이었다. 프랑스에서는 1973년 5월 17일, 이탈리아에서는 같은 해 9월 24일 처음 선을 보였다. 개봉 당시 12세 미만 관람금지였다. 1972년 칸 영화제 심사위원회는 프랑스 영화들이 진부하다고 판단하면서 1973년 제26회 영화제에서 좀 더 대담한 영화들을 소개하자고 결정한 터였다. 그에 따라 고른 작품들이 르네 랄루René Laloux 감독의 애니메이션 〈판타스틱 플래닛La Planète sauvage〉, 장 외스타슈Jean Eustache 감독의 〈엄마와 창녀La Maman et la Putain〉, 그리고 〈그랑 부프〉였다. 하지만 심사위원장이었던 잉마르 베리만Ingmar Bergman은 자신의 눈에 아주 불결하고 천박했던 〈엄마와 창녀〉와 〈그랑 부프〉를 전혀 좋아하지 않았다. 하지만 〈그랑 부프〉는 〈엄마와 창녀〉와 함께 국제비평가연맹상을 공동 수상했다.

시장만능주의에 대한 풍자이자 소비사회에 대한 잔인한 비판, 현대 사회의 소외, 부르주아 계급의 퇴폐를 자기파괴라는 극한까지 밀어붙인 〈그랑 부프〉는 죽을 때까지 먹기로 결심한 네 친구 이야기를 그려냈다. 개봉 당시 상반된 반응을 낳았던 이 영화는 현재 컬트영화 반열에 올라 있다.

영화 〈그랑 부프〉 포스터

네 명의 친구가 한겨울에 한자리에 모인다. 지루한 삶, 충족되지 않는 욕망에 싫증 난 그들은 '식도락 세미나séminaire gastronomique'라고 이름 붙인 한 빌라에 칩거하며 죽을 때까지 음식을 먹는 것으로 집단자살을 꿈꾼다. 흥미롭게도 배우들은 영화 속에서도 자신들의 진짜 이름을 서로 부르고 있다. 첫 번째 주인공은 '르 비스퀴 아 수프Le Biscuit à soupe'라는 레스토랑을 운영하는 요식업자이자 요리사 우고. 그는 〈대부〉의 돈 코를리오네Don Corleone를 흉내내면서 소일하며, 아내와의 오해 때문에 자살하기로 마음먹는다. 두 번째 인물은 유모 니콜과 함께 사는 판사 필립. 유모는 필립이 다른 여자들과 성관계를 맺지 못하게 과잉보호하면서 그의 성적 욕구를 충족시켜준다. 세 번째 인물은 알이탈리아 항공사Alitalia를 위해 일하는 비행기 조종사 마르첼로. 성에 탐닉하는 인물로 자신이 성불구가 되었다는 생각 때문에 무너진다. 네 번째 주인공은 미셸. 방송 제작자이자 TV 프로그램 사회자다. 내향적인 성격에 이혼을 한 인물로 단조로운 삶에 지쳐 있다. 네 사람은 파리 제16구에 소재한 필립 소유의

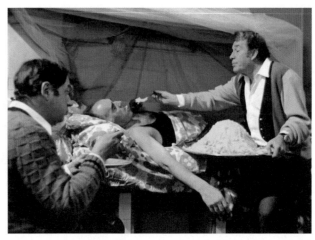

별장을 찾아가는데, 예술작품들이 가득 찬 그곳에서 그들은 미친 듯
이 향연을 벌인다. 마르첼로와 우고는 누가 빨리 굴을 먹는가 내기하
는데, 그들의 경쟁은 여교사인 안드레아가 방문하면서 중단된다. 안
드레아는 프랑스 시인 부알로Nicolas Boileau가 영감을 얻으려 할 때마다
찾았던 '부알로 보리수'를 보러 빌라의 정원을 방문한 것이다. 그들은
저녁식사에 그녀를 초대하며, 우고는 음식을 준비하고, 마르첼로는
매춘부들을 부른다. 매춘부들은 그들의 기이한 행동을 보고 겁에 질
려 도망치지만, 안드레아는 그들 곁에 남아 모성애를 보여준다. 인물
들은 마르첼로부터 차례로 죽어간다. 이유는 저체온증, 소화불량, 당
뇨… 안드레아의 품에 안겨 마지막으로 필립까지 죽은 다음 정원에는
개들이 짖는 소리, 배달업자들이 던져놓은 고깃덩어리만 가득할 뿐이
다. 영화 속에 등장하는 요리들은 파리의 유명 식품점 포숑Fauchon[2]이
만들어 더없이 먹음직스러웠다.

　　페레리는 소비사회, 낭비, 에고이즘, 소진해가는 인간의 육체, 권력,

거래 등을 고발하고 있는데, 그 중
심을 차지하는 것은 섹스와 식도
락이다. 유복한 사회계급이 외부
세계에 관심이 없고 더없이 자기중
심적이기에, 그들은 호사스러운 만
찬, 죽음, 똥, 유폐, 이상理想의 실종,
권태, 고뇌, 고독으로 고통을 받는
다. 영화가 보여주고자 한 것은 가

〈그랑 부프〉 영화음악 앨범

장 동물적인 모습의 인간들이다. 당대 부르주아지bourgeoisie 사회의 패
악을 잔인하게 그려냈기에 영화는 모럴리스트의 작품, 희비극, 장엄한
동시에 섬뜩한 우화로 간주되기도 한다. 그런 연유로 전례 없는 반향
을 불러일으켰다.

　언제던가, 《르 몽드》지가 칸 영화제를 뒤흔든 5개 '사건'에 대해 꾸
민 특집기사를 읽은 적이 있다. 어김없이 〈그랑 부프〉도 포함되어 있었
다. 소비사회에 대한 고발을 자처한 영화는 1973년 영화제 시사회에
서 당연하게도 엄청난 스캔들을 일으켰다. 비평가 클로드-마리 트레
무아Claude-Marie Trémois는 관객을 무시하는 병자의 영화라 혹평("이 영화
가 신성모독하는 대상은 인간, 우애가 넘치는 빵의 분배, 축제라는 개념 자체이고, 신성화
하고 있는 것은 똥이다")했고, 라디오 채널 유럽Europe1의 기자인 프랑수아
샬레François Chalais는 가장 수치스러운 하루였다고 평가했으며, 장 코
는 '구역질 나는 그랑 부프'라는 기사를 실었다. 그러나 반대편에서는
어떻게 이 영화보다 자본주의 사회를 더 리얼하게 그려낼 수 있겠는
가 하고 찬사를 보냈다.

　영화 상영 40주년을 맞이해 2013년 칸에서 다시 이 영화가 상영되

었을 때는 그 누구도 1970년대와 같은 반응을 보이지 않았다. 소비사회의 신화가 성장과 더불어 죽어가는 탓이다. 우고가 미셸에게 던지는 문장은 상징적이다. "미셸, 더 먹게나. 네가 먹지 않으면 죽을 수 없을 테니." 영화가 다룬 금기는 오늘날 해제되었지만 영화 미학에 관한 질문은 여전히 남는다. 문학이 오랫동안 질문해왔듯, 영화가 모든 것을 그려낼 수 있는가 하는 문제다.

아마 이 작품은 자본주의의 속성인 헛헛증을 가장 정직한 방식으로 그려낸 영화일 것이다. 먹어도 먹어도 배가 부르지 않는 병적인 증세를 가리키는 용어다. '나는 소비한다. 고로 존재한다' '나는 욕망한다. 고로 존재한다'라고 계속 외칠 것인지? 난 그 가난하던 한국을 떠나 만났던 풍요에 찌든 유럽, 권태 때문에 절망하던 프랑스에 대한 섬뜩한 기억을 아직도 잊지 못하고 있다. 그 색다르고 특이했던 경험은 앞으로도 영원히 잊을 수 없을 것이다.

장-피에르 죄네Jean-Pierre Jeunet의 도발적인 상상력

영화 〈아멜리에〉를 보셨는지? 〈델리카트슨 사람들Delicatessen〉도 보셨는지? 난 이 영화들이 지극히 프랑스적이라고, 프랑스적 감성과 프랑스의 색깔을 담아낸 영화라고 생각한다. 기괴한 상상력과 기발한 설정이 돋보이는 〈델리카트슨 사람들〉의 유쾌함, 동화적 요소를 가미한 상상력 넘치는 사랑 이야기와 얀 티에르센의 감각적인 선율이 조화를 이루는 영화 〈아멜리에〉의 멋

배우 오드리 토투와 장-피에르 죄네 감독

스러움은 세계인들이 프랑스를 사랑할 수밖에 없도록 만든다. 재기 충만한 아티스트를 정말 많이 보유한 나라가 프랑스지만, 그중에서도 유독 눈에 띄는 인물이 이 두 영화를 만든 장-피에르 죄네다.

장-피에르 죄네는 1953년 9월 3일 루아르 지방의 코토Coteau에서 출

생해 1978년부터 영화계 활동을 시작한 후 영화감독, 시나리오 작가, 영화제작자, 편집자로서 다양한 역할을 수행하고 있다. 독학으로 영화를 배운 그는 주제만큼이나 형식이 중요한 환상영화가 대세가 될 것이라 일찍부터 예감했고, TV 광고와 뮤직비디오를 제작하면서 영상 분야에 뛰어든다. 1986년 에티엔 다오Étienne Daho를 위해, 그리고 1984년에 쥘리앙 클레르Julien Clerc를 위해 제작한 뮤직비디오들이 성공작으로 꼽힌다. 유명해진 후에는 〈아멜리에〉의 주인공 오드리 토투Audrey Tautou를 모델로 샤넬 No.5 향수 광고를 찍었을 정도로 영상미에 대한 죄네의 감각은 탁월하다.

영화 활동을 시작하며 죄네는 디자이너이자 만화가인 마르크 카로 Marc Caro를 만나고 그와 두 편의 단편 애니메이션 〈도피L'Évasion〉(1978) 와 〈회전목마Le Manège〉(1981)를 제작하는데, 〈회전목마〉는 세자르영화제에서 최우수단편영화상을 수상했다. 두 편의 영화가 성공을 거두자 죄네와 카로는 1년 반을 같이 지내며 세 번째 작품인 〈마지막 발포의 벙커Le Bunker de la dernière rafale〉(1981)에 대한 시나리오, 의상, 제작 콘셉트 등을 함께 구상했다. 이 영화는 SF와 판타지를 결합해 땅 아래 갇힌 병사들의 점점 심해지는 망상증을 그려낸 작품이었다. 이때 처음으로 질 아드리엥Gilles Adrien과도 시나리오를 작업하는데, 그와의 협업은 이후 〈델리카트슨 사람들〉(1991), 〈잃어버린 아이들의 도시La Cité des enfants perdus〉(1995)까지 계속되었다. 질 아드리엥 말고 죄네와 협력한 또 다른 시나리오 작가는 기욤 로랑Guillaume Laurant이다. 그 후 카로 없이 두 편의 단편 〈빌리 브라코에게 휴식은 없다Pas de repos pour Billy Brakko〉(1984) 와 〈쓸모없는 것들Foutaises〉(1989)을 제작했으며 세자르를 비롯한 영화제에서 수상하는 영예를 누렸다.

장-피에르 죄네가 감독을 맡은 대표적인 장편영화로는 〈델리카트슨 사람들〉〈잃어버린 아이들의 도시〉〈에일리언 4Alien, Resurrection〉(1997), 〈아멜리에〉(2001), 〈인게이지먼트Un long dimanche de fiançailles〉(2004), 〈스피벳: 천재 발명가의 기묘한 여행L'Extravagant voyage du jeune et prodigieux T.S. Spivet〉(2013) 등이 있다. 하나하나가 대중의 극찬을 받은 영화들이다. 프랑스에서만 총 2,000만 명 이상의 관객을 동원했는데, 〈델리카트슨 사람들〉이 140만 명, 〈잃어버린 아이들의 도시〉가 130만 명, 〈에일리언 4〉가 284만 명, 〈아멜리에〉가 863만 명, 〈인게이지먼트〉가 445만 명을 극장으로 불러들였다.

죄네의 영화들은 도시의 일상적인 요소로부터 출발해 몽환적인 세계를 창조해내거나(〈델리카트슨 사람들〉〈잃어버린 아이들의 도시〉), 일상 속에서 우연적인 요소를 끄집어내면서(〈아멜리에〉) 환상과 다양한 층위의 현실을 뒤섞는다. 하지만 공포를 다룰 때조차 그의 영화들은 일정 부분 어린아이의 유머를 지니고 있다. 무엇보다 그의 영화들에서 돋보이는 것은 작품 속에 녹아든 동화적 요소다. 동화 같은 풍경은 한편으로는 우리에게 잃어버린 세계에 대한 노스탤지어를 불러일으키고, 다른 한편으로는 세상의 잔인한 현실을 잠시 망각하게 해준다.

전염병이 창궐하자 도살업자가 자신의 아파트 세입자들에게 음식을 공급하기 위해 사람을 죽이는 종말론적 미래를 그려낸 〈델리카트슨 사람들〉은 탐욕으로 가득한 물신적物神的 세상을 닮아 있다. 그러나 그 세계는 전혀 무섭지 않다. 죄네가 그려낸 몽환적 세계는 우리의 인식을 해체시키며 우리를 상상 속에서 뛰어놀게 만든다. 마치 인위적인 연극무대 위에서 배우들이 연기하는 듯한 느낌이고, 곳곳에서 등장하는 코믹한 요소들은 극단적인 설정을 심각하게 받아들이는 대신 영

영화 〈델리카트슨 사람들〉 포스터

화와 유희하게 만든다. 또한 〈델리카트슨 사람들〉의 배경은 그 어떤 시대 관련 표지도 제공하지 않는다. 꿈속에서나 만날 것 같은 세상인 동시에 우리가 사는 세상의 축소판이다. 세계를 채우고 있는 것은 평범하고도 남루한 일상을 이어가는 우리 자신이다. 미남 미녀가 별로 등장하지 않는 대신 도미니크 피농Dominique Pinon이나 장-클로드 드레퓌스Jean-Claude Dreyfus처럼 개성만점의 인물들이 등장한다. 조연과 엑스트라에 가까운 캐릭터들은 모두 등가적인 의미를 지닌다. 평범한 그들은 사소한 선물에 열광하며, 음악을 사랑하고, 사랑을 갈구한다. 또 무수한 살인이 자행된 후 남녀 두 주인공이 지붕 위에 올라가 함께 음악을 연주하는 마지막 장면에서는 도스토옙스키의 그 유명한 '예술이 세상을 구원한다.'는 명제도 모습을 드러낸다.

이후 발표된 〈잃어버린 아이들의 도시〉는 미친 과학자가 젊음을 영원히 유지하기 위해 어린이들의 꿈을 훔치는 내용을 다루는데, 나이 듦의 미덕을 거부하는 성인 세상의 광기를 담아내고 있다. 어린이 대상의 이 영화가 '어둡다'고 평가하는 일부 사람들에게 죄네는 〈피노키오〉(1940)나 〈밤비〉(1942)보다 결코 더 어둡지 않다고 항변한다.

〈아멜리에〉에는 우연이 가득하고, 몽상이 넘쳐흐르며, 사랑이 들끓는다. 이 영화를 관람한 후 주위 사람들 모두를 행복하게 만드는 에너지를 지닌 여인 오드리 토투와 사랑에 빠지지 않은 사람은 없을 것이다. 그녀가 사랑과 꿈에 대한 우리의 열정을 대변하지 않았다면 〈아멜리에〉가 프랑스 영화사상 가장 뛰어난 세계적인 성공을 거둘 수 있었

빌레트 야외 영화 축제가 마련한 장-피에르 죄네 감독 특집행사 포스터

을까? 하지만 사랑을 찾지 못하는 여주인공은 서로를 소외시키는 현대인들의 자화상이기도 하다. 동화가 우리네 인생을 우화적으로 그려내듯, 현실과 환상이 중첩된 죄네의 작품세계는 잔인한 세상을 역설적으로 아름답게 그려내고 있을 뿐이다.

카로와 죄네 전시회, 포스터

2015년에 죄네는 차기작이 프랑수아 트뤼포의 1977년작 〈여자를 좋아했던 남자L'Homme qui aimait les femmes〉와 비슷한 영화일 것이라 예고했고, 2019년에는 에로 영화와 인공지능 로봇에 대한 두 개의 스크립트를 가지고 있다고 발표했다. 인공지능 로봇에 대한 영화 제목은 〈빅 버그Big Bug〉이며, 2021년에 넷플릭스가 배급할 예정이다. 〈델리카트슨 사람들〉 〈잃어버린 아이들의

도시〉와 그 이후의 작품들을 비교해보면, 1997년에 카로와 결별한 후 죄네의 작품세계에서는 기상천외한 상상력과 풍자, 독창적인 서사가 희미해진 느낌이다. 그들의 협업이 좀 더 오래 지속되었으면 어땠을까 하는 아쉬움이 없지 않다. 난 아직도 죄네와 카로가 함께 그려낸 그 낯설고도 기발한, 독특한 색채의 세계를 잊지 못하고 있다.

〈판타스틱 플래닛La Planète sauvage〉,
애니메이션에서 만난 몽환적인 세계

두 거장 르네 랄루와 롤랑 토포르Roland Topor의 만남이 1973년에 만들어낸 〈판타스틱 플래닛〉은 내가 지금껏 접한 애니메이션 중 가장 유니크하고 프랑스적인 작품이었다. 가장 팝pop하고 철학적인 작품으로도 꼽힌다. 미술과 애니메이션의 협업이 어느 정도까지 고급스러운 작품을 만들어낼 수 있는지 잘 보여주는 사례였다. 나에게 이 애니메이션은 디즈니와 살바도르 달리Salvador Dali가 함께 제작한 〈데스티노 Destino〉를 연상시키기도 했다.

르네 랄루는 1929년 7월 13일 출생해 2004년 3월 14일 74세로 사망한 애니메이션 감독, 화가 겸 조각가였다. 그가 제작한 영화들로는 〈판타스틱 플래닛〉〈타임 마스터Les Maîtres du temps〉, 1987년작 〈간다하르Gandahar〉가 있다. 어릴 적부터 찰리 채플린, 디즈니와 텍스 에이버리 Tex Avery의 미국 영화들에 빠져들었던 르네 랄루는 데생과 영화라는 두 가지 주제에 관심이 많았다. 1960년에 최초의 단편 애니메이션 〈원숭이의 이빨Les Dents du singe〉을 제작하면서 천진난만하고도 그로테스크한 작품세계를 처음 드러낸다. 그는 1960년대에 작가이자 삽화가

르네 랄루

롤랑 토포르

롤랑 토포르, 작곡가 알랭 고라귀에Alain Goraguer 와 만나 여러 작업을 함께 한다. 그에 따라 제작 된 단편 작품이 1964년의 〈죽은 시간들Les Temps morts〉, 1965년의 〈달팽이들Les Escargots〉이었다.

삽화가, 소설가이자 시나리오 작가였던 토포 르 역시 독특한 인물이었다. 그는 의도적으로 일 탈과 블랙 유머를 선택하는 그야말로 변화무쌍 한 창작자였고, 상상력이 넘쳐나 분류 자체가 불가능한 아티스트였으며, 인간의 본성을 꿰뚫 어 본 위대한 관찰자였다. 눈살을 찌푸리게 하면 서 규칙 위반을 일삼는 그의 작품세계는 혐오감 과 웃음을 동시에 불러일으켰다. 그는 1938년 파리에서 폴란드 출신 유대인 망명자 부모에게서 출생했는데, 국립고등미술학교École nationale supérieure des Beaux-Arts에서 공부한 후 보여주기 시작한 작품세계는 성 적性的이고도 유쾌했다. 그는 자유로운 영혼이었고, 모든 것에 관심을 가지는 존재였다. 권태는 죽음과 가깝다고 규정한 그는 '결코 지루해 지지 말기'를 자신의 강령으로 삼았다. 토포르의 세계에는 악마적인 성, 구멍 나고 조각난 신체, 벌어진 상처, 피, 고기, 물어뜯기, 똥이 차 고 넘친다. 토포르가 예술을 배출구로 활용했기에, 그의 작품들은 우 리의 동물성과 욕망을 끊임없이 조회하게 만든다. 그런 연유로 토포 르의 다양한 데생은 인간 조건의 비밀을 여전히 감추고 있는 히에로 니무스 보스의 〈열락의 정원Tuin der Lusten〉, 피터르 브뤼헐의 노골적인 그림, 제임스 앙소르James Ensor의 그로테스크한 그림들을 연상시킨다.

랄루와 토포르 두 사람의 만남은 그 자체만으로도 충분히 흥미로웠다. 두 사람이 공동 감독을 맡아 함께 시나리오를 쓰고 토포르가 기초 데생을 한 페이퍼 애니메이션 〈판타스틱 플래닛〉은 1973년 칸 영화제에서 심사위원특별상을 받았다. 1969년부터 시작된 작업은 예산과 기술적인 문제 때문에 체코슬로바키아의 이리 트른카Jiří Trnka 스

영화 〈판타스틱 플래닛〉 포스터

튜디오에서 진행되었다. 스테판 울Stefan Wul이 쓴 SF소설 《옴 시리즈 Oms en série》를 각색한 〈판타스틱 플래닛〉은 몽환적인 세계를 그려낸 작품이다. 거대한 외계인 세계 속에서 인간은 동물로 축소되어 있고, 반란을 일으켜 독립을 쟁취하려고 애쓴다. 환각 증세를 낳는 음악, 시학을 담아낸 이 영화는 개봉하는 순간부터 성인을 위한 가장 위대한 애니메이션 반열에 올랐다.

영화 〈혹성탈출War for the Planet of the Apes〉 시리즈가 보여준 인간과 유인원이 대립하는 세계, 혹은 〈블레이드 러너Blade Runner〉 시리즈가 다룬 인간과 휴머노이드가 격돌하는 세계가 오늘날 대세이기에 애니메이션이 취급한 스토리도 나의 호기심을 자극했다.

이얌 행성에는 드라그들이 산다. 키가 12m에 달하는 일종의 휴머노이드로서, 그들의 지식은 정점에 달해 있으며 하루 중 대부분의 시간은 명상하도록 설정되어 있다. 드라그의 아이들은 황폐해진 먼 땅인 테라Terra에서 건너온 작고 귀여운 동물인 옴oms들을 정말 좋아한다. 프랑스어로 지구가 '테르terre', 인간이 '옴homme'이니 이를 패러디한 표현들일 것이다. 옴이 적응 능력이 뛰어나다고 해도 지적인 피조물로

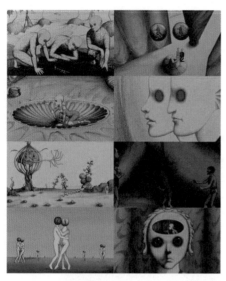

영화 〈판타스틱 플래닛〉의 인상적인 장면들

여기는 드라그들은 거의 없다. 심지어 드라그들은 옴을 해롭다고 생각한다. 드라그의 1주일이 옴의 1년에 해당하므로, 야생 옴은 빠른 속도로 번식해 드라그의 물건들을 훔치기 때문이다. 주인공 테르는 야생 옴인데, 드라그 아이들이 테르의 어머니를 갖고 놀다가 실수로 죽이자 고아가 된다. 이얌 행성 최고지도자들 중 하나인 신Sinh의 딸인 티바가 테르를 발견하고 애지중지하며 키우지만, 테르의 목에는 티바가 조종할 수 있는 목걸이가 채워져 있다. 드라그의 성장이 옴의 성장보다 더디기 때문에 테르가 청소년이 되어도 티바는 여전히 청소년이다. 티바는 헤드폰과 비슷하게 생긴 도구를 사용하고 있는데, 모든 종류의 지식을 습득할 수 있도록 하는 기계다. 테르는 티바의 이 도구를 이용해 드라그의 언어를 익히고 지식을 전수받아 그들이 독점했던 우주의 질서와 비밀스러운 정보들을 모두 캐내기에 이른다. 어느 날 테르는 헤드폰을 가지고 탈출을 시도한다. 테르가 사라진 것을 확인한 티바는 목걸이를 작동시키지만 야생의 여자 옴이 칼로 목걸이를 끊어내고서 테르를 자기 부족들이 있는 공원으로 데리고 간다. 테르는 부족 사람들에게 받아들여지며, 헤드폰은 야생 옴들이 지식을 쌓을 수 있도록 하는 용도로 활용된다. 어느 날 공원의 옴들을 소탕하는 일이 벌어진다. 일부 옴들은 도망치지만 다수가 죽임을 당한다. 옴들은 저항을 시작하며, 드라그 하나를 죽인 후 버려진 로켓 폐기장으로 향한다.

15년 후 옴들은 로켓을 만드는 데 성공하며, 이얌 주위를 돌고 있는 '판타스틱 플래닛'으로 떠날 계획을 세운다. 드라그들의 대대적인 옴 소탕 작전을 피해 로켓 두 대를 겨우 발사한 그들은 마침내 판타스틱 플래닛에 도착한다. 옴족은 그곳에서 드라그들이 명상하는 동안 만들어진 방울을 통해 석상으로 번식행위를 하는 것을 목격한

〈판타스틱 플래닛〉 주인공 티바와 테르

다. 옴들은 석상을 모두 파괴해 거인 문명을 위험에 빠뜨린다. 하지만 결국은 두 진영 사이에 평화조약이 체결되며, 두 문명은 서로 조화를 이루며 살게 된다.

독특한 색감과 기괴한 그림, 중독성 있는 사운드트랙으로 설명되는 이 애니메이션은 하나의 완벽한 예술작품이었다. 랄루는 이 영화를 통해 지성과 사회, 정치와 인간 본성에 대한 성찰을 시도했고, 그러한 시도는 완벽한 성공을 거둔 것으로 보인다. 그러나 원작소설과는 두 가지 점에서 차이를 보인다. 영화에서 옴들은 로켓을 타고 판타스틱 플래닛으로 향하지만 소설에서는 배를 타고 사람이 살지 않는 대륙으로 향한다. 또 영화의 핵심 요소인 드라그들의 명상은 소설에는 등장하지 않는다. 명상 중인 드라그들을 파괴해 승리를 거두는 옴들을 그

려낸 영화와는 달리, 소설은 옴들이 드라그들의 군사 공격에 가열하게 맞서다 마지막 속임수를 통해 평화조약을 맺는 것으로 그려냈다.

초현실주의의 영향을 받은 토포르가 그려낸 시적인 세계는 잔인한 동시에 성상파괴적이었다. 또 넘치는 상상력과 시적인 아름다움은 우리 속에 내재한 동물성을 불안스러운 방식으로 완벽하게 재현해내고 있었다. 무엇보다도 이 애니메이션은 노예제도와 저항, 문명과 야만, 스위프트Jonathan Swift와 스파르타쿠스Spartacus가 만나는 우화로서, 동유럽에서 자행된 대학살에 대한 정치적 알레고리를 담아냈다. 이 정도까지 미래 사회를 철학적으로 고찰한 애니메이션은 당분간 만나기 힘들 것이라는 느낌이다.

주석

1 클로드 베리(1934.6.1.~2009.1.12.) : 1990년대 프랑스 영화계를 이끌었던 감독이자 프로듀서.
   그의 영화는 집단적이고 대중적이며 회고적인 특징이 있으며 〈아버지의 영화〉(1971)라는 영화
   제목이 보여주듯 프랑스 영화의 전통을 계승한다. 대표작으로는 〈마농의 샘〉(1986), 〈제르미
   날〉(1993) 등이 있다.

2 포숑 : 130년 전통을 자랑하는 프랑스 최고의 식료품 브랜드 중 하나. 포숑의 철학을 이어받
   은 셰프들이 프랑스 전역에서 구한 최상의 식자재로 명품을 만들어내고 있다.

음악

Musique

Art de combiner des sons d'après des règles
(variables selon les lieux et les époques),
d'organiser une durée avec des éléments
sonores ; production de cet art (sons ou
œuvres).

Musique

샹송과 대중음악, 나를 키운 또 다른 8할

영화 〈금지된 장난〉 포스터

샹송, 프랑스 대중 사이에서 널리 불리는 가요. 먼 옛날 내가 프랑스에 관심을 가지게 해준 대상. 다니엘 리카리Danielle Licari가 부른 '하나의 목소리를 위한 협주곡Concerto pour une voix'의 환상적인 느낌, 미셸 폴나레프의 '홀리데이스Holidays' 속 감미로운 미성, 영화 〈금지된 장난 Jeux interdits〉에 삽입된 그 슬픈 기타 연주음악을 여느 나라 음악이 담아낼 수 있었을까? 폴 모리아Paul Mauriat 악단이 연주하던 더없이 경쾌한 멜로디는? 40여 년 동안 내가 샹송으로부터 눈을 뗀 적은 단 한 번도 없다. 음악은 늘 나를 위로해주었고, 가장 어려운 순간에조차 내가 버틸 수 있도록 힘이 되어주었다. 더없이 풍요롭고 방대한 샹송에 대해 무슨 이야기를 할 수 있을지. 난 그 세계 앞에서 경이만을 느꼈을 따름이다.

레오 페레

옛날부터 머릿속에 담아둔 샹
송의 분류기준이 있다. 거친 기준
이지만, 그래도 새로운 샹송을 접
할 때마다 어떤 기준에 들어맞을
까 늘 생각해보곤 했다. 내 생각에
프랑스 샹송은 크게 세 카테고리
로 나뉜다. 그 첫 번째는 '시적 샹
송chanson poétique'이다. '시간과 더
불어Avec le temps', '멋져C'est extra' 같
은 노래를 부른 레오 페레Léo Ferré
가 대표적인 가수이며, 직접 작
곡 작사하는 싱어송라이터가 많
다. 음악의 격조 때문에 레오 페레
는 프랑스인들로부터 상당한 존경

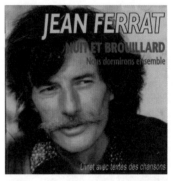

장 페라

을 받고 있다. 두 번째 카테고리는 '정치적 샹송chanson politique'. 장 페
라Jean Ferrat가 대표적인 가수다. 말 그대로 당대의 많은 정치적 문제를
노랫말 속에 담아냈는데, 유대인 학살 문제를 다룬 '밤과 안개Nuit et
Brouillard', 1905년 6월 26일 벌어진 러시아 병사들의 해상 반란을 다룬
'포템킨Potemkine' 등이 그의 대표곡들이다. 또 그가 부른 '나의 프랑스
Ma France'도 들어보시길. 조국에 대한 사랑이 절절히 느껴진다. 세 번째
이자 마지막 카테고리는 1960년대 이후 미국 대중음악의 리듬을 받아
들이며 생겨난 장르인 '예예yé-yé'. 미국에서 흘러들어온 로큰롤의 영향
으로 조니 알리데, 미셸 폴나레프, 실비 바르탕Sylvie Vartan 같은 신세대

샹송 가수들이 비트를 가미한 음악을 선보였다. 크게는 이렇게 나눌 수 있기에 이런저런 책에서 비슷한 기준을 채택하는 경우가 많다. 하지만 그 넓은 세계를 담아내기에는 턱없이 부족한 기준이다.

샹송에 대해 이 글을 쓰려고 검색하던 중 우연히 찾아낸 인터넷 페이지가 있다. 국영 라디오 방송국인 프랑스 앵포France Info가 샹송을 주제로 내보냈던 프로그램이다. 제목은 〈역사를 만든 샹송들Ces chansons qui font l'histoire〉. 원래 교육적 성격으로 만든 프로인 것 같았다. 샹송 86곡을 추려놓았는데, 나를 행복하게 만들었던 노래들이 상당히 많이 있었다. 시대별로 고찰해보니 내가 좋아하는 노래들이 언제 나왔는지 어느 정도 가늠할 수 있었다. 내가 특히 좋아하는 노래들만 소개해본다.

나나 무스쿠리Nana Mouskouri 음악으로 우리에게 너무나 잘 알려진 '사랑의 기쁨Plaisir d'amour'은 1784년에 작곡되었으며, '체리꽃 피는 시절'은 1867년에 처음 선을 보였다. 1930년에는 '사랑한다 말해줘요 Parlez-moi d'amour'가 발표된다. 영화 〈북회귀선Henry & June〉(1990)에도 삽입된 음악이다. 2차대전 와중에 등장해 프랑스와 독일 양국에서 선풍적인 인기를 끌었던 '릴리 마를렌Lili Marleen'은 1939년 음악이다. 1943년에는 '부드러운 프랑스Douce France'라는 샤를 트레네Charles Trenet의 노래가 선을 보인다. 이 제목은 문화예술로 세계 속에서 자리매김하고 있는 프랑스가 스스로 내세우는 이미지이기도 하다. 하지만 난 그가 부른 '바다La Mer'를 더 좋아한다. 이 노래를 들을 때면 정말 바다가 눈앞에서 출렁이는 느낌이다.

또 같은 해에 '파르티잔[1]의 노래Le Chant des Partisans'도 등장했다. 2차대전 와중이라 더욱 사람들 입에 자주 오르내렸을 것이다. 독일의 점령에서 해방된 다음해에는 이브 몽탕이 부른 전설적인 음악 '고엽Les Feuilles mortes'이 발표되었다. 떠나간 사랑을 아쉬워하는 이 노래는 매년 가을이 되면 아직도 늘 전파를 탄다. 마찬가지로 전설이 된 '떠나지 말아요Ne me quitte pas'는 1959년에 자크 브렐Jacques Brel이 불렀다. 영어 번역곡 '이프 유 고 어웨이If you go away'로도 우리의 사랑을 받는 노래. 브렐은 1964년에 '암스테르담Amsterdam'이라는 또 다른 명곡을 발표했다. 1960년에는 '사랑의 찬가Hymne à l'amour'등으로 유명한 에디트 피아프Édith Piaf가 여러 곡을 발표했는데, 절규하는 듯한 그녀의 목소리는 아직도 깊은 울림을 준다. 1962년은 프랑스 명배우 잔 모로Jeanne Moreau의 '삶의 소용돌이Le Tourbillon de la vie'가 발표된 해. 1995년 칸 영화제 시상식에서 바네사 파라디Vanessa Paradis가 잔 모로와 함께 이 노래를 듀엣으로 부르며 추억을 환기한 영상은 두

이브 몽탕

자크 브렐

에디트 피아프

영화 〈남과 여〉 포스터

칸 영화제에서 '삶의 소용돌이'를 함께 부르는 바네사 파라디와 잔 모로

미셸 폴나레프

조르주 무스타키

고두고 화제가 되었다. 유튜브를 통해서도 감상할 수 있다. 1963년에는 앞에서 언급한 '밤과 안개'가 선을 보였다. 1966년에는 작곡가 프랑시스 레이Francis Lai가 동명의 영화에 삽입한 '남과 여Un homme et Une femme'가 영상과 더불어 큰 인기를 끌었다. 나에게도 당시 이 음악은 정말 강렬하게 다가왔다.

1968년에는 내가 모든 프랑스 가수를 통틀어 가장 사랑하는 미셸 폴나레프가 부른 '라즈가家의 무도회Le Bal des Laze'가 발표된다. 난 특이한 음색의 이 가수에게 40년 내내 매료당하고 있다. 1969년에는 조르주 무스타키Georges Moustaki가 부른 '거류 외국인Le Métèque'이 선을 보였다. 이 싱어송라이터가 잔잔하게 부르는 '너무 늦었어Il est trop tard', '삶의 시간Le Temps de vivre', '고독La Solitude'도 내가 사랑하는 곡들이다. 1969년은 또한 세르주 갱스부르 시대가 열리는 해. 그 후 그는 영국 출신의 배우이자 가수인 연인 제인 버킨Jane Birkin과 함께 숱한 화제를 만들어 낸다. 1970년에는 브르타뉴 지방의 가수 질 세르바Gilles Servat가 불러 충격을 준 '흰 담비La Blanche Hermine'가 발표된다. 브르타뉴의 상징적 동물 흰 담비를 제목으로 내걸고, 가사는 파리에 맞서는 브르타뉴의 정체성을 담고 있다. 사냥꾼에 쫓겨 늪 앞에 다다르면 흰 담비는 몸을 더럽히기보다 스스로 목숨을 끊는단다. 1986년은 장-자크 골드만이 주도하는 '레 장푸아레(얼간이들)'가 모습을 드러낸 해다. '사랑의 레스토랑'이라는 사회구제 행사에 아티스트들이 기금을 보태기 위해 마련한 자선 콘서트로, 이 책의 〈프랑스인이 가장 좋아하는 인물들〉 챕터에서 상세하게 다루었다. 1998년에는 마노Manau라는 이름의 그룹이 '다나 부족La Tribu de Dana'을 발표해 큰 반향을 불러일으켰다. 이 곡은 브르타뉴의 전통 곡조를 사용했다는 이유로 지적 재산권에 관한 논쟁을 유발했는데, 켈트 이야기를 랩 음악으로 풀어냈다는 점은 그 자체로 충분히 신선했다. 같은해 여름 발매된 앨범은 무려 100만 장이 넘게 팔렸다.

  86곡 중 내가 좋아하는 노래들에 설명을 붙이다 보니 우습다는 생각이 들기도 한다. 장님 코끼리 만지는 식. 하지만 나는 샹송에 대한 애정을 어떤 식으로든 드러내고 싶었다. 이 짧은 글이 다루지 않은 무수한 가수들이 있기에, 여건이 되면 샹송만 다룬 책도 선을 보일 예정이다. 대중가요 그 자체가 역사이기 때문이다. 노래 속에는 삶을 사랑하는 기쁨, 식도락의 정취, 술과 침실에 대한 애정이 담겨 있는가 하면, 정부·군대·종교에 대한 분노도 들어 있다. 음악만큼 우리의 오감을 자극하는 것도, 오래 기억되는 것도 없다. 그런데 프랑스에서 그렇게 멋졌던 샹송들이 한국에서 들으면 지극히 밋밋하게 느껴지는 경험도 여러 차례 했다. 역시 한국 땅에서는 김광석이 최고였다. 또 다른 사람들은 나훈아, 트로트, '임을 위한 행진곡'에 열광하겠지만. 음악도 신토불이라고나 할까?

서정과 노스탤지어가 만나다, 프랑스 영화음악

테아트르 드 샹젤리제에서 만난 〈셰르부르의 우산Les Parapluies de Cherbourg〉 콘서트를 영원히 잊을 수 없으리라. 그 영화를 처음 보았던 젊은 시절의 느낌을 고스란히 되살릴 만큼 감동적이었다. 콘서트를 찾은 사람들 모두 나와 비슷한 심정이었을 것이다. 오케스트라가 들려주는 영화음악은 영화에서 음악이 왜 중요한지, 그리고 그 두 장르의 결합이 얼마나 대단한 시너지

미셸 르그랑의 영화음악을 무대로 옮긴 뮤지컬 〈셰르부르의 우산〉 포스터

효과를 낼 수 있는지 충분히 보여주었다.

오늘날 엔니오 모리코네Ennio Morricone, 존 윌리엄스John Williams, 한스 짐머Hans Zimmer, 마이클 니만Michael Nyman 등의 영화음악 작곡가들이 세계적으로 이름을 떨치고 있지만, 프랑스 역시 독특한 영화음악 전통

을 보유하고 있다. 프랑스 영화음악과의 개인적인 만남은 삼청동 입구에 프랑스문화원이 있던 시절에 지하 영화관에서 〈금지된 장난〉을 처음 만났던 1970년대까지 거슬러 올라간다. 비슷한 시기에 〈남과 여〉도 개봉관에서 만났던 것 같다. 그 영화음악의 특별한 느낌을 어떻게 설명할 수 있으랴. 우수에 젖은 동시에 서정적이고, 향수를 불러일으키는 동시에 낯설었다. 그렇지만 우리가 이미 오래전부터 프랑스 작곡가들의 영화음악을 들어왔기에, 영화음악에 관한 한 각국 사이의 경계는 그다지 의미가 없어 보인다.

1930년대 이후 영화음악 분야에서 독보적인 위상을 누려온 프랑스는 국제적인 명성을 획득한 수많은 영화음악 작곡가를 보유하고 있다. "영화음악 작곡가는 모든 문화에 통달해야 한다"는 표현을 통해, 페데리코 펠리니의 창작 동료이자 그의 음악적 분신이었던 니노 로타 Nino Rota는 영화음악가를 '또 다른 창작가인 감독의 세계를 통해 자신을 표현하는 창조자이자 음악인'으로 규정하고 있다. 영화음악에서는 신고전주의에서 랩에 이르기까지, 민요에서부터 재즈에 이르기까지 그 어떤 제약이나 규제도 없다. 바로 이러한 다양성 때문에 샹송 가수를 위시한 많은 프랑스 음악가들이 제7의 예술에 관심을 기울이며, 영화에서 유토피아에 대한 희망을 발견하면서 1930년대부터 영화음악에 뛰어들었다.

역사적으로 고찰할 때, 영화에 음악 및 음향을 넣고자 시도하면서 이론을 정립한 최초의 인물은 프랑스인이다. 그는 장 비고Jean Vigo(〈애틀란타L'Atalante〉)와 마르셀 카르네Marcel Carné(〈안개 낀 부두Le Quai des Brumes〉〈해는 또다시 떠오른다Le Jour se lève〉) 감독의 영화음악을 담당했던 모리스 조베르Maurice Jaubert였다. 미니멀리즘을 추구한 서정적 시인인 동시에 첫 번째 위대한 유성영화 작곡자였던 조베르는 1930년부터 전선에서 사망하는 1940년까지 활발하게 영화음악을 작곡했다. 그 후 프랑스는 영화음악 생산의 중심축으로 자리 잡으면서 수많은 음악인을 불러들였다. 헝가리인 미클로스 로자Miklós Rózsa는 1920년대 파리에서 영화음악까지 저변을 넓혀가던 클래식 작곡가 아르튀르 오네게르Arthur Honegger를 사사하던 중 할리우드로 건너갔고, 나중에 알프레드 히치콕Alfred Hitchcock, 존 휴스턴John Huston, 윌리엄 와일러William Wyler(〈벤허Ben-Hur〉)의 영화음악을 담당하게 된다. 30년 후 아르헨티나인인 랄로 쉬프린Lalo Schifrin(〈미션 임파서블Mission: Impossible〉〈블리트Bullitt〉〈탱고Tango〉)과 미국인 퀸시 존스Quincy Jones(〈밤의 열기 속에서In the Heat of the Night〉)는 거의 같은 시기에 나디아 불랑제Nadia Boulanger의 지도를 받으며 파리고등음악원Conservatoire National Supérieur de Musique et de Danse de Paris에서 수학했다. 나디아 불랑제는 1960년대 초에 젊은 루마니아 이민자였던 블라디미르 코스마 Vladimir Cosma를 영화음악의 대가로 키워내기도 했다. 향후 코스마는 노스탤지어를 불러일으키는 선율로 프랑스 영화들을 채워나간다.

미셸 르그랑 ©theguardian.com

한때 프랑스 영화음악은 시청각 전 분야를 통틀어 가장 수출이 활발했다. 모리스 자르Maurice Jarre, 프랑시스 레이(〈러브 스토리Love Story〉), 미셸 르그랑Michel Legrand(〈42년의 여름Summer of '42〉〈옌틀Yentl〉〈셰르

모리스 자르 ©thetimes.co.uk

546

블라디미르 코스마

가브리엘 야레드

에릭 세라

부르의 우산〉), 조르주 들르뤼Georges Delerue(〈플래툰Platoon〉), 가브리엘 야레드Gabriel Yared(〈잉글리쉬 페이션트The English Patient〉), 에릭 세라Eric Serra(〈그랑 블루Le Grand Bleu〉 〈007 골든아이 GoldenEye〉) 등이 국제적으로 명성을 알린 주자들이다. 그러나 로스앤젤레스에서 맹위를 떨친 첫 프랑스 영화음악가 폴 미스라키Paul Misraki 이후 모리스 자르가 1966년, 조르주 들르뤼가 1981년 더 나은 작업환경을 찾아 할리우드행을 택하는 등 많은 음악가가 프랑스를 떠나 프랑스 영화음악계는 인재 손실을 겪었다. 자크 드미 감독의 음악영화들(〈셰르부르의 우산〉 〈로슈포르의 처녀들Les Demoiselles de Rochefort〉)이 성공을 거둔 이후 이 영화들의 음악을 담당했던 미셸 르그랑 역시 1968년 미국으로 떠났다가 프랑스로 되돌아오기도 했다.

다음은 신세대가 등장하는 시기다. 가브리엘 야레드에 뒤이어 등장한 신예는 에릭 세라로, 그는 뤽 베송Luc Besson 영화에 삽입된 음악 대부분을 맡았다. 1990년대 중반에 이르러서는 브뤼노 쿨레Bruno Coulais(〈마이크로코스모스Microcosmos〉 〈돈 주앙〉 〈코러스Les Choristes〉), 베아트리스 티리에Béatrice Thiriet(〈사자死者들과의 화해Petits arrangements avec les morts〉

〈바다 건너편L'Autre côté de la mer〉), 알렉상드르 데스플라Alexandre Desplat(〈벤자민 버튼의 시간은 거꾸로 간다The Curious Case of Benjamin Button〉 〈러브 에세트라 Love, etc.〉 〈해리 포터와 죽음의 성물Harry Potter and The Deathly Hallows〉 〈그랜드 부다페스트 호텔The Grand Budapest Hotel〉), 피에르 아드노Pierre Adenot(〈성자의 고백Les Aveux de l'innocent〉) 등 장래의 거장들이 속속 등장했다. 비록 이 영화음악가들이 1950년대 후반부터 1960년대 초반에 걸쳐 주제와 기술상의 혁신을 추구했던 예전의 누벨 바그Nouvelle Vague 운동과 같은 결속력을 보여주지는 못했을지라도, 동시대 영화감독들인 파스칼 페랑 Pascale Ferran, 도미니크 카브레라Dominique Cabrera, 아르노 데플레생Arnaud Desplechin, 에릭 로샹Éric Rochant, 드니 포달리데스Denis Podalydès, 래티시아 마송Laetitia Masson, 마티외 카소비츠가 만든 영화들을 통해 시대를 껴안으려는 노력을 보여주고 있다. 젊은 영화음악가들을 불안하게 만드는 유일한 근심거리는 쿠엔틴 타란티노Quentin Tarantino처럼 자신의 영화 전체 혹은 부분을 기존의 팝, 록, 랩 음악으로 채우는 감독들이 점점 늘어나고 있는 현상이다. 일시적인 현상인지 아니면 독창적 음악의 창조에 대한 지속적 거부인지 알 수 없다. 그럼에도 영화음악은 대중성을 확보하면서 많은 영화 애호가의 사랑을 받고 있다. 끝으로 내가 좋아하는 몇몇 프랑스 영화음악가를 보다 상세히 소개하련다.

1. 모리스 자르Maurice Jarre

〈아라비아의 로렌스Lawrence of Arabia〉 〈닥터 지바고Doctor Zhivago〉, 〈인도로 가는 길A Passage to India〉 속 음악은 그에게 세 개의 아카데미상을 안겨주었다. 원래 타악기 연주자였고, 오늘날 세계적인 신시사이저 연주자로 꼽히는 장-미셸 자르Jean-Michel Jarre의 아버지인 그는 1952년

에 〈앵발리드 호텔Hôtel des Invalides〉 영화음악을
작곡하면서 이 분야에 데뷔했다. 샤이요 국립민
중극단Théâtre National Populaire de Chaillot의 음악감
독을 역임한 후 리옹과 로스앤젤레스를 오가며
활동했다. 〈사랑과 영혼Ghost〉과 〈죽은 시인의
사회Dead Poets Society〉 영화음악을 담당하기도 했
다. 전반적으로 그의 음악은 대단한 감동을 준
다.

영화 〈아라비아의 로렌스〉 포스터

영화 〈셰르부르의 우산〉 포스터

2. 미셀 르그랑Michel Legrand

"사랑, 사랑, 난 너를 너무나 사랑해Amour,
amour, je t'aime tant..." 1932년 파리에서 출생한 미셸
르그랑이 〈당나귀 공주Peau d'âne〉 속에 삽입한 음
악의 가사다. 그는 〈5시부터 7시까지의 클레오
Cléo de 5 à 7〉 〈셰르부르의 우산〉(자크 드미 감독은 그
와 가장 가까운 친구 중 하나로, 두 사람은 처음으로 이 영화
를 각색한 뮤지컬을 프랑스 버전으로 만들어냈다), 〈아틀랜
틱 시티Atlantic City〉 〈헌터The Hunter〉 〈사랑과 슬픔
의 볼레로Les Uns et les autres〉 〈수영장La Piscine〉 〈패션쇼Ready To Wear〉 〈크
리스마스 트리La Bûche〉 등의 영화음악, 그리고 3개의 아카데미상을
차지한 〈옌틀〉 〈42년의 여름〉 〈토마스 크라운 어페어The Thomas Crown
Affair〉 영화음악을 통해 누벨 바그에서 지금까지, 파리에서 로스앤젤
레스까지 시대와 장소를 관통했다. 그의 음악은 아주 우아하다.

3. 블라디미르 코스마Vladimir Cosma

영화 〈라붐〉 포스터

〈매드매드 투 펀치Les Aventures de Rabbi Jacob〉 〈디바Diva〉 〈디너 게임Le Dîner de cons〉 〈라붐La Boum〉 등의 영화음악이 모두 블라디미르 코스마 작품이다. 그는 1940년 루마니아의 부쿠레슈티에서 태어났고, 1963년부터 파리에 거주하고 있다. 1968년 이브 로베르Yves Robert 감독의 영화 〈이 세상에서 가장 행복한 사나이Alexandre le bienheureux〉의 음악을 맡으며 데뷔했으며, 1972년 〈스파이 오퍼레이션Le Grand Blond avec une chaussure noire〉이 성공하며 이름을 알린다. 그 후 블록버스터 영화를 제작하는 감독들이 그에게 작품을 의뢰해 300편 이상의 장편영화 및 TV시리즈의 스코어를 작곡해왔다. 코스마는 오케스트라, 팝 슬로우 등 다양한 장르의 음악을 활용한다. 〈맛있게 드십시오L'Aile ou la Cuisse〉 〈염소La Chèvre〉 〈에이스 중의 에이스L'As des as〉 〈유 콜 잇 러브L'Étudiante〉 〈마르셀의 여름La Gloire de mon père〉의 OST로도 유명하다.

4. 프랑수아 드 루베François de Roubaix

아버지 폴 드 루베Paul de Roubaix의 영화에 들어가는 음향을 위해 엔지니어로 일하다가 작곡에 뛰어든 후 오케스트라 실험을 극한까지 밀어붙였다. 그 결과 애니메이션과 서사적 스타일에 걸맞은 영화음악들이 탄생했다. 그가 27세에 잠수 사고로 숨진 지 몇 달 후에 〈녹슨 총Le Vieux fusil〉 OST에 세자르상이 수여되었다.

5. 가브리엘 야레드Gabriel Yared

영화 〈베티블루37°2〉 포스터

1949년 레바논의 수도 베이루트에서 출생한 이 프랑스인은 어린 시절 주로 예수회 교육을 받았지만, 파리의 고등음악원으로 진학해 작곡에 대한 열정을 키워나갔다. 음악가인 동시에 스튜디오 PD로 일하며 샹송계의 대가들인 샤를 아즈나부르Charles Aznavour, 미레이유 마티외Mireille Mathieu, 프랑수아즈 아르디Françoise Hardy, 자크 뒤트롱Jacques Dutronc 등과 작업했다. 뒤트롱은 그에게 장-뤽 고다르 감독을 소개하며, 야레드는 〈할 수 있는 자가 구하라 : 인생〉의 영화음악을 1980년에 작곡했다. 그 후 〈베티블루 37°2 37°2 Le Matin〉 〈연인〉 〈잉글리쉬 페이션트〉(이 영화를 통해 아카데미상을 수상하며 할리우드로부터 인정을 받게 된다) 〈콜드 마운틴Cold Mountain〉 〈쇼콜라Chocolat〉 등을 위한 음악을 작곡했다. 그는 가장 진부한 장면조차 탁월하게 변신시키는 음악인이다.

6. 알렉상드르 데스플라Alexandre Desplat

가장 젊고 가장 뛰어난 영화음악가 중 한 사람이다. 1961년 파리에서 출생한 그는 파리와 로스앤젤레스에서 탄탄한 음악 교육을 받았고, 1987년부터 2000년까지는 무명으로 작곡했다. 1990년대부터 100여 편의 영화에 음악을 만들었는데, 그중에는 〈판타스틱 Mr. 폭스Fantastic Mr. Fox〉 〈더 퀸The Queen〉 〈벤자민 버튼의 시간은 거꾸로 간다〉 〈그랜드 부다페스트 호텔〉 〈대니쉬 걸The Danish Girl〉 〈셰이프 오브 워터 : 사랑의 모양The Shape of Water〉 〈작은 아씨들Little Women〉 등이

유명하다. 예술세계가 비슷해서 그와 주로 작업
하는 감독은 자크 오디아르Jacques Audiard. 2015년
에는 웨스 앤더슨Wes Anderson 감독의 〈그랜드 부
다페스트 호텔〉 영화음악으로 아카데미상을 수
상했다.

영화 〈그랜드 부다페스트 호텔〉 포스터

얀 티에르센Yann Tiersen, 브르타뉴의 서정

지독하게 독특한 세계를 구축한 이 음악가를 어떻게 규정해야 할까? 그 어떤 호칭도 들어맞지 않는 것처럼 보인다. 얀 티에르센에게서는 공들여 만든 멜로디와 리듬, 록과 클래식, 브르타뉴의 서정과 켈트 음악 분위기, 전통과 현대, 프랑스적 감성과 전 세계인에게 어필하는 감각, 민속적 색채, 왈츠와 샹송 등 거의 모든 요소가 발견된다. 그의 음악은 브르타뉴 풍경을 연상시키지만, 지방주의를 강조하는 토속적인 브르타뉴 음악과는 거리가 멀다. 스스로도 자기 음악이 브르타뉴적이라 평가받는 것을 좋아하지 않는다.

진정한 창작가이자 음표의 마술사인 그가 만들어내는 음악은 모든 것을 담고 있는 동시에 텅 빈 공간이다. 마치 우리의 잠든 의식을 일깨우려는 듯 얀 티에르센 음악은 연속과 휴지休止를 반복한다. 잔잔하다가 강렬해지고, 조용한 연주와 노래가 뒤섞인 그의 음악은 변화무쌍하기 그지없다. 지적 포만감과 긴장감, 고독과 행복감은 그의 음악만의 맛깔스러운 특색이다. 소박하면서도 아주 정교하고, 강박적인 동시에 내면적이기에 대단히 미학적이라는 느낌도 준다. 수정같이 맑

얀 티에르센 ⓒyanntiersen.com

은 느낌은 순수의 극치로 묘사해도 지나침이 없다. 마치 시공간에 의
해 한정되지 않는 불멸의 음악을 접하는 느낌이랄까. 그의 음악은 젊
고 분방하며, 무엇보다도 자유롭다. 또 낭만적이고 경쾌하다. 몽환적
인 목소리와 다채롭고 아름다운 선율은 클래식의 영향으로 보이지만,
그의 음악에서는 브르타뉴의 바닷가 냄새가 난다. 얀 티에르센이 가
장 좋아하는 공간이 우에상 섬île d'Ouessant인 것도 우연이 아니다. 숲의
미동, 바람 소리 등 자연이 생생하게 느껴지는 곳이기 때문이다. 그의
음악에서는 인간이 느껴지기도 한다. 그는 도시의 번잡함을 싫어하고,
이기심을 거부하며, 기업과 경제에 지배되는 세상을 부정한다. 책과 음
반, 영화만이라도 소비사회 논리에 찌들면 안 된다고 주장하는[2] 그는

〈괴물들의 왈츠〉 앨범

'음악이 곧 인간'이라고 생각하고 있음이 분명하다. 얀 티에르센 음악을 싫어할 사람이 있을까?

얀 티에르센은 1970년 6월 23일 프랑스 서쪽 브레스트에서 출생했으며, 현재 파리에 거주하고 있다. 아주 어릴 적부터 학업에 어려움을 겪었던 반면 음악에 큰 호기심을 드러냈다. 어린 시절을 렌에서 보내며 바이올린과 피아노 연주, 지휘법을 익혔고, 렌, 낭트, 불로뉴Boulogne 등에 소재한 음악학교를 거쳤다. 청소년기에는 록 음악에 심취하면서 클래식보다 조이 디비전Joy Division 유의 포스트펑크 음악에 끌린다. 1980년대에 렌의 여러 록 그룹과 함께 작업했을 정도로 실력이 뛰어났던 그는 이미 이때부터 연극과 단편영화에 삽입되는 음악들을 작곡해나가기 시작했다.

1995년에 그는 첫 앨범 〈괴물들의 왈츠La Valse des monstres〉를 발표했다. 앨범에는 연극과 영화를 위해 만든 음악들 일부가 담겼다. 이 앨범을 통해 그는 '티에르센 스타일', 다시 말해 낭만적이고 경쾌한 분위기, 다양한 악기를 동원하고 보석세공사의 정확함을 연상시키는 마무리 기술을 보여주었다. 비평가들은 그의 음악에서 니노 로타, 에릭 사티Erik Satie 혹은 펭귄 카페 오케스트라Penguin Cafe Orchestra 분위기가 난다고 말했다.

1년 후인 1996년에는 〈카스카드 거리Rue des cascades〉라는 새 앨범을 발표한다. 브르타뉴 지방 우에상 섬에서 녹음된 이 앨범은 더욱 서

정적 세계로 경도된 얀 티에르센의 모습을 보여
준다. 그는 무대 위에서 보여준 아우라 덕분에
1996년 7월 아비뇽 페스티벌에서 여러 차례 공
연을 가지는 기회를 누렸지만, 외부 세계에 널리
알려진 것은 이후의 일이다.

〈등대〉 앨범

1998년 〈등대Le Phare〉라는 앨범이 출시되면
서 그의 이름이 본격적으로 알려지기 시작한
다. 이 앨범은 그가 브르타뉴에 칩거하며 만든 것이다. 도미니크 아
Dominique A가 보컬을 담당한 '모노크롬Monochrome'이라는 곡은 특
히 인기를 끌었다. 이 앨범 덕분에 그의 이전 앨범들도 라디오를 통
해 자주 소개되기 시작했고, 영화계에서 주목받기 시작했다. 앙드레
테시네André Techiné는 영화 〈앨리스와 마틴Alice et Martin〉에, 에릭 종카
Erick Zonca는 영화 〈천사들이 꿈꾸는 세상La Vie rêvée des anges〉에, 크리
스틴 카리에르Christine Carrière는 영화 〈누가 달 껍질을 벗기지?Qui plume
la lune?〉에 얀 티에르센 음악을 삽입했다. 또 같은 해에 그는 '트랑스
뮈지칼 드 렌Transmusicales de Rennes'을 비롯한 많은 행사에서 연주했고,
프랑스 앵테르의 라디오 프로그램 〈블랙 세션스Black Sessions〉를 통해
서도 연주 실력을 보여주었다. 해당 프로그램에서 프랑수아 브뢰
Françoiz Breut, 도미니크 아, 매리드 몽크The Married Monk, 레 테트 레드Les
Têtes Raides, 베르트랑 캉타Bertrand Cantat(누아르 데지르Noir Désir 그룹의 보컬),
닐 해넌Neil Hannon(디바인 코미디The Divine Comedy라는 밴드 일원으로 더 잘 알려
져 있다) 등과 협연한 연주는 프로그램명과 같은 이름으로 출시된 앨
범에 수록되었다.

1999년 3월 23일에는 이전 음악들과 달리 보다 록 음악 성향이 강

영화 〈아멜리에〉에 삽입된 안 티에르센 음악

한 앨범 〈모든 것이 조용하다Tout est calme〉를 출시한다. 하지만 제목과는 달리 이 앨범에는 기타와 드럼 등이 처음 동원되었으며, 그가 직접 노래한 두 곡도 들어 있다. 같은 해 3월 16일에 그는 최초로 올랭피아L'Olympia 뮤직홀 무대에 서며, 6월에는 노숙자들을 위한 앨범 공동제작에도 참여한다. 가을에는 유럽(스페인 바르셀로나)에서부터 아시아(일본, 싱가포르)에 이르는 순회공연을 가졌고, 12월 13일에는 파리의 바타클랑Bataclan 공연장에서 투어를 마무리하는 공연을 했다.

2001년은 그가 새 음악을 선보인 해였다. 4월에 출시된 〈부재자 L'Absente〉가 그것인데, 앨범에 참여한 아티스트들의 면면도 더없이 화려하다. 빈 오케스트라 소속 43명의 단원, 리자 제르마노Lisa Germano, 닐 해넌, 도미니크 아, 레 테트 레드 등이 그들이다. 이 앨범은 그가 출시한 음반들 중 가장 야심차고 완성도가 높은 것으로 평가된다. 티에르센 스스로도 자신의 모습에 가장 가까운 앨범으로 평가하고 있다. 그는 영화와 연극을 위한 작곡도 계속해나갔다. 영화 〈아멜리에〉 OST는 큰 성공을 거두었는데 70만 장 이상의 판매고를 올렸다. 2001년과 2002년에 그는 많은 콘서트를 열었다. '프랭탕 드 부르주Printemps de Bourges', '레 죄록케엔 드 벨포르Les Eurockéennes de Belfort페스티벌'(2001년 7월), '생말로 루트 뒤 록La Route du Rock de St Malo페스티벌'(2001년 8월) 등의 축제에 참가했으며, 15개 이상의 프랑스 도시들을 돈 후 파리의 올랭피아(2001년 11월)와 런던의 로열 앨버트 홀(2002년 2월)

에서 공연을 펼쳤다. 2002년 2월 15일부터 17일까지 파리의 시테 드 라 뮈지크Cité de la musique에서 열린 콘서트 공연 실황은 〈여기였어C'était ici〉라는 제목으로 출시되었는데, 두 개의 CD에 총 28곡을 담고 있다. 이전에 출시된 다른 음반과 마찬가지로, 라이브 공연을 통해 더 큰 감동을 불러일으키는 그의 능력이 이 앨범에서도 아낌없이 발휘되고 있다.

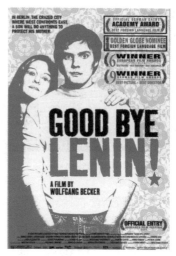

영화 〈굿바이 레닌!〉 포스터

2003년에는 볼프강 베커Wolfgang Becker 감독의 독일영화 〈굿바이 레닌!Good bye, Lenin!〉의 영화음악을 작곡했다. 연주는 기욤 부르고뉴 Guillaume Bourgogne가 이끌고 35명의 단원으로 구성된 시낙시스Synaxis 오케스트라 앙상블이 맡았다. 영화는 유럽 전역에서 대성공을 거두었다. 2004년에는 캐나다 여가수 섀넌 라이트Shannon Wright와 듀엣 앨범을 출시했는데, 이 음악은 이해 12월 '트랑스뮈지칼 드 렌' 행사를 통해 소개되었다. 음반에서 두 사람은 공통된 예술적 감수성을 보여주고 있다.

또 다른 앨범인 〈재회Les Retrouvailles〉는 2005년 5월 23일 출시되었다. 이 앨범 역시 〈등대〉와 마찬가지로 우에상 섬에서 녹음되었는데, 제인 버킨, 크리스토프 미오섹Christophe Miossec, 리즈 프레이저Liz Frazer(콕토 트윈스Cocteau Twins 소속), 스튜어트 스태플스Stuart Staples(그룹 틴더스틱스 Tindersticks의 보컬), 도미니크 아가 참여했다. 제목은 얀 티에르센의 고유

얀 티에르센 순회공연 일정

한 음악적 세계를 되찾겠다는 의미를 띠고 있다. 이후 그는 전 세계를 돌며 공연을 했다. 2006년 12월 중국 베이징의 우공이산愚公移山, Yu Gong Yi Shan 클럽과 상하이에서 공연했고, 2007년에는 유럽과 남미에서 공연하며 전 세계에 자신의 존재를 본격적으로 알렸다.

2019년에는 〈올ALL〉이란 타이틀을 단 앨범을 우에상 섬의 새 스튜디오 레스칼L'Eskal에서 녹음하여 출시했으며, 같은 해에 이 섬의 나이트클럽을 녹음 스튜디오를 갖춘 연주장으로 개조하는 작업에 동참했다. 작곡과 연주를 병행하는 얀 티에르센은 이미 국경을 뛰어넘는 대가의 반열에 합류한 듯하다.

50세를 갓 넘은 얀 티에르센은 음악적 실험을 거듭하고 있다. 라디오로 흘러나오는 육성을 포함한 온갖 종류의 소리를 음악에 반영하고 있으며, 그 자신이 직접 아코디언, 바이올린을 포함한 많은 악기를 직접 연주하고 있기도 하다. 멜로디를 풍요롭게 만드는 악기들은 피아노, 바이올린, 기타, 실로폰, 신시사이저, 아코디언, 멜로디카 등 아주 다양하다. 또 그는 협연을 즐긴다. 음악을 통한 교감을 중시하기 때문일까? 비록 대부분의 시간을 홀로 작곡하는데 할애하지만, 연주 시에는 친구들과 함께 하기를 좋아한다. 2002년의 푸르비에르 축제 Festival de Fourvière에서는 친구 미오섹을 포함한 무려 46명의 뮤지션이 그와 함께 공연했다.

얀 티에르센의 천재성을 제대로 느끼려면 무엇보다 콘서트를 찾아야 한다. 콘서트 무대에 선 그가 들려주는 음악은 디스크에 녹음된 음악과 완연히 다른 자유로움을 보여준다. 얀 티에르센 공연은 우리의 기대를 결코 저버리지 않을 것이다. 사랑과 낭만, 추억과 회한, 바람과 파도 소리를 동시에 느끼게 해주는 그의 음악에서는 형언할 수 없는 격조가 느껴진다.

이 무브리니I Muvrini와 코르시카 음악

이 무브리니 멤버와 연주자들

지방 축제의 한계를 극복하고 축제를 중앙에서 홍보하기 위해 로리앙 인터켈트 페스티벌 조직위원회가 2000년대 초반 파리의 월드컵 주경기장 스타드 드 프랑스Stade de France에서 '켈트의 밤Nuit celtique' 행사를 몇 차례 연 적이 있었다. 2004년 3월 20일 제3회 켈트의 밤을 통해 처음 접한 코르시카 민속음악 그룹 이 무브리니의 모습을 나는 결코 잊을 수 없다. 난생처음 접한 이들의 가창력은 여느 가수보다 더 뛰어났고, 종교적 분위기를 물씬 풍기는 코르시카 음악의 깊이를 한껏 보여주었다. 목소리는 감미롭고도 서정적이었는데, 조세피나 페르난데스Joséfina Fernandes와 함께 부른 '그건 오지 않아요Ùn sò micca venuti'는 압권이었다. 남미와 유럽 분위기를 동시에 느끼게 해준 노래는 이 그룹이 왜 세계인들로부터 사랑받고 있는지를 증명하고도 남음이 있었다. 행사에 참여한 여느 가수나 그룹보다 압도적인 무대를 보여

준 이 무브리니는 켈트 음악 거장
인 트리 얀Tri Yann의 존재조차 무
색하게 할 정도였다. 또 공연은 폴
리포니polyphonie, 즉 코르시카 고유
의 다성음악多聲音樂의 진수를 보여
주었다. 중간음역의 목소리이자 주
선율을 이끄는 '세콘다seconda', 고

이 무브리니 :
장-프랑수아와 알랭 베르나르디니 형제

음부 목소리 '테르자terza', 장식음을 동반한 화음과 곡 전체의 안정을
담당하는 저음부 목소리 '바수bassu', 이 세 파트가 어우러져 파리 하늘
을 채우던 천상의 화음은 코르시카 음악의 신비감을 한껏 드러냈다.

코르시카 노래에서는 인간 냄새가 난다. 코르시카인들은 인생과 역
사의 우여곡절을 이해하며 파란만장했던 체험을 통해 자기 민족의 운
명이 얼마나 시달렸는지를 잘 안다. 따라서 그들의 목소리는 가슴 깊
숙이에서 조국 혹은 고장을 체험한 정서를 반영한다. 하지만 그들 음
악은 증오와 쇼비니즘, 배척을 부르짖는 대신 사랑, 희망 언어를 비롯
한 보다 보편적인 주제들로 승화되고 있다. 이 무브리니 역시 하나의
민족이 만들어낸 최상의 작품은 언어라는 사실을 각성하고서, 코르시
카어를 되살릴 뿐 아니라 그것을 온몸으로 체험하게 한다. 이들의 노
래 주제는 세계, 인간, 우애, 사랑, 존엄성 등이다.

이 무브리니는 오늘날 코르시카와 코르시카 음악을 대표하고 있
다고 해도 과언이 아니다. 코르시카 사람들로부터 엄청난 사랑을 받
는 이 그룹은 매년 여름 코르시카 순회공연을 하며, 매 콘서트마다 많
은 군중을 불러 모은다. 그룹 이름에도 고향에 대한 애정이 느껴진다.
코르시카어로 '우 무브리누U Muvrinu'(복수로 이 무브리니)는 코르시카섬의

코르시카 최남단의 보니파시오

코르시카섬의 위치

산악지대에 거주하는 야생 양을 지칭한다. 대외적으로 코르시카 문화를 전파하는 대사 역할을 담당하면서 대내적으로 섬의 전통을 옹호하고 계승하는 그들의 입장이 드러나 있다. 전통적인 폴리포니와 현대의 음악을 성공적으로 결합해 월드뮤직에서 주요 음악인으로 취급되는 이 무브리니는 코르시카와 결코 분리해 생각할 수 없다.

오늘날 전 세계로부터 호평을 받고 있는 이 그룹의 역사는 첫 앨범을 출시한 1979년까지 거슬러 올라간다. 이 무브리니 그룹은 1970

년대 말에 장-프랑수아Jean-François Bernardini와 알랭 베르나르디니Alain Bernardini형제가 결성했다. 오늘이 있기까지 그들에게는 불굴의 노력과 용기가 필요했다. 정치적 입장을 공공연하게 표명한 초기에는 코르시카 음악의 전통을 고수한다는 이유 때문에 '쇠 부지깽이ringards'로 취급받다가 '빅투아르 드 라 뮈지크Victoire de la Musique(음악의 승리)' 행사에서 최우수 전통음악앨범상을 수상한 1997년이 되어서야 음악만으로 생계를 꾸려나갈 수 있게 되었다. 결성 후 17년간 이미 15장의 음반을 낸 후였다. 하지만 이미 오래전부터 자크 뒤트롱, 미셸 퓌갱Michel Fugain, 베로니크 상송Véronique Sanson 등 여러 프랑스 음악인이 그들의 재능을 인정하고 있었다. 이 무브리니의 음악은 그 어떤 코르시카 음악보다 더 현대적으로 느껴지기도 한다. 이것은 그룹이 오늘날의 트렌드에 맞게 코르시카 전통음악을 끊임없이 발전시킨 덕분일 것이다. 지역의 전통음악을 변형시켰다고 비난하는 순수주의자들에게 장-프랑수아 베르나르디니는 다음과 같이 답한다. "나는 음악을 하지, 음악학을 하지 않는다."

폴리포니 전통을 오늘날의 소리에 접맥시키면서 모든 사람이 코르시카 고유의 문화를 즐기게 하는 데 성공했지만, 이 무브리니는 20년 넘는 음악 활동을 통해 평화롭고 우애가 넘치는 코르시카를 위한 투쟁을 포기하지 않았다. 그룹이 거둔 대중적인 성공에도 불구하고 그들은 코르시카의 정치적 상황에 대해 여전히 의견을 개진한다. 이 무브리니가 코르시카 문제에 어떤 방식으로 접근하는지를 보여주는 일화가 하나 있다. 2003년 5월 장-프랑수아 베르나르디니는 1998년에 암살당한 코르시카 지사 클로드 에리냑Claude Erignac의 미망인에게 편지를 보내 코르시카에서 자행되고 있는 폭력이 코르시카인들이 겪고 있는 부

《사라를 위한 수첩》

당함과 소수자 입장 때문이라고 지적했다. 편지가 논란을 낳자, 그는 문학적 성격의 글들을 모은 《사라를 위한 수첩Carnet pour Sarah》을 책으로 발간했다. 이와 같은 방식으로 이 무브리니는 프랑스 본토에서 잘 알려지지 않은 코르시카 이미지를 복원하려 애쓰고 있다.

베르나르디니 형제는 아버지 그줄리우Ghjuliu로부터 폴리포니 음악에 대한 지식을 전수받아 포크송과 월드뮤직에 눈을 떴다. 목수였던 아버지는 시인이자 파그젤라paghjelle(폴리포니 음악 중 세속적인 노래를 지칭)를 완벽히 익힌 가수이기도 했다. 하지만 언어와 노래의 조화로운 결합인 파그젤라는 당시 미개인들의 노래로 치부되기 일쑤였다. 형제는 아버지와 더불어 최초의 도넛 앨범 두장을 제작하기도 했는데, 1977년 부친이 사망하자 이 무브리니 이름으로 낸 첫 앨범 〈야생양들은 당신에게 감사할 거야Ti ringrazianu〉(1979)를 통해 음악적 스승에게 경의를 표했다. 두 번째 앨범인 〈그들은 되돌아올 것이다Anu da vulta〉에서는 1970년대 말의 정치범들에 대해 언급하고 있는데 이미 이 앨범에서 전통음악에 자신들만의 곡조를 뒤섞어 만들어 가는 것을 확인할 수 있다. 이후 출시된 두 개의 앨범은 '열린 학교Scola aperta'와 함께 제작되었다. 어린이들에게 노래와 음악으로 코르시카 문화를 가르치고자 그룹이 이 학교를 연 것이었다. 1981년에 출시된 앨범 〈이곳에서 살기E campa qui〉는 당시 갓 출범한 독립 라디오방송의 덕을 톡톡히 보았다. 방송이 그들 음악을 자주 틀어주었기 때문이다.

이 무브리니가 참여한 코르시카 민속음악 앨범

1984년에는 〈눈물Lacrime〉 앨범이 출시된다. 이 무브리니 커리어에 중요한 역할을 한 이 앨범은 그들이 과거에 수행한 작업과 앞으로 나아갈 방향을 동시에 보여준다. 이 시기에 그룹은 어렵사리 'AGFB'라는 회사를 세워 자체 제작과 유통 시스템을 만들어냈는데, 현재 회사는 코르시카 최대 음반 배급사가 되었다. 1985년에 '프랭탕 드 부르주' 축제에 초대되었고, 파리에서 공연을 가졌다. 이를 계기로 그들의 명성은 코르시카를 넘어서 전 유럽에 알려지기 시작했다. 1988년 파리에서 녹음한 〈차에 대한 사랑을 위해Pé l'amore di té〉 앨범은 30만 장이 넘게 팔렸다. 1989년에는 툴루즈에서 녹음한 〈정족수Quorum〉가 출시된다. 1993년 7월에는 그들의 12번째 앨범인 〈우리Noi〉가 발매되었는데, 앨범에는 12개의 독창적인 곡들과 아카펠라로 부른 전통음악 '찬사Lode'가 실려 있다.

1993년 여름에 그들은 코르시카 순회공연을 갖는다. 총 8만 명이 그들의 공연을 봤는데, 이 숫자는 코르시카 전체 인구의 3분의 1에 해당했다. 그 후 순회공연이 끝없이 이어지고, 상복이 연이어 터졌다. 1995년에 앨범 〈용기Curagiu〉가 골든디스크상을 수상했고, 1997년 2월에는 빅투아르 드 라 뮈지크에서 최우수 전통음악앨범상을 수상했다. 1998년 5월에 출시된 13번째 앨범 〈관계들Leia〉은 일부 곡이 런던에서 녹음되었는데, '필즈 오브 골드Fields of Gold'는 스팅Sting과 함께 불렀다. 1999년부터 2001년까지의 시기에는 다수의 축제에 참가했고, 파리의 대형 공연장에서 콘서트를 가졌다. 또 2001년에는 북미 대륙과 독일에서 공연하기도 했다. 2002년 8월에는 〈우마니Umani〉가 시장에 나온다. 세네갈 출신 래퍼 MC 솔라르MC Solaar가 앨범에 참여했는데 아프가니스탄 여성들의 운명을 노래한 이 앨범은 기존의 코르시카에서 벗어나 세계의 다른 문화들로 눈을 돌리게 만드는 계기가 되었다. 예를 들어 스위스 가수인 스테판 에셔Stephan Eicher와 '삶에 대한 꿈Un sognu pè campà'을, 스페인 가수 조세피나 페르난데스와는 '나의 소원Vogliu'을 함께 불렀다. '나의 소원'은 아주 흥미로운 방식으로 목소리와 플라멩코 기타, 폴리포니를 뒤섞고 있다. 〈우마니〉 앨범은 2003년 빅투아르 드 라 뮈지크 월드뮤직 부문에서 수상했다. 앨범 출시와 병행해 장-프랑수아 베르나르디니는 《우마니》라는 저서를 쇠이유 출판사에서 출간하기도 했다. 책 속에는 시와 샹송 가사, 코르시카에 대한 단상 등이 담겼다.

2005년에는 〈알마Alma〉가 출시된다. 이 앨범에서도 그들은 다른 지역 문제에 대해 지대한 관심을 표한다. 남아프리카공화국 요하네스버그와 멤버들의 고향인 코르시카의 탈리우 이술라치아Tagliu Isulaccia 소재 스튜디오에서 녹음된 이 앨범은 아이보리코스트 출신 콘트라베이스 연주자인 세자르 아노César Anot와의 만남의 결과물이다. 이 무브리니의 코르시카 폴리포니는 이 앨범 속에서 페이스 케카나Faith Kekana, 봉가니 마수쿠Bongani Masuku 등 남아공의 줄루 가수들과 교감하고 있다. 2005년은 새로운 스타일을 추구하고 새 음악가들과 연주하기 시작했기에, 이 무브리니가 재탄생한 해이기도 하다.

이 무브리니는 진정한 월드뮤직 뮤지션이다. 이 무브리니의 노래는 코르시카어, 프랑스어, 카탈루냐 지방의 바스크어, 브르타뉴어 등 여

러 언어로 불린다. 의심하고, 눈물 흘리며, 고통받는 이들에게 그들의
노래는 진정 위안이 된다. 장-프랑수아 베르나르디니는 다음과 같이
노래하고 있다.

용기를 가져요, 그런 식으로 주저앉지 말고curagiu un ti pianta

앞으로 나가요vai vai vai

내일이면 모든 것이 변하리니dumane hà da cambia

전통과 환상의 만남, 말리코른Malicorne의 음악

〈말리코른〉 앨범

특별한 음악과의 만남이 있다. 그리고 영원히 각인되는 순간이 있다. 이 그룹과의 만남이 그랬다. 군복무를 마치고 복학하고 난 1981년이던가, 한남동의 어느 프랑스인 집에서 처음 접한 말리코른Malicorne의 LP는 환상 그 자체였다. 사계절을 잘게 나누며 천국부터 지옥까지 다룬 영성 깊은 음악은 젊은 시절의 나에게 큰 울림을 주었다. 그 시절 우리의 문학과 음악은 사회를 변화시키는 데에만 골몰하고 있었는데…

말리코른의 음악은 포크, 포크록, 프로그레시브록 등으로 규정되며, 그룹이 미친 영향력은 프랑스와 퀘벡의 전통음악뿐 아니라 중세음악, 켈트 음악, 록과 재즈에까지 다양하게 걸쳐 있다. 1970년대 포크

음악의 유행은 전적으로 그들 덕이
다. 가장 많이 영향을 받은 이들은
라 밤보슈La Bamboche, 라 쉬포니La
Chifonnie 등이었다. 샹송 백과사전
이 말리코른 그룹을 프랑스 포크
의 최고봉이었다고 평가할 정도다.
또 이 그룹은 전통 악기(어쿠스틱)와
현대 악기(일렉트로어쿠스틱과 일렉트릭)
를 성공적으로 결합하면서 소리를
지속적으로 혁신했다고 인정받는

말리코른 멤버들

다. 악기 구성만 봐도 이들이 얼마나 새로운 음악을 시도했는지 잘 드
러난다. 가브리엘 야쿠브Gabriel Yacoub는 기타와 전자기타, 보주Vosges
지방 스피넷을 담당했고, 마리 야쿠브Marie Yacoub는 덜시머, 부주키, 바
퀴가 달린 교현금을 맡았다. 또 로랑 베르캉브르Laurent Vercambre는 바
이올린, 알토(비올라), 부주키, 프살테리움, 하르모니움, 만돌린을, 위그
드 쿠르송Hughes de Courson은 전자기타, 베이스, 크롬호른, 타악기를 담
당했다. 1976년에는 베이스와 건반을 담당하는 올리비에 즈드르잘
릭-코발스키Olivier Zdrzalik-Kowalski가 합류했다.

1971년 말 가브리엘 야쿠브는 스무 살 나이에 켈트 음악과 브르타
뉴 음악의 부흥을 가져온 알란 스티벨Alan Stivell 그룹에 합류할 정도로
전통음악에 관심이 많았다. 그러나 그는 브르타뉴 출신이 아니었기
때문에 1973년 여름에 그룹과 결별했다. 그 후 인위적인 방식으로 브
르타뉴어나 게일어로 노래하기보다는 프랑스의 전통 문화유산에서
찾아낸 음악을 추구하려고 마음먹는다.

〈그르노블의 피에르〉 앨범

〈역서〉 앨범

그룹의 이름이 만들어진 계기가 재미있다. 1973년 7월 어느 날 가브리엘과 마리 야쿠브 부부와 위그는 제2회 케르탈 축제Kertalg Festival가 열리는 브르타뉴 지방의 모엘란쉬르메르Moëlan-sur-Mer에서 저녁 공연을 하기로 되어 있었다. 그들이 르망Le Mans 근처를 우회해 마을 말리코른쉬르사르트Malicorne-sur-Sarthe를 지나갈 때 위그가 마을 이름을 그룹명으로 정하자고 제안했고, 말리코른은 '열매를 맺지못한 산수유'를 의미하는데 표현이 아주 시적인 데다가 여러 가지 상상을 일으키는 멋을 지니고 있어 모두가 동의했다.

1973년 가브리엘 야쿠브는 마리 소베Marie Sauvet(마리 야쿠브와 동일인), 로랑 베르캉브르, 위그 드 쿠르송과 함께 말리코른 이름으로 〈그르노블의 피에르Pierre de Grenoble〉라는 앨범을 녹음하는데, 이 신화적인 앨범은 프랑스에서 전통음악 붐을 일으켰다. 그 후 11개 앨범을 출시했으며 가장 유명한 〈역서Almanach, 曆書〉 앨범은 50만 장이 넘게 팔렸다. 그룹은 1973년 9월 5일 결성한 후 1981년 7월 22일까지 활동하다가 해체했다. 원년 멤버 말고도 막스 피쿠Max Picout에서 니콜라이방 맹고 Nicolaïvan Mingot에 이르기까지 무수한 멤버가 말리코른 그룹에 합류했다가 나가면서 새로운 음악을 들려주는 데 일조했다. 수십 년이 지난 후 말리코른은 2010년 7월 15일에 라로셸에서 프랑코폴리 샹송 축제 Festival des Francofolies의 일환으로 열린 단 한 번의 콘서트를 위해 모였다. 원년 멤버들이 모두 자리를 같이한 귀한 행사였다. 이때 그들의 이미지를 유일하게 DVD로 남겼기에 나는 이 공연자료를 아주 소중하게 간직하고 있다. 말리코른은 2011년 11월 27일 다시 활동을 시작해 2017년 8월 12일 브르타뉴 지방 팽폴Paimpol의 뱃사람 노래 축제Festival de chant de marin에서 마지막 공연을 한 후 최종 해체했다. 45년의 음악 여정이 끝나는 순간이었다. 가브리엘 야쿠브는 "늘 똑같은 일을 반복하며 길 위에서 지치는 것보다 아름답게 마무리 짓는 것이 더 낫다고 생각했기 때문"이라고 그룹의 해체 이유를 밝혔다.

그들의 음악은 거의 주술적인 느낌을 주었다. '그르노블의 피에르' 가사를 들어보자.

피에르는 전쟁터로 떠나
7년을 전쟁터에서 머물렀네
7년을 전쟁터에서 머물렀네
사랑하는 여인을 그르노블에 남겨두었기에
후회가 가득했지
후회가 가득했지
피에르가 받은 첫 번째 편지는
꽃으로 뒤덮여 있었지
꽃으로 뒤덮여 있었지
피에르가 받은 두 번째 편지는

눈물로 뒤덮여 있었지

눈물로 뒤덮여 있었지

상관을 만나 요구했지

휴가를 주세요

휴가를 주세요

그르노블에 있는 사랑하는 여인을 보러 가야겠어요

회한으로 죽어가는

회한으로 죽어가는

하지만 그가 언덕에 올랐을 때

종소리를 들었지

종소리를 들었지

그녀 시신을 끌고 가는 자들에게

그녀를 포옹하게 해다오

그녀를 포옹하게 해다오

첫 번째 포옹하며 피에르는 한숨을 내쉬었지

두 번째 포옹하며 피에르는 죽어버렸지

그르노블 사람들이여 이 사랑을 어떻게 생각하나요

서로서로 붙어서 잠이 든 이 두 사람을

사랑을 다룬 이 단순한 노래보다 나의 가슴을 더 아프게 하는 음악은 별로 없었다. 이 짧은 노래 속에 전쟁, 이별, 사랑, 죽음 등 인간사의 모든 희로애락이 들어 있지 않은가.

말리코른의 곡 대부분은 전통음악에서 끌어낸 어두운 주제를 노래한다. 실패한 사랑('사랑의 장례Le Deuil d'amour', '영국인의 결혼Le Mariage anglais',

'신중하지 못한 호색가Le Galant indiscret'), 전쟁('그르노블의 피에르', '오랑주의 왕자 Le Prince d'Orange'), 잔인함('살인자 어린이L'Écolier assassin'), 가난('알렉상드르 Alexandre', '불가리아 댄스Danse bulgare') 혹은 슬프고도 끔찍한 이야기('피비린 내 나는 여인숙L'Auberge sanglante')가 그에 해당한다. 또 각 앨범에는 다양한 마술과 저주가 등장한다. 한편 진지한 주제와는 별도로 경쾌하고 코믹한 노래도 있다. '늦게 자고 일찍 일어나Couché tard, levé matin', '수탉들의 발레Le Ballet des coqs' 같은 음악이 그렇다. 전반적으로 그들의 음악은 프랑스 땅에서 일어나는 해묵은 주제들로부터 길어낸 것들이다. 연중 내내 열리는 전통 축제(1976년의 〈역서〉), 동지애(1978년의 〈아델라르 루소의 멋진 투르 드 프랑스L'Extraordinaire Tour de France d'Adélard Rousseau〉), 동물을 주인공으로 한 이야기(1979년의 〈동물우화집Le Bestiaire〉)는 말리코른 음악의 특징을 잘 드러낸다. 그들의 목소리도 기존 음악에 혁신을 가져왔다. '오랑주의 왕자', '마리옹 레 로즈Marions les roses', '흰 암사슴La Blanche Biche' 같은 곡에 들어간 아카펠라가 대표적이다. 아카펠라로 부른 그들의 거의 모든 노래는 〈소리Vox〉(1996) 앨범 속에 들어 있다.

전통이라는 것이 박제될 대상이 아니라는 것을 말리코른은 보여주고도 남음이 있었다. 그 이후 중세 악기를 발굴해 새로운 음악을 추구하는 움직임은 오늘날 프랑스 도처에서 나타나고 있다. 중부도시 본Beaune에서 열리는 국제 바로크·낭만주의 오페라음악제Festival international d'opéra baroque & romantique부터 17세기 프랑스 음악가들을 주인공으로 삼은 영화 〈세상의 모든 아침Tous les matins du monde〉에 이르기까지 전통음악은 새로운 옷으로 갈아입고 있다. 이를 선도한 말리코른의 음악은 프랑스 음악의 위대한 자산으로 남게 될 것이 틀림없다.

미성의 역사, 카스트라토부터 뤽 아르보가스트Luc Arbogast 까지

파리 나무십자가 소년합창단

한국을 자주 찾는 파리 나무십자가 소년합창단Les Petits Chanteurs à la Croix de bois의 목소리를 들어본 적이 있는지? 혹은 영화 〈파리넬리 Farinelli〉에서 주인공이 부르는 헨델 Georg Friedrich Händel의 '울게 하소서 Lascia ch'io pianga'를 들어본 적이 있는지? 두 목소리의 공통점은 남자의 목소리인지 여자의 목소리인지 구분이 되지 않을 정도로 맑고 청아한 소리라는 것. 천사가 부르는 노래라고 해도 지나치지 않을 정도였다. 개인적으로는 한국에서 거의 찾아볼 수 없던 이러한 목소리가 프랑스에 대한 환상을 일찍부터 살찌우는 데 일조했다. 현재는 우리나라에서도 여성 소프라노의 높은 음역대를 커버하는 카운터테너가 등장해 이런 목소리에 대한 갈증을 해소하는데 기여하고 있지만.

원래 이런 목소리는 '카스트라토castrato'의 전유물이었는데, 라틴어 동사 카스트라레castrare가 '거세하다'라는 뜻이니 카스트라토가 누구인지에 대해서는 굳이 설명이 필요 없을 것이다. 최초의 카스트라토는 비잔틴제국에서 등장한 이후 서구에서는 16세기 후반부에 자주 모습을 드러낸다. 주로 이탈리아에서 성행하다가 19세기 말에서 20세기 초에 걸치는 시기에 쇠퇴한 것으로 보인다. 특히 18세기 말에 교황 클레멘스 14세 Clemens PP. XIV가 이러한 목소리를 얻기 위한 거세

파리넬리의 초상(1734)

행위를 금지하면서 19세기부터 서서히 사라지는 운명을 겪었다.

　카스트라토 신드롬은 오페라가 인기를 끌자 높은 음역대의 목소리가 중요해지면서 가속화된다. 17세기 2/4분기에 소프라노와 카스트라토는 테너와 베이스보다 더 높은 급료를 받았다. 또한 그 무렵 솔로로 노래하는 파트가 늘어나면서 보다 전문적인 가수를 필요로 하게 되었다. 소녀들의 경우 소리가 무르익기까지 교육을 받을 수 없었고, 또 로마에서는 여성이 무대에서 노래하는 것을 금지했기 때문에 카스트라토는 선호 대상이 될 수밖에 없었다. 특히 바로크 시대에 카스트라토의 목소리는 대단한 인기를 끌었다. 그리고 그들의 성악 테크닉은 극한의 고음과 기교를 구사하는 벨칸토 창법이 이룩한 발전과 불가분의 관계에 있었다. 카스트라토들은 정상적인 성인 목소리가 결코 도달할 수 없는 여러 성악 작품을 실현할 수 있었다. 작곡가 포르포라Nicola Porpora, 빈치Leonardo Vinci, 하세Johann Adolph Hasse를 위해 노래했던 카를로 브로스키Carlo Broschi(1705~1782), 일명 파리넬리는 그중에서도 가장 유명한 카스트라토였다.

　이런 전통의 영향 때문일까? 카스트라토는 많은 호기심과 애정의 대상이 되기도 한다. 제라르 코르비오Gérard Corbiau 감독의 1994년작

영화 〈파리넬리〉 포스터

영화 〈파리넬리〉는 카스트라토에 대한 관심을 확대시킨 영화였다. 프랑스와 벨기에, 이탈리아가 합작으로 만든 이 영화는 카를로와 리카르도 Riccardo Broschi 형제의 관계, 헨델의 개입, 리카르도가 동생의 거세에 관여한 역할 등 많은 허구적 요소를 가미했기에 역사적 진실과는 거리가 멀었지만, 시대 속에서 카스트라토가 얼마나 특별한 위상을 가지고 있었는지를 보여주기에 부족함이 없었다.

어린 시절부터 카스트라토 목소리, 혹은 그와 비슷한 미성에 대해 내가 가졌던 호기심은 연차적으로 확대되어나갔다. 구체적으로는 대중음악에서 클래식으로 확장된 듯하다. 우선 프랑스로 떠나기 전 가장 좋아했던 프랑스 가수가 미셸 폴나레프였고, 그는 여전히 내가 가장 좋아하는 상송 가수 중 한 명으로 남아 있다. 그 옛날 '홀리데이스', '누가 할머니를 죽였나Qui a tué Grand'Maman?', '플리즈, 러브 미 플리즈Please, love me please'가 나에게 얼마나 매혹적이었는지 지금 정서로는 이해하기 힘들 것이다.

프랑스에서 공부하는 동안 찾아낸 미성 가수는 티에리 뮈탱Thierry Mutin. 그는 1988년에 헨델의 '사라방드Sarabande' 테마를 원곡으로 영어 가사를 붙인 '스케치 오브 러브Sketch of love'를 영어 버전으로 발표하면서 프랑스에서 골든디스크상을 타는 등 대단한 성공을 거두었다. 그의 경력은 아주 특이하다. 화가이자 작곡가, 작가인 그는 포스트휴먼에 관심을 집중해 샌프란시스코와 파리를 오가며 과학과 예술과 인류학 사이, 보다 정확하게는 세계의 디지털화와 인포스피어가 가져온 세상의 변화에 대한 연구를 수행하고 있다. 카운터테너로서의 활동은 1984년부터 시작했다.

주목할 만한 또 다른 대중가수는 다니엘 발라부안Daniel Balavoine이 었다. 초창기의 뮤지컬 〈스타르마니아Starmania〉 속에 삽입되기도 했던 '비탄에 빠진 한 지구인의 SOSSOS d'un terrien en détresse'를 들어보면 이 노래가 얼마나 따라부르기 어려운지 느낄 수 있다. 1952년에 출생해 1986년 33세라는 이른 나이에 세상을 떠난 그는 남성과 여성의 음역 을 모두 소화하며 실험적인 팝과 록 음악의 선구자가 되었다. 그의 음 악세계는 1990년대와 2000년대 초반의 샹송계에 지대한 영향을 미쳤 다. 2005년에는 프랑스의 가장 유명한 100인에 선정되기도 했다. 참 여적 성격이 강한 그의 곡들은 이혼, 아이들 교육, 돈, 사회적 성공, 일, 전쟁, 마약, 고문, 사랑, 관용, 인종주의, 삶과 죽음 등 사회의 민감한 주제들을 망라했다. 그렇기에 그가 떠난 지 35년이 되는 지금까지도 발라부안의 음악은 여전히 사랑 받고 있다. 그가 자신의 노래 대부분 을 절망적인 환경 속에서도 희망을 담아내는 도구로 동원했기 때문 일 것이다. '사느냐 살아남느냐Vivre ou survivre', '모든 SOS 외침들Tous les cris les SOS'이 바로 그런 성격의 음악들이다.

그러나 누구보다도 카스트라토 음악을 대중적으로 계승한 사람 은 미셸 폴나레프였다. 점점 약해지는 시력 때문에 착용하기 시작한 독특한 사각 선글라스 이미지로 우리에게 각인된 폴나레프는 유니크 한 음악세계와 개성 때문에 무수한 화제의 대상이 되기도 했다. 컴퓨 터가 막 모습을 드러낸 초창기에 채팅을 통해 사랑을 나누는 모습을 노래한 '굿바이 마릴루Goodbye Marylou'의 세련된 뮤직비디오는 유학 시 절 나에게 행복감을 주었다. 비슷한 시기에 발표한 '카마수트라Kâmâ

〈미셸 폴나레프〉앨범

Sutra'의 탐미적인 멜로디는 그 어떤 음악도 따라잡을 수 없을 경지를 보여주었다. 1990년대 이후 활동을 중단하고 미국과 프랑스를 오가던 그는 2007년 3월 2일 오랜 공백을 깨고 다시 파리 무대에 오르며 프랑스인들을 열광시켰다. 'Ze (Re) Tour 2007'이라고 명명한 이 공연은 100만 명 이상의 관객을 끌어들이면서 2007년 최고의 음악 이벤트로 등극했다. 또 같은 해 7월 14일 프랑스대혁명 기념일에 에펠탑 아래 60만 명 관중 앞에서 콘서트를 갖기도 했다.

프랑스에서 찾아낸 또 다른 가수는 뤽 아르보가스트Luc Arbogast다. 1975년생이며 라로셸 출신으로, 중세음악과 켈트 음악을 우리에게 들려주고 있다. 카운터테너 음악은 중세 스타일의 의상과 멋지게 조화를 이루는데, 그의 중세음악에 대한 관심은 1996년부터 시작되었다. 같은 해에 그는 '앙주농Angenon'이라는 그룹을 결성했고, 스트라스부르의 펍에서 중세 아일랜드 노래를 부르며 성공을 거뒀다. 동시에 그는 거리의 음악가를 자처하면서 대성당 앞 광장, 중세축제에서 공연하기도 했다. 2012년에는 TV 노래 경연 프로그램 〈더 보이스The Voice〉에 출연하면서 930만 명의 시청자에게 세파라디(이베리아반도의 스페인 및 포르투갈계 유대인) 음악, 알비노니Tomaso Giovanni Albinoni의 '아다지오' 등을 들려주면서 자신의 존재를 알렸다. 《글로벌포스트Globalpost》지는 그의 목소리를 '상상하기 힘든 소리'로 묘사했다. 뤽 아르보가스트는 〈왕좌의 게임Game Of Thrones〉 주제가를 부른 가수이기도 하다.

마지막으로 카스트라토 목소리를 떠올리게 하는 클래식 가수는 필립 자루스키Philippe Jaroussky다. 프랑스에서 가장 유명한 성악가 중 한 명으로 꼽히는 자루스키는 1978년 파리에서 출생한 카운터테너 성악가로, 비발디·헨델·몬테베르디 Claudio Monteverdi · 스카를라티Giuseppe Domenico Scarlatti 등 바로크 성악음악 해석에 관한 한 최고라는 평가를 받고 있다. 리사이틀 무대뿐 아니라 오페라 무대에도 자주 오르는데,

필립 자루스키

2003년 파리의 테아트르 드 샹젤리제에서 헨델의 오페라 〈아그리피나 Agrippina〉에 출연해 호평을 받았으며, 또 다른 헨델 오페라 〈줄리오 체사레Giulio Cesare〉에서는 메조소프라노 체칠리아 바르톨리Cecilia Bartoli와 최고의 호흡을 보여주었다. 그의 음악세계가 어디까지 확장될지 지켜볼 일이다.

사회적 연대의 한 방식, 함께 노래부르기

러시아의 레드아미 합창단Red Army Choir의 웅장한 목소리는 실로 대단했다. 유학 시절 팔레 데 콩그레Palais des Congrès에서 직접 들었던 레드아미합창단의 목소리는 상상을 초월했는데, 합창단원 한 명의 성량이 성인 남자 다섯 명 목소리를 합친 듯한 느낌이 들 정도였다. 제3회 '켈트의 밤' 행사 영상을 통해 처음 만난 웨일스 지방의 플린트 메일 보이스 콰이어Flint Male Voice Choir 합창단도 인상적이었다. 희끗희끗한 백발의 노신사들이 눈에 띄는 이 합창단의 목소리는 청년의 목소리를 압도할 정도로 힘이 있었다. 웨일스의 가톨릭교회들이 악기를 인간의 영혼을 잠식하는 도구로 간주하면서 모든 악기를 파괴해버렸기에 웨일스에서는 기악 대신 성악이 발달했다는 이야기를 어디선가 들은 바 있다.

'민중'의 이미지가 워낙 강한 나라여서일까? 프랑스에서는 30여 년 전부터 유달리 '함께 노래 부르기'가 성행하는 느낌이다. 특별한 훈련이 필요 없이 모든 연령대 사람이 참가해 연대의 감정을 나눌 수 있기 때문일 것이다. 2020년을 기준으로 프랑스에는 1,500개 이상의 합창단이 활동하고 있는 것으로 추정된다. 장르도 그레고리안 성가, 중세음악, 르네상스 음악, 바로크 음악, 고전주의 음악, 낭만주의 음악, 20세기 음악, 오라토리오, 오페라, 오페레타, 동요, 샹송, 재즈, 가스펠, 흑인 영가, 민속음악 등 다양하기 그지없다. 그중에서 르네상스부터 낭만주의 시대에 이르는 음악, 그리고 샹송과 민속음악에 대한 수요가 많은 편이다.

유럽에서 합창이 최초로 생겨난 곳도 프랑스 북부와 벨기에 남쪽의 플랑드르 지방이라고 한다. 지휘자 레오나르도 가르시아 알라르콘Leonardo Garcia Alarcón이 이끄는 '카펠라 메디테라네아Cappella Mediterranea'가 벨기에 남부의 나뮈르Namur를 본거지로 삼고 있는 것도 우연이 아닐 것이다. 최근에 프랑스에서 인기를 얻고 있는 TV 프로그램 중에는 프랑스3 채널의 〈300명의 합창300 chœurs chantent〉도 있다. '레 쾨르 드 프랑스Les Chœurs de France', '르 쾨르 에페메르Le Chœur Éphémère' 같은 합창단이 정상급 가수들과 함께 프랑스인에게 익숙한 샹송들을 재해석해 들려준다.

프랑스어로 합창을 뜻하는 단어로는 여러 표현이 있지만, 대표적으로 '코랄chorale'과 '쾨르chœur'가 있다. '쾨르'는 어떤 기관이나 공식 조직에 채용되어 직업적으로 합창을 하는 사람들을 지칭한다. ○○오페라 합창단, ○○대성당 합창단, ○○지역 합창단 등에 이 단어가 붙는다. 그와 반대로 '코랄'은 순수하게 합창 음악을 좋아하는 사람들이 모여서 함께 노래하는 그룹을 가리킨다. 이런 구분과는 별도로 합창단이 어떤 레퍼토리를 선택하느냐에 따라 성격이 달라지기도 할 것이다. 성가를 부를 수도 있고, 민중음악을 부를 수도 있으며, 민속음악을 부를 수도 있기 때문이다. 내가 가장 찾아가고 싶은 축제 중에는 도르

러시아 레드아미 합창단

도뉴Dordogne 지방의 중심 도시 페리괴Périgueux와 그 인근에서 열리는 '신포니아 앙 페리고르Sinfonia en Périgord' 축제가 있다. 바로크 음악을 주제로 하는 이 축제에는 파트리시아 프티봉Patricia Petibon, 필립 자루스키 같은 최정상 성악가와 레 자르 플로리상Les Arts Florissants, 르 콩세르 스피리튀엘Le Concert Spirituel 등의 연주단체가 참가하는데, 이 멋진 축제에 다양한 합창단도 합류해 멋진 화성을 들려준다. 기악도 기악이지만 인간의 목소리가 얼마나 황홀할 수 있는지를 보여주는 축제이기도 하다.

프랑스 문화부는 일드프랑스의 라디오프랑스 합창단Chœur de Radio France, 부르고뉴프랑슈콩테Bourgogne-Franche-Comté의 시테 드 라 부아 Cité de la Voix를 중심으로 전국적인 합창단 네트워크를 구축하는 중이다. 현재 라디오프랑스 합창단 멤버는 93명이다.

라디오프랑스 합창단

　이런 조직화는 프랑스에 도도한 성악 전통이 존재하기에 가능한 일이다. 클래식 음악 레퍼토리 중 합창단이 가장 선호하는 노래 중에 프랑스 음악도 여럿 들어 있다. 가브리엘 포레Gabriel Fauré의 '장 라신 찬가Le Cantique de Jean Racine', 드뷔시Claude Debussy의 '봄의 인사Salut Printemps' 포레의 〈레퀴엠〉 속 '인트로이트Introït'와 '키리에Kyrie', 포레의 '정령들Les Djinns', 프랑시스 풀랑Francis Poulenc의 '검은 성모를 위한 찬가Litanies à la vierge noire', 모리스 뒤뤼플레Maurice Duruflé가 작곡한 〈레퀴엠〉 속 '리베라 메Libera Me' 등이 그런 음악들이다.

　또 프랑스의 성악 전통은 지방마다 조금씩 다른 특징을 띠고 있기도 하다. 예를 들어 코르시카의 폴리포니는 프랑스의 다른 지방에서 전혀 찾아볼 수 없다. 바이욘 축제Fêtes de Bayonne에서 울려 퍼지는 노래 '바이욘 친구들La Peña Baiona(Vino Griego)'의 장엄함을 느껴보라. 프랑스에 일부 걸쳐 있는 바스크 지방의 가수 미켈 라보아Mikel Laboa가 산세

미켈 라보아가 오르페온 도노스티아라 합창단과 함께 부르는 '바가 비가 히가'

바스티안에 본거지를 둔 오르페온 도노스티아라Orfeón Donostiarra 합창
단과 함께 들려주는 '바가 비가 히가Baga Biga Higa'도 유튜브로 감상해
보시길. 각각의 합창은 곧 그 지역의 특성을 집약하고 있는 느낌이다.
합창을 하는 사람들은 노래 속에서 자신들의 정체성을 발견하고, 이
를 통해 더 큰 결속을 다지는 것이다. 그렇기에 프랑스인들은 합창으
로 규모의 경제를 실현한다. 유튜브를 통해 이 무브리니 그룹과 2,000
명의 합창단이 함께 부르는 '코르시카Corsica'를 감상해보시길. 내가 이
야기하려는 바를 잘 알 수 있다.

　음악의 한 장르로서의 합창은 함께 노래부른다는 '사회적' 성격 때
문에 타 장르와 결합된 후 우리에게 더 큰 감동을 안겨주기도 한다.
2004년 개봉한 프랑스 영화 〈코러스〉를 기억하시는지? 크리스토프
바라티에Christophe Barratier가 감독을 맡았던 이 영화는 프랑스에서 무
려 850만 명을 동원하는 대성공을 거두었는데, 우리의 일상 속에서 음

악이 갖는 비중이 얼마나 큰지를 상징적으로 보여주고 있다. 영화의 배경은 1949년. 실직한 음악 선생 클레망 마티외는 어려운 환경의 아이들을 재교육하는 기숙학교에 경비원으로 취직한다. 마티외는 교장 라생의 억압적인 교육에 놀라지만 아이들을 음악과 합창으로 인도하면서 그들의 일상을 완전히 탈바꿈시킨다. 가장 두각을 드러내는 인물은 영화 속에서 페피노라 불리

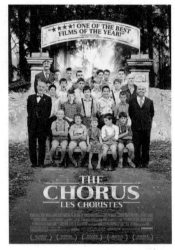

영화 〈코러스〉 포스터

는 아이다. 그는 매주 토요일마다 자기를 찾아오는 아버지를 기다리는데, 사실 그의 부모는 2차대전 와중 독일이 프랑스를 점령하고 있을 때 이미 숨졌다. 페피노는 그런 사실을 받아들이기를 거부하고 있을 뿐이다. 그러나 마티외는 상처받은 아이들의 닫힌 마음을 열기 위해 그동안 포기했던 음악을 다시 시작하고, 아이들에게 노래를 가르친다. 그러자 아이들에게서 변화가 일어나기 시작한다. 반항심 많던 모항주에게서 놀라운 음악적 재능이 드러나고, 돌아오지 않을 아빠를 하염없이 기다리던 페피노는 노래를 통해 마음을 열게 된다. 세상이 아이들에게 심어놓은 깊은 상처를 음악을 통해 치유하고 소통해나간다.

영화가 거둔 성공은 프랑스에서 합창, 특히 어린이 합창에 대한 폭발적인 관심을 낳았다. 낡고 오래되었다고 평가받던 이 장르에 새로운 숨을 불어넣었던 것이다. 영화가 주는 감동은 브뤼노 쿨레의 음악, 그중에서도 '너의 길 위를 봐Vois sur ton chemin'의 공이 크다. 영화 속

의 합창을 실제로 부른 생 마르크 소년 합창단Les Petits Chanteurs de Saint-Marc은 나중에 파리와 유럽, 아시아와 캐나다에서 순회공연을 갖기도 했다.

마지막으로 덧붙이고 싶은 실제 이야기. 브르타뉴 지방에 콩카르 노Concarneau라는 작은 마을이 있다. 수 세기 전부터 정어리를 잡으며 생계를 유지하던 마을로 1902년부터 정어리가 거의 잡히지 않자 어 부들의 가정은 큰 위협을 받는다. 그러자 정어리 통조림 공장 사장 이자 시장 루이-마리-사뮈엘 빌레트 드 빌로슈Louis-Marie-Samuel Billette de Villeroche는 축제를 열자고 제안했고, 축제 수익금을 경제적으로 어 려움을 겪고 있는 가정에 배분했다. 연대의 원칙이 빛을 발하는 순간 이었다. 이 원칙은 오늘날까지 콩카르노에서 열리는 '푸른 그물 축제 Festival des Filets bleus'를 통해 이어지고 있다. 이 축제에서 울려 퍼지는 바 닷가 사람들의 노래에 우리가 무심할 수 있을까? 그것이 어울려 사는 삶의 한 형태라면? 우리의 목소리가 천사들의 합창을 닮을 수 있다면 바로 그런 정신을 통해서일 것이다.

장-필립 라모Jean-Philippe Rameau의
〈우아한 인도의 나라들Les Indes galantes〉이
힙합 버전으로?

2019년 7월 프랑스 니스의 샤갈 미술관Musée National Message Biblique Marc Chagall 영상자료실. 샤갈의 그림을 감상하다가 어둠 속에서 우연히 만난 〈우아한 인도의 나라들〉 영상은 충격적이었다. 장-필립 라모가 작곡한 최초의 발레 오페라라는 이미 알고 있었다. 그러나 라모의 음악이 몇 분 길이에 불과한 힙합과 만나는 풍경은 낯설기 그지없었다. 우연히 같은 공간에서 영상을 보던 한국 여대생들도 정말 멋지다며 찬사를 그치지 않았다. 나중에 확인해보니 오페라 드 파리Opéra de Paris가 인터넷 홈페이지에 올린 디지털 자료인 '세 번째 무대3ème Scène'라는 동영상이었다. 난 클레망 코지토르Clément Cogitore라는 생소한 이름을 기억해두었다가 귀국 후 이 영상이 어떻게 만들어졌는지 찾기 시작했다.

영상은 엠마뉘엘 하임Emmanuelle Haïm의 지휘 아래 르 콩세르 다스트레Le Concert d'Astrée가 연주한 〈우아한 인도의 나라들〉 일부를 클레망 코지토르가 2017년에 연출한 것이었다. 댄서들은 스트리트 댄스의 일종인 크럼프Krump를 추었는데, 안무는 빈투 뎀벨레Bintou Dembélé, 그리슈카Grichka와 브라힘 라쉬키Brahim Rachiki라는 세 명의 안무가가 담당

오페라 〈우아한 인도의 나라들〉의 힙합 버전 퍼포먼스

했다. 크럼프는 1990년대 로스앤젤레스에서 흑인인 로드니 킹Rodney King을 백인 경찰들이 집단 구타한 사건이 도화선이 되어 폭동이 발생한 후 생겨난 춤이었다. 힙합 댄스의 한 갈래로, 자유롭고 역동적인 안무가 특징이다. 로스앤젤레스 지역에서 흔히 발생하는 길거리 폭력과 관련, 공격성과 분노를 긍정적이고 비폭력적인 방식으로 표출하기 위해 이 춤이 생겨났다는 설이 있다. 2017년에 클레망 코지토르 감독은 라모가 그려낸 열락의 상자를 정치적인 도시공간 속에 위치시키면서 예술과 삶의 경계의 의미를 묻는다.

어쨌거나. 그 장면은 파리 소재 바스티유 오페라에서 2019년 9월 27일부터 10월 15일까지 12차례 공연에서 다시 모습을 드러냈고 비평계와 관객들로부터 극찬을 받았다. 1부가 110분, 막간 휴식시간이 30

2019년을 강타한 〈우아한 인도의 나라들〉 공연 포스터

분, 2부가 90분, 길이가 도합 230분에 달하는 긴 공연이었지만, 새로운 형태의 공연과의 만남은 모든 이들을 즐겁게 했던 것 같다. 세계 주요 매체들의 찬사도 이어졌다. 《뉴욕타임스_The New York Times_》《일 조르날레 델라 무지카_Il Giornale della Musica_》《포럼 오페라_Forum Opéra_》가 모두 이 작품을 2019년 최고의 오페라로 선정했다.

계몽주의 시대인 1735년에 만들어진 걸작 〈우아한 인도의 나라들〉은 멋진 오락거리였지만, 타민족들에 대한 유럽인의 모호한 시각이 담긴 작품이기도 했다. 작품 속에서 터키인, 잉카인, 페르시아인 등은 '야만인'으로 불렸다. 그러나 2019년의 공연은 라모의 작품 탄생 284주년, 오페라 드 파리 창립 350주

라모의 오페라 〈우아한 인도의 나라들〉 앨범

년, 바스티유 오페라 건립 30주년을 현대적인 버전으로 기념하고 있었다. 어떤 의미에서 이 공연은 이국적이고도 현대적인 춤이 고귀한 제도권에 편입되는 의식儀式을 의미하고 있기도 했다. 라모 시대에 발레가 궁정에 받아들여진 것처럼 힙합이 오페라 드 파리라는 거룩한 공간 속으로 입성하는 모습이었다.

이러한 멋진 일을 해낸 사람들에 흥미를 갖지 않을 수 없었다. 코지토르 외에도 공연을 성공시킨 낯선 이름들은 모두가 매력적이었다. 바스티유 공연의 지휘는 레오나르도 가르시아 알라르콘이 맡았고, 카펠라 메디테라네아, 나뮈르 챔버 합창단Chœur de chambre de Namur, 파리 국립 오페라 어린이 합창단Chœur d'enfants de l'Opéra national de Paris, 그리고 뤼알리테 컴퍼니Compagnie Rualité 소속 댄서들이 공연에 참가하고 있었다. 또 소프라노 줄리 푹스Julie Fuchs는 1인 2역으로 에밀리와 파팀 역할을 맡아 열창했다.

그들의 구체적인 면면을 살펴보자. 먼저 클레망 코지토르. 그는

클레망 코지토르 ©telerama.fr

1983년 8월 27일 프랑스 동부 콜마르에서 출생한 아티스트이자 영화감독이다. 스트라스부르에서 공부한 후 단편영화 〈방문받은 사람들Visités〉이 2007년 로카르노영화제 본선에 진출하고, 〈우리 사이Parmi nous〉가 2010년 데뷔작 유럽 그랑프리상을 획득하며 주목받기 시작한다. 2011년부터 그의 작품들은 파리의 팔레 드 도쿄Palais de Tokyo, 스트라스부르 근현대미술관Musée d'art moderne et contemporain de Strasbourg 같은 다양한 공간에서 개인전 혹은 그룹전을 통해 정기적으로 전시되기 시작한다. 2015년에는 첫 장편영화인 〈하늘도 아니고 땅도 아닌Ni le ciel ni la terre〉이 칸 영화제 비평가 주간에서 선을 보였으며, 다음해에 프랑스 영화비평가조합이 주는 최우수 신인작품상을 수상했다.

앞에서 언급한 6분 길이의 단편 〈우아한 인도의 나라들〉은 2017년에 제작된다. 라모가 작곡한 바로크 오페라 〈우아한 인도의 나라들〉 속 '야만인들Les Sauvages'을 힙합 및 크럼프와 접맥시켰던 것이다. 이 영상이 오페라 드 파리 관장의 주목을 받았고, 관장은 작품 전체를 연출해달라고 코지토르에게 제안하기에 이른다. 일부 비평가들이 현대무용과 연출 사이에 상호작용이 느껴지지 않는다고 비판했지만, 그의 파격적인 연출은 성공적으로 평가된다. 향후 그의 행보가 기대되는 부분이다.

아르헨티나 국적의 지휘자 레오나르도 가르시아 알라르콘에 대해서도 관심이 생겼다. 1976년 8월 5일 라플라타에서 출생한 인물로 바로크 음악 전문 지휘자였다. 《텔레라마》와 가진 인터뷰에서 "바흐 Johann Sebastian Bach가 아니었다면 음악가가 되지 않았을 것"이라 고백했을 정도로 그는 바흐에게서 영향을 받았다. 자신이 이끄는 카펠라 메디테라네아를 조직했고, 무수한 축제에서 연주회를 갖고 있다. 그가 즐겨 찾는 음악제는 앙브로네 축제Festival d'Ambronay이다. 제네바 고등음악원에서 후학을 양성하고 있으며, 2010년부터 벨기에 나뮈르 챔버 합창단의 예술감독을 맡았다. 2019년에는 카펠라 메디테라네아를 데리고 스위스 제네바 소재 그랑 테아트르Grand Théâtre에서 오페라 〈메데아Médée〉 공연을 지휘했다. 마르크-앙투안 샤르팡티에Marc-Antoine Charpentier의 작품이었다. 그는 팔베티Michelangelo Falvetti, 퍼셀Henry Purcell, 헨델 등 무수한 고전음악가들을 오늘에 되살리고 있다.

카펠라 메디테라네아는 1999년 알라르콘이 만든 오케스트라 겸 합창단으로 17세기 초의 대표적인 세 장르였던 마드리갈(세속 성악곡), 다성음악 모테트(교회의 합창 성가), 오페라를 통해 남유럽의 레퍼토리를 집중 소개하고 있다. 바로크 음악에 대해 독창적인 접근을 시도하며, 남유럽의 민중음악 속에서 발견되는 바로크적인 요소를 해석하는 데 전념하는 중이다. 또 르네상스 시대를 바로크 시대와 연결하면서 남유럽 음악이 북부에 미친 영향도 조명하고 있다. 몇 년 전부터는 레퍼토리의 다양화를 시도하고 있는데 그 폭은 몬테베르디부터 모차르트까지 걸쳐 있다. 2011년에는 앙브로네 축제에서 팔베티의 작품 〈나부코 Nabucco〉를 무대에 올리기도 했는데, 이 오페라는 1683년 작곡된 이후 공연된 적이 없는 작품이었다.

마지막으로 나뮈르 챔버합창단. 나는 고대음악과 바로크 음악을 들려주는 이 합창단 때문에 벨기에 나뮈르에 꼭 찾아가겠다고 마음을 먹고 있다. 역시 알라르콘이 2010년부터 지휘를 맡고 있으며, 1987년 나뮈르 고대음악 및 합창 센터Centre d'Art Vocal et de Musique Ancienne de Namur가 창단한 단체다. 유럽 굴지의 축제들로부터 자주 초청받을 정도로 수준이 높다.

이들의 협력이 또 어떤 파격을 만들어낼지 늘 기다려진다.

월드뮤직, 세상을 향해 열린 창

제목을 이렇게 정해놓고 보니 머릿속이 캄캄해진다. 단지 나와 월드뮤직의 만남을 그려내고 싶었을 뿐인데, 세상의 방대한 음악이 떠오르며 부담감이 엄습한다.

내가 파리에 도착한 지 불과 며칠 후 레코드점에 달려가 가장 먼저 구매한 카세트테이프가 러시아 민요였다. 그 옛날 러시아와 국교가 수립되지 않았던 시절이다. 대학에서 학과 조교를 할 때 학과 사무실 바로 옆 미네르바 언덕에서 러시아어과는 축제 기간에 러시아 민요들을 틀었었다. 지금은 우리가 '백학Cranes', '백만 송이 장미Million Roses', '칼린카Kalinka', '모스크바의 저녁Moscow Nights', '카추샤Katyusha' 등 많은 러시아 노래를 알고 있지만, 어둡던 1980년 냉전시대에는 금지곡이었던 러시아 민요가 주는 환상은 대단했다. 대학 시절 친구 집을 방문했을 때 당시 의대생이던 친구의 매형이 들어보라며 틀어준 음악도 러시아 국립오케스트라가 연주하는 쇼스타코비치Dmitri Dmitriyevich Shostakovich의 교향곡이었다. 당시 받은 충격은 적지 않았다. 금관악기와 타악기 소리가 유달리 강렬했던 그 연주는 서구 음악과는 완연히 다른 느낌을 주었다.

　지리적으로 유럽의 중심이자 아프리카와 가까운 프랑스는 문화에 관해 세계의 중심이 될 수밖에 없었다. 음악도 마찬가지라서 월드뮤직이라 불리는 세계의 음악을 구입하기가 편했다는 얘기다. 더구나 프랑스는 아프리카의 많은 나라를 식민지배한 경험을 보유하고 있었다. 파리에서 들은 이야기에 따르면, 월드뮤직의 중심은 파리와 도쿄란다. 파리와 달리 일본인들은 지적 호기심이 많아 세상의 모든 음악에 관심을 보인다고 한다.

　파리에서 흥미로운 모습을 발견하기도 했다. 바로 월드뮤직이라는 명칭에 관련된 풍경이었다. 파리의 초대형 프낙 매장에 가면 '샹송', '팝과 록'과 별도로 '월드뮤직' 코너를 마련하고 있다. 반면 한국에서는 한국 '가요'와 영미권 '팝'을 제외한 나머지를 모두 '월드뮤직'이라는 이름으로 묶고 있다. 다시 말하

파리 프낙 매장 외관과 내부 ⓒen.parisinfo.com

자면 세계 대부분의 나라가 세계성을 확보한 영미권 음악과 자국 음악을 제외한 나머지 모두를 월드뮤직이라는 타이틀 속에 가두는 것이다. 어떤 의미에서는 세상을 바라보는 인식과도 맥을 같이하고 있었다. 다시 말해 초강대국인 미국을 세상의 중심에 놓고 자기 나라를 그다음에 위치시키는 방식이었다.

　그러나 이러한 호칭은 음악의 세계에서 별로 의미가 없었다. 적어도 음악에 관한 한 세상은 평등했다. 아르헨티나의 탱고가 유럽의 왈츠

보다 뒤떨어지는 음악이라고 누가 이야기할 수 있겠는가? 아프리카 줄루족의 정서를 담아낸 조니 클레그Johnny Clegg와 사부카Savuka 밴드의 음악이 유럽의 그것보다 수준이 낮다고 누가 이야기할 수 있겠는가? 어떤 의미에서 월드뮤직은 서로를 편견 없이 바라보게 하면서 세상을 잇는 가교 역할을 수행하고 있었다. 그것은 정치나 경제가 극복하지 못하는 세상의 갈등을 문화의 이름으로 이겨내는 방식이기도 했다.

프랑스가 월드뮤직과 만나는 방식은 다양했고, 나에게 시사하는 바가 컸다. 먼저 프랑스는 세계의 음악 자료를 집대성하면서 세계 각 지역에 대한 호기심을 표출하고 있었다. 게다가 세계 어느 지역보다도 더 적극적으로 다른 지역 음악을 자국 음악과 적극적으로 접합하고 있었다. 예를 들어 탱고라는 단어의 철자를 뒤집은 '고탄 프로젝트

Gotan Project'는 프랑스인들과 아르 헨티나인들이 함께 결성한 탱고 연주 그룹이었다. 게다가 프랑스를 찾는 무수한 음악인들을 통해 스페인, 아일랜드, 그리스의 음악과 적극 교류함은 물론 아랍 지역 음악과도 본격적으로 만나고 있었다. 카트린 라라Catherine Lara의 앨범 〈아랄Aral〉을 감상해보시길. 동유럽의 집시 음악도 예외가 아니었다. 예를 들어 에밀 쿠스트리차Emir Kusturica의 영화 〈집시의 시간Dom Za

영화감독 에밀 쿠스트리차

에밀 쿠스트리차 감독과 노 스모킹 오케스트라

596

Vesanje)에 삽입된 고란 브레고비치Goran Bregovic의 음악은 그 어떤 나라보다 프랑스에서 더 사랑 받았다. 이런 접목 사례는 유럽의 다른 지역에서도 그 모습을 얼마든지 찾아볼 수 있었다. 일례로 레바논에서 태어나 유럽에서 활동하는 아랍 전통악기 우드 연주자 라비 아부-칼릴 Rabih Abou-Khalil은 아랍 음악을 재즈, 클래식 혹은 여타 장르와 결합하면서 완전히 새로운 형태의 음악을 만들어냈다.

그러나 무엇보다도 월드뮤직에 대한 관심은 프랑스의 여러 지역에서 열리는 축제에서 더 잘 드러났다. 이미 이 책의 다른 장에서 기술한 로리앙의 '인터켈트 페스티벌Festival Interceltique de Lorient'을 비롯해 마르세유에서 열리는 '피에스타 데 쉬드Fiestas des Suds', 아를에서 열리는 '레 쉬드 아 아를Les Suds à Arles', 앙굴렘에서 열리는 '뮈지크 메티스Musiques Métisses' 등이 그에 해당한다. 한국의 경우도 전주와 울산에서 열리는 축제들이 월드뮤직에 대한 프로그램을 간헐적으로 편성하고 있지만, 그 방식이 그다지 체계적이지도, 전략적이지도 않은 느낌이다.

월드뮤직에 대한 나의 관심은 유럽 음악에서 세계 각 지역의 음악으로 확장되어나갔다. 그리스 가수 안젤리크 요나토스Angélique Ionatos의 청아한 목소리와 철학적인 내용의 노래, '야생마Koni Priveredlivye'를 통해 듣는 러시아 가수 블라디미르 비소츠키Vladimir Semyonovich Vysotsky

블라디미르 비소츠키

의 폭발적인 목소리, 러시아 레드 아미 합창단의 노래들은 유학 초창기에 나의 관심을 끈 음악들이다. 그러다 프랑스에 대한 이해가 깊어지면서 켈트 문화를 주제로 유럽 각 지역 및 캐나다의 아카디아 지방에서 모이는 로리앙 인터켈트 페스티벌에 관심을 갖기 시작했다. 월드뮤직에 대한 이해가 깊어지자 이번에는 세계 각 지역의 음악을 활용하는 여러 종류의 풍경이 눈에 들어왔다. 영화 〈블랙 호크 다운Black Hawk Down〉에서는 브르타뉴 지방의 가수 드네즈 프리

〈블랙 호크 다운〉 OST 앨범

장Denez Prigent이 오스트레일리아 가수 리사 제라드Lisa Gerrard와 함께 부르는 샹송 '기다리고 있어요Gortoz A Ran'가 등장한다. 프랑스의 역사 테마파크 퓌뒤푸의 잔다르크 스토리를 다룬 공연 〈창의 비밀〉에는 스페인 북부 갈리시아 지방의 가이타 연주자 카를로스 누녜스의 음악이 자연스럽게 들어가 있다. 미국 드라마 〈왕좌의 게임〉 주제가는 프랑스의 중세음악 가수 뤽 아르보가스트가 부르고 있다. 오늘날 우리가 자주 접하는 다양한 영화와 문화상품을 제대로 이해하기 위해서도 월드뮤직에 대한 관심이 절대적으로 필요하다는 이야기다.

내가 소장한 자료를 가지고 국악방송과 함께 2007년 11월 16일부터 18일까지 아트선재센터에서 제1회 월드뮤직필름 페스티벌을 개최한 적이 있었다. 기획위원장을 맡았던 나는 얀 티에르센과 이 무브리니, 〈월식〉의 공연 동영상, 로리앙 인터켈트 페스티벌 등을 국내에 처음 소개했는데, 반응은 아주 좋았다. 제2회 행사 주제를 아프리카 음악으로 잡았는데, 국악방송의 사정으로 인해 성사되지 못하고 단발성 행사로 끝난 것이 못내 아쉬울 따름이다. 이 행사를 진행하며 대한민국 역시 세계의 다양한 문화에 충분히 열려 있다는 느낌을 나는 받았

제1회 월드뮤직페스티벌 리플릿

고, 이런 관심을 어떻게 제도로 만들 수 있을까에 대해 고민했다.

요즘에는 유튜브를 통해서 음악을 접하기도 하지만 정작 파급력이 큰 방송을 통해 세계의 음악을 제한적으로 접하는 이런 환경을 어떻게 설명해야 할까? 오직 각 개인의 취향과 관심사에 맡겨야 하는지?

세상의 모든 음악에서는 세계 각 지역의 좌절과 분노, 사랑과 희망이 골고루 담겨 있지 않은가? 세상의 모든 지역에 우리 문화를 효율적으로 알리기 위해서도 우리 역시 세계 각 지역의 음악에 주의 깊은 시선을 던질 필요가 있다. 언어를 매개로 하는 문학보다 음악은 훨씬 더 직접적이고, 공감대의 영역이 넓으며, 보편성을 띠고 있지 않은가? 물론 가사가 있는 노래는 우리에게 익숙한 영어가 아닌 다른 외국 언어로 인한 전달의 한계를 극복하려는 시도도 병행해야 할 것이다. 그러나 그럼에도 음악을 통해 우리가 더 행복해질 수 있다면 기꺼이 그런 수고를 거쳐야 할 것이다. 세상의 평화를 위해서도 말이다.

또 다른 프랑스, 프랑스의 지방음악들

프랑스 지방음악과의 만남은 2005년으로 거슬러 올라간다. 그해 여름 전라도 어느 도시가 해양축제를 기획하면서 해외 사례를 궁금해했기 때문이다. 나는 바다를 끼고 있으면서 축제가 가장 활성화된 로리앙 인터켈트 페스티벌을 본보기로 제안했고, 그 출장이 성사되었다.

당시 내가 받은 충격은 아주 컸다. 프랑스 대중음악을 거의 30년 정도 접했기 때문에 자신만만했는데, 축제를 찾은 후 생소한 가수들과 음악 장르가 넘치는 풍경에 놀라지 않을 수 없었다. 내가 그동안 알고 있던 것은 파리 문화였고, 파리 문화의 부산물이었다. 그때부터 나는 켈트 음악에 달려들었다.

꽤 많은 자료가 쌓이자 이번에는 새로운 음악이 눈에 들어왔다. 코르시카 그룹인 이 무브리니였다. 프랑스 유학 시절 단 한 번도 이름을 들어본 적이 없는 그룹이었다. 그 후 코르시카의 여러 그룹이 연차적으로 나의 머릿속에 입력되었다.

시간이 한참 흐른 후 이번에는 나다우Nadau라는 가수를 찾아낼 수 있었다. 옥시타니 지방의 정서를 담아내는 이 가수가 파리의 올랭피아

나다우 〈로스 드 나다우〉 앨범

극장에서 공연할 때면 이 지역 사람들 전체가 열차를 빌려 중앙으로 올라오고 있었다.

그리고 보다 나중에 유튜브 등 동영상을 통해 찾아낸 가수가 미켈 라보아다. 스페인 가수지만, 스페인과 바스크 문화를 공유하는 프랑스 남서부이기에 그는 마치 프랑스 가수처럼 느껴졌다. '바가 비가 히가'라는 제목조차 낯선 노래를 부르는 공연 동영상을 접했을 때 나는 도저히 손에 잡히지 않는 그 지역의 정체성에 좌절했고, 그런 만큼 더욱 지식욕이 발동했다.

이런저런 접근을 통해 얻은 결론은 오늘날 '프랑스 대중음악'이라는 명칭이 그다지 설득력이 없다는 사실. 테마파크에서는 유럽 다른 나라의 스토리를 공유했고, 타국의 음악을 가져다 쓰는 것도 주저하지 않았다. 벨기에 음악은 자연스럽게 프랑스의 그것과 동일시되고 있었다. 또 프랑스의 주요 지방에서는 어김없이 자기만의 색채를 가진 음악 자산을 보유하고 있었다. 우리처럼 전통문화 차원이 아니라 현재의 대중음악도 그렇다는 이야기다.

프랑스 지방음악은 지역 문화나 해당 지역에 연계된 대중적인 음악 전체를 지칭한다. 대부분 구전으로 전해졌으나 오늘날 일부 뮤지션들은 그것을 악보에 옮긴 후 재해석하고 있다. 이것은 민속음악과 차별화가 가능한 부분인데, 민속음악이 원형의 보존에 힘쓴다면 지방음악은 지방 고유의 대중문화와 정체성을 오늘에 맞게 현재화하는 역할을 하는 느낌이다. 둘 사이의 구분이 말처럼 쉽지는 않다. 그럼에도 지방

음악을 결정하는 중요한 기준은 지리와 관련된 사회문화적 요소, 그것의 전승과 재창조일 것이다.

내 생각에 프랑스의 지방음악은 주로 변방 쪽에서 강세를 이루고 있었다. 언어가 다르므로 일찍부터 프랑스로부터 독립을 주창했던 지역(코르시카, 바스크)도 있고, 북부 문화와 차별화되는 독자적인 문화를 보유한 곳(옥시타니)도 있으며, 산악지대라 외부와의 단절 때문에 고유한 문화가 생겨난 곳(오베르뉴, 사부아)도 있다.

지방음악은 연이은 혁신을 거치면서 1970년대부터 전통음악을 부활시켰다. 알란 스티벨이나 말리코른 그룹처럼 젊은 음악인들이 대거 등장한 것이다. 흥미로운 점은 유학 시절인 1980년대 후반부터 1990년대 중반까지 내가 프랑스에서 지방음악에 대해 이야기를 들은 적이 거의 없다는 사실이다. 그만큼 파리의 음악 생태계는 지방의 그것과 거리가 멀었다. 브르타뉴가 전통노래들을 대중에 알리는 데 크게 기여했는데, 트리 얀, 마트마타Matmatah, 그웨르즈Gwerz 등이 그런 역할을 담당했다. 캥페르Quimper에서 열리는 코르누아이유 축제Festival de Cornouaille 같은 행사도 전통음악 활성화에 힘을 보탰다. 오늘날 각 지역 출신의 대중가수들도 일조하고 있는데, 브르타뉴 출신 놀웬 르루아Nolwenn Leroy, 코르시카 출신 파트릭 피오리Patrick Fiori 등이 대표적인 가수들이다. 지방별로 유명한

코르누아이유 축제 포스터

음악과 음악인들을 알아보자.

브르타뉴 음악에 대해서는 책 속의 〈얀 티에르센, 브르타뉴의 서정〉
〈바다를 통해 이어지는 켈트인들의 축제〉 챕터에서 상세한 내용을 찾
아볼 수 있다. 연주 악기로는 우리의 나팔에 해당하는 봉바르드, 백
파이프, 켈틱 하프가 특별하다. 1950년대 이후 다른 켈트 국가들이나
지역들에서 영감을 얻고 있는데, 알란 스티벨은 단 아르 브라즈Dan Ar
Braz와 더불어 새로운 운동을 주도한 대표적인 인물이다. 켈트 록과
월드뮤직에 새로운 레퍼토리를 제공하기도 했다.

디디에 마리오Didier Mario 같은 작곡가로 대표되는 오베르뉴 음악
은 리모주Limoges, 베리Berry, 코레즈Corrèze, 부르보네Bourbonnais, 푸아투
Poitou 지방의 정서를 담아내고 있다. 또 리모주 왈츠와 같이 리무쟁
Limousin 지방에서의 삶에 경의를 표하고 있다.

바스크 음악은 아주 범위가 넓다. 수 세기에 걸쳐 구전으로 전승된
시詩의 양식인 '베르트솔라리스Bertsolaris'와도 관련을 맺고 있다. 바스
크 지방의 전통음악도 있고, 프랑코주의가 종식되던 1970년대에 크게
도약한 새로운 바스크 음악도 공존한다. 후자의 경우 록, 기타 등의
요소를 가미하고 있다. 1980년대 시작된 국경 개방은 피레네산맥 양
쪽 문화의 교류를 활성화했고, 2000년대에 시작된 정치적 화해 이후
에는 교류가 더 심화된다.

알자스 음악은 주로 오케스트라로 연주된다. 프랑스 동부 끝에 있
어서 독일, 오스트리아, 스위스, 체코 음악과 가깝다. 이 지역 음악도
다른 지역과 마찬가지로 2차대전 이후에 거의 사라졌다가 오늘날 다
시 복원되고 있다. 이 지역을 오랫동안 점령한 두 개의 언어, 두 개의

국적은 이 지방의 언어와 음악, 민속춤에도 모습을 반영하고 있다. 또 오래전부터 합스부르크 왕가 및 오스트리아-헝가리제국과 연결되어 있었기에 그로부터 영향을 많이 받은 지역이다. 최근에는 '알자스 록' 이 새로운 트렌드로 대두하고 있다.

코르시카 음악 역시 〈이 무브리니와 코르시카 음악〉에서 자세히 기술한 바 있다. 정체성이 아주 강하고 종교의 영향을 많이 받은 지역이다. 따라서 이런 정서가 다성음악 속에 깊이 배어 있다. '파그젤라'는 목동들이 산악지역에서 부르던 노래였는데, 일상생활을 담아내다가 문화와 전통 및 역사를 전달하는 수단으로 탈바꿈했다. 예를 들어 루이 15세가 이끄는 프랑스 군대에 맞서 파스칼 파올리Pascal Paoli가 이끌던 코르시카 군대가 폰테노보Ponte-Novo전투에서 패배한 사실은 아직도 노래로 불린다. 알바Alba 같은 그룹은 전통으로부터 영감을 얻은 음악을 새로운 악기에 결합하는 실험을 하고 있고, 이 무브리니, 아 프리마베라A Primavera 등은 전통으로부터 벗어나 스타일과 악기, 문화를 뒤섞고 있으며, 아 필레타A Filetta 같은 그룹은 이 지역 음악의 원형을 고수하고 있다.

사부아 지방의 음악은 19세기와 20세기에 이루어진 이민의 영향을 많이 받았다. 백파이프와 아코디언을 많이 사용한다.

나에게 프랑스는 이런 다양함으로 인식된다. 서로 아주 다른 문화와 정체성의 공존. 그렇기에 프랑스 문화예술에 대해 통일된 이미지를 갖는다는 것은 불가능에 가깝다. 하지만 13개 나라만큼이나 다채로운 13개 레지옹(프랑스 본토 기준)이 들려주는 매력적이고도 차별화되는 곡조를 어떻게 사랑하지 않을 수 있으랴.

뮤직홀, 그리고 샹송의 전당 올랭피아 L'Olympia

프랑스의 뮤직홀에서 대해 들어보셨는지? 오늘날 파리를 방문할 때 꼭 들르고자 하는 공간들인 리도Lido de Paris, 물랭 루주Moulin Rouge, 폴리 베르제르Folies Bergères는 모두 뮤직홀과 관련된 공간들이다. 현재 리도 쇼가 라스베이거스에서 만날 수 있는 쇼와 흡사한 반면 폴리 베르제르가 좀 더 예술성을 강조하고 있기는 하지만⋯⋯ 전통적인 뮤직홀 개념에 꼭 들어맞는 공간은 올랭피아가 유일하다 할 수 있다. 그리고 헤밍웨이가 파리에서 보낸 자신의 젊은 시절에 대해 쓴 에세이《파리는 날마다 축제》에서도 비슷한 이야기가 등장하지만, 이런 공간들에서 처음에는 레스토랑을 겸하며 복싱 경기를 개최한 것도 흥미롭다.

뮤직홀은 1770년대에 처음 선보인 '노래하는 카페café chantant', 그리고 보다 최근에는 '콘서트 카페café concert'의 뒤를 이은 공연장 형태로, 입석이 있다는 것이 앞의 공연장들과 구별된다. 영국에서 태동한 뮤직홀이라는 단어는 1862년부터 프랑스어로도 사용되기 시작했다. 일반적으로 뮤직홀은 서비스, 공연, 공연장이라는 세 가지 요소를 충족시킨다. '르뷔 테아트르revue théâtre'라 불리던 공연의 형태는 볼거리와 오락적 요소를 잇는 동시에 오케스트라와 무용단, 가수를 갖춰야 했다. 르뷔에서는 전통과 별로 상관없이 반라의 무희들이 나와 공연의 특징을 담아내고 있다. 19세기 중반부터 1920년대까지 도시화가 빠르게 진행되면서 등장한 형태로, 프랑스, 영국 및 독일 대도시들에 생겨난 후 밤에 축제 분위기를 즐기려는 다양한 사회계층 사람들을 끌어들였다.

조제프 올레르

　뮤직홀에 다양한 오락적 요소를 끌어들이고자 했던 샤를 모르통 Charles Morton의 정신을 이어받은 조제프 올레르Joseph Oller가 파리에 새로운 장소들을 만들어낸다. 파리에서는 폴리 베르제르(1869), 물랭 루주(1889), 올랭피아(1893), 알함브라Alhambra(1904), 아폴로Apollo(1909), 보비노Bobino(1917), 카지노 드 파리Casino de Paris(1917), 르 팔라스Le Palace(1921), 폴리 바그람Folies Wagram(1928), ABC(1933) 등이 차례로 오픈한다. 1890년대부터 1930년대까지 뮤직홀은 주로 파리의 제9구, 제10구 및 제18구에 들어섰는데, 관광객들이 많이 몰리는 지역과 무관하지 않다. 뮤직홀 주변에는 키오스크, 기념품점, 호텔 등이 들어섰다.

　1869년에 폴리 베르제르는 최초의 오페레타와 리뷰를 선보인다. 시간이 흐르며 노래와 버라이어티쇼가 추가되었고, 여인의 몸을 내세운 공연이 단골 레퍼토리가 되었다. 1889년 10월 6일에는 물랭 루주가 개관했는데, 원래 정원이 딸린 콘서트 카페였다가 샤를 지들러Charles

Zidler의 주도로 뮤직홀로 개조되었다. 파리에서 뮤직홀이라는 이름을 공식적으로 내세운 최초의 공간이었다. 1902년부터 이 장소는 콘서트, 연극, 레스토랑, 무도회, 여자 복싱경기가 열리는 복합적인 성격을 띠게 된다. 또 1936년에는 부자들의 전용 수영장을 뮤직홀로 개조한 리도가 문을 연다. 1900년에 뮤직홀이라는 이름을 가지기 시작한 카지노 드 파리는 오페레타, 복싱을 비롯한 격투기를 번갈아 올리다가 1917년부터 뮤직홀로만 이용되었다. 1893년 4월 12일에는 몽마르트르에서 활동하던 아티스트 라 굴뤼La Goulue가 놀이시설들이 들어서 있던 작은 공원의 공터에 지은 올랭피아에서 개관 기념공연을 가졌다. 그 후 올랭피아는 영화관으로 성격이 바뀌기도 했다가 브뤼노 코카트릭스Bruno Coquatrix가 운영을 맡으며 1954년부터 다시 뮤직홀의 성격을 되찾았다. 1990년에 장소를 이전한 올랭피아는 음악 공연을 위시한 다양한 공연을 무대에 올리고 있다.

1950년대부터 영화가 인기를 얻고, 라디오라는 매체가 생겨나며, 축음기가 대량으로 보급되면서 뮤직홀은 쇠락의 길을 걷는다. 게다가 재즈 클럽, 센강 좌안의 샹송 카바레가 등장하며 더욱 위기를 겪는다. 그런 곳에서는 술을 마시는 것도 가능했다. 이 시기에 많은 뮤직홀이 영화관으로 모습을 바꾸며 사라진다. ABC(1965년에 폐관), 테아트르 드 레투알Théâtre de l'Étoile(폴리 바그람이 이름을 바꾼 뮤직홀로 1964년에 폐관), 알함브라(1967년에 건물 철거), 보비노(1985년에 건물 철거)가 비극적 운명을 맞이했으며, 올랭피아만이 현재까지 운영 중이다.

나에게 뮤직홀은 무엇보다도 올랭피아였다. 어릴 적부터 샹송을 접할 때마다 늘 함께 등장하던 올랭피아에는 '샹송의 전당'이란 별명이 따라다녔고, 그 별명에 걸맞게 에디트 피아프를 비롯한 전설적인 가수

파리의 올랭피아 뮤직홀

들이 대부분 이 공간을 거쳤다. 현재 파리 제9구 카퓌신 대로Boulevard des Capucines 28번지에 자리 잡고 있으며, 아직도 운영되고 있는 파리에서 가장 오래된 뮤직홀이기도 하다. 2001년 이후에는 비방디 그룹의 소유가 되었다.

　역사는 늘 그렇듯 전설적이다. 1888년 이 장소에 조제프 올레르가 나무로 된 롤러코스터를 설치하자, 화재를 우려한 경찰은 놀이시설

에디트 피아프의 공연 날 올랭피아 뮤직홀

폐쇄 명령을 내렸다. 조제프 올레르는 롤러코스터를 없애는 대신 그 자리에 2,000석 규모의 공연장을 지었는데, 그것이 올랭피아다. 개관 공연은 1893년 4월 11일 열렸다. 이 공간은 곡예, 샹송 공연, 영화 등 에 할애되다가 1954년부터 지금의 성격을 띠게 된다. '10만 볼트의 사 나이' 질베르 베코Gilbert Bécaud도 이곳에서 데뷔했다. 샹송계 최고의 스 타들인 조르주 브라센스, 자크 브렐, 레오 페레, 에디트 피아프, 쥘리에 트 그레코Juliette Gréco, 바르바라Barbara, 조니 알리데, 달리다Dalida 등이 모두 올랭피아 무대에 섰으며, 후에는 비틀즈, 롤링 스톤즈 같은 외국 가수들도 이곳에서 공연했다.

　1956년 올랭피아는 유럽1 라디오 방송과 협력해 휴관일인 월요일 에 〈뮈지코라마Musicoramas〉라는 프로그램을 진행했다. 1961년에는 파 산 위기에 몰렸지만 병을 앓고 있던 에디트 피아프에게 도움을 요청해 '난 후회하지 않아요Non, je ne regrette rien', '나의 하느님Mon Dieu' 같은 명

곡을 부르게 했다. 자크 타티Jacques
Tati도 자신의 첫 영화 〈축제일Jour de
fête〉의 일부 장면을 올랭피아에서
촬영해 도움을 주었다. 덕분에 올
랭피아는 살아남는 데 성공한다.

올랭피아 뮤직홀에서 공연 중인 자크 브렐(1966)

이 공연장과 얽힌 그 많은 가수
와 노래들을 어떻게 다 기억할 수
있을까. 공연마다 폭발적인 에너지
를 분출하던 조니 알리데는 후에
무대가 너무 좁다며 초대형 공연장
으로 옮겼지만, 자크 브렐은 1954
년부터 정기적으로 올랭피아에서
공연했으며, 1964년에는 명곡 '암
스테르담'을 이곳에서 처음 발표하

자크 브렐 공연 날 올랭피아 뮤직홀(1964)

기도 했다. 1966년 10월에 가진 브렐의 은퇴공연은 올랭피아의 가장
감동적인 순간 중 하나다. 박수가 30분 동안 그치지 않자 브렐이 다
시 무대에 올랐을 정도니. 1960년대부터 올랭피아 무대에 섰던 실비
바르탕은 2010년에도 이곳에서 공연을 가졌다. 1972년 2월 28일 알란
스티벨의 공연은 켈트 음악에 대한 관심을 폭발시켰는데, 공연 실황
을 녹음한 앨범은 무려 150만 장이 팔렸다. 1960년의 레오 페레, 1972
년의 셰일라Sheila, 1973년의 미셸 사르두Michel Sardou, 1980년의 르노,
1983년의 달리다, 1993년의 질베르 베코의 공연은 올랭피아 역사상
최고의 공연들로 간주되고 있다.

우리에게 대중음악이란 무엇일까? 프랑스에서는 고급문화와 대중

문화의 차별이 없고, 오히려 더 많은 사람과 호흡하는 대중문화에 대한 애정이 더 각별한 느낌이었다. 프랑스의 국민가수 이브 몽탕을 추모하며 무려 10페이지를 그에 할애했던 《리베라시옹》 신문을 난 아직도 잊을 수 없다. 한국에서라면 가능하기나 한 일일까?

프랑스 뮤지컬은 왜 다를까

한국에 돌아온 후 나는 이런저런 기회를 이용해 다양한 장소에서 프랑스 뮤지컬을 소개했다. 국내에 소개된 뮤지컬이든 알려지지 않은 뮤지컬이든 반응은 예외 없이 모두 좋았다. 덕분에 나는 혹시 새로운 뮤지컬 DVD가 프랑스에서 출

필자가 소장하고 있는 프랑스 뮤지컬 자료 일부

시되지 않았는지 늘 관심을 가질 수밖에 없었다. 프랑스에 있을 때 내가 본 공연 중 뮤지컬로 분류될 수 있었던 작품은 〈스타르마니아〉가 유일했기에, 나에게는 프랑스 뮤지컬이라는 표현 자체가 낯설었다. 그러나 〈스타르마니아〉의 넘버로 모란Maurane이 부른 '세상은 미쳤어Le Monde est stone'는 유학 시절 내내 들었던 노래 중 하나였다. 프랑스 뮤지컬에 대한 자료가 웬만큼 축적되자, 이번에는 〈스타르마니아〉까지 구해보고 싶은 욕심이 생겼다. 하지만 아마도 몇 부 찍지 않았을 이 DVD의 중고가격이 턱없이 비싼데다가 새 제품은 아예 구할 수도 없

뮤지컬 〈스타르마니아〉 출연진

었다. 유튜브에 공연 동영상이 올라와 있다기에 잠깐 들어가 보니 뮤지컬이라고 하기에는 저예산 콘서트에 가까워 음악만으로 만족하기로 했다.

개인적인 느낌으로 프랑스 뮤지컬은 거의 한국 뮤지컬의 발전과정과 흡사하게 1990년대 말부터 폭발적으로 성장한다. 여기에는 상대적으로 역사가 짧은 영미 문화, 특히 미국 문화를 무시하는 프랑스의 자존심이 깔려 있는 듯했다. 희극과 노래, 춤을 결합한 연극 장르로서 20세기에 등장한 뮤지컬은 프랑스 입장에서 볼 때 연극과 클래식 음악을 결합한 지난 세기의 발레, 오페라, 오페라 부파opéra bouffa 그리고 오페레타의 뒤를 잇고 있었다. 그러나 1910년대부터 재즈와 같은 '새로운' 음악을 통합하고 클래식 음악으로부터 분리되어 나오면서 미국을 중심으로 발전했기에, 오늘날 뮤지컬에 대해 이야기할 때 대부분의 사람들은 주로 미국과 뉴욕 브로드웨이를 연상한다. 그리고 그 연장선상에 영국 런던의 웨스트엔드가 있다. 그렇기에 다른 곳에서 파생된 뮤지컬 장르를 프랑스가 선뜻 받아들이기는 어려웠을 것이다. 어차피 자기들 문화에 이미 존재하던 공연 형태를 확장한 것에 불과하니까. 팝과 록 음악을 기반으로 한 뮤지컬이 영국과 미국을 중심으로 발달했지만 전 세계를 휩쓰는 음악 장르로 자리 잡게 되면서, 프랑스도 이 장르를 외면할 수 없게 되었다. 그들은 뮤지컬 형태에 프랑스 색깔을 입히는 방식을 택했다. 예를 들면 프랑스에서는 뮤지컬을 프랑스어로 표현할 때 군이 '코메디 뮈지칼comédie musicale'이라는 낯선 단어를 사용하며, 음악영화를 확장시켜 뮤지컬에 포함시키기도 한다. 많은 뮤지컬이 유성영화의 도래와 더불어 영화화되었기 때문이다. 예를 들어 〈8명의 여인들8 Femmes〉은 영화인 동시에 뮤지컬로 분류된다.

영화를 뮤지컬에 포함시킬 때 〈셰르부르의 우산〉을 빼놓을 수 없다. 자크 드미가 감독을, 카트린 드뇌브가 주연을, 미셸 르그랑이 음악을 맡아 1964년 개봉한 이 프랑스/독일 합작영화는 프랑스 뮤지컬의 효시로 보아도 전혀 손색이 없다. 새로운 형태의 영화 〈셰르부르의 우산〉은 1964년 칸 영화제에서 황금종려상을 수상할 정도로 작품성을 인정받기도 했다. 오늘날의 관점에서 접근하면 다소 우스꽝스럽게 느껴질 정도로 작품 전체 대사가 노래로 채워져 있지만, 영화를 본 사람 중 주제곡을 잊은 사람이 과연 몇이나 될까. 테아트르 드 샹젤리제에서 오케스트라가 연주하는 〈셰르부르의 우산〉 콘서트는 정말 황홀했다. 게다가 이 영화는 프랑스의 멋과 색을 가장 잘 보여주는 뮤지컬 영화로 손색이 없었다. 상송 가수 다니엘 리카리의 노래에 신인 카트린 드뇌브의 열연이 가미된 영화는 미국의 뮤지컬과는 완연히 다른 분위기를 통해 색다른 묘미를 제공했다. 작품은 '노래로만 구성된' 영화라는 비현실적인 요소와 알제리전쟁을 위시한 당대의 경제적·사회적·정치적 현실을 극도로 정확히 묘사하려는 노력을 절묘하게 조화

영화 〈셰르부르의 우산〉 OST 앨범

시키고 있다. 알제리전쟁을 다룬 최초의 영화들 중 하나인 이 영화는 크게 3부로 나뉜다. 1부의 무대는 1957년 11월. 셰르부르에 거주하는 자동차 수리공 기Guy와 그의 연인 주느비에브Geneviève는 서로 영원한 사랑을 맹세한다. 하지만 2부에서 그들은 전쟁으로 인해 헤어지며, 임신한 주느비에브는 엄마 에므리Madame Emery의 강요에 못 이겨 롤랑 카사르Roland Cassard와 결혼한 후 셰르부르를 떠난다. 3부에서 기는 부상을 당한 후 1959년 3월에 제대하며, 숙모 엘리즈Élise의 유산을 물려받아 오랜 인연 마들렌Madeleine과 결혼하여 가정을 꾸린 후 주유소 사장이 된다. 1963년 크리스마스이브에 주느비에브는 기와의 사랑으로 얻은 아이인 프랑수아즈Françoise와 함께 우연히 기가 운영하는 주유소에 들르게 된다……

프랑스에서 '뮤지컬'이라는 표현은 두 차례의 세계대전 이후부터 1960년대 말에 이르는 기간에 소규모 '불르바르 코메디comédies de boulevard'를 지칭하기 위해 처음 등장했다. 10여 명의 배우, 소수의 연주자 그리고 피아노 한 대가 등장하는 이러한 형태는 1920~1930년대에 프랑스에서 대성공을 거두었으나, 미국식 뮤지컬과는 아무런 연관이 없었다.

비록 1960~1970년대에 〈프랑스대혁명La Révolution française〉(1973, 팔레 데 스포르Palais des Sports de Paris), 〈스타르마니아〉(팔레 데 콩그레, 1975) 등이

뮤지컬 〈레 미제라블〉 포스터

무대에 올랐을지라도, 프랑스 뮤지컬 역사를 통틀어 가장 중요한 분기점이 되는 해는 1980년이다. 빅토르 위고 소설을 원작으로 한 〈레 미제라블〉이 알랭 부블릴과 장-마르크 나텔Jean-Marc Natel 각색, 클로드-미셸 쇤베르그의 음악으로 파리의 팔레 데 스포르 무대에 오른 해이다. 연출은 로베르 오셍Robert Hossein이 맡았다. 이 공연은 여러모로 흥미롭다. 파리에서는 흥행에서 재미를 보지 못한 이 뮤지컬이 런던의 웨스트엔드로 건너가 영어 버전으로 무대에 올랐고, 그 후 전 세계에서 불후의 공연으로 인정받게 된 것이다. 프랑스의 뮤지컬 시장이 본격적으로 형성되기 훨씬 이전에 나온 작품이었기 때문인데, 프랑스 입장에서는 못내 아쉬울 만도 하다.

　뮤지컬은 본격적으로 1990년대 중반부터 프랑스에 모습을 드러냈다. 1990년대에 들어 〈지미의 전설La Légende de Jimmy〉(1990, 모가도르 극장 Théâtre Mogador), 〈폴과 비르지니Paul et Virginie〉(1992, 테아트르 드 파리), 〈상드와 낭만주의자들Sand et les Romantiques〉(1992, 테아트르 뒤 샤틀레Théâtre du

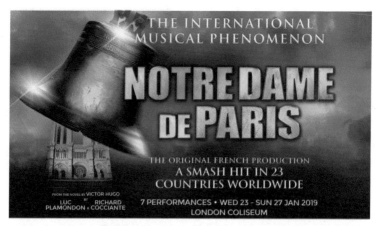

뮤지컬 〈노트르담 드 파리〉 포스터

Châtelet) 등으로 예행 연습을 한 후 1998년에 드디어 〈노트르담 드 파리〉가 팔레 데 콩그레 무대에 오른다. 이후 내한 공연도 수 차례 가졌을 정도로 작품은 세계적인 성공을 거두었다. 아름답고도 매혹적이기에 콰지모도, 프롤로, 페뷔스 세 남자의 사랑을 받는 집시 여인 에스메랄다, 흉측한 외모를 가졌지만 선하고 아름다운 내면을 가진 노트르담 대성당의 종지기 콰지모도, 에스메랄다에 대한 정념과 성직자라는 신분 사이에서 갈등하는 노트르담 대성당의 주교 프롤로, 약혼녀를 배신하고 에스메랄다와 사랑에 빠지지만 결국 그녀를 배신하고 약혼녀에게 되돌아가는 근위대장 페뷔스, 거리의 음유시인 그랭구아르, 이방인 집시들의 우두머리 클로팽 등이 이 멋진 뮤지컬을 엮어내는데, 어떤 의미에서는 모두가 인간 군상을 대표하는 존재들이다.

2000년대에는 프랑스 뮤지컬의 황금기라고 해도 과언이 아닐 정도로 많은 작품이 무대에 올랐다. 전통으로 회귀한 작품들은 대중과 비평계로부터 찬사를 받았다. 그리고 2005년 8월에는 스테이지 엔터테인먼트Stage Entertainment가 설립되면서 미국 작품인 〈카바레Cabaret〉(폴리 베르제르), 〈라이언 킹Le Roi Lion〉(모가도르 극장) 등을 성공시켰다. 모가도르 극장은 향후 뮤지컬의 중심지로

스테이지 엔터테인먼트

부상한다. 이 시기의 대표적인 작품들로는 〈십계Les Dix Commandements〉(2000, 팔레 데 스포르), 〈알리 바바의 천일야화Les Mille et une vies d'Ali Baba〉(2000, 제니트 드 파리), 〈로미오와 줄리엣, 증오에서 사랑으로Roméo et Juliette, de la haine à l'amour〉(2001, 팔레 데 콩그레), 〈어린 왕자Le Petit Prince〉(2003, 카지노 드 파리), 〈바람과 함께 사라지다Autant en emporte le vent〉(2003, 팔레 데 스포르), 〈검투사 스파르타쿠스Spartacus le gladiateur〉(2004, 팔레 데 스포르), 〈돈 주앙〉(2004, 샹드니 극장), 〈태양왕〉(2005, 팔레 데 스포르), 〈클레오파트라, 이집트의 마지막 여왕〉(2009, 팔레 데 스포르), 〈록 오페라 모차르트Mozart, l'opéra rock〉(2009, 팔레 데 스포르) 등이 있다.

2010년대에도 이런 흐름은 계속된다. 〈로미오와 줄리엣〉은 '베로나의 아이들Les Enfants de Vérone'이라는 부제가 붙어 재상연되며, 〈록 오페라 모차르트〉 역시 다시 무대에 오른다. 이 시기에 나온 주요 작품들로는 〈드라큘라, 죽음보다 강한 사랑Dracula, l'amour plus fort que la mort〉(2011, 팔레 데 스포르), 〈1789 : 바스티유의 연인들1789 : Les Amants de la Bastille〉(2012, 팔레 데 스포르), 〈아담과 이브 : 두 번째 기회Adam et Ève : La Seconde Chance〉(2012, 팔레 데 스포르), 〈로빈 후드Robin des Bois〉(2013, 팔레 데 콩그레), 〈피노키오Pinocchio〉(2014, 테아트르 드 파리), 〈아서 왕의 전설La Légende du roi Arthur〉(2015, 팔레 데 콩그레), 〈저항하라Résiste〉(2015, 팔레 데 스포르), 〈삼총사Les Trois Mousquetaires〉(2016, 팔레 데 스포르) 등이 있다. 2017년의 〈예

루살렘의 나사렛 예수Jésus de Nazareth à Jérusalem〉, 2018년의 〈톰 소여의 모험Les Aventures de Tom Sawyer〉, 2020년의 〈80일간의 세계일주Le Tour du Monde en 80 Jours〉는 가장 최근 뮤지컬들에 속한다.

개인적으로 프랑스 뮤지컬의 역사를 분석하면서 몇 가지 얻은 결론이 있다.

1. 미국에 비해 프랑스는 자신들의 유구한 역사, 혹은 유럽 역사를 자유자재로 요리하면서 뮤지컬의 주제를 풍요롭게 만들고 있다. 그 이면에는 자신감이 배어 있다. 〈노트르담 드 파리〉의 시작곡, 그리고 2부 시작곡의 가사를 보라. 노랫말이 거의 움베르코 에코의 《장미의 이름》 수준이라니… 그 깊이에 혀를 내두를 지경이다. 물론 세계 최고 수준의 공연문화, 빛과 소리로 채운 역사극들, 역사를 내세운 테마파크의 공연들이 모두 뮤지컬로 집약되었지만, 부분적으로 프랑스 뮤지컬 상당수가 문학작품으로부터 영감을 얻고 있었다. 〈노트르담 드 파리〉와 〈레 미제라블〉은 프랑스 최고의 문호 중 한 명인 빅토르 위고 작품이며, 〈십계〉는 성경의 출애굽기 속 모세 이야기다. 〈로미오와 줄리엣〉은 말할 필요도 없이 셰익스피어 작품이며, 〈바람과 함께 사라지다〉는 마거릿 미첼이 다룬 남북전쟁 이야기다. 또 〈돈 주앙〉은 몰리에르를 비롯한 무수한 작가들이 다루었던 주제이며, 〈로빈 후드〉와 〈아서 왕의 전설〉은 중세 전설들에서 아이디어를 차용했다. 〈어린 왕자〉 역시 세계인의 사랑을 받고 있는 생텍쥐페리 작품을 바탕으로 했다. 다시 말해 풍요로운 문학이 풍요로운 공연을 만들어내는 것이다.

2. 다음으로 뮤지컬은 프랑스 연극계의 변화와도 맞물려 있다. 1968년 5월혁명 이후 텍스트에 바탕을 둔 기존 연극작품들이 비판을 받으면서 시각적 요소들의 배열 즉 미장센에도 신경을 쓰게 되었고, 뮤지컬로 확장되면서 소리까지 중요하게 다루어지게 되었다. 기존의 문학작품이 담아내는 스토리텔링은 이제 무대라는

뮤지컬 〈돈 주앙〉 포스터

공간 위에서 마치 삶이 그렇듯이 총체적인 모습을 보여주는 예술로 한 단계 진화한 것이다.

3. 뮤지컬을 비롯한 프랑스의 공연들을 분석해보면 프랑스라는 지리적 경계를 넘어서고 있다. 변화하는 유럽의 국경을 앞장서서 해체하고 있는 것이다. 〈돈 주앙〉이 대표적인 작품이다. 이 작품에는 스페인의 전통무용인 플라멩코, 스페인 노랫말, 프랑스어 대사가 혼재한다. 어디까지가 프랑스이고 어디까지가 스페인인지 작품은 관심이 없다. 프랑스 특유의 감각적이고 예술적인 조명은 작품을 빛내는 데 일조하고 있다. 극의 배경이 되는 세비야Seville의 열정적인 분위기, 세련된 무대 디자인, 40여 명의 배우 및 무용수들의 화려한 의상도 스페인 분위기를 잘 살린 볼거리다. 에너지가 넘치고 때론 사랑의 슬픔을 호소하는 듯한 안무, 보는 이를 도취시키는 섬세한 몸짓, 힘차고 대담한 손뼉치기와 발 구

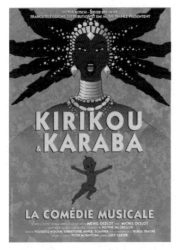

르기 등 플라멩코의 모든 요소의 완벽한 조화는 뮤지컬 〈돈 주앙〉의 또 다른 매력이다.

그 밖에도 미셸 오슬로Michel Ocelot[3]의 만화영화 〈키리쿠와 마녀 Kirikou et la Sorcière〉를 〈키리쿠와 카라바Kirikou & Karaba〉라는 뮤지컬로 만들어보고, 에밀 쿠스트리차 감독의 영화 〈집시의 시간〉을 뮤지컬로 받아들이며, 샹송이나 록 음악

뮤지컬 〈키리쿠와 카라바〉 포스터

을 뮤지컬에 적극 반영하는 등 오늘날 프랑스 뮤지컬은 외연을 확장하기 위해 노력하고 있다. 비록 출발 과정은 영미의 그것과 달랐어도, 프랑스는 자신만의 색깔과 감성을 통해 세계 뮤지컬 시장에서 빛나는 느낌이다. 결국은 우리의 색과 빛, 음악과 스토리를 어떻게 효과적으로 버무리냐하는 방법상의 문제인 것이다.

주석

1 파르티잔 : 프랑스어로 당黨을 뜻하는 파르티parti에서 파생된 동지, 당원, 당파를 뜻하는 말로 비정규군 게릴라와 거의 같은 의미로 사용된다. 우리나라에서 '빨치산'이라고 표기하는 바로 그 단어다.

2 2005년 4월 23일 피에르 드랑시와 가진 인터뷰.

3 미셸 오슬로 : 애니메이션 감독. 아프리카 기니에서 유년 시절을 보낸 그는 자신의 경험을 바탕으로 5년에 걸친 작업 끝에 〈키리쿠와 마녀〉(1998)란 새로운 유럽 애니메이션을 만들어내며, 이 애니메이션으로 큰 성공을 거둔다. 대표작으로는 〈프린스와 프린세스〉(2000), 〈아주르와 아스마르〉(2006), 〈파리의 딜릴리〉(2018) 등이 있다.

식도락

Gastronomie

Qui a rapport à la gastronomie, à l'art de la bonne chère.

Gastronomie

맛과 멋의 만남, 프랑스 요리의 역사

먹거리, 마실거리도 프랑스 문화를 세계에 알리는 데 크게 일조하고 있다. 프랑스인들은 요리를 최고의 문화의 반열에 올려놓는 것을 주저하지 않는다. 그러나 많은 사람이 예찬하는 프랑스 요리에 대한 나의 생각은 다소 복잡하다. 아페리티프apéritif, 앙트레entrée, 생선 혹은 채소를 곁들인 육류요리, 프로마주fromage, 디저트dessert, 과일, 커피나 차, 디제스티프digestif 순서로 진행되는 화려한 외양을 보여주지만, 우리 음식의 다양한 맛에 비해서는 상대적으로 단순한 느낌이었다. 버라이어티를 느끼게 해주는 것은 풍성한 종류의 와인과 치즈였다고나 할까.

하지만 나의 개인적인 미각과는 상관없이, 2010년 11월 16일 케냐의 나이로비에서 열린 유네스코회의가 '프랑스인들의 식도락Repas gastronomique des Français'을 유네스코 세계무형문화유산에 등재했을 정도로 프랑스 요리가 유명하기는 하다. 프랑스 요리가 '잘 먹고 잘 마시는bien manger, bien boire' 문화와 불가분의 관계를 이룬다는 것이 선정의 주요 이유였다. 폴 보퀴즈Paul Bocuse, 알랭 뒤카스Alain Ducasse, 피에르

트루아그로Pierre Troisgros, 마르크 베이라Marc Veyrat, 미셸 게라르Michel Guérard 등 수석 쉐프Chef de cuisine(수석 요리사)들의 노력이 결실을 본 순간이었다. 또 오늘날 파리와 지방의 무수한 식당이 자신만의 개성을 뽐내며 맛의 격조를 알리고 있는데, 특히 미슐랭 가이드북에 힘입은 식도락 관광의 도약이 지방 음식에 관심을 가지도록 해주었다. 치즈, 와인, 육류 측면에서 지방 음식은 아주 다양한데, '유기농 제품agriculture biologique', '원산지증명appellation d'origine contrôlée', '지역보호상표indication géographique protégée' 등의 다양한 라벨로 품질을 보장하고 있다.

프랑스 요리에는 전통으로부터 비롯된 여러 스타일이 존재하는데, 시대별로 정리해보면 요리가 사회의 변화에 어떻게 맞물리면서 발전해왔는지 잘 알 수 있다.

독창적이고도 창조적인 프랑스 요리가 처음 등장한 시기는 중세다. 특히 파리에서 귀족들이 향연을 즐기면서 궁정 요리사가 요리 발전에 기여했다. 당시 식재료는 계절에 따라 상당히 달랐는데, 봄이 끝날 무렵부터 가을 마지막까지 열린 향연이 아주 풍성했던 반면 겨울에는 거의 열리지 않았다. 중세 말엽에는 파이가 발전하고 디저트가 생겨난다. 후식으로는 딱딱한 설탕이나 꿀 조각을 기본으로 한 당과류가 등장했다. 베이컨과 소시지는 벽난로에서 훈제했고, 햄은 소금물에 절인 다음 건조했다. 과일, 호두, 구황식물은 보존을 위해 꿀에 넣어 끓이는 방식을 택했다. 또 이 시기에는 음식에 시각적 효과를 넣기 위해 노력했는데, 녹색은 시금치에서, 노란색은 사프란에서, 붉은색은 해바라기에서, 자주색은 혈석血石에서 얻었다. 당시 가장 유명한 요리는 백조나 공작 구이였다. 발과 부리는 금빛으로 장식해 시각적 효과를 강조했다. 하지만 백조나 공작은 힘줄이 많고 맛이 없었기 때문에 나중에

오귀스트 르누아르의 〈보트 파티의 오찬〉(1881)

거위와 암탉으로 대체되었다. 중세의 가장 유명한 요리사는 '타이유방 Taillevent'이라는 이름으로 14세기에 프랑스 최초의 요리책을 쓴 것으로 알려진 기욤 티렐Guillaume Tirel이었다.

앙시엥 레짐Ancien régime 시기에 파리는 문화와 경제활동의 중심이 되었다. 레알, 라 메지스리La Mégisserie, 무프타르 거리에 소재한 시장들은 식재료를 파는 최고의 장소였다. 중세 때 발전한 두 가지 형태의 조합이 이 시장들을 관리했는데, 하나는 1차 재료와 관련된 직종(정육업, 생선 유통, 전분 판매, 식품관련업), 다른 하나는 준비된 식료품을 판매하는 직종(빵가게, 케이크가게, 소시지가게, 요리 배달업)과 관련을 맺고 있었다.

15~16세기에는 신대륙에서 건너온 새로운 재료들을 흡수해 강낭

콩으로 만든 스튜 요리 카술레 cassoulet가 생겨났다. 카트린 드 메디시스Catherine de Médicis 왕비가 베푸는 향연에서는 한끼 식사에 70마리의 칠면조를 소비했을 정도로 만찬의 규모가 상당했다.

17세기에는 라 바렌La Varenne이 등장한다. 그는 1651년 원칙에 따라 체계적으로 요리법을 정립한 차원에서 프랑스 최초의 진정한 요리책이었던 《프랑스 요리사Le Cuisinier françois》를 저술한 인물로, 앙리 4세

라 바렌의 《프랑스 요리사》

Henri IV의 요리장이었다. 1667년에 그가 펴낸 또 다른 저서 《프랑스의 잼 제조Le Confiturier françois》는 디저트와 케이크류와 관련된 새로운 규범을 마련했다. 17세기 후반은 태양왕 루이 14세의 통치 시기다. 전쟁 없는 평화롭고 안정된 생활은 귀족들이 자신의 성을 얼마나 호화롭게 지을 수 있는가에 몰두하게 했고, 우아하고 사치스러운 성안에서는 밤마다 연회가 열렸다. 매일 밤의 파티는 요리사에게 연금과 일정 수준의 생활을 보장하면서 미식 연구와 발전에 힘쓸 수 있는 최상의 환경을 만들어주었다. 권력이 뒷받침된 프랑스 요리는 좋은 환경 속에서 최고급으로 연마되었고 마침내 유럽 각국을 제패했다. 오늘날 프랑스 요리의 기초가 형성된 것이 17세기라 할 수 있다. 각 지방별 요리 안내서도 출판되어 식도락 여행자에게 편의를 제공했다.

18~19세기가 되면 프랑스대혁명이 식품 관련 조합들을 폐지하면서

마리-앙투안 카렘

《19세기의 프랑스 요리법》

프랑스 요리의 팽창에 결정적인 역할을 했다. 혁명으로 인해 직업을 잃은 궁정 요리사들은 거리로 나가 레스토랑을 오픈했고, 이를 통해 맛의 대중화에 기여하게 된다. 이 시기의 최고 요리사는 마리-앙투안 카렘Marie-Antoine Carême이다. 그는 유럽의 왕실에서 요리했으며, 요리에 관한 여러 권의 고전을 남겼다. 카렘은 15세 때부터 파리의 레스토랑에서 주방 심부름을 하다가 정치가 탈레랑Charles-Maurice de Talleyrand이 자주 들르던 제과점에 고용되었다. 그가 만든 정교한 과자는 나폴레옹의 식탁에까지 오르게 되었고 그 후 카렘은 12년 동안 탈레랑, 2년 동안 영국 섭정궁(후에 조지 4세George IV)의 요리사로 지냈다. 주요 저서로는 《파리 요리사 또는 19세기의 프랑스 요리법Le Cuisinier parisien ou l'art de la cuisine française au XIXᵉ siècle》(1828), 《파리의 왕실 과자 요리사Le Patissier royal parisien》(1828), 《19세기의 프랑스 요리법L'Art de la cuisine française au XIXᵉ siècle》(1833) 등이 있다.

19세기 말에는 '요리의 제왕' 오귀스트 에스코피에Auguste Escoffier의 시대가 도래한다. 그는 프랑스 고급요리를 현대화하고 조직화했는데, 1880~1890년대에 유럽과 미국에서 대형 호텔들이 생겨나자 그의 영향력은 최고조에 달했다. 62년 동안 요리를 했기에 그의 일생은 이 직업의 기록이라고 할 수 있다. 빌헬름 2세Wilhelm II는 에스코피에에게 "나는 독일의 제왕이지만 당신은 요리의 제왕이다"라고 말했다고 한다. 그는 또한 마리-앙투안 카렘보다도 더 위대하다고 일컬어지

오귀스트 에스코피에와 당시 프랑스 수상 에두아르 에리오(1928) ⓒgallica.bnf.fr

기도 한다. 저서로는《르 카르네 데피퀴르*Le Carnet d'Épicure*》(1911), 필레아스 질베르Philéas Gilbert 및 에밀 페튀Émile Fétu와의 공저인《요리의 길잡이*Le Guide culinaire*》(1903), 《메뉴책*Le Livre de menus*》(1912), 《나의 요리법*Ma Cuisine*》(1934) 등이 잘 알려져 있다. 에스코피에는 현대식 메뉴를 단순화하고 정형화하며 프랑스 요리를 위대함의 반열에 올려놓았으나, 지방 요리의 특성을 무시하는 과오를 저질렀다.

《나의 요리법》

　20세기 후반에는 1960년대에 아프리카에서 벌어진 식민지 전쟁을 피하려 많은 포르투갈 이민자가 프랑스에 도착한다. 그들은 프랑스에 새 요리를 추가했다. 또 이 시기에는 국제적인 고급요리를 개발하면서 '누벨 퀴진'이라는 새로운 요리법이 등장했다. 1960년대와 1970년대에 앙리 고와 크리스티앙 미요라는 요리 저널리스트들이 폴 보퀴즈, 피에르 트루아그로와 장 트루아그로Jean Troisgros, 미셸 게라르, 로

제 베르제Roger Vergé, 레이몽 올리베르Raymond Oliver의 요리를 묘사하기 위해 누벨 퀴진이라는 용어를 새롭게 정립하면서 요리의 특징을 10개로 분류했다. 누벨 퀴진은 음식의 신선도, 담백함, 그리고 풍미의 깨끗함에 중점을 두었다. 전통적인 프랑스 고급요리가 화려하고 열량이 높은 것에 대한 반작용으로, 누벨 퀴진은 식품의 자연스러운 풍미·질감·색조를 강조했다. 또 다량의 지방·설탕·정제전분·소금을 사용하는 것이 건강에 해롭다는 인식이 높아지면서 요리 시에 이런 재료들을 최소한으로 제한했다. 누벨 퀴진의 기본 특징은 소스를 걸쭉하게 만들 때 밀가루를 버터로 볶아서 만든 루roux 대신에 신선한 채소와 과일로 만든 퓌레purées를 쓴다는 점이다. 그리고 새로운 배합으로 이루어진 이 음식들을 차려낼 때는 커다란 접시에 매우 소량을 모양내어 담는다. 재료 구입과 질감, 세부적인 면(장식)에도 많은 주의를 기울인다. 세심한 준비와 함께 상상력을 동원해 모양을 내고 신선한 제철 과일과 채소를 자유롭게 사용하기 때문에 요리가 사치스럽다. 종종 육류나 해산물에 키위·산딸기·망고와 그 밖의 이국적인 과일을 곁들이고 양념으로 과일식초를 주로 사용한다.

개인적인 소감을 덧붙이며 글을 마무리하자면, 2016년 고등학교 친구들과 파리에서 들른 한 식당이 전형적인 누벨 퀴진 요리들을 선보이고 있었다. 지배인은 한국인 요리사가 있다며 친절하게 주방까지 안내하기도 했다. 네 번째 나오는 요리던가, 접시에 나온 음식은 삼겹살 세 조각과 고추장. 그때 난 누벨 퀴진 식당을 다시는 찾지 않기로 결심했다.

프랑스 지방 요리들

프랑스 여행 중 가장 큰 즐거움 중 하나가 바로 식사였다. 매년 7월
에 코스를 달리하며 찾아간 프랑스의 지방은 풍경의 변화만큼이나 다
양한 음식과 술을 제공했다. 일반적으로 프랑스 요리는 고급 레스토
랑에서의 값비싼 식사로 인식되고 있으나 지방에서는 그다지 비싸지
않은 다양한 스타일의 음식을 맛볼 수 있다. 마르세유의 부이야베스
bouillabaisse, 툴루즈의 카술레, 스트라스부르의 슈크루트choucroute 등은
지방에 대한 느낌과 분리해 생각할 수 없는 대표적인 음식들이다. 슬
로푸드가 인기를 끄는 21세기인 만큼 지방 음식은 앞으로 더욱 사랑
받을 것이 틀림없다. 프랑스를 크게 4개 지역으로 나눠 음식과 관련된
각 지역의 특징을 고찰해보자.

서부 일대

대서양과 면한 북서쪽은 바다로부터 많은 영
향을 받는 지역이다. 또 온화한 기후 때문에 농
업이 발달한 곳이기도 하다. 레스토랑에서는 농

크레프

어, 아귀, 청어 등의 생선이 자주 등장한다. 브르타뉴 지방에서 바닷가재, 랑구스틴, 홍합 요리가 유명하다면, 노르망디 지방에서는 가리비, 넙치 요리가 유명하다. 요리할 때 버터, 사과, 크림을 많이 사용하는 편이다. 포도가 나지 않는 북서부에서 유명한 술은 사과로 만든 시드르cidre와 칼바도스calvados. 칼바도스는 아주 도수가 높기에 디제스티프로 많이 마시는 반면 시드르는 이 지역의 명물인 크레프crêpe와 함께 마치 물처럼 자주 마신다. 이 지역을 여행하다 보면 무수히 등장하는 크레프가게들을 만날 수 있다. 짠맛과 달콤한 맛의 두 가지 크레프 중에 고를 수 있으며, 선호하는 크레프 내용물을 주문하면 된다. 브르타뉴 지역의 특산물인 아티초크는 전국적으로 유명하다. 이 지역에서 나는 메밀가루로 크레프처럼 얇게 구운 것이 갈레트galettes다.

파리에서 남서쪽으로 내려오면 만나게 되는 루아르 계곡Vallée de la Loire, 발 드 루아르Val de Loire 요리는 흰 버터를 넣은 생선 요리로 유명하다. 배 품종 벨 앙주빈Belle Angevine이 유명하고, 버찌로 기뇰레Guignolet라는 술을 제조하며, 딸기와 멜론도 품질이 좋은 편이다. 오를레앙 식초vinaigre d'Orléans는 조미용으로 탁월하다. 투르나 르망에서는 고기를 잘게 다져 기름에 볶은 리예트rillettes나 기름 뺀 돼지고기 요리를 맛볼 수 있다. 멘에루아르 데파르트망의 특산품인 카베르네당주Cabernet-d'Anjou 로제 와인, 쿠앵트로Cointreau 오렌지 리큐어가 세계적인 명성을 얻고 있다.

샤랑트마리팀Charente-Maritime, 방데 데파르트망은 굴과 조개 양식으로 유명하다. 마렌올레롱Marennes-Oléron 유역의 굴과 에기용Aiguillon만의 홍합은 특히 잘 알려져 있다. 방목을 통해서는 셰브르 치즈fromages de chèvre를 생산하며, 코냑cognac도 이 지방 산물이다.

남서부Sud-Ouest

대서양으로 진출한 유럽인들과 더불어 음식이 서서히 만들어진 지방이다. 보르도 와인이 아주 유명하며, 가스코뉴Gascogne만 같은 바다, 피레네산맥 속의 강에서 낚시를 통해 얻은 재료들을 요리에 많이 사용하고 있다.

가스코뉴와 페리고르 지방은 고기를 갈아 파이반죽에 넣어 굽는 파테pâtés, 주물 틀인 테린terrines에 담아 조리해 그 용기의 이름을 딴 테린, 자체 지방으로 조려낸 고기 콩피confits, 오리가슴살 요리 마그레magret가 유명하며, 거위나 오리 간으로 만든 푸아그라foie gras 생산지로 유명한 곳이다. 아젠 자두pruneaux d'Agen, 아르마냑Armagnac 리큐어가 이 지역 산물이다.

스페인과 가까운 피레네산맥에서는 양을 많이 키우는데, '포이약 양agneau de Pauillac', '브르비 치즈fromages de brebis'가 가장 유명한 상표들이다. 지역에서 나는 육류가 많으며, 야외에서 키운 닭, 칠면조, 비둘기, 거위, 오리 등 가금류도 좋다. 일반적으로 바스크 요리는 토마토와 고추를 많이 사용한다. 에스플레트Espelette 고추는 세계적으로 유명한데 고추를 테마로 한 축제도 열리고 있다

제르Gers에서는 가금류를 사육한다. 몽타뉴 누아르Montagne Noire, 라

콘Lacaune에서는 햄과 소시지를 생산하는데 흰 옥수수도 대량 재배하고 있다. 또 카오르Cahors에서는 '블랙와인vin noir'이라고 불릴 만큼 진하고 타닌이 강한 레드와인과 송로버섯을 생산하며, 아베롱Aveyron은 '로크포르'를 위시한 유

파테

명 치즈들을 만들어내고 있다. 툴루즈 지역인 툴루즈와 카스텔노다리 Castelnaudary는 '툴루즈 소시지saucisse de Toulouse', 강낭콩으로 만든 카술레로 유명하다. 이 도시에서 나는 마늘 소스는 마늘과 호두를 섞어 만든 것인데, 오리, 송아지 등 모든 종류의 고기 요리에 곁들일 수 있다.

남동부

랑그독루시용 지방에 소재한 세트Sète, 부지그Bouzigues, 메즈Mèze의 레스토랑에서는 굴, 홍합 등을 제공한다. 세트의 특별요리는 부리드bourride(부이야베스와 비슷한 지중해식 생선 요리), 티엘tielle(오징어와 낙지 등으로 속을 채운 빵), 오징어를 삭힌 루이유 드 세슈rouille de seiche. 세벤Cévennes 지역에서는 버섯, 양, 꿀, 말린 소시지, 셰브르 치즈를 생산하고 있으며, 미디의 산악지방에는 멧돼지가 많다. 달팽이 요리는 카탈루냐 방식으로 제조되어 '카르골라드cargolade'라는 이름을 하고 있다.

프로방스알프코트다쥐르Provence-Alpes-Côte d'Azur는 서양자두, 채소, 허브, 올리브, 올리브유 생산지로 유명하고, 라벤더도 오트프로방스

Haute-Provence 지방의 많은 요리에 들어간다. 꿀, 셰브르 치즈, 말린 소시지, 해산물이 특징을 이루는 지역이며, 마늘과 멸치류가 소스로 자주 사용된다. 일반적으로 지중해 요리들은 채소를 많이 사용한다.

부이야베스

카마르그Camargue에서는 프랑스에 서 드물게 붉은 쌀을 생산하고 있다. 술로는 아니스 맛이 나는 파스 티스pastis가 유명하다. 마르세유에서 만날 수 있는 지중해식 생선 스튜 인 부이야베스는 세계적으로 알려져 있다. 지중해의 맛은 니스에서도 찾아볼 수 있다. 니스식 샐러드는 참치, 토마토, 블랙올리브와 삶은 달걀로 만든다. 고추, 호박, 가지, 토마토, 양파를 끓여서 만드는 라타 투이ratatouille 요리도 유명하다.

코르시카에서는 염소와 양을 많이 사육하며, 치즈로는 탈지유 치즈 인 '브로치우brocciu'가 가장 유명하다. 카스타니치아Castagniccia에서 수 확한 밤으로는 빵과 케이크용 가루를 만들며, 도토리로는 단백질이 풍부한 요리들을 만들어낸다. 감귤은 누가를 제조하는 데 쓴다. 이 섬 에는 다양한 음료가 존재하는데, 와인, '캅 코르스Cap Corse'라는 과일 리큐어, 파트리모니오patrimonio, 세드라틴cédratine, 보나파르틴bonapartine, 밤 위스키 등이 지역 특산물이다.

브레스Bresse의 가금류, 드롬의 뿔닭, 동브Dombes 및 론알프 산악지 방의 못에서 잡히는 물고기들도 이름이 나 있다. 리옹과 사부아는 품 질이 아주 뛰어난 치즈를 생산하고 있는데, 산악지방에서 생산하는 유명 치즈들로는 '아봉당스abondance', '르블로숑reblochon', '톰tomme', '바

프랑스 각 지방의 치즈 ⓒsnippetsofparis.com

슈랭 데 보주vacherin des Bauges' 등이 많이 알려져 있다. 또 리옹에서는 굵은 소시지와 조미한 흰 치즈 요리 세르벨 드 카뉘cervelle de canut를 맛볼 수 있다. 알프스지방 요리로는 퐁뒤fondu가 유명하다.

동부 일대와 북부

부르고뉴는 와인으로 유명한 지방이다. 달팽이, 가금류, 꿀 과자도 이 지역 특산물이다. 부르고뉴 지방 요리는 일반적으로 기름을 많이 쓰는데, 특히 호두기름과 유채기름을 많이 넣는다. 디종은 겨자로 유명한 도시다. 쥐라Jura산맥 쪽에서는 훈제육류를 많이 만들며, 사냥하기 좋은 지역으로 멧돼지와 노루 같은 야생동물을 사냥해 만든 요리를 맛볼 수 있다.

샹파뉴 지역에서는 사냥한 동물요리와 돼지고기가 유명하며, 스파클링 화이트와인인 샴페인을 생산한다. 샹파뉴아르덴Champagne-Ardenne

프랑스 각 지방의 와인 ©snippetsofparis.com

에서는 돼지 창자로 만든 순내 요
리가 유명한데, 가장 유명한 제품
은 '트루아 앙두이예트_{andouillette de}
_{Troyes}'다.

로렌에서는 과일잼, 마카롱 드
낭시, 마들렌, 플롱비에르 아이스

슈쿠르트

크림_{glace Plombières}, 키슈 로렌_{quiche lorraine}이 유명하다. 알자스 지방과
오브 데파르트망의 브리엔르샤토_{Brienne-le-Château}에서는 양배추를 알
자스산 와인에 절여 만든 푸짐한 슈쿠르트를 맛볼 수 있다. 독일과의
경계인 스트라스부르에서는 건포도가 들어간 왕관 모양의 빵 구겔호
프_{Gugelhopf}가 유명하다.

북쪽은 버터, 크림, 꽃상추, 감자, 돼지고기로 유명하며, 독일·벨기
에와 가까워 맥주를 다량으로 소비하는 지역이다. 전통요리 중에서는
약한 불에 오랫동안 익힌 요리들이 유명한데, 양파를 넣어 숯불에 구

프랑스 관광청이 운영하는 프랑스 지방 미식 여행 가이드

운 고기 요리인 플랑드르식 카르보나드carbonade flamande, 포조브리치 potjevleesch, 바테르조이waterzooï가 그런 음식들이다.

비록 이와 비슷한 음식을 파리에서 맛볼 수는 있어도 지방 음식들이 주는 흥취를 제대로 느낄 수 없다. 브르타뉴 지방의 어느 시골에서 시드르와 크레프를 앞에 두고 바다를 감상해보길. 그렇게 행복할 수가 없다. 브르타뉴 지방의 전통음악까지 곁들인다면 여행의 기쁨은 배가 된다. 세상에 대한 이해는 그렇게 넓혀가야 하지 않을까.

축제 · 행사

Festival
Événement

1. Sorte de fête musicale.
2. Événement festif.

Festival · Événement

유럽 문화유산의 날

유학 시절 몇 번 참가한 행사가 있다. 이름하여 '문화유산의 날'. 평소 일반에게 공개되지 않은 공간들을 이틀 동안 개방해 그 공간에 대한 애정을 돈독히 하는 행사였다. 어떤 해에는 대통령 관저인 엘리제 궁 Palais de l'Élysée에 들어가려고 줄을 섰다가 사람이 너무 많아 포기했고, 또 다른 해에는 퐁피두센터 바로 옆에 있는 현대음향음악연구소Institut de Recherche et Coordination Acoustique/Musique(IRCAM)에 들어가 현대음악 이 어떻게 만들어지는지를 관찰했다.

문화유산의 날 일반에 개방되는 장소들은 천문대에서 등대, 산업혁명 시절 방직공장의 빨래터에 이르기까지 실로 다양했다. 종교적 건물, 성, 정원, 군사시설, 공장, 연구소, 학교 등의 건축물뿐만 아니라 평소 일반인의 접근이 힘든 장소들도 예외 없이 이 행사에 참여하고 있으며, 유서 깊은 식당 등 매년 독특한 성격의 명소들이 리스트에 추가되고 있다. 참고로 사람들이 즐겨 찾는 건물로는 파리의 경우 엘리제 궁, 정부 부처, 생트샤펠 성당, 상원과 하원, 과학과 산업 관련 시설들이 있으며, 지방의 경우 루아르 강변의 샹보르 성Château de Chambord, 앙

제 성Château d'Angers, 누아지엘Noisiel
에 소재한 므니에Menier 초콜릿 제
조공장, 리옹 시청 등이 있다.

1984년 당시 문화부장관 자크
랑이 9월 셋째 주 일요일에 '역사
유적 문호 개방의 날Journées Portes
ouvertes des monuments historiques' 개최
를 최초로 제안한 후 같은 해 9월
23일 처음 시작된 문화유산의 날
은 시간이 흐르면서 점점 더 성공
을 거두는 중이다. 1991년부터 유
럽연합을 비롯한 전 세계 50개국
이상이 이 행사를 도입해 현재는
'유럽 문화유산의 날'로 부른다. 일
반인들이 문화유산에 대한 의미를
새로이 인식하게 하고, 자국의 역
사와 본격적으로 화해를 시도하는
이 행사는 하짓날 개최되는 '음악
의 축제'와 더불어 프랑스에서 가
장 사랑받는 이벤트로 여겨진다.
유럽 전역에서 행사는 8월 말부터

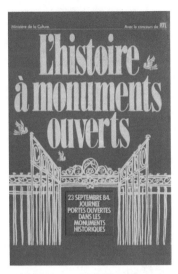

첫 '역사유적 문호 개방의 날' 포스터

2020년 행사가 취소된 '문화유산의 날' 포스터

11월 초까지 열린다. 행사 대상 건물에는 무료로 혹은 할인된 가격으
로 입장할 수 있다.

2005년 행사에서는 1,200만 명에 달하는 방문자들이 1만 5,480개

장소를 찾아 2만 건의 행사를 즐겼다. 그중 그해 처음 개방한 장소도 1,000곳에 달했다. 2016년에도 1,200만 명이 문호를 개방한 1만 7,000개 장소에서 2만 6,000건의 행사가 있었다. 행사에 참여한 사람들의 경우 98%가 방문지에 대해 만족감을 표시했을 정도로 문화유산의 날은 프랑스인들로부터 전폭적인 지지를 얻고 있다. 한 통계에 따르면 문화유산의 일반 개방과 관련 행사 개최가 가장 효과적이고도 적극적인 보호 방식이라는 견해에 동의하는 사람이 82%에 달한다. 그런 연유로 프랑스인들은 좌파 우파 구분 없이 이 행사를 통해 노스탤지어와 현대성, 쾌락과 지식의 이상적인 결합을 꿈꾸고 있다.

상대적으로 짧은 기간에 이 행사가 가장 인기 있는 행사로 자리 잡게 된 데는 몇 가지 설명이 가능하다. 먼저 위기에 처한 문화유산들에 대한 일반의 주의를 환기하는 데 TV가 지대한 역할을 수행했다. 또 아직 불완전하기는 하지만, 각 지방자치단체도 새로운 소재를 발굴하기 위해 불철주야 노력했다. 또한 이 행사는 전문가들의 지식이 아니었더라면 불가능했을 것이다. 국가는 4,600건의 복원 작업과 3,500건의 개보수 작업에 종사하는 총 8,000명의 인력을 고용하고 있으며, 1,000여 개 기업이 메세나 형태로 각종 문화행사를 지원하고 있다. 그리고 현재 프랑스에서는 3만 4,000명의 인력이 문화유산 보존과 관련된 직종에 종사하고 있다. 문화유산 보호를 위해 국가가 적극적으로 개입하는 빈도도 지방자치단체가 기획하는 여러 프로젝트와 더불어 증가하고 있다.

무엇보다 이 행사가 일반의 관심을 끌게 된 결정적 이유는 평소 접근이 불가능한 건물들을 포함하여 프랑스 전역의 건물들이 이틀 동안이기는 하지만 완전히 공개된다는 점에 있다. 크고 작은 유·무명

건물 대부분이 이 행사에 참여하고
있기에 어떤 의미에서는 과거와의
진정한 만남이 이때 이루어진다. 그
만남은 대혁명의 피로 얼룩진 살육
의 역사나 유럽 전역을 공포로 뒤
덮었던 압제자의 흔적에서 과오를

'문화유산의 날'에 개방되는 엘리제 궁

되새기는 자리가 아니다. 관용, 즉 톨레랑스tolérance가 사회를 지탱하
는 가장 중요한 정신으로 간주하는 프랑스인들이 관대한 시선으로
과거와 만나는 자리다.

이 이벤트는 1995년부터 매년 문화유산과 관련된 특별 주제를 하
나 혹은 여럿 선정하고 있다. 예를 들어 9월 14~15일 개최된 1996년
행사의 경우 '문학'을 특별 주제로 1만 1,116개의 명소를 개방한 바 있
다. 1998년에는 '장인 직업과 노하우'를 주제로 선정했으며, 1999년 특
별 주제는 '문화유산과 시민정신', 2000년 주제는 '20세기의 문화유산'
이었다. 또 몇몇 지방의 경우 '인권', '세계대전', '낭트 칙령', '성채' 등 독
자적인 주제를 설정하고 그에 맞춘 행사를 개최하기도 했다. 다음은
연도별로 선정한 주제 리스트다.

1995 : 영화 100주년, 공원과 정원

1996 : 문화유산과 문학, 문화유산과 빛

1997 : 문화유산, 축제와 놀이, 산업 문화유산

1998 : 직업과 노하우

1999 : 문화유산과 시민정신-유럽, 공동의 유산

2000 : 20세기의 문화유산

2001 : 문화유산과 협회(1901년 7월 3일의 협회법 100주년을 축하하는 의미)

2002 : 문화유산과 영토

2003 : 영적 문화유산, 소설가 메리메Prosper Mérimée 탄생 200주년,
뤼네빌 성Château de Lunéville 복원

2004 : 문화유산, 과학과 기술

2005 : 나의 문화유산을 사랑한다. 이틀 동안 문화유산에 대한 사랑
드러내기

2006 : 우리의 문화유산을 살립시다

2007 : 문화유산 관련 직업-문화재를 위해 일하는 사람들

2008 : 문화유산과 창조

2009 : 모두가 접근할 수 있는 문화유산

2010 : 위인들-역사를 만든 사람들

2011 : 문화유산을 둘러보는 여행

2012 : 숨은 문화유산들

2013 : 보호 100년

2014 : 문화의 유산-자연의 유산

2015 : 21세기의 문화유산, 미래의 이야기

2016 : 문화유산과 시민정신

2017 : 젊음과 문화유산

2018 : 2018 유럽 문화유산의 해, 공유의 예술

2019 : 예술과 오락

2020 : 문화유산과 교육 : 삶을 위한 배움

직업과 노하우에 대한 관심을 부각한 1998년의 경우 보존, 복원, 연

구, 자료화, 예술품 중개업 등 문화유산 보존 및
전수와 관련된 수많은 분야에 종사하는 사람들
과의 만남을 주선했다. 그중 몇몇 분야는 오늘날
오로지 몇 명에 의해서만 전수가 가능할 정도로
희귀성을 띠고 있으며, 일부 분야는 최근 개발된
최첨단 기술에 의지하기도 한다.

문화유산의 일상적 관리는 국가, 지방자치단
체, 개인이 함께 담당하고 있다. 보존과 복원 작

문화재 지정 로고

업은 문화부 산하 '건축 및 문화유산 담당국Direction de l'Architecture et
du Patrimoine'이 관장하고 있는데, 특히 1990~1993년 이 부서의 국장
을 역임한 크리스티앙 뒤파비용Christian Dupavillon이 일반인들이 문화유
산에 대해 관심을 기울이도록 적극적 노력을 기울였다. 또 1993년부
터 도시 건축 문화유산 보호지역Zones de protection du patrimoine architectural
et urbain(ZPPAU)이 최초로 지정되면서, 특히 취약하다고 간주되던 도
시 지역에서도 문화유산 보호가 본격화된다. 1913년 12월 31일 법률
제정 이후 현재 프랑스는 문화재Monuments historiques를 2개의 등급으로
분류한다. 보존이 절대적으로 필요한 주요 문화재의 경우 국가가 '지
정'하며, 중요성이 덜한 문화유산의 경우 문화재 목록에 '등록'하게 하
는데 후자는 전자에 비해 구속력이 상대적으로 적은 편이다.

최근 문화재라는 개념은 그 의미가 확장되고 있다. 현재 이 개념 속
에는 모든 시대의 건축물 및 유물뿐만 아니라 역사적·예술적·과학
적 가치를 지니는 모든 물건이 포함된다. 따라서 성, 호텔, 교회, 수도
원, 정원, 선사시대 동굴 등 전통적 성격의 문화재를 위시해서 레스토
랑, 가게, 영화관 등 상업적·문화적 용도의 건물들, 공장, 역사驛舍, 배

100km²당 문화재 밀도

나 기관차처럼 산업적·기술적 성격의 건축물과 물건이 모두 포함된다. 여기에 '비물질적 문화유산' 개념이 추가될 수 있다. 아직 정의하기 어려운 개념이지만, '기술', '직업', '콩트', '샹송' 등도 보호해야 할 문화유산임에 틀림없다. 현재 프랑스의 문화재를 시대별로 분류해볼 경우, 선사시대 및 고대 문화재가 5.75%, 중세(6~15세기) 문화재가 34.75%, 근대(16~18세기) 문화재가 47.21%, 그리고 현대(19~20세기) 문화재가 12.29%를 차지한다. 현대 문화재가 의외로 많이 포함된 사실에 놀랄 수도 있지만, 특히 18~24세의 청년층(56%)과 35~49세의 중년층(54%)이 '현대의 물건도 문화유산의 범주에 포함시킬 수 있는가?'라는 질문에 월등히 개방적인 관점을 드러내고 있다.

그러나 문화유산에 대한 관심의 고조와 더불어 적지 않은 문제점이 노출되고 있다. 국가 입장에서는 모든 것을 다 보존할 수 없다. 법률적으로 따지면 합법적 보호란 단순한 동결을 지칭한다. 만약 올랭피아 같은 유명 샹송 공연장을 문화유산으로 지정할 경우, 이 극장의 활용에 필요한 모든 보수 작업을 할 수 없게 된다. 건물의 전면前面이나 계단 등이 부분적으로 문화재에 지정된 건물을 개보수할 때도 건물 전체의 해체에 적용되는 법률에 따른다. 또한 시간에 의해 잠식된 건물을 무조건 보존하는 것이 타당한가? 건물의 보존을 원한다면 건물 본연의 기능을 되살리는 것이 옳은가 아니면 그 장소에 새로운 기능을 부여하는 것이 옳은가? 건물의 상태가 아무리 아름답다 할지라도 텅 빈 성이나 사람들이 방문하지 않는 교회는 이미 의미를 부분적으로 상실하고 있지 않은가? 이러한 의문들을 공장 건물에 적용하면 더욱 복잡해진다. 모든 기능을 상실한 공장을 그대로 보존하는 것이 합당한가? 레니에르 드 루베 Lainière de Roubaix 모직공장은 오늘날 노동세계국가기록보관소Archives nationales du monde du travail(ANMT)로 변모해 있다. 물론 오래된 공장

건물을 활용한 노동세계국가기록보관소 (ANMT)

건물을 일률적으로 문화센터로 전환할 수 없는 까닭에, 당시 산업을 대표하던 기계 중 일부를 전시하며 부분적으로 박물관 역할을 담당하게 할 수도 있다. 그렇지만 생캉탱에 위치한 시두Sidoux 방직공장의 경우 수 세대에 걸쳐 사용한 기계들이 여전히 작동 중임에도, 문화유산 보호 차원에서 이 장소를 활용 가능하게 해줄 재정후원자가 아직 나타나지 않고 있다. 농촌의 문화유산에 대해서 말하기도 쉽지 않다. 프랑스 정부 당국의 통계에 따르면 현재 약 20만 채의 농가가 생계를 위협당하고 있다. 이미 유례없는 경제 위기를 체험한 바 있는 농부들이 옛 농가들을 부유층을 위한 별장으로 개조하는 것을 정부가 어떤 명분으로 저지할 수 있을까?

이러한 어려움에도 불구하고 문화유산에 대한 프랑스인들의 인식은 확대되고, 다변화되며, 끊임없이 쇄신되는 모습을 보여주고 있다. 특히 젊은 세대는 예술작품의 보호와 복원에 상당한 관심을 보여준다. 새 세대가 과거의 유산에 대해 관심을 가지기 시작한 것은 환경보호운동이 본격화하면서부터인 것으로 추산된다. 전통적인 정치 행태에 환멸을 느끼기 시작한 프랑스 및 유럽의 젊은이들은 개인적 행복의 질을 우선적 가치로 간주하기 시작하면서, 과거의 문화와 역사를

케레르비 배들의 묘지

돌이켜보며 미래의 전망을 모색하는 중이다. 문화유산과 환경보호의 연계는 '문화'와 '자연'을 무리 없이 조화시킨다. 그런 점에서 오래된 숲이나 자연보호구역 등을 관리와 보호가 필요한 문화재와 분리해 별도로 볼 이유가 없다. 이제 우리도 문화유산의 날을 가질 때가 되지 않았을까? 이 글을 쓰면서 갑자기 하나의 풍경이 생각난다. 2005년 로리앙 인터켈트 페스티벌을 방문했을 때 일이다. 잠수함 기지 등을 방문한 후 찾아간 시외곽에 '케레르비 배들의 묘지Cimetière de bateaux de Kerhervy'라는 묘한 이름의 공간이 있었다. 방문해보니 1923년부터 2001년 사이에 이용되던 참치잡이배의 잔해, 낡은 선구船具, 폐기처분된 트롤선들을 호수에 빠뜨려놓은 곳이었다. 별것 없었다. 하지만 '배들의 묘지'라는 시적 표현은 그 평범한 장소를 상상력과 충분히 연결하고 있었다. 이 정도라면 우리도 수천 척의 배들의 묘지를 조성하는 것이 가능하지 않을지? 문화유산이 이미 차고 넘치니 말이다.

거리 전체를 무대로 삼아라

오리약Aurillac을 처음 방문한 것은 2019년이었다. 파리 샤를 드골 공항을 떠나 프랑스 지도 정중앙 아래로 내려가다가 남동부나 남서부 쪽으로 갈라지는 분기점에 있는 도시가 클레르몽페랑이다. 그전에도 여름 여행을 할 때면 늘 이곳에서 1박을 했지만, 파리에서 네 시간 넘게 차를 타고 이곳에 도착하면 몸과 마음이 이미 지쳐버리기 일쑤였다. 그래서 차선책으로 택한 패턴이 리옹 공항에 내려 1박을 한 후 중부를 관통해 서부로 가는 방식이었다. 오리약은 그 길목에 있었다. 처음 방문하는 도시 오리약은 수수하기 그지없었다. 새벽에 잠에서 깨어나 두어 시간 동안 마을 끝까지 혼자 산책해보니 평범한 프랑스 소도시였다. 우리가 여유 있게 호텔을 잡았음에도 불구하고, 거리극이 열릴 때 호텔 잡는 것은 포기해야 한다고 호텔 관계자는 전한다. 올해 거리극 축제를 다녀가는 사람들이 이미 내년 축제에 방문하기 위해 호텔을 예약한다고 했다.

거리극이라는 낯선 개념은 공공장소, 특히 야외에서 열리는 공연과 극의 한 형태다. 아티스트들은 거리를 무대로 사용하며, 관객의 반응

오리약에서 열리는 국제거리극축제 ⓒinformationfrance.com

을 자신들 퍼포먼스에 섞는다. 무대 위에 올릴 작품을 옥외로 옮겼을 따름이지만, 거리극은 전혀 다른 느낌과 감동을 낳는다. 하늘과 땅, 골목과 호수와 건물, 역과 주차장, 하이퍼마켓, 이 모든 것이 무대로 활용되기 때문이다. 거리극은 사회적 규약을 변화시키고, 배우와 관객들은 서로 쳐다보고 서로 다가가며 서로 웃음을 건네고 서로 말을 건다. 상당히 유연하고도 자유로운 공연 풍경이 전례를 찾아보기 힘든 새로운 예술을 만들어내는 느낌이다.

연극이 전통적인 무대에서 거리극으로 변신한 때는 학생운동으로 들끓던 1968년 5월이다. 1930년대의 '개입극théâtre d'intervention'이나 구소련에서 선전 선동의 일환으로 시작된 후 1950년대 프랑스에서도 유행하던 '아지프로agitprop'를 연상시키기도 했지만, 앞의 연극들과의 결정적인 차이점은 거리극의 축제적 성격이었다. 전 세계에서 거리극을 주도하는 많은 극단이 기성 질서에 대한 저항을 담아내는 데 주력하곤 한다. 대표적인 극단으로는 미국의 리빙 시어터Living Theatre, 폴란드

미국의 리빙 시어터

의 아카데미아 루추Akademia Ruchu, 러시아의 리체데이Litsédei가 있다. 반면 프랑스는 거리극의 사회적 의미를 축제로 승화시키는 데 성공하면서 이 새로운 장르를 통해 자신들의 저력을 한껏 발산하는 중이다. 40년 사이에 시장이 급속도로 팽창해 거리극은 영화 다음으로 프랑스인들의 사랑을 받는 대상이 되었다. 그렇기에 프랑스를 거리극의 챔피언이라고 불러도 전혀 이상하지 않다.

모든 형태의 공연이 거리에서 펼쳐지기 때문에 '거리극'을 뜻하는 프랑스어 'théâtre de rue'는 '거리 공연'을 의미하는 'spectacles de rue'로 대치되어야 옳다. 무용, 마임, 음악, 마리오네트 등이 거리극과 관련된 10여 개의 축제에서 선을 보인다. 아독Adhok, 콩파니 이마지네르 테아트르Compagnie Imaginaire Théâtre, 랑베르 뒤 데코르사Cie L'Envers du Décor, 제네릭 바푀르Generik Vapeur, 서커스와 거리극을 결합한 콩파니 아니발Compagnie Annibal, 테아브뤼 벨착Deabru Beltzak, 콩파니 뉘메로 위트Compagnie n°8, 콩파니 테 아 라 뤼Compagnie Thé à la Rue, 델리스 다다Délices Dada, 그룹 베르트Group Berthe, 콩파니 아마란타Compagnie Amaranta, 콩파니 오프Compagnie Off, 레 클랑데스탱Les Clandestines, 루아얄 드 뤽스, 더 치폴라타스The Chipolatas, 테아트로 네세사리오Teatro Necessario, 오포지토Oposito, 콤플렉스카파르나움KomplexKapharnaüm, 레 자르소Les Arceaux 등

루아얄 드 뤽스 극단의 초대형 인형들

이 거리 공연을 하는 대표적인 극단이다. 극단들 대부분이 1980년대에 생겨난 것은 흥미롭다. 그들은 미국의 리빙 시어터, 혹은 프랑스의 태양극단의 정신을 이어받아 보다 자유롭고, 경제적 이익에 매몰되지 않으며, 더 평등하고, 모두를 위한 공연을 지향했다. 대부분의 거리극 단체는 단순한 의상과 장식을 택하고 있지만, 일부 극단들은 수준이 높은 기술을 선보이기도 한다.

100여 개의 거리극 단체 중 가장 유명한 극단은 루아얄 드 뤽스다. 무시무시한 크기의 거대한 창작물을 통해 프랑스 및 세계에 이름을 알린 극단이다. 장-뤽 쿠르쿠Jean-Luc Courcoult, 디디에 갈로-라발레Didier Gallot-Lavallée, 베로니크 로에브Véronique Loève 세 사람이 조직한 이 극단은 1979년에 첫 작품 〈케이프 혼Le Cap Horn〉을 무대에 올리는데, 작품은 희극과 음악을 결합한 형식이었다. 독창적이고 참여적 성향이 강한 아티스트들이 극단에 합류했는데, 그중에는 배우, 발명가, 스턴트맨, 작가, 철근 배근공도 있었다. 그들은 가능한 한 많은 관객과 만나기 위해 본능적으로 거리극 형태를 취했고, 대담하게 엑상프로방스의 공공장소를 무대로 선택했다. 1980년에 이 트리오는 〈거대한 냉동고의 신비Les Mystères du grand congélateur〉를 창작하며, 이때부터 기괴하고도 놀라운 금속 구조물을 활용하기 시작했다. 공연을 기록하기 위해

사용하던 녹음기 모델 이름을 따 극단에 루아얄
드 뤽스란 이름을 붙인 것도 이 시기다. 야심을
담아낸 작품들은 매년 늘어났고, 그들은 일상의
오브제와 도시문화를 부각하려는 의도를 강화
해나갔다. 1990년대에 낭트에 자리 잡은 후 〈프
랑스의 진정한 역사La Véritable histoire de France〉 〈하
늘에서 떨어진 거인Le Géant tombé du ciel〉 〈작은 거
인 소녀La Petite Géante〉를 차례로 제작해 공연했
다. 거리극 외에 거대한 마리오네트를 이용한 이
들의 거리극을 관람한 관객 숫자도 어마어마하

오리약 국제거리극축제 포스터

다. 베를린 장벽 붕괴 20년을 기념해 선보인 거인 소녀와 잠수부를 만
난 관객은 150만 명, 런던에서 이 피조물들의 거리 공연을 지켜본 사
람도 200만 명에 달한다. 루아얄 드 뤽스는 문화부의 지원을 받는 몇
안되는 극단이다. 1년 반에서 2년이 걸리는 작품 제작에 매번 65만
~150만 유로가 들기 때문이다. 전 세계적 성공을 거둔 이 극단은 오
늘날 거리극을 이야기할 때 빠지지 않고 거론되는 대상이다.

　프랑스에서 가장 잘 알려진 거리극 축제들은 샬롱쉬르손Chalon-sur-
Saône에서 매년 7월 열리는 축제 '샬롱의 거리Chalon dans la rue', 8월 15
일 이후 맞이하는 첫 수요일부터 4일간 오리약에서 열리는 '국제거리
극축제Festival international de théâtre de rue'일 것이다. 그 외에도 모르비앙
Morbihan 데파르트망 소재 마을 케스탕베르Questembert에서 열리는 거리
예술 축제 '페스티브 알Festives Halles', 라 플레슈La Flèche에서 7월 두 번
째 주말에 열리는 '레 자프랑시 축제Festival Les Affranchis', 그리고 레 자
프랑시 축제에서 영감을 얻어 매년 9월 초에 앙제에서 열리는 '레 자

오리약에서 열리는 국제거리극 축제 ©Maxppp - Christophe Morin

크로슈쾨르 축제Festival Les Accroche-Cœurs', 매년 6월 말에 소트빌레루앙 Sotteville-lès-Rouen에서 열리는 '비바 시테 축제Festival Viva Cité', 메스Metz에 서 매년 7월에 열리는 국제야외공연축제 '옵옵옵Hop Hop Hop', 아미엥 에서 6월 중순에 열리는 '거리 축제Festival de rue', 7월 초 3일간 바르르 뒥Bar-le-Duc에서 열리는 '르네상스 축제Festival Renaissances', 샬롱앙샹파 뉴Châlons-en-Champagne에서 6월 초에 열리며 서커스와 거리극에 특화된 '퓌리 축제Festival Furies' 등을 들 수 있다.

매년 오리약 국제거리극 축제를 찾는 관객은 10만 명, 1986년에 첫 행사가 열린 후 현재 전 세계의 약 500개 단체가 이곳에서 자신들의 공연을 선보이면서 오리약을 예술 창작과 연구, 배급의 장으로 만들 고 있다. 낮에는 100여 개의 야외공연이 열리며, 밤에는 비트가 강한 음악에 맞춰 파티가 벌어진다. 전문가와 관객들 간의 만남의 장도 주 선되어 새로운 예술에 대한 활발한 토론도 이루어진다.

그리고 국립거리예술센터Centre national des arts de la rue et de l'espace public

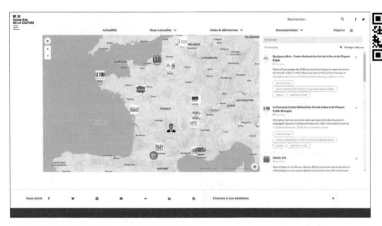

프랑스 문화부에서 제공하는 국립거리예술센터 안내

도 거리극 축제의 진행과 성공에 깊이 관여하고 있다. 프랑스 전역에
총 14개가 운영되고 있는데, 지역마다 조금씩 다른 이름을 띠고 있다.
예를 들어 샬롱쉬르손에 소재한 센터는 '라바투아르L'Abattoir', 브레스
트에 소재한 센터는 '르 푸르노Le Fourneau', 투르느푀이유에 소재한 센
터는 '뤼진L'Usine'이라는 이름을 하고 있다.

　우리 얘기로 돌아오자. 어린 시절 그 많던 서커스단은 다 어디로 갔
을까? 프랑스에는 국립서커스학교도 세워져 있지만, 왜 서커스는 오
늘날 공산주의 국가에서 더 인기가 있을까? 기예技藝에 대한 경시는
우리가 예술의 어떤 부분을 잘 모르고 있거나 기피하는 풍경을 대변
하고 있지 않을까? 그런 모습에도 불구하고 우리는 왜 〈태양의 서커
스〉에 열광할까?

바다를 통해 이어지는 켈트인들의 축제

프랑스 브르타뉴 지방 로리앙에서는 매년 8월 초에 켈트 국가들의 그랜드 퍼레이드, 백파이프 경연대회 등을 위시해 화려한 로리앙 인터켈트 페스티벌Festival interceltique de Lorient이 10일간 펼쳐진다. 켈트 국가들 및 켈트 문화를 현대적으로 해석해내는 국가들 사이의 정기적 만남의 장을 콘셉트로 한 이 축제는 매년 8월 첫 주 금요일부터 두 번째 주 일요일까지 개최를 원칙으로, 로리앙에 위치한 15개 공연장을 공연 장소로 삼고 있다. 프랑스에서 가장 많은 사람이 찾는 축제로, 2019년 스페인 북서부 갈리시아를 주빈으로 열린 49회 행사에는 4,500명의 아티스트와 80만 명의 방문객이 로리앙을 찾았다. 2021년에 열리는 제50회 행사는 8월 6일부터 15일까지.

전 세계를 휩쓸고 있는 켈트 문화는 아직 우리에게 생소하다. 하지만 유럽 통합과 맞물려 더욱 힘을 받고 있는 이 문화에 대한 이해 없이 현재의 유럽을 제대로 이해할 수 있을까? 1960년대에 미국이 상업화시킨 아일랜드 음악이 오늘날 켈트 음악의 주류로 간주되고 있기는 하지만, 로리앙 인터켈트 페스티벌을 통해 소개되는 켈트 음악의

켈틱 커넥션즈 페스티벌

스펙트럼은 훨씬 다채롭고 화려하다. 역사를 거슬러 올라가 언어와 인종적 정체성을 찾아 나선 이 축제가 소개하는 지역은 족히 10개가 넘으며, 참가 국가 및 지역은 점차 확대되는 추세다. 비록 켈트 국가(브르타뉴를 프랑스와 분리해 생각해야 할까?), 켈트 음악(체코를 비롯한 동유럽의 켈트 음악을 어디 편입시켜야 할까?), 켈트 문화(전기 켈트 문화인 할슈타트Hallstatt 문명과 후기 켈트 문화인 라텐La Tène 문명은 오늘날 켈트 문화와 어떤 연관을 맺고 있을까?)의 정체성에 관련해 다양한 의문이 존재한다 할지라도, 로리앙은 복잡다단한 이런 문제들을 음악을 통해 풀어내는 데 성공하고 있다. 정치와 종교의 분열을 음악을 통해 치유하고 있는 것이다.

오늘날 로리앙 인터켈트 페스티벌이 점점 주목받는 데는 몇 가지 이유가 있다. 스코틀랜드, 아일랜드, 웨일스 등 켈트 지역의 많은 인구가 오스트레일리아, 뉴질랜드, 캐나다와 남미 등으로 이주했음에도 프랑스 브르타뉴 지방에서는 음악과 구전 전통 측면에서 그 어떤 단절도 일어나지 않았다. 이 지역에서 켈트 문화의 흐름이 단절된 유일한 시기는 양차 세계대전 기간뿐이다. 비록 농촌이 공동화되고, 전통

음악을 업으로 삼는 사람들이 설 자리를 찾지 못했으며, 도시들이 켈트 문화를 '민속folklore'이라는 이름으로 폄하했을지라도 켈트 음악은 강좌와 연수, 학교 교육을 통해 지방의 분파주의, 정책 입안자들의 중앙 집권주의와 싸워나가며 기적적으로 살아남을 수 있었다. 타의 추종을 불허하는 프랑스인들의 기획력이 페스티벌을 살려냈음은 말할 필요도 없다.

매년 1월 스코틀랜드의 글래스고에서 열리는 '켈틱 커넥션즈Celtic Connections 페스티벌', 6월에 프랑스 낭트의 라 보주아르 경기장Stade de La Beaujoire에서 열리는 '켈티카Celtica', 1948년에 창설된 후 매년 프랑스 캥페르에서 열리는 '코르누아이유 축제' 등이 켈트 음악 관련 행사로 유명하지만, 로리앙 인터켈트 페스티벌은 전 세계에서 가장 중요한 켈트 문화 관련 행사로 꼽아도 손색이 없다. '브르타뉴 방식의 멜팅팟'으로 간주될 수 있을 정도로 장르의 혼합을 강조하는 로리앙 인터켈트 페스티벌은 파리 중심의 문화를 극복한 대표적인 사례로 꼽히며, 한 지역의 음악이 지역적 정체성을 뛰어넘어 세계성을 확보하는 데 성공한 가장 모범적인 행사에 해당한다. 또 페스티벌은 급변하는 유럽과 세계 질서의 변화에 발맞춰 전통을 현재에 조율시킨 성공적인 사례로 꼽히기도 한다. 사회 구성원들의 정체성의 변화에도 부합하고 있다는 이야기다. 로리앙 측은 켈트 음악의 확산을 위해 '켈트의 밤' 혹은 '패트릭 성인의 밤Nuit de Saint Patrick' 행사를 파리에서 간헐적으로 열고, 코르시카의 다성음악을 수용하는 방식 등을 통해 켈트 음악의 외연을 확대해가는 중이다.

1971년 시작된 로리앙 인터켈트 페스티벌은 켈트 국가의 예술가들에게 가장 큰 연례행사다. 스코틀랜드, 아일랜드, 웨일스, 영국령 맨섬

2019년 로리앙 인터켈트 페스티벌

과 콘월섬, 스페인 북부의 아스투리아스와 갈리시아 지방, 프랑스의 브르타뉴 지방, 오스트레일리아와 뉴질랜드, 미국, 캐나다의 아카디아 지방이 등이 참가했다. 뿌리를 찾는 행사인 동시에 미래를 함께 모색하는 자리인 까닭에 전통 음악가, 클래식 연주자, 포크·재즈·록 뮤지션, 안무가, 화가, 조각가, 작가, 영화인, 학자를 망라한 많은 전문가가 이 종합 예술제를 찾고 있다.

하지만 로리앙 인터켈트 페스티벌이 처음부터 성공을 거둔 것은 아니다. 일견 불가능해 보이는 도박을 성사시킨 것으로 정평이 난 이 페스티벌은 크게 네 가지 모험을 시도했다. 첫 번째 모험은 인근 도시 브레스트가 원치 않던 행사를 로리앙으로 가져온 것이다. 두 번째 모험은 문화를 파생시킨 사회와 일치시키는 방식, 다시 말해 표본실에 박제된 문화 대신 전통문화를 일상 속으로 끌어들이는 방식이었다. 그동안 문화적으로 서로 연대할 생각을 한 번도 해보지 않았던 켈트 인종의 다양한 공동체를 한데 묶는 것이 세 번째 모험이었고, 불확실

로리앙 인터켈트 페스티벌

한 성공을 위해 파리로 무작정 상경하던 지역 출신 예술가들을 잡아놓은 것은 네 번째 모험이었다. 그에 따라 예술가들의 재능을 북돋워주고 지역문화를 활성화하는 데 크게 기여하면서, 로리앙 인터켈트 페스티벌은 브르타뉴 음악인들에게 일종의 제2의 시장을 만들어주는데 성공했다. 비록 1980년대에 브르타뉴 음악에 대한 관심이 퇴조했지만 문화단체들과 음악원의 지원을 받아 브르타뉴 지역은 수천 명의 음악인을 양성했으며, 페스티벌 조직위원회는 충분한 수의 관객들을 끌어모으기 위해 지속적으로 노력했다.

현재 이 행사의 소요 예산은 약 40억 원인데 자체 예산 비율이 75%이다. 수송, 식사, 숙박, 국제 연락, 파트너 모집, 새로운 예술가 발굴, 무대장치, 연극 공연 등과 관련된 모든 활동은 조직위원회에서 직접 관리하고 있다.

축제의 구성

페스티벌이 열리는 주요 공연장들은 항구로부터 무스투아르 경기장Stade du Moustoir에 이르는 산책로를 따라 펼쳐져 있다. 5,000석 규모의 케르그루아즈Kergroise 공연장, 경제계 인사들의 회합장소로 이용되는 클럽 KClub K, 매일 저녁 페스트노즈Fest-Noz 공연이 열리는 카르노 홀Halle Carnot, 매년 초청국가의 특별 전시회가 열리는 갈르리 뒤 파우

에딕Galerie du Paouëdic, 폐막 콘서트가 열리는 무스투아르 경기장 등이 주요 공간이며, '바가두Bagadoù 챔피언십', '국제 파이프밴드 챔피언십', 가장 테크닉이 뛰어난 브르타뉴 그룹들과 전 세계에서 실력자들이 가장 출중한 그룹들이 참가하는 '백파이프의 밤', 약 700명의 음악인이 참가하며 조명, 대형 영상, 불꽃놀이 등 첨단기술이 총동

필자의 로리앙 인터켈트 페스티벌 리플릿

원되는 '마법의 밤' 등이 이 장소들을 채운다. 프로그램이 매년 달라지기는 하지만 일부 행사들은 지속적으로 개최된다. 약 4,500명의 음악인 및 무용수들이 3시간 남짓 시가를 행진하는 '켈트 국가 그랜드 퍼레이드', 축제 분위기 속에서 6개 무대에서 40여 팀이 연주하는 '항구의 밤', 어부들의 노래를 들으며 식도락을 즐기는 '코트리아드Cotriade'는 연례행사들이다.

관련 용어 익히기

■ 칸 하 디스칸Kan ha diskan : '화답송' 정도로 번역할 수 있는 이 음악의 형태는 같은 제목의 노래를 두 가수가 번갈아 부르는 식이다. 한 가수의 마지막 구절을 다른 가수가 반복해 부르며 시작하고, 이 가수의 끝 구절을 처음의 가수가 다시 반복하는 식이다. 페스트노즈에서 종종 들을 수 있는 노래다. 대표적인 음악인으로는 고아덱 시스터스Goadec sisters, 얀-판슈 케메네르Yann-Fanch

Kemener 등이 있다.

■ 바가드Bagad : 브르타뉴어 '바가드 아르 소네리온bagad ar sonerion'
의 약어로 켈트 음악을 연주하는 '그룹', '단체' 정도로 해석할 수
있다. 스코틀랜드 백파이프인 비니우 브라즈biniou braz, 봉바르드
및 타악기로 구성된다. 최초의 바가드는 1932년 파리에서 에르
베 르 멘Hervé Le Menn이 조직한 KAV(백파이프 연주자 연합Kenvreuriezh
ar Viniaouerien)이다. 브르타뉴에 만들어진 최초의 바가드는 1943년
결성된 보다데그 아르 소네리온Bodadeg ar Sonerion이다.

■ 페스트노즈 : '밤의 축제fêtes de nuit'라는 뜻을 가진 브르타뉴어
로, 복수로는 '페스투노즈festoù-noz'라 쓴다. 브르타뉴의 전통축제
로 주로 무도회가 열린다. 문화의 전파를 위해 브르타뉴 바깥에
서 많이 열렸다. 중세부터 시작된 오랜 전통과 별개로 우리가 알
고 있는 형태의 페스트노즈는 1950년대에 뢰이즈 로파르즈Loeiz
Roparz가 고안해냈다. 일반적으로 향토 음식인 갈레트, 크레프, 시
드르, 맥주 등과 함께 춤과 식도락을 동시에 즐기는 방식이다. 최
근 페스트노즈에 참가하는 일부 그룹들은 신시사이저 같은 악
기를 동원하기도 한다. 금관악기도 점점 많이 동원되는 추세다.

■ 그웨르즈 : 가사 속에 슬픈 내용이나 역사를 담고 있는 브르타
뉴 지방의 노래다.

바다를 통해 우리는 어디와 연결되고 있을까? 현재의 국경을 뛰어
넘어 우리는 우리 역사와 뒤얽힌 어떤 다른 나라와 평등하게 교류하
고 있을까? 우리의 심리적·물리적 공간은 21세기 대한민국에 너무 한
정되고 있는 것은 아닐까?

역사와 맞물린 빛과 소리

공연을 통해 역사를 전달하려는 방식은 프랑스에서 비일비재하다. 그리고 그런 공연에서 빛과 소리가 차지하는 비중은 절대적이다. '송 에 뤼미에르son et lumière', 우리말로 '빛과 소리의 공연'으로 번역하는 이벤트의 형태가 상당히 많다. 세계적인 성공을 거둔 후 다른 나라로 수출까지 하고 있는 퓌뒤푸를 필두로, 빛과 소리가 관련된 행사는 카타리파, 르네상스, 2차대전 등 다채로운 역사를 소재로 다룬다. 지방 곳곳에서 열리는 대표적인 빛과 소리의 공연들을 살펴보자.

1. 〈화염에서 빛으로Des flammes à la lumière〉

1차대전, 보다 구체적으로는 1916년 베르됭전투에 대한 역사적인 회상을 다룬다. 베르됭전투 80주년을 맞이한 1996년에 시작된 이 공연은 6월에서 7월에 걸쳐 열리며, 지역협회인 '코네상스 드 라 뫼즈Connaissance de la Meuse'가 주관한다. 공

〈화염에서 빛으로〉 공연 포스터

연 장소는 뫼즈Meuse 데파르트망 소재 베르됭에서 남쪽으로 수km 떨어진 옛 오댕빌 채석장Carrière d'Haudainville 부지. 2,400명까지 수용할 수 있다.

공연은 프랑스, 벨기에, 독일 국적을 가진 세 젊은이가 베르됭에서 만나 벨 에포크 시대부터 휴전에 이르는 시기에 대한 이전 세대의 추억을 교환하는 이야기를 다룬다. 250명의 배우를 포함한 550명의 자원봉사자, 1,000대의 프로젝터, 900벌의 의상, 40km의 케이블, 2헥타르의 무대, 특수효과 등이 동원되고 있다.

2. 〈밤에는 자유를Dans la nuit, liberté〉

1976년부터 매년 여름 루아르아틀랑티크Loire-Atlantique 데파르트망 트랑스쉬르에르드르Trans-sur-Erdre 소재 테이유 다리Pont du Theil 위에서 2차대전을 주제로 열리는 빛과 소리의 공연. 이 장소는 낭트, 앙제와 렌 사이에 있다. 무대에 오르는 자

〈밤에는 자유를〉 공연

원봉사자는 중학생들을 포함해 280명이며, 실제로 이 지방에서 1940년대에 일어났던 크고 작은 이야기를 다루고 있다. 레지스탕스, 시골에서의 생활, 미군에 의한 프랑스 해방 장면 등이 등장한다. 공연의 창작과 제작을 맡은 이 마을 소재 '트랑스미시옹Transmission' 협회는 "기억을 전달하고, 타인들이 우리를 위해 자신의 목숨을 바쳤기에 오늘날 우리가 평화, 자유 속에서 존엄성을 지키며 속에서 살고 있다는 것을 상기시키기 위함"이라고 주장한다.

3. 〈상블랑세의 세노페에리Scénoféérie de Semblançay〉

앤드르에루아르 데파르트망 투르시에서 북쪽으로 15km 떨어진 상블랑세Semblançay에서 1989년부터 열리는 공연이다. 자동차로는 투르에서 15분, 르망에서 1시간, 푸아티에에서는 1시간 반이 걸린다. 1시간 45분 길이의 이 공연은 투렌Touraine 지방의 역사를 총체적으로 묘사한다. 세노페에리라는 명칭은 문자 그대로 무대를 뜻하는 '센scène'과 환상의 세계, 몽환극夢幻劇을 의미하는 '페에리féerie'를 결합한 표현이다. 2019년에 30주년을 맞이했는데, 이미 관람한 사람이 24만 명에 달한다. 2019년에는 7월 5일부터 8월 17일까지 공연했다. 배우와 스턴트맨, 투사 역할의 450명과 기수 40명이 어우러져 프랑수아 1세의 재정감독관이었던 자크 드 본Jacques de Beaune 영지 공원의 무대에 오른 후 갈로로마 시대에서부터 프랑스대혁명에 이르는 장면들을 재현하는 방식이다.

1920년대 어느 날 저녁 이야기꾼 오노레 포티에와 그의 손자 뱅자맹이 샘의 전설을 중심으로 들려주는 이야기는 연대기 순으로 전개된다. 갈로로마 시대를 다룬 부분에서 갈로로마 총독 마르셀루스Marcellus는 루아르강변에서 세리알리스Cérialis 백인대장을 맞이한다. 둘은 로마제국이 이 지역에 가져다준 평화와 번영을 찬양한다. 다음 이야기는 앙주 백작 풀크 네라Foulques Nerra와 십자군 원정. 10세기 말 투르에 상주하던 교황 우르바누스 2세Urbanus II는 십자군 원정을 명령한다. 샘의 물소리에서 열정을 얻은 순례자들과 십자군의 행렬이 등장한다. 평민들은 하나님에 대한 두려움과 호전적인 풀크 네라에 대한 두려움 사이에서 방황한다. 풀크 네라는 원정 도중 사람들을 고문하고 죽이며, 죽음을 앞두고 회한에 빠진다. 다음은 중세 풍경. 삶과 죽음이

<상블랑세의 세노페에리> 공연 풍경

그다지 중요하지 않았기에 현재를 중시하던 귀족들과 평민들은 축제를 벌인다. 기사들의 시합은 곡예사들의 묘기와 어우러지며 즐거운 풍경을 만들어낸다. 그러다 페스트가 창궐하면서 시체들이 장작더미로 옮겨진다. 다음으로 르네상스 시대가 등장한다. 프랑수아 1세는 이탈리아 예술에 문호를 개방하고, 모든 창작 분야에서 부와 아름다움이 차고 넘친다. 자크 드 본은 자신의 영지에서 성대한 축제를 개최한다. 18세기가 되면 파리에서 온 행상인이 상블랑세에 도착한 후 새로운 철학 사상을 전파한다. 그런 다음 대혁명이 발발하고, 민중은 자유를 획득한다. 피날레에서는 할아버지가 손자 벵자맹에게 이야기를 마친 후 그를 역사와 열정, 두려움과 희망의 증인인 샘으로 데리고 간다. 그런 후 그들은 동화적인 상상의 세계 속으로 떠난다. 음악과 빛, 그리고 불꽃 속에서 모든 시대의 등장인물들은 현대 인물들과 서로 만난다.

분수대, 화염 분사기, 성을 배경으로 한 비디오 프로젝션, 새로운 불꽃 효과 등 다양한 장치들이 공연의 성공을 위해 동원되고 있다.

공연을 위해 자크 드 본 협회와 상블랑세샘연구소Institut La Source de Semblançay가 협력하고 있다. 상블랑세샘연구소는 원래 지역 신체장애인의 부모를 돕기 위해 만들어진 단체로, 그들이 사회 속으로 편입될 수 있도록 지원하면서 고귀한 명분을 쌓아가고 있다.

4. 〈어제 한 마을이Hier un village〉

아베롱Aveyron 데파르트망의 플라냑Flagnac 마을에서 1982년부터 열리고 있는 빛과 소리의 공연. 로 계곡Vallée du Lot 주변에서 일어난 20세기 초의 살아 있는 역사를 감동적으로 그려내고 있다. 600명 이상의 자원봉사자, 7세부터 77세까지 다양한 연령층의 배우 300여 명이 참가하며, 매년 여름 2만 명 이상이 이 공연을 찾고 있다. 마을의 인구는 1,000명에 불과하다.

자누 혹은 장 드 라베롱이라 불리는 한 늙은 농부가 자신의 마을에서 일어난 이야기를 들려주는데, 어린 시절의 추억, 할아버지와 아버지가 겪은 사건 등 다양하다. 들판과 광산에서의 작업, 전쟁, 봉헌식, 결혼식 등이 옛 모습 그대로 재현된다. 그 뒤 자누는 마리누를 만나 밀과 포도가 익어가던 풍경과 돌다리 아래서 졸졸 흐르던 시냇물을 회상한다. 교회 종소리가 울리고, 선술집들이 문을 열며, 마을 광장이 활기를 되찾으면서 축제가 시작된다...

7월에 네 차례, 8월에 세 차례 공연이 열린다. 공연 시작 시각은 22시 15분, 600대의 프로젝터와 비디오 매핑 기술을 사용해 불타는 성, 흩뿌리는 눈, 자라나는 밀 등을 보여준다.

마지막으로, 역사적인 내용을 다루는 것은 아니지만 베르사유 궁

〈어제 한 마을이〉 공연 풍경

정원에서 여름에 열리는 빛과 소리의 공연인 '밤의 대형 분수Les Grandes Eaux Nocturnes'도 추가할 수 있다. 2019년의 경우 6월 15일부터 9월 21일까지 매주 토요일 20시 30분부터 23시 05분까지 열렸다. 바로크 시대의 음악, 분수와 조명을 배경으로 화려한 불꽃놀이가 펼쳐진다. 시간이 정지되고 루이 14세 시대의 분위기 속으로 들어가는 듯한 몽환적인 느낌을 받는다.

또 다른 빛과 소리의 공연들

프랑스의 여름은 빛과 소리로 채워진다고 해도 지나치지 않을 정도로 무수한 '빛과 소리의 공연'이 주요 유적과 건물에서 열린다. 〈굴욕을 영광으로 바꾼 쥐뒤푸의 메시지〉에서 소개한 '시네세니'가 대표적인데, 일반적으로 빛과 소리의 공연은 주로 역사유적에서 진행하는 야간 공연을 지칭하며 특수조명에 음악과 스토리텔링이 결합한 형태다. 의미를 확대해서 빛과 소리를 탁월하게 결합한 행사를 통칭하기도 한다. 특히 7월 14일 대혁명 기념일에 파리를 비롯한 프랑스 전역에서 열리는 행사, 그리고 12월 초 리옹에서 열리는 세계적으로 이름난 '빛의 축제Fête des Lumières' 등이 그에 해당한다. 또 아름다운 호수를 배경으로 활용한 '안시 호수 축제Fête du Lac d'Annecy'도 대단한 행사다. 리옹과 안시 행사에 대해서는 뒤에 별도로 다뤘다. 빛과 소리를 다룬 또 다른 주요 행사들을 살펴보자. 알아두면 프랑스 여행이 훨씬 알찰 수밖에 없는 내용들이다.

칸 불꽃축제

1. 칸 불꽃축제Festival d'Art Pyrotechnique de Cannes

1998년부터 매년 7월 14, 21, 29일 그리고 8월 7, 15, 24일 열리는 축제로, 전 세계의 가장 유명한 불꽃 제조업자들을 칸으로 맞아들인다. 매번 20만 명의 관람객이 지켜보며, 창조성과 테크놀로지를 결합한 최첨단 기술이 선을 보인다. 바다에 비친 불꽃의 모습은 관객들을 동화의 세계 속으로 끌어들인다. 축제 기간에는 음악 행사가 칸 해변을 수놓기도 한다.

2. 프랑스대혁명 기념 축제Fête Nationale Française

국가의 통합과 절대왕정의 종식을 기념하는 7월 14일에는 프랑스 전역에서 축하행사가 열린다. 이 행사는 1880년부터 시작되었는데, 파리에서는 개선문과 콩코르드 광장 사이에서 군사 퍼레이드가 진행되고, 밤에는 거의 모든 도시에서 무도회와 콘서트를 곁들인 불꽃놀이 행사를 개최한다. 일부 장소에서는 7월 13일에 행사를 진행한다.

프랑스대혁명 기념축제

3. 브리디에 역사 프레스코Fresque Historique de Bridiers

리무쟁 데파르트망에서 매년 열리는 야간 이벤트로, 400명의 출연진, 2,500벌 이상이 넘는 의상이 등장한다. 2021년에는 8월 6일부터 9일까지 열린다. 기사들을 비롯해 수레, 당시의 탈것, 불꽃놀이와 특수효과가 5헥타르에 달하는 중세 유적을 채운다. 선사시대부터 1945년까지 브리디에 유적을 스치고 지나간 6,000년 역사를 다룬다. 네안데르탈인들의 이동, 로마제국의 지배, 바쿠스 축제, 1396년부터 1421년까지 예루살렘 성요한 구호기사단을 이끈 필리베르 드 나이약Philibert de Naillac의 서사시, 그리고 구호기사단에게 잡힌 오스만제국 젬Cem 왕자의 유배, 미국 독립전쟁에 참전한 에르미온호의 출정, 1917년의 참호, 좌와 우의 이데올로기가 격돌하던 1936년 여름 등 무수한 이야기가 등장한다.

4. 생클루 불꽃축제Grand feu de Saint-Cloud

매년 9월 초에 파리 서쪽 오드센 데파르트망 소재 생클루 공원Parc de Saint-Cloud에서 2시간 동안 진행되는 이 행사를 찾는 사람수는 무려 2만 3,000명. 매년 주제를 달리하며, 최첨단 불꽃놀이 기술이 선을 보인다.

5. 솔로뉴의 밤Nuits de Sologne

9월 첫 번째 토요일 누앙르퓌즐리에Nouan-le-Fuzelier에서 열리는 음악을 곁들인 불꽃놀이 행사. 불꽃놀이는 21시 30분에 시작되며, 아서 왕의 신화, 전설의 도시 이스Ys 등 서사적이고 동화적인 스토리를 담아낸다. 이날 하룻저녁에 쏘아 올리는 화약의 무게만도 5톤에 달한다. 매년 1만 5,000명이 행사를 찾고 있다.

빛의 의상

6. 빛의 의상 Habits de Lumière

매년 12월 중순에 샹파뉴 데파르트망의 중심도시 에페르네Épernay 에서 열리는 행사로 이 지역의 음식 문화유산을 즐기기 위해 만든 이 벤트다. 3일 동안 도시는 빛으로 치장하는데, 그중 백미가 불꽃놀이와 샹파뉴 대로Avenue de Champagne에서 열리는 퍼레이드다. 유명 쉐프의 요리 시범, 와인 강좌, 치즈를 비롯한 지역 특산물 시식이 곁들여진다. 매년 3만 5,000명이 행사를 찾고 있다.

빛과 소리의 행사가 왜 프랑스에 넘쳐나는 것일까? 물론 프랑스의 미적 감각을 드러내는 화려한 밤이 필요했을 것이다. 또 프랑스에는 빛을 활용할 수 있는 무수한 역사유적이 있다. 하지만 기원을 거슬러 올라가보면 이런 유의 행사가 프랑스에서 대단히 일찍부터 시작되었 다는 것을 알 수 있다. 중세부터 일부 군주들은 다양한 기회를 이용해 축제를 벌였다. 프랑스와 스페인 사이에서 일어난 상속 전쟁을 종식하려 체결한 엑스라샤펠 조약Traité d'Aix-la-Chapelle을 기념해 헨델에게 배경음악(왕궁의 불꽃놀이 음악Music for the Royal Fireworks, HWV 351) 작곡을 의뢰했던 대규모 왕실불꽃놀이, 루이 14세 통치 당시 열린 베르사유 축제 등이 그랬다. 조명을 이용한 축제는 수 세기 전부터 열렸는데, 그 대표적인 행사가 1852년 리옹에서 시작된 '빛의 축제'다. 1918년에는 휴전을 기념하기 위해 스트라스부르의 노트르담 대성당을 조명으로 장식했다. 두 차례 세계대전 중에도 프랑스의 주요 유적들에 고전적인 방식으로 조명을 설치했고, 1937년에 '동화같은 전기fée électricité'라는 전시회를 축하하기 위해 마즈다Mazda 전구회사가 '빛의 투르 드 프랑스Tour de France de la Lumière'라는 타이틀 아래 200일 동안 426개 명소를 조명으로 장식한 바 있다. 센강 주변에서 열린 야간 축제들은 음악 공연에 화려한 조명을 매치했고, 거기다 분수와 불꽃놀이를 추가했다.

1951년에 루아르 지방의 성들에 조명이 설치되었고, 1952년 5월 30일에는 문자 그대로 최초의 '빛과 소리의 공연'이 샹보르 성에서 열렸다. 공연에 들어가는 음악은 영화음악의 대가 모리스 자르가 맡았다. 뒤이어 피에르 아르노Pierre Arnaud가 1953년부터 슈농소 성Château de Chenonceau과 베르사유 궁에서 비슷한 공연을 주도했는데, 이 공연 형태는 카이로의 피라미드, 아테네의 아크로폴리스로 수출되기에 이른다. 음악은 주로 조르주 들르뤼가 작곡하고, 대본은 역사에 해박한 앙드레 모루아André Maurois, 장 콕토, 마르셀 아샤르Marcel Achard 등이 썼다. 역사에 관련된 이미지를 음악에 매치한 것은 1958년 뤼드 성Château de Lude이 처음이다.

오늘날에는 프랑스의 무수한 공간들이 빛과 소리의 축제 대상이 되고 있다. 중세시대의 성뿐만 아니라 종교 건물, 동굴, 기념의 대상이 되는 건축물들이 다양하게 활용되고 있으며, 퓌뒤푸는 그중에서도 특히 세계적인 명성을 얻게 된 공간이다.

우리에게는 왜 빛과 소리가 부족할까? 수년 전 경복궁을 활용한 빛과 소리의 공연을 보면서 난 아쉬움을 떨쳐버릴 수 없었다. 색도 화려하지 않고, 스토리텔링도 부족하며, 무엇보다도 사람을 끌어들이는 흡입력이 부족했다. 공연을 위한 공연 같은 느낌. 이런 아쉬움은 지방을 여행하면서도 이어졌다. 학술행사 때문에 찾았던 부여 궁남지는 황홀할 정도로 아름다운 공간이었다. 당장 그 공간에 맞는 빛과 소리의 공연을 찾아내고 싶을 정도로…… 하지만 그곳을 지키던 한 분이 말씀하셨다. "젊은이들이 모두 대도시로 떠나서 이곳에는 그런 일을 벌일 사람이 없다."고.

그런데 사람이 있어야 일을 벌이는 게 아니라 그런 일을 벌여야 사람이 모여드는 것 아닌가? 언제까지 서울공화국이라고 한탄만 할지 씁쓸한 노릇이다.

축제의 지방화를 연 아비뇽 페스티벌Festival d'Avignon

에르네스트 피뇽-에르네스트 전시회

2019년 여름 아비뇽 옛 교황청 건물에서 만난 에르네스트 피뇽-에르네스트Ernest Pignon-Ernest 전시회는 나의 가슴을 뜨겁게 만들었다. 내가 가장 관심을 가지고 있는 감독 중 한 명인 피에르 파올로 파솔리니의 영화 이미지를 합성한 다양한 작품이 전시회를 가득 채우고 있는 것 아닌가. 석조 건축물과 전시회의 조화는 환상적이었고, 교황청 건물을 다양하게 활용하는 것 같아 반가웠다. 유학 시절 이곳을 처음 찾았을 때는 내부가 황량하기 그지없었는데… 해가 갈수록 옛 교황청 내부의 전시 품목도 많아지고 기획전시도 늘어나는 느낌이었다.

론Rhône강 좌측에 자리 잡은 아비뇽은 거대한 성벽으로 둘러싸여 도시 전체의 분위기가 안정되고 아늑한 느낌을 준다. 이곳은 이미 11, 12세기부터 남부 프랑스의 교통요충지로서 지역상업의 중심이었고, 1309~1377년 7대에 거쳐 교황이 프랑스에 거주하게 되는 세기

아비뇽 소재 옛 교황청 건물 ⓒtheculturetrip.com

적 사건인 '아비뇽 유수'로도 유명하다. 교황청은 당시 교황의 정치
적 위상을 나타내듯 종교적 건축물이라기보다는 오히려 요새 같은
느낌을 준다. 건물은 베네딕토 12세Benedictus PP. XII의 단조로운 옛 궁
전(1334~1342)과 클레멘스 6세Clemens PP. VI의 플랑부아양 양식의 궁전
(1342~1352)으로 나뉘며, 벽을 따라 높이 50m가 넘는 10개의 탑이 웅장
한 모습을 보여준다.

　무엇보다도 이 도시는 프랑스에 무수한 축제를 양산하는 시발점
이 된 아비뇽 페스티벌로 유명하다. 아비뇽 페스티벌은 연극인 장 빌
라르가 1947년 최초로 개최한 연극제로, 초창기에는 국립민중극단
Théâtre National Populaire(TNP)만 공연할 수 있는 장소였다가 1960년대
후반부터 다른 극단뿐 아니라 춤·음악·영화에 이르는 다양한 장르

에까지 개방되기 시작했다. 아비뇽 페스티벌은 그 후 수 많은 외국 극단들을 초대하고 외국 언론사들이 취재 경쟁을 벌이면서 전 세계에서 가장 유명한 연극제가 되었다.

아비뇽 페스티벌은 1947년 9월 처음 개최될 당시만 해도 수수한 '연극주간'에 지나지 않아 4,800명의 관객을 불러 모으는 데 그쳤다. 1947년 무대에 오른 연극의 배역 중 하나는 갓 데뷔한 잔 모로에게 돌아갔다. 아비뇽시는 당시 27세이던 연출가 모리스 클라벨Maurice Clavel 의 작품 〈정오의 테라스La Terrasse de midi〉에 공간을 제공했는데, 빌라르는 그 외에도 폴 클로델의 작품 〈토비와 사라Tobie et Sara〉와 셰익스피어 원작 〈리처드 2세〉를 연극주간 무대에 올린다. 빌라르는 기존의 부르주아를 위한 연극을 반대하면서 모든 사람들에게 개방된 연극과 다양한 예술 장르에 접근할 수 있는 연극 공연을 염두에 두었는데, 연극을 과감하게 광장으로 끌고 나와 총체적인 예술 형식을 구축하면서 연극 자체뿐만 아니라 문화 향유에 목말라하던 수많은 대중의 문화적 갈증을 해소해주었다. 1947년 9월 시작된 첫 행사부터 프로그램은 보편적 리스트에서 잘 알려지지 않은 작품들과 현대 작품들을 모두 포함시켰다. 다음 해부터 행사는 '아비뇽 페스티벌'이라는 이름을 갖게 되며, 매년 7월 개최가 결정된다. 장 빌라르의 목표는 당시 파리 무대에 올려지는 연극들과는 다른 작품을 가지고 젊고 주의 깊은 새로운 관중과 만나는 데 있었다. "집단예술인 연극에 밀실이 아닌 다른 장소를 부여할 것, 지하실이나 살롱에서 질식하고 있는 예술에 생기를 불어넣을 것, 건축과 극시劇詩를 화해시킬 것" 등이 빌라르의 지상명제였다. 오늘날까지 그의 정신은 면면히 이어지고 있다. 1948년부터 이 행사는 개최 일시를 9월에서 7월로 옮겼으며, 행사 기간은 2주로 확대되었다가 현재의 3주로 고정되었다.

1951년에 빌라르는 TNP 극단장을 맡으며, 아비뇽은 장 빌라르가 샤이요 궁(TNP의 파리 소재지)에서 주도하는 문화정책의 실험실 역할을 하게 되었다. 그에 따라 페스티벌도 TNP처럼 연극 실험의 장으로 변모하기 시작했다. 1963년 조르주 윌송Georges Wilson이 TNP 단장직을 맡게 된 이후에도 TNP는 1967년까지 아비뇽 페스티벌에 계속 참가했다. 1968년 여름의 아비뇽 페스티벌은 5월의 파리에서처럼 바리케이드가 들어서지는 않았지만 항의의 대상이 되며, '문화의 슈퍼마켓'이라는 딱지가 붙게 되었다. 하지만 1969년부터 영화와 음악, 음악극 및 조형예술에 축제를 개방하면서 아비뇽은 더욱 많은 방문객을 받아들인다. 1970년대 중반부터는 극단들이 상주할 수 있는 새로운 공간들이 생겨났다. 뒤이어 축제의 조직위원장 베르나르 페브르 다르시에Bernard Faivre d'Arcier, 알랭 크롱베크Alain Crombecque는 페스티벌을 통해 현대적 공연 인프라를 구축하는 데 주력했고, 이 행사를 만방에 알리기 위해 애썼다. 스타급 배우와 연극인을 참여시키는 것도 소홀히 하지 않았다. 1985년에 상연된 피터 브룩Peter Brook 연출의 〈마하바라타Mahabharata〉, 1987년에 앙투안 비테즈Antoine Vitez가 무대에 올린 〈비단신Soulier de satin〉은 그 시기의 대표적인 작품들이다. 1988년에는 파트리스 셰로Patrice Chéreau가 〈햄릿Hamlet〉을 연출했고, 1995년에는 몰리에르 원작의 〈타르튀프〉가 관객들을 열광시켰다. 아리안 므누슈킨이 이끄는 태양극단은 독실한 위선가 타르튀프를 1990년대의 종교적 광신주의라는 문맥 속에 위치시킴으로써 관객들에게 충격을 주었다.

'세계인의 종합 예술축제'라는 명성에 걸맞게 아비뇽 페스티벌은 크

아비뇽의 옛 교황청 건물 뜰에서 열리는 연극제

게 '오프off'와 '인in' 두 카테고리로 운영된다. 주최측에서 초청한 극단들의 공연과 전시회, 토론회 등으로 구성된 것이 축제 인이라면, 정해진 형식을 뛰어넘는 자유분방함과 기발한 창의력이 돋보이는 무대가 축제 오프다. 보통 축제 오프는 노천극장에서 열리는데 실험적인 연극에서부터 민속음악, 재즈에 이르기까지 다양한 형식의 공연이 펼쳐진다. 축제 인은 수백 개의 참가 희망팀으로부터 신청을 받아 예술국이 프로그램을 선정하는데, 축제가 시작되기 18개월 전부터 작품 선정이 시작된다. 프랑스 정부와 여러 문화단체의 공식 지원을 받아 제작되었거나 주최측의 심사로 선정된 후 초청된 작품이라 예술성과 작품성을 인정받은 공연이라고 볼 수 있다. 반면 축제 오프는 주최측에서 작품을 선정하는 절차가 없다. 따라서 작품을 공연할 장소가 있다면 어떤 극단이든 축제 기간 중 아비뇽에 와서 얼마든지 공연할 수 있다. 아비뇽 페스티벌의 초심을 이어가는 것은 축제 오프라고 볼 수 있다. 회를 거듭할수록 축제 오프에 대한 관심이 점차 늘어나고 있는데, 그 이유는 프로와 아마추어가 자유롭게 참여해 관중에게 대단히 많은 선택의 여지를 제공하면서 축제 분위기를 한껏 고조시키기 때문이다. 공연 형식도 일인극이나 대형 공연, 마임, 춤, 인형극, 서커스 등 무대예술과 관계된 것이면 어떤 것이든 가능하다.

아비뇽 페스티벌은 연극에서 출발했고 지금도 연극이 가장 중요한 분야이기는 하다. 그러나 지금은 시, 미술 및 연극사 전시회, 영화와 비디오아트에 이르기까지 영역이 확장되었다. 하지만 클래식 음악이나 오페라는 아비뇽에서 가까운 도시들, 예컨대 오랑주Orange나 엑상프로방스 등에서 이 분야를 전문으로 하는 축제들을 열고 있기에 프로그램으로 선택하지 않는다.

아비뇽 페스티벌의 성공은 지방에서도 문화가 활성화될 수 있음을 보여주는 계기가 되었다. 1950년대와 1960년대에 프랑스 전역에서 생겨난 지방 축제들은 모두 아비뇽을 모델로 삼고 있다. 그 이전까지 파리에 가려져 있던 지방의 다양한 정체성이 아비뇽 연극 축제 이후부터 빛을 발하기 시작했다. 그 덕분에 우리는 파리의 눈을 통해서는 절대 설명되지 않는 프랑스의 진면목을 들여다볼 수 있게 되었다.

샤를르빌메지에르Charleville-Mézières와
국제마리오네트축제Festival mondial des théâtres de marionnettes

2020년 국제마리오네트축제 포스터

줄을 움직여 조종하는 인형 마리오네트는 영화 〈베로니카의 이중생활〉을 비롯한 많은 작품에서 대단히 시적이고 낭만적인 오브제로 등장한다. 한국의 전통음악을 중국 배경에 일본 복장과 결합한 아리안 므누슈킨의 연극 〈제방의 북소리〉에서도 연주자들은 모두 줄에 매달린 마리오네트 모습을 하고 있다. 어린 시절의 추억을 되살리는 이 인형들을 어디서 만나볼 수 있을까? 프랑스에서는 마리오네트에 특화된 축제가 존재하며, 축제가 열리는 동안 이곳을 찾는 모든 이들을 동심의 세계로 빠져들게 만든다.

19세기 후반의 상징주의 시인 아르튀르 랭보가 태어난 마을이자 오늘날 그를 기리는 메종 데 자이외르Maison des Ailleurs와 랭보 박물관Musée Rimbaud이 들어서 있는 동네 샤를르빌메지에르. 프랑스 북부에 소재한 이 마을의 거리와 광장에서는 2년에 한 번씩 9월에 열흘간 축제가 열린다. 1961년에 마리오네트 연출가 자크 펠릭스Jacques Félix의

국제마리오네트축제 풍경 ©charleville-mezieres.fr

주도로 시작된 이 행사는 오늘날 세계 최대의 마리오네트 축제로 대두했는데, '프티 코메디엥 드 쉬퐁Petits Comédiens de Chiffons'이 주관하고 있다. 인과 오프로 나뉜 공연은 약 15만 명의 관객을 끌어들인다. 2009년 이전에는 3년에 한 번씩 열리다가 축제의 성공에 힘입어 2년에 한 번 개최로 바뀌었다. 마리오네트 예술을 홍보하고, 전 세계에서 이 예술이 변화하는 과정을 소개하며, 함께 감상하는 것이 목적이다. 30여 개국 130개 내외의 극단이 참가하고 150개 정도의 공연이 마련되는데, 유럽 국가 외에도 아시아의 한국, 일본, 이란, 대만, 태국 등 많은 나라가 참가해 세계 각국의 다양한 마리오네트 공연을 한자리에서 감상할 수 있다. 또 공연 외에도 작가와의 만남, 전시회, 거리극 등 다른 축제 관련 이벤트가 샤를르빌메지에르를 찾는 사람들을 즐겁게 해준다.

이 축제가 관광에 미치는 효과는 상당히 큰 편이다. 벨기에·독일과 가까운 아르덴Ardennes 데파르트망은 2차대전의 격전지로 유명한

국제마리오네트축제 풍경

샤를르빌메지에르

데, 축제는 이 지역 관광에서 중요한 역할을 담당하고 있다. 2009년의 한 연구에 따르면 방문자 76%가 오직 축제를 보기 위해 이 지역을 찾았고, 그중 63%는 평균 닷새를 체류하면서 축제를 즐겼다. 다른 행사들에 비해 축제 방문자들의 체류 기간이 아주 긴 편이다. 도시의 이미지 제고 외에도 요식업, 호텔, 상업에 미치는 영향이 상당히 큰 것이다.

1941년에 당시 17세였던 자크 펠릭스는 제오 콩테Géo Condé(1891~1980)가 이끄는 낭시에서의 연수에 참가한 후 마리오네트에 입문한다. 같은 해에 자크 펠릭스와 그의 친구 7명은 노래와 마임, 마리오네트와 광대를 결합한 10여 편의 연극을 만들었고, 성공을 거두자 1942년 크리스마스 시즌까지 공연을 계속했다. 1945년에 자크 펠릭스는 프티 코메디엥 드 쉬퐁 극단을 창단해 아르덴 지역에서 최초의 공연을 무대에 올린다. 1947년에 극단은 대규모 공연 〈천국의 가난뱅이들Les Gueux au paradis〉을 샤를르빌메지에르 시립극장Théâtre municipal de Charleville-Mézières에서 상연해 대성공을 거두며 활동을 계속해나간다. 이 시기는 칸 영화제(1946년 시작), 아비뇽 페스티벌(1947년 시작) 같이 지방을 거점으로 하는 동시에 세계적인 축제들이 본격적으로 만들어지던 때였다. 1954년에는 아르덴 지방의 전설을 주제로 공연하며, 이 공연이 리에주Liège에서 열리는 국제

마리오네트축제에 초대되면서 외국에도 이름을 알린다. 1959년 자크 펠릭스는 샤를르빌시 자문역을 맡으며 마리오네트와 고향을 연계하려는 꿈을 구체화해 나간다. 당시 시장이던 앙드레 르봉André Lebon은 샤를르빌, 메지에르 및 3개의 다른 코뮌을 통합하고자 노력하던 인물이었다. 추후 1966년에 통합이 성공하자 그는 샤를르빌메지에르의 첫 시장이 되었다.

국제마리오네트예술학교 홍보 포스터

1961년에 프티 코메디엥 드 쉬퐁 극단은 프랑스 마리오네트조합의 전국대회를 유치하면서 이 분야에서는 프랑스 최초로 국제 축제를 개최하기에 이르며, 1967년 국제꼭두극연맹Union Internationale de la Marionnette(UNIMA) 총회가 열릴 때 제2회 축제를 열었다. 1972년 극단은 국제꼭두극연맹 제11차 국제총회를 주관하며, 이 기회를 이용해 처음으로 일반인에게 완전히 개방한 행사였다. 축제 참가자들에게 무료로 숙소를 개방한 800명의 주민 자원봉사자들 덕분에 축제는 대성공을 거두었다. 이때부터 샤를르빌 축제는 세계적인 축제로 거듭난다.

1980년에 국제꼭두극연맹은 종신 사무국을 샤를르빌메지에르에 설치했고, 1년 후에는 제작과 연구, 교육을 담당하는 국제마리오네트연구소Institut international de la marionnette가 문을 열었다. 또 1987년에는 국립마리오네트예술학교École nationale supérieure des arts de la marionnette(ESNAM)가 개교했다.

벨기에, 독일과 가까운 샤를르빌메지에르 위치

축제가 내세우는 목표는 1회 행사부터 한결같다. 세계 각지에서 만들어내는 마리오네트에 대해 문호를 여는 것, 그리고 아르덴 지역 사람들이 세상에 대한 이러한 열림의 혜택을 받을 수 있도록 하는 것이다. 고로나 봉, 실을 이용해 마리오네트를 조종하거나 그림자를 활용한 전통 기법의 극이 무대에 오르는 것과는 별도로, 오늘날 기술혁신의 도움을 받은 다양한 공연역시 선보인다. 심지어 춤과 조형예술, 서커스, 마임과 인형을 서로 결합하기도 한다. 세계 모든 문화가 서로 교류하는 무대이자 타자를 이해하는 아틀리에로서 축제가 활용되는 느낌이다. 그렇기에 자크 펠릭스의 다음과 같은 표현은 더욱 진정성 있게 다가온다. "세상을 아름답게 만들고자 하는 사람들과의 우정을 기반으로 가장 거대한 유토피아가 구현되고 있다."

난 이 도시 사례를 보면서 늘 우리의 문화 행정을 생각한다. 오늘날 샤를르빌메지에르는 인형극 전문가들이 꼭 찾아가야 할 도시로 여겨진다. 그럴 수밖에 없다. 앞에서도 언급했지만, 이 작은 마을에는 현재 국제꼭두극연맹사무국, 국제마리오네트연구소, 국립마리오네트예술학교가 모두 들어서 있다. 선택과 집중 방식이다. 프랑스 내에서도 이 주제에 관심을 가진다면 무조건 샤를르빌메지에르를 찾아가게 하는 것이다. 이런 경우는 프랑스에 있을 때 자주 목격한 바 있다. 예를 들어 만화에 관심이 있으면 프랑스 중부의 앙굴렘을 찾아가야 한다. 축제가 열리지 않는 기간에 방문해본 앙굴렘은 초라한 편이었다. 하지만 프랑스는 이곳에 만화학교를 만들고, 연구공간을 세웠으며, 도서관을 지었다. 서점도 예외가 아니었다. 만화 전공자는 관련 연구를 하기 위해 앙굴렘을 찾아갈 수밖에 없도록 했다. 이러한 방식은 대학에 대한 생각으로도 연장된다. 예를 들면 같은 문학 전공이라고 해도 대학마다 특화된 점이 있었다. 보르도 대학은 문학사회학이 강하고, 엑상프로방스 대학은 비교문학이 강하며, 낭시 대학은 컴퓨터를 이용한 문학 연구에 강세를 보이고, 파리3 대학은 문학과 연극, 문학과 영화 등 여러 예술 장르를 연결한 문학 연구가 주를 이루었다. 프랑스 대학이 모두 국립인 탓에 중앙과 지방이 평준화된 측면도 있지만, 이 많은 선택사항 중 나에게 맞는 전공을 따라 자연스럽게 지방을 찾아가게 만드는 것이다. 지방분권이 도입되었음에도 선택과 집중 측면에서 취약한 우리 방식과 꽤 차이가 나지 않는가?

그리고 앞의 글에서도 이야기했지만, 어떤 지역의 문화행사가 압도적으로 우위를 보일 경우 다른 지역에서 비슷한 행사를 여는 모습은 프랑스에서 찾아보기 힘들다. 예를 들어 애니메이션은 안시, 마리오네트는 샤를르빌메지에르, 오페라는 오랑주의 몫인 것이다. 그러니 축제를 성공시킬 책임은 당연히 그 축제를 고집하는 쪽에 돌아간다. 말하자면 교통정리가 우리보다 훨씬 잘 이루어진 느낌이다. 프랑스와 비교해보면 우리의 지방은 지역의 개성을 살린 축제를 통해서든 대학별로 특화된 연구를 통해서든 개발 여지가 무궁무진하다. 하지만 교통정리 측면에서는 글쎄…… 왠지 자신이 없다.

물과 불의 만남,
안시 호수 축제Fête du Lac d'Annecy

안시 호수축제 포스터

프랑스인들은 죽기 전에 한 번은 꼭 봐야 할 행사로 안시 호수 축제를 거론하곤 한다. 알프스 산맥 자락의 풍광을 배경으로 세계에서 가장 아름답다는 불꽃놀이가 펼쳐지는 안시 호수 축제는 어떻게 생겨났을까? 이 행사는 나폴레옹 3세와 연관을 맺고 있다. 1860년 8월 29일부터 31일까지 나폴레옹 3세 황제와 황후 외제니Eugénie는 안시에서 사부아 공국이 프랑스에 병합된 것을 축하하는 자리에 초대를 받았다. 오트사부아Haute-Savoie와 사부아라는 2개 데파르트망이 탄생하는 기회를 이용해 시는 황제를 격조 있게 맞아들이기 위해 호수를 배경으로 한 '베네치아 방식'의 야간 축제를 개최한 것이다. 그 후 매년 호수 축제가 8월에 안시에서 열리고 있는데, 행사 모습은 새로운 기술을 총동원한 장엄한 불꽃놀이로 변모되어갔다.

이벤트는 매년 8월 첫 번째 토요일 안시 호수Lac d'Annecy, 보다 정확하게는 알비니 내에 위치한 르 파키에Le Pâquier 구역에서 열리며, 행사

안시 호수

를 참관하는 인원은 20만 명 이상
에 달한다. 안시에서 진행되는 문
화 프로그램 중 가장 중요한 행사
인 이 축제는 물과 창공에서 형형
색색의 불꽃 공연을 선보인다. 안
시 전체에서 불꽃놀이 행사를 볼

안시 호수와 인근 지형도

수 있기에 유료 좌석을 꼭 예약할 필요는 없다. 배를 타고 항해금지
구역 가까이 가서 보거나, 안시 시민의 집에 초대받아 호수가 보이는
발코니에서 즐길 수도 있으며, 안시 호수가 내려다보이는 비지타시옹
Visitation 전망대에서 감상할 수도 있다. 하지만 가장 가까이서 빛과 소
리를 제대로 감상하려면 좌석을 예약하는 것이 좋다. 길이가 500m 이
상인 알비니만의 여러 장소에 분산된 뗏목에서 불꽃을 쏘며, 분수, 프

로젝터, 수상 분수 등이 불꽃놀이를 보완한다. 안시는 매년 새로운 주제를 선정하고 있으며, 이 공연의 준비를 세계적인 불꽃놀이 전문 아티스트에게 위임하고 있다. 공연은 21시 45분부터 23시까지 정확하게 1시간 15분 동안 열리며, 19시부터 입장이 가능하다. 기상조건이 열악할 경우 행사를 취소할 수 있지만, 산악지방의 변화무쌍한 기후 때문에 당일 20시 이후에나 취소 여부를 알 수 있다. 취소되는 경우 행사의 연기는 따로 없다.

원래는 2020년 8월 1일에 제90회 축제를 열 예정이었지만 코로나바이러스 때문에 행사가 취소되었다. 애초 공지된 일정에 따르면 프랑스 그룹인 브르작Brezac 소속의 공연예술 감독인 파트릭 브로Patrick Brault와 세계적인 불꽃놀이 전문가들인 영국의 마크 켈살Mark Kelsal, 스웨덴의 마르틴 힐데베리Martin Hildeberg, 그리스의 파블로스 나노스Pavlos Nanos가 4개의 주제를 선보일 예정이었다. 각각의 주제는 대기의 기쁨, 불의 분노, 땅의 노스탤지어, 물의 청명함이었다. 세상을 구성하는 4가지 원소가 서로 대립하고 반목하다가 균형을 찾는 방식으로 구성했다. 프랑스 철학자 가스통 바슐라르Gaston Bachelard가 연구한 주제를 연상시킨다.

이러한 콘셉트는 이전에도 동일하게 적용되었기에 행사가 어떻게 변천해왔는지를 살펴볼 필요가 있다.

■ 2008년 행사의 주제는 '불의 원무圓舞'. 풍선을 타고 지구 전체에서 열리는 불꽃놀이 공연을 돌아보는 형식을 취하고 있다.

- 2009년 주제는 '마르코 폴로의 여행'. 거의 1세기 전부터 불꽃놀이 분야에서 전문성을 쌓아온 이탈리아 그룹 판제라Panzera가 연출을 맡았다. 불꽃과 음악의 조화에 성공한 그룹으로 유명하다.
- 2010년에는 시간을 거슬러 올라가는 방식을 택했다. 주제는 '150년에 걸친 불꽃놀이 모험'. 연출은 라크루아 루지에리Lacroix Ruggieri가 맡았다.
- 2011년 주제는 '요소들의 정수'였다. 19세기부터 존재했으며 불꽃놀이 화약에 들어가는 성분을 직접 제조하는 파렌테 파이어웍스Parente Fireworks가 행사를 책임졌다.
- 2012년 행사의 주제는 '안시, 별의 에너지'. 빅뱅과 더불어 별의 탄생에서부터 산과 물의 탄생을 거쳐 오늘에 이르기까지를 다루었다. 물론 그 별은 안시.
- 2013년 행사 주제는 '무지개'. 그루포 루소 피로테크니아Grupo Luso Pirotecnia의 축제와 화약 담당 예술감독들인 장-에릭 우지에Jean-Eric Ougier와 비토르 마차도Vitor Machado가 행사를 지휘했다.
- 2014년 행사 주제는 '불의 화폭들'. 쇼는 8개의 주제를 중심으로 21명의 화가와 그들의 주요 작품들을 보여주었다.
- 2015년의 주제는 '전설의 대기Legend'Airs'. 이탈리아 그룹 파렌테 파이어웍스가 대형 콘서트와 유명한 음악의 곡조들을 주제로 한 쇼를 연출했다.
- 2016년 행사는 제7의 예술인 영화에 할애되었다. 불꽃 전문가 라크루아 루지에리가 행사 지휘를 맡았다. 제목은 '제7의 예술에 대한 집중 조명'.
- 2017년 행사의 주제는 '불의 춤'. 포르투갈 화약 전문 그룹 그루

포 루소 피로테크니아가 불꽃놀이 행사를 맡았다. 3D 효과를 내는 무대장치와 함께 물, 불, 땅과 공기가 공연 주제를 구성했다. 불꽃은 호수를 360도로 둘러싼 140개 지점에서 동시에 발사되어 수중발레 같은 안무를 보여주었다. 대성공을 거둔 행사였다.

- 2018년에는 8월 4일에 열렸는데, 파이로모션Pyroemotions이 불꽃놀이를, 아쿠아 비바 프로덕션Acqua Viva Production이 음향을 담당했다. 주제는 '지구를 중심으로'. 쥘 베른의 책에서처럼 어느 아버지와 딸이 세계를 누비는 구도적 여행을 따라가게 만드는 방식이었다. 이탈리아 불꽃놀이 전문가인 안드레아 스카르파토Andréa Scarpato는 여러 불꽃의 싱크로나이즈에 탁월한 재능을 보유한 아티스트다. 60개의 부교에서 쏘는 6톤의 화약이 600m 길이의 무대에 장관을 연출했다. 조명에는 60대의 프로젝터가 동원되었다. 아주 시적인 분위기를 연출한 공연이었다.
- 2019년에는 이탈리아의 멜라라에서 활동하는 파렌테 파이어웍

스가 불꽃놀이를 담당했다. 이 그룹은 2006, 2011, 2012, 2014, 2015년에도 행사를 맡았다. 주제는 '하늘을 꿈꾸다'로, 관객들로 하여금 꿈과 현실 사이를 여행하게 만들었다. 알비니만의 길이를 아주 잘 활용한 해로 평가된다.

그 외에도 2003년 주제는 '유럽의 노래들', 2004년 주제는 '영화음악', 2005년의 주제는 '사랑 노래들', 2006년의 주제는 '세상의 리듬, 불의 리듬' 등이었다.

내가 태어나서 체험해본 가장 강렬한 불꽃놀이는 1989년 파리에서 프랑스대혁명 200주년 기념행사가 끝난 다음 본 불꽃이었다. 개선문 위에서 샹젤리제 거리를 향해 쏘았기에 바로 머리 위에서 산화하는 불꽃의 풍경은 정말 환상적이었다. 다음으로 치는 장관은 고등학교 친구들과 뛰뒤푸에서 접했던 피날레. 시네세니 공연이 끝난 다음 터뜨리던 불꽃이었다. 남자들 10여 명이 공연을 찾아서인지 입구의 매표소 직원들은 직감적으로 아주 멀리서 온 아시아 관광객이라 판단했던 것 같다. 그 큰 공연장에서, 무려 앞에서 두 번째 자리를 우리에게 제공했으니. 그때도 우리 머리 위로 수직으로 떨어지던 불꽃 모습은 정말 아름다웠다. 아쉽게도 난 아직 안시 호수 축제와 만나지 못했다. 하지만 천혜의 호수 위에서 벌어지는 불꽃놀이의 장관이 얼마나 멋있을지는 미루어 짐작할 수 있다. 물과 불의 만남이라…… 상상만 해도 행복하지 않은가. 시간이 된다면 축제가 열리는 안시를 꼭 찾아가시길. 호수만으로도 충분히 힐링을 제공하는데, 불꽃의 예술까지 덧붙여졌다면 더 이상 설명이 필요 없을 것이다.

역사를 현재 속으로 :
프랑스의 역사 관련 이벤트들

프로뱅 중세축제 포스터

흥미로운 프랑스 행사 중에는 직접 역사를 재현해보는 이벤트들이 많다. 무수한 행사에서 프랑스인들은 당시 의상을 차려입고서 야외에 세워진 막사에 들어가보고, 칼과 방패를 들고 서로 싸우며, 전통적인 방식으로 바비큐를 만들어 먹고, 다양한 시대를 체험해본다. 나는 갑옷과 투구를 파는 가게가 프랑스에 그렇게 많은 것에도 놀랐고, 중세를 비롯한 역사를 다룬 행사가 프랑스 전역에서 열리는 것에도 놀랐다. 우리 역사와 관련해 공공기관에서 주도하는 여러 '박제된' 행사들과는 달리, 이 사람들에게는 역사가 생활의 일부를 이루고 있다는 느낌을 받았다. 종교에 대해서도 비슷한 느낌을 받았지만……그렇기에 역사 관련 이벤트들은 파업, 소셜네트워크, 교통체증, 정크푸드, 무미건조한 스포츠 경기에 염증이 난 프랑스인들에게 대안적인 오락거리가 될 수 있는 듯했다.

중세축제fête médiévale는 중세의 상상 세계를 주제로 삼은 축제다. 일반적으로 중세 시장, 거리 행사(저글링, 음악 연주), 기마 시합과 같은 공연, 도시나 마을의 역사와 관련된 사건들의 재현 등으로 구성되며, 전문 공연단체나 역사 재현을 목적으로 결성된 협회들이 진행을 담당한다. 일차적인 목적은 관객들에게 즐거움을 제공하는 데 있다. 하지만 축제들이 재현하는 시기는 엄밀하게 따지면 중세에만 한정되는 것이 아니다. 중세라고 하면 일반적으로 5세기 게르만 민족의 대이동에서 15세기 중엽 동로마제국의 멸망에 이르는 시기를 가리키지만, 중세 이후 꽃피운 르네상스 문화를 재현하는 르네상스 축제fête renaissance도 있고, 중세에 주류가 아니었던 바이킹을 조명하거나, 근대인 18세기의 해적을 다루는 역사 축제도 있다. 어떤 행사들은 시간 속으로의 여행이 가능하도록 여러 시대를 뒤섞고 있으며, 일부 축제들은 판타지 세계 혹은 상상 속 피조물의 복장을 받아들이기도 한다. 이 모두가 고단한 현실로부터 잠시나마 일탈하고자 하는 의지의 발로인 것은 틀림없다. 물론 중세와 관련된 시장과 축제에 대한 비판도 있다. 생태박물관이나 역사박물관이 교육적 효과를 위해 엄격한 기준을 지키고 있듯이 축제들 역시 가능한 한 역사를 충실히 재현해야 한다는 요구다.

봄부터 늦가을까지 좋은 날씨와 바캉스 기간을 최대한 활용해 방문자들을 역사 속으로 끌어들이는 중세축제 및 역사 관련 행사가 프랑스에는 100여개 이상 존재한다. 유적들이 온전히 존재하기 때문이기도 할 것이고, 기사와 공주, 거대한 전투, 전설과 신화 등 과거에 대한 호기심이 어우러진 덕분이기도 할 것이다. 파리 지역에서 열리는 프로뱅 중세축제Médiévales de Provins는 이 분야에서 가장 큰 행사다. 그리고 프로뱅을 바짝 추격하는 것이 디낭 성벽축제Fêtes des Remparts de Dinan,

프로뱅 중세축제 풍경

님Nimes의 로마제국 그랜드 게임Grands Jeux Romains이다. 가장 대표적인 이 행사들을 자세히 살펴보자.

1. 프로뱅 중세축제

중세의 샹파뉴 시장

2001년에 유네스코 인류무형문화유산에 등재된 축제다. 가죽제품과 연장을 만드는 기술이 일찍부터 발달한 도시 프로뱅Provins은 유럽 전역에 유명한 '샹파뉴 시장Foires de Champagne'이 열리던 곳이었다. 다양한 물품을 사고 팔기 위해 수많은 상인이 찾던 마을이기도 하다. 유럽에서 중세 유적이 가장 잘 보존된 이곳에서는 연중 내내 중세와 관련된 행사가 열리지만, 중세축제가 열리는 시기를 전후한 5월과 6월에

디낭 성벽 축제

역사와 공연을 좋아하는 사람들이 이곳을 찾아 다양한 역사 재구성, 트루바두르와 음유시인들의 공연, 춤과 노래, 전통 놀이와 스포츠 경기 등을 즐긴다. 2020년에 제37회 행사가 열릴 예정이었으나 코로나바이러스 때문에 취소되었다.

2. 디낭 성벽 축제

유럽에서 가장 큰 중세축제 중하나로, 멋들어진 디낭Dinan의 중세 성채에서 2년에 한 번씩 7월 세 번째 주말에 열린다. 1982년에 시작되었으며, 시간이 흐르며 점점 많은

디낭 성벽 축제 포스터

사람이 찾는 중이다. 4개의 테마별 행사를 즐길 수 있는 거대한 중세 마을과 노점들이 들어서는데, 방문객은 마상 창시합을 구경하고 직접 재주를 뽐낼 수도 있다. 거리행진, 공연, 전시, 공예품 제작 시범 등의 부대 행사도 열린다. 2002년부터는 주제를 정하기 시작했으며, 그에

로마제국 그랜드 게임 풍경

따라 매번 프로그램이 완전히 바뀐다. 2002년 주제는 '중세예술', 2004
년 주제는 '비단길', 2006년 주제는 '중세 이야기와 전설', 2008년 주제
는 '중세 건축가들', 2010년 주제는 '중세의 공포'였다. 또 2012년 주제
는 '왕자의 기쁨과 민중의 환희', 2014년 주제는 '발명과 발견', 2016년
주제는 '중세를 몸과 마음으로 체험하기', 2018년 주제는 '중세, 천년
의 역사'였다.

3. 로마제국 그랜드 게임

남프랑스 님에서 열리는 행사로, 고대 유럽을 재현하는 행사들 중
에서 규모가 가장 크다. 고대사에 관심이 많은 관객을 열광시키고 있
다. 매년 주제를 달리하면서 인상적인 공연을 선보인다. 10주년을 맞
이하는 2020년에 내세웠던 주제는 '카이사르, 로마의 정복'. 그동안 스
파르타쿠스, 클레오파트라Cleopatra VII, 한니발Hannibal을 다룬 후 로마
제국의 가장 상징적인 인물인 율리우스 카이사르Gaius Julius Caesar를 다
룬 것이다. 갈리아 지방을 정복한 카이사르가 로마에서 권력을 잡기

까지 과정을 재현했다. 통상 5월 초에 열리던 이 행사는 코로나바이러스 때문에 2020년 10월 23~25일 개최로 연기되었다가 취소되었다. 레보에서 만날 수 있는 '빛의 채석장'처럼 이 행사의 운영도 컬처스페이스가 맡고 있다.

그 밖에 연중 열리는 중세축제들은 2월 스트라스부르의 '히스토리아 페스티벌Festival Historia'부터 10월 남프랑스 라 시오타La Ciotat의 '페스티벌 1720'까지 아주 다양하다. 그 많은 행사 중에서 눈여겨볼 만한 행사들을 좀 더 소개해보겠다. 5월에 루앙에서는 '잔 다르크 축제Fêtes Jeanne d'Arc'를 통해 잔 다르크를 만 하루 동안 기리며, 스당Sedan에서는 매년 5월 세 번째 주말에 '스당 중세축제Festival Médiéval de Sedan'가 열린다. 1996년부터 시작된 상당히 규모가 큰 중세축제다. 같은 달에 리옹에서는 르네상스 축제를 열고 있다. 페농pennons(중세 기사가 창끝에 매달았던 삼각기)의 시가행진이 특히 유명하다. 7월에 코르드쉬르시엘Cordes-sur-Ciel에서 열리는 '그랑 포코니에 중세축제Festival Médiéval du Grand Fauconnier'에서는 시가행진, 콘서트, 만찬 등의 행사가 관광객들의 흥을 돋운다. 8월에 카타리파 성채 중 하나인 페르페르튀즈에서도 중세축제가 이틀 동안 열리는데 매 길들이기 시범이 유명하다. 9월의 주목할 행사로는 르 퓌앙블레Le Puy-en-Velay에서 열리는 '새의 왕 축제Fête du Roi de l'Oiseau'가 있다. 르네상스를 주제로 한 축제로, 활을 이용한 새 사냥, 마상 시합, 새의 왕 시가행진 및 무도회 등이 잘 알려져 있다. 동부 마을 리보빌레Ribeauvillé에서 열리는 '피퍼르다이 바이올린 연주자 축제Fête des Ménétriers Pfifferdaj'도 언론이 자주 취급하는 축제다. 음유시인, 악사, 곡예사 등 관련 직종에 종사하는 사람들에게 경의를 표하는 기회이기도 하다.

　이러한 역사 관련 행사는 자신만의 색채를 가지고 방문객들에게 다가간다. 과거가 현재를 만들어내고 또 미래를 전망하게 만들어준다면, 역사를 끊임없이 되새김질하는 프랑스인들의 방식은 옳다. 다시 물어보자. 우리는 과거를 얼마나 기억하고 우리의 과거는 문화콘텐츠와 어느 정도 살갑게 만나고 있을까? 한국처럼 콘텐츠가 차고 넘치는 나라가 없는데도 말이다.

도시 한가운데서 만나는 표현의 절정,
리옹Lyon 빛의 축제Fête des Lumières

하나의 장소가 아니라 도시 전체가 참여하는 리옹 빛의 축제만큼 화
려한 행사가 있을까? 적어도 이 행사가 열리는 나흘 동안 리옹은 세계
에서 가장 독창적이고 사랑스러운 빛의 도시로 탈바꿈한다. 참여하는
아티스트들은 이미 세계적인 명성을 얻은 작가부터 전공 분야 학생들
까지 아주 다양하다. 조명에 관련된 가장 혁신적인 실험들과 만나려
면 리옹을 방문해야 할 정도로, 빛의 축제에는 온갖 상상력이 넘친다.
프랑스를 빛내는 무수한 불꽃놀이, 테마파크가 선보이는 빛을 이용한
이벤트(예를 들어 퓌뒤푸 테마파크가 선을 보이는 야간 이벤트인 '불의 오르간')와는
다른 방식으로 프랑스인들을 행복하게 만들어주고 있는 것이다. 하지
만 이런 행사가 리옹의 역사와 상관이 없는 것이 아니다. 오히려 리옹
의 전통과 아주 밀접한 관련을 맺고 있다.

성모 마리아를 기리는 성당이 푸르비에르Fourvière 언덕에 처음 세
워진 것은 1168년이다. 가톨릭과 개신교가 대립하던 1562년 종교전
쟁 때 파괴되었다가 전염병을 퇴치하려는 시민들과 행정관들의 소망
을 담아 재건립된다. 페스트가 창궐하던 1643년 9월 8일, 당시의 시청

리옹의 푸르비에르 언덕

간부들과 시 자문들, 상인 담당관, 명사들은 푸르비에르 언덕에 올라
가 남프랑스에서 넘어오는 전염병으로부터 도시를 보호해달라고 성
모 마리아에게 기원하며, 리옹이 무사하다면 이곳까지 순례 행진을 하
겠다고 서약한다. 이날 이후 매년 9월 8일 즉 성모 마리아의 탄생일이
되면 생장 대성당Cathédrale Saint-Jean에서부터 푸르비에르 언덕 위의 성모
마리아 성소(처음에는 생토마 성당Chapelle Saint-Thomas이었다가 나중에 푸르비에르
노트르담 대성당Basilique Notre-Dame de Fourvière이 준공된 후에는 대성당으로 개칭)
까지 장엄한 행진을 벌이며, 마리아에게 양초와 금화를 바친다. 행사
의 명칭은 '행정관들의 서약Vœu des Échevins'이었다.

　　1850년에 리옹의 가톨릭교단은 푸르비에르 언덕에 종교적인 성격
의 상징물을 건립하겠다고 발표했다. 조각가 조제프-위그 파비슈
Joseph-Hugues Fabisch가 손Saône강에 있는 자신의 아틀리에에서 동상을
제작하는 책임을 맡았다. 빛의 축제는 언덕에 세워질 황금 성모상 개

리옹에서 열리는 빛의 축제

막식을 염두에 둔 행사에서 비롯된다. 원래 1852년 9월 8일로 예정되었다가 손강에 홍수가 나고 조각가 파비슈의 아틀리에가 침수되면서 9세기부터 경축하던 무염시태(無染始胎, Immaculée Conception('원죄 없는 잉태'를 의미한다)의 날인 12월 8일로 연기되었다. 그에 따라 이날을 위한 모든 준비가 이루어진다. 조각상에는 다양한 색깔의 조명을 비추고, 언덕 위에서는 불꽃놀이를 벌이며, 거리에는 팡파르가 울려 퍼지도록 예정되어 있었다. 가톨릭계의 주요 인사들은 왕의 방문이나 승전 시에 그랬듯 각 가정의 현관마다 불을 밝히기를 권장했다. 12월 8일에 억

리옹의 수호성인을 기리는 빛의 축제 풍경

수 같은 비가 내리며 이날로 예정된 일루미네이션이 연기될 상황에 처하지만, 다행히 저녁이 되자 하늘은 말끔히 개었고 리옹 시민들은 자신의 집 창문에 자발적으로 등을 내걸었다. 시민들은 밤늦게까지 성가를 부르며 '마리아 만세Vive Marie!'를 외쳐댔다. 일루미네이션 축제Fête des Illuminations는 그렇게 탄생했다. 이 전통이 지속되면서 리옹 사람들은 매년 12월 8일에 양초로 창문을 밝히고, 화려하게 장식된 도시를 구경하기 위해 거리로 쏟아져나온다. 이날 필요한 것이 '뤼미뇽lumignons' 혹은 '랑피옹lampions'이라 부르는 초를 넣은 유리통이다. 채색한 두꺼운 유리통 안에 불을 붙인 양초를 넣어 크리스마스 장식과 함께 창가에 두는 것이다. 길이가 짧고 골이 진 이 양초와 유리 세트는 11월부터 상점에서 구입할 수 있다.

1989년부터는 도시의 주요 문화유적에 조명을 강조하기 시작했고, 1999년 이후 12월 8일부터 4일간 개최되는 '빛의 축제'로 변신했다. 수백만 명에 달하는 전 세계의 관광객이 그 풍경을 보기 위해 리옹을 찾고 있다. '빛의 마술사'라고 할 만한 전문가들이 매년 리옹을 찾아 빛과 관련된 개성 넘치는 조형물을 70개 이상 설치하는데, 도시는 표현과 창작의 거대한 실험실로 탈바꿈한다. 젊은 예술가들이 창작 정신을 꽃피우고 세계적인 예술가들이 재능을 과시하는 빛의 축제는 빛을 이용한 예술이 얼마나 다양할 수 있는지를 잘 보여준다. 원래 도심에서만 열리던 행사는 도시 전역으로 확대되면서 관광상품으로 자리 잡기 시작했다. 가정별 등 설치, 12월 8일 저녁의 행진 등을 통한 주민들

빛의 축제 풍경

의 참여도 아주 적극적인 편이다.

2010년에 행사를 찾은 인원은 300만 명, 2012년의 방문객은 400만 명일 정도로 전 세계가 빛의 축제에 열광했다. 동원하는 인원 차원에서 리옹 빛의 축제는 세계 4대 축제 수준에 근접한다. 빛의 축제보다 더 많은 사람이 찾는 행사는 쿰브 멜라Kumbh Mela(가장 큰 규모의 힌두교 순례 축제로, 힌디어로 '주전자 축제'라는 뜻), 리우 카니발, 뮌헨의 옥토버페스트뿐이다. 그러나 현대예술, 조형예술 및 음악에 할애된 예술성 차원에서 빛의 축제는 다른 축제들과 완전히 차별화된다. 2015년에는 수도권에서 11월 13일 일어난 테러의 여파로 역사상 처음으로 행사가 취소된 적이 있다. 하지만 횃불을 들고 푸르비에르 언덕 위 노트르담 대성당까지 올라가는 순례 행진은 예정대로 진행되었다. 2016년에는 다시 200만 명의 관광객이 행사를 찾아 다양한 작품을 즐길 정도로 원상회복했다.

베네데토 부팔리노가 선보인 공중전화 부스로 만든 어항

최근 프랑스 국내외의 유명 아티스트들이 이 행사를 빛내면서 규모가 상당히 확대되는 중이다. 빛의 축제는 1930년 이전에 만들어진 모든 거리와 건물들을 밝히고 있으며, 도시 전체에 혁신적이고도 놀라운 시각적 장치와 공연을 선사하고 있다. 베네데토 부팔리노 Benedetto Bufalino가 선보인 공중전화 부스로 만든 물고기가 노니는 어항 같은 작품이 대표적이다. 때로는 외국과 협력하기도 한다. 2017년부터 가이약Gaillac이라는 마을이 중국과 협력하면서 연등 축제Festival des Lanternes를 만든 후 대성공을 거두고 있듯이, 리옹 빛의 축제 역시 2013년에 중국과의 교류를 통해 테트 도르 공원Parc de Tête d'or에서 동양의 전통적인 조명들을 선보인 바있다. 한국과의 협력도 생각해볼 여지가 있다.

비단 리옹뿐 아니라 프랑스의 여름은 거의 모든 도시와 마을이 빛으로 무장한다. 스트라스부르, 아미엥, 루앙, 샤르트르 등에 소재한 대성당들은 어김없이 빛과 소리가 어우러진 화려한 영상들을 성당 건물에 투사하고 있으며, 몽생미셸, 카르카손, 가르 다리Pont du Gard를 비롯한 역사유적 역시 공연을 곁들인 이벤트들을 선보인다. 예술성 차원에서도 세계 최고라 할 수 있다. 그리고 공연과 이벤트 영상들은 비슷한 것이 별로 없다. 때로는 아크로바트를 동원해 빛의 행사를 더욱 화려하게 만들기도 한다. 또 레보드프로방스의 '빛의 채석장', 보르도의

'빛의 수조', 파리의 '빛의 아틀리에'가 담아내는 고급스러움이란…

　이런 이야기를 하면 우리 쪽에서 늘 나오는 이야기가 있다. 불꽃놀이나 크리스마스 시즌에 설치하는 트리 전구 이야기다. 아직 경제적으로 어려운 사람이 많은데 왜 엉뚱한 데 돈을 쓰냐는 주장이다. 부분적으로는 맞다. 그렇다고 언제까지 이런 논리에 함몰되어야 하는지? 난 고교 친구들과 함께 2017년 베트남 호이안을 밤에 찾았다가 매혹당한 적이 있다. 형형색색의 등은 한국 내 그 어디에서 볼 수 있는 것보다 화려했고, 그렇기에 주말 호이안에는 수십만 명의 인파가 들끓고 있었다. 이제 우리의 밤이 좀 화려해도 좋지 않을지? 프랑스를 모델로 삼길. 프랑스인들이 사랑하는 빛의 이벤트 속에는 역사와 삶이, 광기와 미학이, 아름다움과 그로테스크가 모두 어우러져 있다. 그걸 바라보는 것만으로도 충분히 각성되는 느낌을 받을 만큼.

프랑스의 크리스마스

프랑스의 크리스마스 시즌은 우리와 좀 다르다. 2019년 국내 굴지의 모 여행사에서 연말 프랑스 여행코스를 만들어달라고 부탁하기에 정성스럽게 프랑스의 특별한 크리스마스 시즌을 맛보게 해주려고 했는데 모객에 실패하면서 성사되지 못했다.

사실 유학 시절에 크리스마스를 제대로 즐기기는 어려웠다. 9월부터 10월 사이에 대학의 각 과정이 연차적으로 개강하는데, 우리의 겨울방학과 비슷한 긴 방학 없이 다음해 6월 초까지 학사일정이 이어지기 때문이다. 대학은 보통 12월 24일 오후에 문을 닫은 후 일주일 후인 1월 2일에 문을 열었다. 고등학교 때부터 죽마고우인 포스텍 최윤성 교수가 아주 일찍 대학에 자리를 잡은 후 2년에 한 번씩 스페인 마드리드에서 열리는 '무한차원 함수이론' 국제학술대회 참석차 파리에 들러서 함께 파리 시청 앞에 설치된 '크리스마스 구유' 전시회를 찾아갔던 기억이 난다. 연말연시에 프랑스를 찾을 계획이라면 몇몇 상식은 꼭 알아두자.

1. 크리스마스이브

12월 24일과 크리스마스는 프 랑스 사람들이 가족과 함께 보내 는 뜻깊은 날인 한편, 상업적인 느 낌을 주는 날이기도 하다. 크리스 마스이브 만찬은 특별하다. 축일

뷔슈 드 노엘

에 어울리는 술인 샴페인으로 아페리티프를 마시며 전식으로는 굴이 나 훈제연어 등의 해산물을 먹는다. 메인 식사는 닭, 칠면조, 오리 등 의 가금류, 푸아그라 등으로 구성되며, 샐러드를 곁들인 치즈가 나온 다. 마지막에는 뷔슈 드 노엘bûche de Noël이라는 이름의 케이크를 먹는 다. '뷔슈'는 장작이라는 의미로 케이크 모양이 작은 장작처럼 생겨서 붙은 이름이다. 이 케이크는 저녁이 시작될 무렵에 큰 장작더미에 불 을 붙인 후 이브 내내 밝히는 고대의 전통을 상기시켜준다.

2. 산타클로스

선물을 가져다주는 존재인 산타클로스는 1843년까지 거슬러 올라 가는 찰스 디킨스의 소설 《크리스마스 캐럴A Christmas Carol》이 대중화 시킨 존재다. 프랑스어로 산타클로스를 뜻하는 페르 노엘père Noël이 라는 표현은 조르주 상드가 1855년 처음 사용했고, 산타클로스의 첫 이미지는 1868년에 토머스 내스트Thomas Nast가 《하퍼스 위클리Harper's Weekly》에 게재했다. 초기에 산타클로스 복장은 삽화가마다 달라서 빨 간색뿐만 아니라 녹색 복장을 하고 있는 모습도 볼 수 있었다. 의상 때문에 니콜라스 성인Saint Nicolas에 비교되기도 하고, 스칸디나비아의 요정인 율레니세Julenisse와 동일시되기도 한다. 이 요정은 한겨울에 열

프랑스의 크리스마스 만찬

리는 축제 때 산타클로스와 같이 아이들에게 선물을 나눠주고 농가의
일을 돕는다.

3. 선물

크리스마스 시즌에 아이들에게는 우리와 비슷하게 장난감을 주지
만, 성인들은 '보 리브르beaux livres'라 불리는 호화 장정본을 주고받는
다. 가격은 5만 원에서 10만 원 사이. 주제는 미술부터 여행, 사진, 패
션을 거쳐 요리에 이르기까지 아주 다양하다. 그리고 대부분의 신문
은 매년 크리스마스 시즌에 맞춰 선물할 만한 책들을 추천하는 간지
를 제공한다. 이런 문화는 우리도 도입하면 좋을 듯싶다. 책을 통해
관계를 돈독하게 할 뿐 아니라 고급문화를 공유하는 기회이기도 할
테니. 또 하나, 크리스마스에 지인을 방문할 때는 초콜릿 박스를 선물
하는 것이 전통이다.

프랑스에서 가장 크게 열리는 스트라스부르의 크리스마스 마켓

4. 트리 장식

집과 거리에 크리스마스 트리를 장식해 밤이 오면 불을 켜두는 곳
이 많다. 크리스마스에 트리를 세우는 전통의 최초 흔적은 1492년 알
자스 지방의 스트라스부르, 1521년의 셀레스타Sélestat 및 독일에서 발
견된다. 일부 사람들은 크리스마스 시즌에 교회 안이나 앞마당에서
공연하던 신비극과 연결시키기도 한다. 대개 세상의 창조에 관련된 성
경 이야기를 다루는데, 지상의 천국 한가운데는 생명의 나무로 전나
무가 등장했고 봉헌물과 선악과를 상징하는 사과로 장식했다. 하지
만 장식 나무의 역사는 기원이 훨씬 거슬러 올라간다. 켈트족도 동짓
날 생명을 상징하는 나무를 장식했고, 스칸디나비아 사람들도 크리스
마스와 비슷한 시기에 열리는 율Jul 축제 때 나무를 장식했다. 20세기

중반까지만 해도 가톨릭교회는 이를 이교도의 풍습으로 간주했다. 프랑스에서는 알자스 지방에서 성행하던 이 풍습이 1870년 이후 내륙으로 퍼지면서 일반화되었다고 전해진다.

5. 크리스마스 구유

신약성경 속 예수 탄생 장면을 묘사한다. 아기 예수 주변에 예수의 부모인 마리아와 요셉, 양치기 목동과 함께 외양간이나 바닥에 종종 테라코타로 만든 동물들, 즉 마리아를 태우고 온 나귀, 양떼, 소 등이 배치된다. 예수의 탄생을 목동들에게 알리는 천사들이 재현되거나 외양간을 향하는 동방박사 세 사람인 카스파르, 멜키오르, 발타자르가 등장하기도 한다. 프로방스 지방에서는 도자기 인형 '상통santons'에 주민들 모습을 추가했다. 19세기의 여러 직업을 대표하는 형상을 하고 있거나 이 지역의 일상생활을 담아내는 모습이다. 상통은 색채의 아름다움 때문에 오늘날 수집의 대상이 되고 있다. 프로방스를 여행할 경우 무수한 상통 박물관과 만날 수 있으니 방문해보는 것이 좋다. 마르세유에서는 19세기 말부터 상통 시장이 11월 말부터 12월 말까지 열리고 있다.

6. 크리스마스 마켓

보통은 나무로 지어진 노점들에서 장식품과 수공예품, 장난감을 팔지만, 공산품도 점점 늘어나고 있다. 크리스마스 구유, 크리스마스 전통 비스킷, 지역에서 생산하는 수공예품, 뱅쇼, 계피, 케이크 등을 만날 수 있다. 독일과 가까운 알자스로렌, 프랑슈콩테Franche-Comté 지방의 문화가 1990년대에 프랑스 나머지 지역으로 퍼져나갔다. 최초 행사는 14세기 독일에서 '성 니콜라스 시장'이라는 이름으로 시작된 것으로 추정하며, 스트라스부르 크리스마스 마켓의 시작연도는 1570년이다. 보다 상업적인 크리스마스 마켓이 일반화된 시기는 1990년대 중반부터다. 일반적으로 11월 말에서 12월 말까지 열린다. 크리스마스 마켓은 지역 경제와 관광 차원에서 상당히 중요한 이벤트다. 매년 수백만 명이 찾으며, 수백만 유로의 경제효과를 낳기 때문이다. 거리 공연, 불꽃놀이 행사 등도 함께 열린다. 프랑스에서는 스트라스부르 외에 알자스 지방의 콜마르, 카이제르스베르그Kaysersberg, 뮐루즈, 묑스테르, 리크비르Riquewihr에서 열리는 행사도 사람들이 많이 찾고 있다. 파리의 라 데팡스와 샹젤리제 거리에서도 최근 열리는 중이다.

7. 자정 미사

크리스마스이브에 가톨릭교회에서 갖는 예배로 대중적인 성공을 거둔 일부 행사를 많은 관광객들이 찾고 있다. '밤'을 의미하는 이름과는 달리 통상 18시에서 22시 사이에 예배가 이루어진다. 어둠에서 빛으로 이행하는 과정을 경축하는

프랑스의 크리스마스 전통 미사 파스트라주 풍경

데, 성경 이사야서 9장 1~6절에 등장하는 예수의 탄생에 대한 예언, 누가복음 2장 1~14절에 등장하는 예수의 탄생, 하나님에 대한 찬양 등을 담아낸다. 프로방스 지방에서는 사람들이 목동 차림으로 양떼를 모는 등 직접 아기 예수의 탄생을 미사에서 재현하기도 하는데 퐁비에이유Fontvieille, 레보드프로방스, 생레미드프로방스, 생미셸드프리골

레Saint-Michel de Frigolet의 수도원과 성당 등에서 열리는 미사를 찾는 프랑스인들이 많다. '파스트라주pastrage'라 불리는 전통적인 미사는 통상 밤에 열린다.

8. 13개 디저트

프로방스알프코트다쥐르의 '13개 디저트'도 이 시즌에 즐길 수 있는 특별한 전통 디저트다. 예수와 열두 제자를 상징하는 이 디저트에는 마르멜로 파이, 비스킷, 아몬드, 누가, 사과, 나뭇잎 모양의 빵 푸가스 등이 들어간다.

사랑을 되돌아보기

하나의 대상을 진정 사랑한다는 것은 어떤 의미일까? 그리고 변치 않는 사랑이란 또 무엇일까? 적어도 프랑스에 대한 나의 사랑은 40여 년간 변함이 없었다.

모든 건 열정과 호기심에서 비롯되었다. 고등학교 입시에서 떨어져 1년 재수한 적이 있었다. 공부에 관해서는 남들에게 뒤진 적이 별로 없었기에 당시 받았던 충격은 상당히 컸다. 슬픔을 달래기 위해 재수생 시절 나는 정말 많은 책과 자료를 탐독했고, 그러면서 프랑스 문학의 매력 속으로 빠져들었다. 이상할 정도로 프랑스 문학은 영미권의 그것에 비해 훨씬 더 '뜨거운' 방식으로 사회를 그려내고 있었고, 마음의 상처가 컸던 청소년기의 나는 그로부터 많은 위로를 받았다. 오늘날 《레 미제라블》이 우리에게 주는 의미와 비슷한 느낌을 그때 받지 않았을까? 그때부터 나는 프랑스 문학을 전공하고 싶었고, 그런 생각은 내가 대학에서 프랑스어를 선택하게 했다.

우울하기 그지없던 1970년대와 1980년대에 프랑스라는 나라가 보여주었던 매력을 어떻게 다 설명할 수 있을지… 그 옛날 서울의 젊은

영화 〈두 영국 여인과 유럽 대륙〉 포스터

살바토르 아다모의 앨범

이들에게 가장 멋진 데이트 코스는 지금의 경복궁 옆 동십자각 쪽에서 출발해 삼청공원까지 올라가는 길이었다. 당시 프랑스문화원은 그 길목에 있었다. 지금은 폴란드대사관으로 변한 건물이다. 문화원 지하에 있던 150석 규모의 르누아르 극장에서는 연일 프랑스 영화를 상영했다. 국내에서 좀처럼 볼 수 없었던 귀한 프랑스 영화를 보는 기쁨은 대단했다. 내가 〈금지된 장난〉, 〈두 영국 여인과 유럽 대륙 Les Deux Anglaises et le Continent〉을 비롯한 무수한 영화를 만난 곳도 그

곳이었다. 또 문화원 바깥에서 만난 프랑스 영화들도 한결같이 강렬한 느낌을 주었다. 무협영화와 서부영화가 극장 스크린을 장악하던 시절, 화면을 꽉 채운 〈남과 여〉의 영상미는 얼마나 이국적이고 낯설었던지…

프랑스 대중음악이 주는 기쁨도 대단했다. 미셸 폴나레프의 미성은 정말 특이한 느낌이었고, 다니엘 리카리의 스캣송도 황홀했다. 어느 순간부터 멀어졌지만 폴 모리아 악단이 연주하던 경음악은 얼마나 달콤했던가? 1976년 이화여대 대강당에서 만났던 살바토르 아다모 Salvatore Adamo의 공연도 샹송의 매력을 한껏 느끼게 해주었다. 그때 음악에 대한 나의 허기를 채워주던 대상은 성음레코드에서 발매하던 몇

안 되는 상송 카세트테이프였다.

이런 관심은 유학 시절에도 이어졌다. 파리에서 중요한 미술전시회는 어지간하면 놓치지 않았고, 마음을 끄는 음악은 기필코 CD로 구입해야 직성이 풀렸다. 프랑스인들이 많이 찾는 문화행사는 어김없이 달려갔다. 음악의 축제, 7월 14일 대혁명 기념행사, 문화유산의 날⋯ 목록은 끝이 없다. 한마디로 프랑스 땅에서 생산되던 모든 문화가 나의 관심 대상이었다. 더욱 그럴 만한 이유가 있었다. 나의 박사학위 논문 주제는 홀로코스트, 다시 말해 유대인 학살이었다. 1980년대 한국에서는 유대인 학살에 대한 담론이 거의 부재하던 터라 한국인으로서 처음 홀로코스트를 연구해보겠다는 나의 야심 찬 의도는 프랑스에서 보기 좋게 빗나갔다. 쉽게 논문을 끝내기에는 이 주제가 걸친 영역이 너무도 넓었다. 이데올로기, 정치, 역사, 종교, 미술, 문학, 음악 등 유대인 문제와 관련되지 않은 영역은 없었다. 그만큼 논문을 쓰기가 어려웠다는 얘기다. 파리의 먹구름이 복잡한 심사를 더욱 짓누를 때면 나는 무조건 소르본 대학 도서관과 퐁피두센터 도서관을 뛰쳐나가 프낙을, 지베르 조제프 서점을, 레알 영화관을 헤집고 다녔다. 문화를 통해 나의 그 지난한 주제를 상쇄하고 싶은 마음이었다. 그럴 수밖에 없었다. 7년을 쏟아부었어도 내가 타인의 죽음, 그것도 대량학살이라는 주제를 감당하기는 너무 버거웠다. 이 책의 거의 모든 내용이 그런 일탈의 행복을 다루고 있다.

그 후 프랑스 사회와 문화를 알리는 노력은 신문과 잡지 등 정기간행물을 통해 연차적으로 보완되었다. 많은 매체를 이 잡듯이 뒤지자 프랑스의 모든 것이 서서히 눈에 들어왔고, 경험이 축적되자 나중에는 꽤 유학 생활을 즐겼던 느낌이다. 미디어는 나의 인식의 지평을 확대

필자가 대학시절 참여했던 프랑스어 원어연극 〈이태리제 밀짚모자〉(1981년)

하는 데도 크게 기여했다.《르 몽드》《르 몽드 디플로마티크》《리베라시옹》《르 쿠리에 앵테르나시오날》등을 통해 나는 세계상을 제대로 익힐 수 있었다. 세계를 바라보는 프랑스의 시각은 가히 국제적이었다. 더구나 문화 분야에서 얻은 지식은 나를 더할 나위 없이 풍요롭게 해주었다. 하나의 문화현상을 좌파와 우파 시각으로 다르게 바라보는 법, 세계 각 지역의 다양한 문화, 다채롭기 그지없는 프랑스의 지방 축제들, 문화와 정체성, 각 지역의 차별화된 역사, 종교와 세속성 사이의 상관관계 등은 내가 프랑스로 떠나지 않았으면 결코 확보하지 못했을 소중한 지식들이다.

　뒤돌아보면 나의 공부는 프랑스 문화를 삶과 분리되지 않는 하나의 총체로 파악했던 것 같다. 시간적 거리를 두고 생각해보니 내가 택했던 공부 방식이 전적으로 옳았다. 문학은 미술과, 미술은 음악과, 음악은 문학과 불가분의 관계를 맺고 있었다. 최근 제자 예림이로부터 들은 이야기가 있다. 인상파 그림이 정말 아름답다 생각했는데, 프랑스를 여행해보니 지방의 들과 구름, 하늘과 나무가 인상파 그림 속 풍경과 완전히 똑같더라고… 나는 그림과 음악에서, 역사와 영화에서 프랑스인들이 느꼈던 분노와 좌절, 기쁨과 환희를 내 것으로 만들려고 애썼다. 프랑스인이 프랑스를 바라보는 시각을 이 책이 부분적으로 담아내고 있다면 프랑스에서의 나의 삶은 성공한 것이라 믿는다.

프랑스를 평생의 연구 대상으로 택한 것에 대해 나는 단 한 순간도 후회한 적이 없다. 마치 숙명처럼 나에게 다가왔던 것이다. 그사이에 한국의 불문과에서는 변형생성문법이, 문학사회학이, 탈식민주의가, 프랑스 문화가 각 대학 채용 대상 교수의 전공 주제로 떠올랐다가 사라졌지만 난 그런 흐름을 그다지 의미 없게 바라보았다. 코미디였다. 어차피 내가 관심을 가지는 주제는 시기에 따라 뜨고 질 문제가 아니었다.

건강이 허락한다면 이 책에 뒤이어 나는 프랑스 지방문화를 다룬 책을 출간할 것이고, 프랑스 축제 전체를 정리한 책을 저술할 것이며, 프랑스라는 단위를 채우고 있는 다양한 주제를 다룬 책을 번역할 것이다. 앞으로 얼마나 더 프랑스 관련 책을 낼지 나도 알 수 없다. 열정이 살아 있는 한 내가 그동안 얻을 수 있었던 모든 정보를 풀어낼 것이고, 그러면서 나는 세상과 만날 것이다.

나의 삶은 마법에 홀려 여기까지 온 듯한 느낌이다. 마치 내가 장자의 호접몽을 꾼 듯싶다. 장자가 나비가 된 단잠을 꾸고 나서 나비가 나인가 아니면 내가 나비인가를 구별할 수 없었던 것처럼, 나는 지구 반대쪽 세상과 승부했고 부분적으로는 그 세상을 어느 정도 얻은 기분이다. 꿈도 현실도, 삶도 죽음도 구별이 없는 세계 속에서 나는 모

프랑스 정부장학생 시절,
포스텍 최윤성 교수와 노르망디 도빌 해안에서

든 것이 일회적이라 느끼며, 인생 역시 덧없는 한바탕의 꿈이라 생각하
고 있다. 동시에 그 꿈은 내가 소망하는 유토피아와도 연결된다. 꿈꾸
지 않으면 세상을 변화시킬 수 없기에, 나는 늘 새로운 세상을 소망해
왔다. 그 세상은 앙드레 말로가 '사나이다운 우정'이라고 표현한, 연대
와 상부상조 정신, 공감과 연민의 정으로 채워진 세상이다. 돈에 대한
신앙이 지배하는 우리 사회와 너무 다른 세상이다.

　프랑스라는 나라는 문화의 정점에 있었다. 문화적 예외, 프랑스적
예외를 부르짖는 것만으로도 프랑스라는 존재는 나에게 여전히 유효
하고, 앞으로도 유효할 것이다. 문화는 죽음을 극복하는 가장 유효
한 수단이기도 했다. 지금은 모두 떠나신 부모님의 고독을 나는 여전
히 제대로 이해하지 못한다. 하지만 문학과 예술이 아니라면 그들의
그 절절했던 삶을 대체 무엇이 대변해주느냐 말이다. 나 역시 고향 부
산의 바다와 다시 만나는 꿈을 꾸며, 나를 감쌌던 모든 외피를 '문화

적으로' 설명해내려고 애쓰고 있다. 흥미롭지 않은가? 다른 사람의 눈으로 나를 다시 들여다보는 방식은… 방황의 끝이 어딜지는 나도 아직 모르겠다.

유학 시절 샹보르 성 앞에서